KB201755

중국학 총서 5

중국이 본 한국전쟁

중국학 총서 **5**

중국인민지원군 부사령관 홍학지의 전쟁 회고록

중국이 본 한국전쟁

홍학지 지음·홍인표 옮김

한국학술정보㈜

역자의 말

이 책은 홍학지(洪學智) 중국 인민정치협상회의 부주석이 쓴『항미원조전쟁회억(抗美援朝戰爭回憶)』(1991, 再版, 해방군문예출판사)을 저자의 동의를 얻어 우리말로 옮긴 것이다.

역자가 이 책을 입수한 것은 90년 12월 북경(北京) 출장길에서였다. 책에 대해서 처음 듣기는 그해 10월 북경 아시안게임 때였다. 북경에서의 일을 끝내고 흑룡강성(黑龍江省)에 들렀다. 교포신문인 흑룡강신문(黑龍江新聞)의 심수복(沈壽福) 부장(현재 편집국장)이 '홍 부주석이 전쟁 회고록을 곧 출간한다는 인민일보(人民日報) 기사를 읽었다'면서 '당시 중국인민지원군 부사령관이었던 그분의 위치로 보아 사료로서도 의미가 있을 것'이라고 귀띔했었다.

북경 출장길에서 책을 들고 돌아와 틈틈이 번역 작업에 들어갔다. 국판 크기 276페이지의 이 책은 그때부터 역자의 동반자였다. 기본적인 분량도 분량이려니와 중국 문장 특유의 표현법을 우리 식으로 어떻게 매끄럽게 바꾸느냐가 큰 숙제였다. 더구나 역자는 군사학에는 문외한이어서 병단(兵團), 군(軍), 단(團) 등의 표현을 우리말로 바꾸기 위해 고심했었다.

이 책의 특징은 회고록답게 실감이 나는 에피소드를 여럿 담고 있다는 점이다. 저자가 졸지에 동북지방으로 떠나는 시작부분부터 53년 전쟁이 끝난 뒤 김일성 북한 수상으로부터 폭탄주 세례를 받고 곤욕을 치른 일까지 저자가 직접 겪었던 체험담이 솔직하게 실려 있다. 이와 함께 전쟁의 큰 줄기와 많은 전투내용을 곁들여 단순한 회고록 이상의 사료적 의미도 함께 가지고 있다.

특히 제3차전역 당시 38선 돌파를 둘러싼 중국지도부 간의 갈등, 제5차전역 당시 전군의 식량이 떨어져 곤욕을 치렀던 일, 후근 사령관으로서 팽덕회 총사령관으로부터 당했던 갖가지 질책 등이 눈길을 끌었다. 물론 이 책은 중국정부에서 공식으로 펴낸 이른바 공간사(公刊史)는 아니다. 그러나 저자는 전쟁의 시작부터 끝까지 지켜본 단 한 명의 생존 지원군 지휘관인 데다 현직으로 미루어 공식자료에서 볼 수 없는 흥미로움을 지니고 있어 현장감을 실감하면서 공식자료 못잖은 사료적인 의미까지 엿볼 수 있다. 그동안 지원군 지휘관으로 회고록을 남긴 사람은 팽덕회, 양득지, 두평 등이었으며 인민해방군 총참모장 대리였던 섭영진도 회고록을 펴냈다. 그럼에도 불구하고 이 책이 지난해 중국에서 20만 부 이상이 팔렸고 최우수 도서로 선정된 이유도 이런 데 있을 것이다.

어쨌든 91년 2월 1일부터 그해 10월 8일까지 9개월 동안 이 책은 『중국이 본 한국전』이라는 이름으로 역자가 몸담고 있는 경향신문에 45회에 걸쳐 연재됐다. 회사 일 틈틈이 1회분(2백 자 원고지 25매)씩을 번역하면서 내용의 잘잘못은 떠나서 한 번도 빠뜨리지 않고 연재를 끝낼 수 있었다.

91년 3월 번역 도중 북경의 군사과학원 연구원으로 일하던 교포께서(이분의 이름은 본인의 뜻에 따라 밝히지 않겠다) 역자를 찾아왔다. 이분은 친척 방문차 50여 년 만에 고향을 찾았던 길이었다. 국방부 전사편찬위원회에 들렀다가 홍 장군 회고록이 연재되는 것을 알고 번역에 도움을 주기 위해 온 것이었다.

그는 원문의 '운동전'을 '기동전'으로, '좌우익'은 '좌우일선'(一線)으로 바꾸는 게 좋겠다는 의견을 제시하고 역자의 일부 번역원고를 매끄럽게 고쳐 주었다.

그해 5월, 그가 귀국할 때 역자는 가능하다면 저자인 홍 부주석에게 한국어판 서문을 써달라고 부탁했다. 저자에게 보내는 편지와 선물을 함께 보내면서 말이다. 그래서 역자는 그해 6월 10일 "한국어판을 출간해도 좋다."는 내용의 저자 편지를 받았던 것이다.

중개자인 그분의 말로는 홍 장군이 "한국어판 출간 소식에 매우 놀랐다. 한국 땅에서 중국인민지원군의 활약상을 어떻게 소개할 수 있겠는가?"라고 말했다고 한다.

책의 이해를 돕기 위해 가능한 범위 내에서 역주를 많이 붙였다. 일본에서 나온 중국인명사전(中國人名辭典)과 국내에서 나온 여러 자료를 참조했다. 일반 독자들의 편의를 위해 중국인명과 지명은 한자로 표기하되 중국어 원음을 밝히지 않았다. 중국어 표기법이 확정되지 않은 사정도 있었다. 아울러 책을 완역한다는 측면에서 신문연재에서 빠뜨린 부분을 모조리 채웠으니만큼 일반 독자들은 세부적인 전투 상황을 건너뛰어도 무방할 것이다.

신문연재 도중 많은 관심을 보여주신 孫世一 국회의원, 裵成東 현대경제사회연구원장, 경향신문 독자들께 감사를 드리며 원고를 선뜻 받아주신 辛勝夏 교수님, 고려원 특집부 여러분에게도 뭐라고 말할 수 없는 고마움을 느낀다.

끝으로 출간의 기쁨을 역자 주위의 경향신문 선후배, 동료 여러분과 함께 나누고 싶다.

1992년 7월

역자 홍인표

한국어판 출간에 즈음하여

홍인표(洪仁杓) 선생이 쓴 글 잘 전해 받았습니다. 전해 준 선물을 받지 못함을 너그러이 이해해 주십시오. 대신 홍 선생에게 고맙다는 뜻을 전해 주십시오.

내가 쓴 『항미원조전쟁회억(항미원조전쟁회억)』은 번역 출판해도 좋습니다. 번역할 때는 재판본을 기준으로 삼되 정확하게 옮겨 잘못 새기는 일이 없기를 바란다고 전해 주십시오. 재판은 훗날 보내드릴 테니 관련된 모든 일은 동지가 알아서 처리하십시오.

이만 줄입니다.

1991년 6월 10일
洪學智

* 역자가 한국어판 출간 여부에 대해 북경의 군사과학원 연구원을 통해 저자에게 문의한 결과 저자가 연구원에게 보낸 답장 형식을 빌려 한국어판 출간 승낙을 한 것임. 저자의 현 지위에 비추어 직접적인 답장을 보내는 것은 어렵다는 전언이 있었음.

재발간에 즈음하여

이 책을 선보인 지 이미 많은 세월이 흘렀다. 저자인 홍학지 장군은 2006년 11월 세상을 떠났다. 책을 펴낼 당시 도움을 주었던 심수복 흑룡강신문 편집국장과 조선족 군사과학원 연구원이던 이상영 선생도 이 세상에 계시지 않는다. 우연한 기회에 인연을 맺은 이 책 덕분에 중국에 대한 이해를 높이는 데 역자로서도 많은 도움을 받았다.

홍학지 장군은 책이 나온 뒤인 1994년 5월 2일 상해에서 만났다. 당시 중국 최고의 국정자문기구인 중국인민정치협상회의 부주석으로 상해 제2군의대학에 건강 진단차 들렀을 때였다. 그는 제2군의대학의 접견실에서 역자와 만나 나이를 묻고는 "황금의 시간"이라며 "시간을 아껴쓰라"고 말씀하신 것이 지금도 생생하다. 본인이 문화혁명 당시 너무나 시간을 낭비한 것에 대한 안타까움을 나타낸 것으로 보였다.

홍학지 장군을 만나기 전에는 주로 홍 장군의 아들인 홍호 중국 국가체제개혁위원회 부주임과 만났다. 홍 장군의 신분을 감안할 때 외국 기자를 만나는 것은 아무래도 부담스러웠기 때문이라는 게 중간 연락을 맡았던 이상영 연구원의 전언이었다.

홍호 부주임은 "한국 땅에서 아버지 참전 회고록이 나올 줄은 정말 기대하지 않았다"면서 역자의 용기를 격려했다. 특히 한국과 중국의 수교가 이뤄지기 전에 한국의 일간지에서 9개월 동안 연재한 것에 대해서도 놀라워했다. 전후 북한이 중국의 참전 지원에 대해 가능하면 드러내지 않고 싶어하는 데 대한 서운함도 어느 정도 작용한 것으로 느꼈다.

이 책은 처음 나온 뒤, 독자들의 사랑을 과분하게 받았다. 2005년에는 홍호 당시 길림성장(지금은 전국인민대표대회 부주임위원)이 한국 손님들에게 줄 선물로 이 책을 다수 입수했으면 한다는 요청을 전해 듣기도 했다. 그러나 출판사 사정으로 절판이 된 터여서 역자로서도 안타까웠다.

이번에 다시 펴낸 이 책을 통해 무엇보다 많은 사람들이, 중국이 참전한 한국전쟁에 대한 이해를 높였으면 한다. 재발간에 즈음해 오탈자를 바로잡고 글을 새롭게 다듬었다. 중국에 와서 입수한 여러 자료를 통해 잘못된 점도 적지 않게 고쳤다.

중국의 항미원조전쟁, 우리가 말하는 한국전쟁이 벌어진 지도 58년이 흘렀다. 그동안 세월이 흘러 전쟁을 벌였던 우리나라와 중국이 수교는 물론이고 하루가 다르게 관계가 밀접해지고, 남북한이 교류를 하고, 미국이 중국의 최대 무역국가가 되는 눈부신 변화가 있었다.

중국도 요즘은 미국과의 관계를 의식해 항미원조전쟁 기념식을 조용하게 치르고 있다는 것이 현장에서 받은 인상이다.

역사는 미래를 비쳐주는 거울이다. 50여 년 전 한반도에서 일어났던 민족의 비극을 새기는 데 이 책이 조그마한 도움이 되었으면 하는 마음은 변함이 없다.

2008년 6월 북경에서

저자 서문

　항미원조전쟁(抗美援朝戰爭)이 눈 깜짝할 사이에 벌써 40년이 지났다.

　이 전쟁은 아군이 현대적인 무기장비를 갖춘 상대와 죽음을 무릅쓰고 벌인 결전이었다. 아군 역사상 빛나는 한 페이지이기도 했다. 조선 반도와 아시아를 둘러싼 평화를 가져오고 세계에서 우리의 위치를 확고히 다졌다는 점에서도 아주 중요한 뜻을 가지고 있다.

　여러 해 동안 참전한 동지들이 적잖이 이 전쟁에 대한 회고록을 쓰도록 독촉했었다. 그러나 결코 쉬운 일이 아니라는 생각에서 일일이 거절했었다. 1988년 겨울, 해방군문예출판사(解放軍文藝出版社)에서 나를 찾아와 회고록 집필을 권유했다. 항미원조전쟁 승리 40주년을 기념한다면서 말이다. 나는 여러 번 생각 끝에 결국 승낙하고 말았다. 굳이 이유를 밝히자면 지원군 사령관 겸 정치위원인 팽덕회(彭德懷) 동지, 등화(鄧華), 한선초(韓先楚), 진갱(陳賡), 감사기(甘泗淇), 해방(解方), 주순전(周純全), 양용(楊勇), 이지민(李志民), 장문주(張文舟)와 당시 휴전회담 대표이던 이극농(李克農) 동지 등이 모두 세상을 떠났다는 생각이 들어서였다. 특히 우리는 조선전쟁에서 수십만 동지들을 희생했다. 나는 회고문장 몇 글자를 남겨 그들을 기념해야겠다는 책임감을 느꼈으며 아울러 전쟁터에서 부상당한 동지들에게도 위로를 보내야겠다고 생각했다. 내가 직접 겪은 것, 들은 것, 눈으로 본 전쟁 경험을 실마리로 해서 왕파(王波), 양해영(楊海英) 동지의 정리로 이

책을 만들었다. 그동안 지원군사령부작전처 부처장이었던 양적(楊迪) 동지가 적잖은 자료를 제공했다. 이 책의 원고는 마지막 단계에서 양적, 전쟁기간 중 팽 총사령관 비서였던 양봉안(楊鳳安) 동지가 훑어보면서 정확한 내용을 담느라 애를 썼다. 이런 과정을 거쳐 세상에 선을 보이게 된 것이다. 40년 전 일이라 소홀한 점이 많으리라 여겨진다. 동지들의 비평을 기대한다.

1990년 8월 8일

목 차

∞ *1* ∞

폭 풍 전 야

개전 직후 제4야전군 국경이동

1950년 6월 25일 새벽, 조선전쟁이 일어났다.[1]

이틀 후 미국 트루먼 대통령은 미공군과 해군에 대해 한국군을 지원하도록 명령했다. 그는 또 미해군 제7함대를 대만해협으로 진입하도록 했으며 유엔군의 이름으로 16개국 병력을 조선에 파견토록 했다. 그로부터 3일 후 미육군 제8군이 직접 지상작전에 참전했다. 조선반도에서 전황이 급속도로 악화됐다.

6월 28일, 모택동(毛澤東) 주석[2]은 중앙인민정부위원회 제8차 회의에서 연설하면서 조선과 대만에 대한 미국의 '침략'을 신랄하게 비난했다.

모 주석은 "나라마다 사정이 있는 법. 미국이 내정간섭을 해서는 안 된다." "중국인민은 침략을 당한 나라를 동정한다."는 요지의 연설을 했다. 같은 날 주은래(周恩來) 총리 겸 외교부장[3]은 성명을 발표했다. "트루먼의 27일성명과 미해군의 행동은 중국영토에 대한 무력침략이며 유엔헌장을 파괴하는 것이다. …… 미국정부가 남한 이승만(李承晩) 군대를 부추겨 조선민주주의인민공화국을 공격하도록 한 것은 바로 예정된 구실이다. 미제국주의가 아시아에 개입하려는 것이다."

선견지명이 있었다.[4] 중화인민공화국 성립(1949년 10월) 후 국내의

---

1) 이 표현은 매우 의미심장하다. '남침' 또는 '북침'이라는 설명이 없다. 80년대 이후 중국의 공식입장은 한국전쟁을 내전으로 나타내고 있는데 북침설의 암묵적인 부정으로 전문가들은 보고 있다.

2) 毛澤東(1893~1976) 湖南省 湘潭현 詔山 출생. 1949년 10월 1일 중앙인민정부가 북경에 수립되자 주석 겸 인민혁명군사위 주석. 56년 9월 제8기 중앙위 주석, 중앙정치국 위원.

3) 周恩來(1898~1976) 49년 10월 인민혁명군사위 부주석, 정무원 총리 겸 외교부장.

어수선한 분위기 속[5]에서도 모택동 주석과 중앙군사위원회는 조선전쟁이 일어난 후 동북(東北)지방에 대한 관심을 늦추지 않았다.

전쟁이 일어난 지 얼마 되지 않았던 7월 모 주석과 중앙군사위원회가 인민해방군 정예부대인 제4야전군 13병단(병단은 국군의 '군' 규모로 병력은 12~13만 명)을 조선과 경계를 이룬 동북지방에 보낸 것은 만일의 사태에 대비한 탁견이었다.

7월 7일과 10일, 중앙군사위 주은래 부주석은 각각 국방회의를 열어 동북지방 경계를 위해 제4야전군 파견을 결정했다.

제4야전군은 항일전쟁과 49년 4월 해남도(海南島) 점령 등 수많은 전투에서 혁혁한 전공을 세워 '철군'이라는 영예로운 별명을 지니고 있었다.[6]

---

4) 13병단의 東北지방(일제시대의 만주. 吉林, 遼寧, 黑龍江 등 3개 省) 파병은 인민군이 순풍에 돛단 듯이 진격을 하고 있을 때였다. 그러나 중국공산당중앙위(당중앙)는 세계최강인 미국이 결코 쉽사리 한반도에서 물러나지 않으리라 판단했다. 당시 동북지방은 중국대륙에서 군 병력이 가장 적었다. 전 지역을 통틀어 제42군이 흑룡강성 北大荒(요즘 입에 오르내리는 三江평원 일대)에서 황무지 개간 중이었다. 이 외에 5개 독립사단. 1개 공안사단이 지방경비 임무를 맡았다. 합쳐 봐야 20만 명이 채 되지 않았고 전체병력의 27분의 1에 그쳤다.

이러한 동북지방에 13병단을 미리 파견한 것은 시의 적절한 것으로 드러났다. 전쟁준비, 물자부족, 수송수단 미비 등으로 20여만 명의 병력을 동원해 참전시키는 데는 3개월 이상이 걸리기 때문이었다.

5) 1949년 말 현재 서장, 대만 두 곳을 점령하지 못했다. 중앙군사위 명령으로 서남군구 제18군이 서장공격 준비에 들어갔다. 대만점령 준비작업은 49년 여름에 시작됐다. 원래 계획은 1년쯤 걸릴 것으로 생각했다.

그해 10월. 금문전투에서 패퇴한 뒤 해, 공군의 중요성이 제기됐다. 대만점령 계획을 뒤로 미루었다. 우선 해, 공군 보강문제가 절실했기 때문이다.

1950년 5월. 중국대륙에서 국민당과의 싸움이 거의 끝났다고 보고 중공중앙은 전군의 퇴역계획을 확정해 1차로 군 병력을 540만 명에서 4백만 명으로 줄이기로 했다. 2차로 다시 3백만 명 이하로 군비지출을 크게 줄이기로 했다.

제4야전군이 파견된 데는 전력이 막강한 점 외에도 동북출신 병사들이 많은 데다 항일전쟁시기 동북지방에서 전투를 벌인 경험이 많아 지리와 기후에 쉽게 적응하리라는 고려도 있었다.

당시 제4야전군의 주력 13병단 예하 38군(군은 국군의 '군단'에 해당하며 병력은 4만 5천~5만 명), 39군, 40군은 중앙군사위원회의 전략예비대로서 하남성(河南省)에 주둔했다.[7] 38군은 신양(信陽), 39군은 나하(驟河), 40군은 낙양(洛陽)에 각각 머물렀다.

중국 어디서든 군사적인 지원이 필요한 곳이면 출동할 수 있게 중원지방에 자리 잡고 있었던 것이다.

7월 말 조선인민군이 낙동강변까지 파죽지세로 밀고 내려왔지만 만일의 사태에 대비해 13병단 예하 3개 군을 급파하는 한편 원래 동북지방을 맡고 있던 42군[8]도 13병단 휘하에 편입시켰다.

중앙군사위는 또 15병단 사령관 등화(鄧華)[9]를 13병단 사령관으로,

---

6) 제13병단 예하 3개 군은 국민당과의 해방전쟁시기 동북야전군의 주력이었다. 찬란한 전투사를 기록했다. 제38군은 원래 46년 8월 편성된 동북민주연군 제1종대(后에 軍으로 바뀜)였다. 해방전쟁시기 동북야전군의 주력으로 성장해 松花江에서 雲南省에 이르기까지 중국대륙을 누볐다. 제39군은 원래 46년 9월 편성된 동북민주연군 제2종대였다. 항일전쟁 초기 8로군 제115사단 제344여단에 편입됐다가 후에 新四軍 제3사단이 되었다. 해방전쟁시기 동북에 들어가 동북야전군의 주력이 되었다. 제40군은 46년 초 남만주에서 창설된 동북민주연군 제3종대였다. 나룻배로 바다를 건너 海南島를 점령하는 전공을 세웠다.

7) 중앙군사위는 49년 말 제13병단을 전략예비대로 지정했다. 그러나 13병단은 河南省에서 농사를 짓는 등 생산활동에 들어가 대량의 장비를 농기구로 바꾼 실정이었다.

8) 제42군은 동북야전군에서 가장 역사가 짧다. 48년 봄, 해방전쟁시기 遼東, 遼南에서 창설된 3개 독립사단으로 편성된 동북야전군 제5종대이다. 동북지방 점령과 국민당 잔류부대와의 전투에서 많은 경험을 쌓았다.

9) 鄧華(1910~1980) 湖南省 출신. 49년 제4야전군 제15병단 사령관으로 廣

15병단 정치위원 뇌전주(賴傳珠)[10]를 13병단 정치위원으로 각각 전보했다. 13병단 사령관 황영승(黃永勝)[11]을 15병단 사령관으로 보냈다. 중앙군사위는 이와 함께 13병단과 15병단 사령부를 맞바꾸도록 했다. 황영승에게 병단 사령부를 이끌고 광주(廣州)로 가게 한 대신 등화를 병단 사령부와 함께 동북지방으로 보낸 것이다.

이 와중에 15병단 부사령관 겸 참모장이었던 나는 등화와 함께 동북에 가질 못하고 광주에 남게 됐다. 당시 15병단은 광동군구(廣東軍區)에 합쳐진 뒤였다. 군구 사령관 겸 정치위원은 섭검영(葉劍英) 원수[12]였다. 섭 원수는 군구의 세부적인 일은 모두 내게 떠맡겼다. 아닌게 아니라 나는 15병단 일뿐 아니라 군구 부사령관, 양자강(揚子江) 방어 사령관 등 여러 개의 직책을 한꺼번에 맡고 있었다. 그래서 중앙군사위가 15병단 지휘부를 몽땅 동북으로 보냈을 때도 섭 원수가 나만 광주에 남겨둔 것이다.

東 점령. 50년 2월 광동성 인민정부 위원. 해남도 군사관제위 주임. 55년 9월 상장. 74년 四川혁명위 상무위원과 77년 8월 제11기 중앙후보위원 80년 7월 上海에서 死去. 당시 해방군군사과학원 부원장.

10) 賴傳珠(1910~1965) 28년 혁명참가. 31년 홍5군단 제13군 정치 부비서장. 동북야전군 제6종대 정치위원. 중국인민해방군 총간부부제1부부장. 북경군구 정치위원.

11) 黃永勝(1910~1983) 49년 廣西군구 제1부사령관. 68년 3월 총참모장. 중앙군사위 비서장. 81년 1월 4인방사건에 연루돼 징역 18년형 선고받았음.

12) 葉劍英(1897~1986) 24년 황포군관학교 교관. 34~35년 장정 참가. 49년 1월 북경군사관제위 주임. 북경시 인민정부 시장. 같은 해 9월. 중공중앙 華南分局 제1서기, 廣東군구 사령관 겸 정치위원. 55년 9월 元帥. 56년 9월 중앙정치국위원. 83년 중앙군사위 부주석.

임표 부주석의 동북행 명령

8월 상순, 나는 섭 원수의 명령으로 북경(北京) 출장길에 올랐다.

8월 9일, 유명한 북경더위가 기승을 부리고 있었다. 내가 북경역에 도착한 것은 정오를 막 넘었을 때였다. 역구내는 찜통 같았다. 온몸에서 땀이 비 오듯 쏟아졌다. 출장길 열차 안에서 세수도 변변하게 못한 데다 후덥지근한 더위에 시달린 탓에 온몸에 부스럼이 생겨난 터라 더욱 고통스러웠다. 역을 나서면서 몸을 식히려고 그늘을 찾고 있는데 귀에 익은 목소리가 들려왔다.

"홍형, 기다리고 있었어."

"어, 이게 누구야. 등화 동지 아냐."

역에서 나를 기다리고 있던 사람은 바로 15병단 사령관에서 얼마 전 13병단 사령관으로 발령 난 등화였다. 그는 나의 오랜 전우였다. 해방전쟁 당시 우리는 요북군구(遼北軍區)에서 함께 전장을 누볐었다. 그는 군구 사령관이었고 나는 부사령관이었다. 동북야전군 때는 나는 6從(종) 사령(43군), 그는 7從(종) 사령(44군)이었다. 자주 협동작전을 하다 보니 작전회의도 함께 했다. 이후 제4야전군이 남하해 강서성 남창(江西省 南昌)에 이르러 15병단이 창설됐을 때 그는 사령관, 나는 제1부사령관 겸 참모장을 맡았다. 그때부터 우리는 더욱 자주 만나게 돼 아주 친숙해졌다. 7월 초 중앙군사위는 그를 13병단 사령관으로 임명했다. 며칠 전 그는 광주를 떠나 동북으로 향했던 터였다.

"아니 아직도 북경에 있었나. 어찌된 일이지."

"그래. 아직 동북에는 못 갔지."

"임무가 막중하다지 않았나. 궁금하이."

"그야 물론 사정이 있어서 그렇지."

"나 때문에 일부러 역까지 나왔단 말인가."

"그래, 이 친구야. 때마침 북경에 잘 왔어" 그는 갑자기 목소리를 낮추었다.

"아니, 무슨 말이야. 도대체 영문을 모르겠구먼."

"아주 중요한 일이 있어. 임(林) 부주석이 자네한테 하실 말씀이 있는가 봐."

당시 임표(林彪)[13]는 4야전군 사령관에서 중앙군사위로 자리를 옮겨 부주석으로 일하고 있었다.

"부주석께서 내게 무슨 하실 말씀이 있다는 거지."

"가보면 알아."

"근데 내가 오늘 북경에 오는지 어떻게 알았지."

"이 사람아. 내 귀가 당나귀 귀 아닌가. 척하면 삼천 리지. 자, 더 이상 묻지 말고 가세."

등화는 미제지프차에 나를 태웠다.

지프차는 북경의 대로와 골목길을 이리저리 달렸다. 당시 나는 북경의 지리에 어두워 지금 생각해 봐도 임표 집이 어디쯤이었는지 전혀 기억이 나지 않는다.

아무튼 임표 부주석 집에 도착했을 때 이미 정오를 넘겼다. 집 안에 들어서니 점심상이 마련돼 있었다. 쌀밥과 반찬 몇 가지였다.

임표는 나를 보더니 활짝 웃음을 지었다.

"홍 동지, 왔구먼. 어서어서 앉아요. 시장할 테니 식사부터 합시다."

우리는 식탁에 앉아 점심을 들기 시작했다. 임표가 먼저 말을 꺼냈다.

---

13) 林彪(1907~1971) 1924년 황포군관학교 입학. 45년 東北民主聯軍 사령관, 동북인민해방군 사령, 東北局 서기 등을 거쳐 49년 2월 제4야전군 사령관 겸 정치위원. 64년 9월. 군사위원회 제1부주석 겸 국방부장. 71년 9월 13일 쿠데타 음모 실패 후 비행기로 탈출하려다 추락사.

"홍학지(洪學智) 동지, 동북지방의 국경수비를 맡아야 할 것 같소. 이미 중앙의 결정은 내려졌어요. 지체하지 말고 지금 당장 동북지방으로 떠나시오."

"뭐라고요, 저보고 하시는 말씀입니까." 나는 내 귀를 의심했다.

"제가 동북에 가서 무슨 일을 한단 말입니까."

"동지를 보내는 이유는 물론 있지. 오늘 등화 동지가 조선에 들어갈 거요. 조선전쟁의 전황을 파악하러 말이오. 그런데 지금 압록강변에는 13병단 예하 수개 군이 있는데 등 동지가 조선으로 가면 그 일을 대신 맡아야 할 사람이 필요해. 아무래도 동지가 대신 맡아줘야겠소. 13병단이 4야(4야전군의 준말) 출신이고 얼마 전까지만 해도 광주에서 지휘한 병력들 아니오. 자, 얼른 동북으로 가시오. 점심을 먹는 대로 떠나시오. 기차표는 미리 마련해 두었으니까." 등화가 옆에서 거들었다.

"내가 동북에 가지 않고 북경에 있는 것은 당중앙의 결정 때문이야. 당중앙은 나보고 먼저 조선에 가서 전황을 살펴보라는 거지. 그래서 자네를 기다리고 있었던 거야. 당분간 내 없는 동안 동북지방 병력을 맡아줘야겠어."

"그렇다고 내가 굳이 갈 필요는 없잖아."

"그걸 말이라고 하나. 13병단 예하 수개 군은 모두 4야 출신 아냐. 13병단 사령부란 게 15병단이 고스란히 옮겨간 건데 15병단 부사령관인 자네가 맡지 않는다면 누가 맡는단 말이야. 잔말 말고 얼른 밥 먹고 함께 가세."

나는 당장 가라는 말에 초조함을 감출 수 없었다. 사실 이번 북경 출장은 섭 원수의 명령으로 15병단을 광동군구와 굳이 합병할 필요가 있는지 중앙군사위에 문의하러 왔던 것이다. 섭 원수의 판단으로는 15병단 주력은 기동작전을 위주로 하는 데 비해 광동군구는 치안문제 2

등을 맡으며 현지 병력을 통괄 지휘하는 터라 성격이 전혀 다른 2개의 집단을 하나로 통합할 필요가 있느냐는 것이다. 이 밖에 몇 가지 소소한 일 처리가 있어 북경에 온 것인데 제대로 일 처리도 하기 전에 일이 이상하게 꼬이고 있기 때문이었다. 내가 이대로 동북으로 가 버린다면 섭 원수는 어떻게 생각하실까.

아무리 생각해도 그냥 따라갈 수는 없었다.

"저는 공산당원입니다. 조직에서 저를 필요로 하시니 당연히 명령에 따르겠습니다. 근데 섭 사령관께서 제게 시킨 임무가 있는데 이걸 어떻게 하지요. 일단 광주로 내려가서 다른 이에게 일을 대신 맡기고 동북으로 갔으면 합니다만."

임표가 단호하게 내 말을 잘랐다.

"그건 안 되지. 시간이 없소. 알겠지만 지금 조선의 전황이 긴박하게 돌아가고 있소. 동북지방의 방어임무가 시급하오. 섭 사령관이 시킨 일은 동북에 가서 편지나 전화로 말씀드리면 되잖소."

"그렇지만 저는 마음의 준비가 전혀 되어 있지 않습니다. 갈아입을 옷도 없고요. 온몸이 땀띠투성이여서 치료도 받아야 하는데……. 아무래도 광주로 돌아가는 것이 좋을 듯싶습니다." 일단 광주에 내려가서 섭검영 동지에게 보고드리고 동북으로 갔으면 해서였다.

임표는 마치 이러한 내 마음을 꿰뚫어본 듯이 단호했다.

"괜찮소. 옷이야 동북에 가서 몇 벌 구하면 될 터이고 땀띠도 서늘한 동북지방에 가서 치료하는 게 남쪽지방보다야 낫지."

등화가 재미있다는 듯이 웃으면서 끼어들었다. "저 친구를 보내서는 안 됩니다. 한번 돌아가면 영 안 올겁니다."

"자네, 무슨 말을 그렇게 하나. 돌아오지 않다니."

"물론 자네야 그럴 리 없다고 하지만 섭 사령관은 그렇지 않으실 거야. 일이 많아서 떠날 수 없다고 자네를 꼭 붙잡고 안 내놓으실 분이야. 이왕 왔으니 아예 돌아갈 생각 말게."

식사를 마친 뒤 나는 하는 수 없이 섭 사령관에게 전화를 걸었다. "군사위원회가 저를 동북지방에 보내기로 결정했답니다. 아무래도 광주 일은 다른 사람에게 맡기셔야겠습니다."

"무슨 뚱딴지같은 말을. 동북에 가는 것은 자네가 가고 싶어서인가."

"아닙니다. 일찌감치 군사위가 그렇게 결정을 내린 모양입니다."

"여기에 누가 있는가. 일단 자네가 이쪽으로 돌아와. 차근차근하게 생각 좀 해보자고."

"지금 돌아갈 처지가 못 됩니다. 저더러 오늘 당장 동북으로 가라는 겁니다. 자세한 사정은 전화로 말씀드릴 수 없고 편지를 올리겠습니다."

"군사위가 벌써 결정을 내렸다니 하는 수 없군. 가보게. 이럴 줄 알았다면 자네를 북경에 보내지 않는 건데."

"저도 이런 일이 있을 줄 정말 몰랐습니다."

전화통화가 끝나자마자 나는 곧 섭 사령관에게 보내는 편지를 썼다.

안동에 도착

오후 1시가 넘어 나와 등화는 동북행 열차에 몸을 실었다. 이렇게 엉겁결에 떠난 것이 4년 가까운 항미원조(抗美援朝) 전쟁과의 인연일 줄은 꿈에도 생각 못 했다.

등화는 줄담배에다가 경극(京劇: 중국전통연극)광이었다. 그는 열차를 타고 가면서도 연신 줄담배를 피우면서 경극대사를 흥얼거렸다. 나는 졸려 침대에 누웠다. 그런데 도무지 잠이 오지 않았다. 사실 중앙 군사위의 결정이 급작스럽기는 했지만 은근히 기뻤던 것도 사실이다. 긴박하게 돌아가는 조선국경에서 대규모 병력을 지휘한다는 사실은 전장에서 뼈가 굵은 군인으로서는 당연히 마음 설레는 일이었다.

이런저런 생각에 빠져 있는데 등화가 내 몸을 흔들었다.

"이봐, 쓸데없는 생각 마. 자네를 동북에 가도록 한 것은 내가 군사 위와 모 주석에게 건의한 덕분이라구."

"그랬어? 난 생각도 못 했네."

"그래? 잘 생각해 보라구. 우리 병단에는 지휘관이 3명 있잖아. 나하 고 자네하고 정치위원 뇌전주말이야. 그런데 군사위 명령으로 나와 뇌 는 동북으로 가야 하고 자네는 광주에 남았잖아. 이미 병단 병력이 동 북에 가 있는 상태에서 뇌전주는 일이 있어 아직 광주에 남아 있지. 나는 곧 조선에 가야 하는데 누가 나 대신 동북에 가서 부대를 지휘해 야겠어? 그래서 내가 군사위에 건의했던 거야. 모 주석과 주 부주석도 선뜻 내 의견에 동의하셨는데, 때마침 뇌 정치위원이 내게 전화를 걸 어와 자네가 북경에 온대잖아. 오거든 확실히 붙잡아두라고 하던걸."

우리는 일제히 웃음을 터뜨렸다.

나와 등화는 이런저런 얘기를 나누다가 끝내 곯아떨어졌다. 기차는 동북으로 향했다. 후에 알게 된 일이지만 내가 북경을 떠나던 날, 임 표는 나를 동북으로 보내는 문제에 대해 당시 인민해방군 참모총장 대리 섭영진[14]에게 편지를 보냈다.

---

14) 聂榮臻(1899~1992) 1919년 5·4운동 참가. 34년 장정 참가. 49년 10월 총참모장 대리. 55년 9월 원수. 85년 9월 제12기중앙위원. 정치국위원.

섭 참모총장 귀하

나는 오늘 담정(譚政) 동지[15]와 전화통화를 했습니다. 담 동지는 홍학지를 동북에 보내는 문제에 대해 홍 본인이 동의하면 무방하다고 말했습니다. 홍학지는 동북에 가서 13병단 부사령관을 맡겠다고 했습니다. 그는 오늘 저녁 등화를 따라 동북에 가 작전회의를 할 것입니다. 군사위원회는 정식으로 홍을 13병단 제1부사령관으로 임명해 주시기 바랍니다. 그리고 광동군구 부사령관 겸 남해함대 사령관이었던 홍의 후임자를 임명해 주시기 바랍니다.

이만 총총.

임표

8월 9일

우리가 잠에서 깨어나자 주위는 한밤중이었다. 열차는 이윽고 심양(瀋陽)에 도착했다. 동북군구(東北軍區) 사령관 겸 정치위원 고강(高崗)[16]을 만나기 위해서였다. 당중앙은 동북변경 방어의 모든 문제를 고강의 전적인 책임 아래 처리하도록 결정했으며 이와 관련된 문제는 심양의 고강을 찾아가 의논해야 했다.

열차에서 내려 대화여관(大和旅館)에 들었다. 이 여관은 과거 일본인이 지은 것인데 지금은 요녕빈관(遼寧賓館)으로 이름이 바뀌었다. 나는 우선 몸을 씻고 옷부터 갈아입었다. 심양의 날씨는 산해관(山海關) 서쪽지방보다 훨씬 서늘했다. 몸에 생겨난 땀띠가 잠시나마 사라

---

15) 譚政(1906~1988) 1942년 제18집단군위수병단사령부 정치위원. 48년 1월 동북인민해방군정치부 주임. 49년 5월 제4야전군부 정치위원. 55년 9월 대장. 80년 7월 중앙군사위 고문.

16) 高崗(1905~1954) 54년 8월 자살. 55년 3월 사후에 당적제명처분. 1926년 중국공산당 입당. 46년 동북민주연군 조직 후에 林彪와 함께 동북에서 활동. 吉林군구 사령. 49년 1월 中共중앙東北局 제1서기 겸 동북군구 사령관. 54년 2월 반당연맹 독립왕국 결성 등 혐의로 감금. 실각.

지는 느낌이었다.

그날 밤, 고강과 동북군구 부사령관 하진년(賀晉年)17)이 여관으로 우리를 만나러 왔다. 나는 예전 동북에 있을 때 고강을 만난 적이 있다. 하진년은 원래 15병단 부사령관이었다가 얼마 전 동북군구로 전보됐다.

심양에서는 2차례의 회의가 열렸다.

이튿날(8월 10일)오전 9시에 열린 첫 번째 회의는 동북국(東北局)18) 상무위1급회의였다. 극소수 인사가 참석했으며 등화도 그 자리에 있었다. 등화는 돌아와 회의의 내용을 설명해 주었다.

"사단장급 이상 간부회의를 열기로 결정했어. 내용을 논의한다기보다는 앞으로의 정세변화에 대해 마음가짐을 다지자는 거지."

8월 13일, 사단장급 이상 간부회의가 소집됐다. 수십 명이 참석했다. 회의석상에서 고강, 초경광(肖勁光)19), 초화(肖華)20)와 하진년이 각각 연설했다.

회의가 끝난 뒤 등화와 나, 그리고 몇몇 사람이 모여 일련의 문제를

---

17) 賀晉年(1909~2003). 1934년 陝西봉기에 참가. 49년 2월 제4야전군 15병단 부사령관 겸 동북군구 부사령관. 53년 동북군정 위원. 54년 9월 기갑부대 부사령관. 55년 상장. 82년 9월 중앙고문위 위원 겸 기갑부대 부사령관.

18) 중국공산당 중앙위원회동북국. 공산당조직인 局은 52년 폐지됐음.

19) 肖勁光(1903~1989) 湖南省제1사범학교 졸업. 모스크바 노동공산동방대학유학. 귀국 후 황포군관학교 교관. 37년 연안 8로군 참모장. 45년 林彪와 함께 동북에 진주해 동북인민해방군 부사령관. 50년 9월 해군 사령관. 54년 11월 국무원 국방부 부부장. 55년 해군대장. 82년 중앙고문위 상무위원.

20) 肖華(1916~1985) 34년 紅軍제15사단 정치위원. 49년 9월 정치협상회의 제1기전국위원. 55년 9월 상장. 61년 중앙군사위 비서장. 79년 중앙군사위 위원. 83년 정치협상회의 부주석.

검토했다. 동북에 모인 몇 개 군은 어떻게 배치할 것인가, 안동(安東: 현재의 단동(丹東))에는 어느 부대, 통화(通化)에는 어느 부대를 배치할 것이며 정치사상교육과 군사훈련은 어떻게 하고 병참보급을 어떻게 수행할 것이냐는 등의 문제였다.

우리는 심양(瀋陽)에서 사나흘간 머물렀다. 이때쯤 이미 뇌 정치위원이 이끄는 병단 사령부, 직속부대는 안동에 도착했던 터였다. 회의가 끝나자 등화와 나도 서둘러 안동으로 떠났다.

안동은 아담한 도시였다. 진강산(鎭江山: 현재의 금강산(錦江山))을 등지고 압록강을 앞에 둔 산수가 빼어난 곳이었다. 우리는 안동에 도착해 진강산 밑에 숙소를 잡았다.

우리 숙소는 산 바로 밑에 지어진 2층집 4채였다. 일본인들이 지은 집인 듯 깔끔하고도 정교하게 지어져 있었다. 건물양식 이름은 제대로 모르겠지만 앞에 2채, 뒤에 2채였는데 앞뒤의 건물양식이 서로 달랐다. 등화는 뒤채에 짐을 풀었고 나와 뇌진주는 앞채에 각각 들었다. 빈집으로 남겨둔 뒤채 한 집에는 나중에 팽덕회(彭德懷) 사령관21)이

21) 彭德懷(1898~1974) 湖南省 湘潭 출신. 元帥. 모택동과 동향. 1928년 4월 중국공산당 입당. 湖南講武堂 졸업 후 湖南국민당군 제2사단 대대장. 湖南省 平江에서 국민당군을 지휘해 봉기해 紅軍에 가입한 뒤 제1湖南소비에트정부를 수립했다. 29년 江西省으로 물러나서 紅軍제5군을 편성해서 군단장. 35년 제5, 제8군을 이끌고 江西省에서 작전을 벌이다 長征 참가. 36년 제1방면군 사령관 겸 西北全紅軍 총사령관. 37년 국민혁명군 제8로군 제18집단군 부총사령관. 46년 서북인민해방군 사령관. 49년 제1야전군 및 서북군구 사령관. 49년 10월 중앙인민정부 위원. 인민혁명군사위 부주석. 54년 9월 국방위 부주석. 국무원 부총리. 국방부장. 55년 원수. 59년 7월 廬山회의(8기2中全會)에서 대약진운동과 인민공사에 대한 비판견해를 비쳤다가 毛의 노여움을 사서 9월 국방부장 해임. 65년 1월 국방위 부주석, 국무원 부총리에서 해임. 67년 3월 劉小奇파로 비판받음. 68년 8월 紅旗제2호에 우익분자로 비판받음. 74년 11월 北京에서 林彪 4인방의 잔혹한 박해를 받으며 死去. 당시 76세. 78년 三中全會에서 명예회복.

묵었다.

앞뒤의 이층집 사이에는 단층집이 몇 채 있었다. 병단 참모장 해패연(解沛然[22]: 나중에 해방(解方)으로 이름을 바꿈)과 병단 사령부 기간요원들이 단층집에 들었다. 병단정치부 주임 두평(杜平)[23]과 병단정치부 요원들은 산의 저편 기슭에 있는 주택에 들었다. 해패연은 원래 12병단 참모장이었고 두평은 4야정치부 조직부장이었다.

13병단 소속 39군, 40군은 안동, 관전(寬甸) 일대에 머물렀다. 38군은 통화, 42군은 집안(輯安: 현재의 集安)에 각각 주둔했으며 나중에 50군도 배속됐다. 당시 4야전군의 다른 부대는 대서남(大西南)에서 국민당군 잔여세력과 전투 중이어서 동북으로 올 수 없었다. 그러나 여기에 온 주력군과 포병 1, 2, 8사단 등 3개 사단[24]에다 2개 공병단이 가세해 당시로서도 막강한 전력이었다.

원래 계획은 등화가 조선에 직접 들어가 인민군과 미군 간의 전투상황을 파악하려던 것이었다. 그러나 안동에 이르자 사정이 상당히 달라져 등화는 조선에 가지 않게 됐다.[25]

---

22) 解方(1908~1984) 본명 解沛然. 일본육군사관학교 졸업. 45년 林彪를 따라 東北에 들어가 東北군구정치부 선전부장. 종대부사령관. 상장. 82년 1월, 해방군후근학원 부원장 등을 역임. 84년 회고록 집필을 시작하려다 별세.

23) 杜平(1905~1999) 장정 당시 紅軍간부. 47년 東北야전군 제9종대 정치위원. 49년 제4야전군 13병단정치부 주임. 58년 7월 중장. 70년 12월 江蘇省 당위원회 서기.

24) 포병 제1, 제2사단은 해방전쟁시기 동북야전군이 창설한 2개 포병사단으로 당시 전군에서 가장 빨리 창설됐고 전투경험이 가장 풍부한 포병부대였다. 포병8사단은 한국전에 즈음해서 4야전군의 부속포병으로 편성됐다.

25) 저자는 중국의 참전준비 과정을 상당부분 생략했다. 아마 본인이 직접 관여하지 않은 일이었기 때문으로 생각된다. 이해를 돕기 위해 당시 상황을 다른 중국 측 자료를 종합해 보면 다음과 같다.
   7월 하순 중앙군사위의 명령에 따라 제38, 제39군과 제40군이 차례로 압

당시 조선의 전황은 눈 깜짝할 사이에 엄청난 변화가 일어나고 있었다. 조선인민군이 낙동강까지 치고 내려가 유엔군과 교착상태를 이루었을 때 이미 당중앙은 전쟁이 지구전으로 바뀔 가능성이 있다고 내다보았다. 또 미국이 전쟁규모를 확대할 가능성이 날로 커지고 있다

록강변에 도착했다. 8월 5일, 중앙군사위는 제13병단에 9월 상순 전투에 들어갈 수 있도록 준비하라고 지시했다. 8월 18일, 총참모장 대리 聶榮臻은 모든 전투준비 작업을 9월 말까지 연장하도록 했다. 당시 제13병단은 미군을 가상적(敵)으로 삼아 2개월간의 비상훈련에 들어갔다. 8월 15일 이후 총참모부와 외교부는 날마다 비상회의를 열었다. 미군이 낙동강 전선에서 완강하게 저항하는 데다 일본에 2개 사단이 집결하고 수많은 함정이 모인 때문이다. 분석 끝에 얻은 결론은 미군이 빠른 시일 내에 반격을 개시하리라는 점이다. 이어 총참모부 작전실은 조선전황의 변화에 따라 도상(圖上)모의 연습을 했다. 연습결과의 분석으로는 미군의 향후 행동 중 가장 가능성이 높은 것은 인민군의 측후에 상륙하리라는 점이다. 상륙에 가장 적당한 6개 항구 중 인천상륙의 가능성이 가장 높다고 결론지었다. 8월 23일 아침 작전실 주임 雷英夫는 모택동, 주은래에게 이러한 분석결과를 보고했다. 나중에 안 일이지만 8월 23일, 미극동사령부에서 맥아더 원수가 인천상륙작전 결정을 정식으로 발표했다.

8월 31일, 주은래 부주석 주재로 회의가 열렸다. 동북의 병력을 11개 군(36사단) 70만 명으로 구성해 3선까지 배치한다고 결정했다. 제13병단(42군 포함)을 제1선에, 제9병단을 제2선, 제19병단을 제3선에 배치한다는 것이었다. 또 4야전군에서 10만 명의 고참병을 뽑아 개전 후 일선부대에 보충한다는 결정을 내렸다.

한편 같은 날, 鄧華, 洪學智, 解方은 연명으로 朱德 총사령관에게 보고서를 올렸다. 유엔군은 일부의 병력을 인민군 측후에 상륙시키면서 주력은 현 위치에서 북진할 가능성이 가장 크며 주력을 인민군 측후(평양이나 서울)에 상륙시켜 앞뒤로 협공할 가능성도 배제할 수 없다고 지적했다. 이들은 또 중국군의 참전시기를 유엔군이 38선 이북에 이르렀을 때가 정치적으로나 군사적으로 가장 유리하다고 보고했다. 이 보고서는 9월 9일 林彪를 통해 중앙에 전달되었다. 조선 형세가 심상찮게 돌아가자 중앙군사위는 9월 상순 中南군구의 제50군을 동북으로 보냈다. 또 대만공격을 준비하던 제9병단에게 山東의 철도선으로 이동해 차후 명령을 기다리도록 했다.

는 사실을 명확히 꿰뚫어보았다. 엉겁결에 전쟁에 말려드는 일이 없도록 우리는 만반의 준비를 해야 한다는 인식을 하고 있었다.

8월 하순. 미공군은 우리의 동북영공을 자주 침범하면서 안동 집안 등 도시와 농촌에 기관총세례를 퍼붓기도 했다. 9월 15일. 유엔군이 인천상륙작전에 성공하자 인민군은 독안에 든 쥐 꼴이 되었다. 상황이 급박해졌다. 이때쯤 김일성(金日成) 수상[26]은 조선의 차수(次帥)이며 내무상인 박일우(朴一禹)[27]를 안동에 보내왔다. 그는 팔로군에 가담한 적이 있어 중국어에 능통했다.

우리는 그에게 전황소개를 부탁했다. 그는 조선인민군과 미군, 국군 간에 그동안 일어났던 전투 상황을 설명했다.

"미군이 인천에 상륙한 뒤부터 전황이 크게 나빠지고 있습니다. 저로서도 대체적인 전황만 파악할 뿐 구체적인 것은 모르겠습니다. 유엔군은 철도와 도로망을 따라 서둘러 북진하고 있고 미군전투기의 공습이 심해서 우리 측은 큰 타격을 입고 있습니다. 모든 철도와 도로가 파괴됐습니다. 그래서 인민군은 산길을 따라 북으로 퇴각하고 있고 많은 주력부대가 아직도 남반부에 남아 있는데 그나마 연락마저 끊긴 상태입니다."

박일우는 다급한 목소리로 "조선노동당과 정부를 대표해서 간절히 요청합니다. 중국에서 병력을 지원해 조선을 도와주십시오."라며 간청하는 것이었다.

---

26) 金日成(1912~1994)평남 대동군 출생. 31년 중국공산당 입당. 45년 12월 조선공산당북조선조직위원회 책임비서. 48년 9월 내각수상. 50년 6·25 발발과 함께 군사위원장 겸 최고사령관.

27) 朴一禹.(1904년~?) 평남 출생. 1942년 延安에 들어가 독립동맹간부로 활약. 7월 조선의용군부 사령관(사령관 金武亭). 45년 11월 조선의용군을 이끌고 입북. 48년 9월 내무상. 50년 11월 전선사령부 부사령관. 55년 朴憲永 일파에 동조한 혐의로 숙청.

그의 설명을 들어보니 상황이 생각보다 훨씬 나빠지고 있음을 실감했다. 우리는 그에게 위로의 말을 건넸다. "당중앙에 당신네 사정과 요구사항을 보고드리겠습니다. 당중앙의 명령이 떨어지기만 하면 즉각 병력을 출동시켜 조선을 힘껏 돕겠습니다. 조선 동지들은 마음을 놓으셔도 될 겁니다."

박일우는 안동에서 하룻밤을 지낸 뒤 돌아갔다.

박일우가 돌아가자 우리는 즉시 그가 말한 내용을 모 주석과 당중앙에 상세히 보고했다. 이어 등화, 뇌전주, 나, 해패연, 두평은 작전회의를 열었다.(한선초(韓先楚)[28]는 이때 13병단 부사령관으로 임명은 됐지만 현지에 도착하지 않았다) 이 회의에서 조선의 전황과 미군의 움직임에 대해 우리는 심각하게 분석했다. 미군은 인천상륙 후에도 진격을 계속해 압록강변까지 이르러 우리나라 안전에 직접적인 위협을 가할 것이라는 게 우리의 판단이었다. 당중앙이 조선인민을 도와 출동하라는 결정을 내린다면 그 일은 우리가 당연히 맡아야 할 몫이었다. 명령이 떨어지기만 하면 즉각 출동할 수 있도록 우리는 미군의 특징을 분석하는 한편 전쟁을 앞두고 어떻게 준비해야 할 것인가에 대해 여념이 없었다.

---

28) 韓先楚(1912~1986) 湖北省 출신. 長沙중학 졸업 1930년 중국공산당 입당. 1936년 陝北항일군정대학에서 연수받음. 항전 초기 8로군 115사단에 편입해 연대장. 항일전쟁이 끝난 뒤 제4야전군 40군단장으로 遼瀋전역, 平津전역에 참가. 49년 4월 제4야전군 12병단 부사령관. 50년 호남군구 부사령관. 54년 9월 국방위원. 56년 중앙후보위원. 66년 해방군 부총참모장 대장. 71년 福建省당위 제1서기. 74년 중앙군사위 상무위원. 83년 全人代(전국인민대표회의) 상무위 부위원장.

미군 작전 분석

그때 우리는 미군에 대해서는 거의 아는 바가 없었다. 제2차 세계대전 당시 유럽에서 노르망디상륙작전과 태평양전쟁에서 일본군과 전투한 정도의 지식이 고작이었다.[29]

우리 분석으로는 미군의 장점은 현대화된 장비, 뛰어난 기동성, 막강한 육군지상화력, 우리에게는 전혀 없는 해, 공군력 등이었다.

미군과 비교해서 볼 때 아군의 장비는 분명 열세였다. 보병은 박격포 몇 문을 보유한 게 고작이었다. 그나마 대형야포는 모두 국민당군으로부터 노획한 것으로 노새가 끌고 다녀 기동성이 떨어졌고 은폐가 어려웠다. 결국 소총과 수류탄에 의존하는 수밖에 없었다.

그러나 우리도 미군이 갖지 못한 장점이 있긴 했다.

첫째, 아군은 침략에 반대해서 싸우는 것인 만큼 명분이 뚜렷했다. 국내 많은 인민들의 지지와 전세계 평화를 사랑하는 인민들의 지지를 받을 것이다. 우리 장병들의 사기는 아주 높고 정치적인 각오 또한 굳세다.

둘째, 아군은 풍부한 전투경험을 가지고 있다. 수십 년 동안 항일전쟁과 해방전쟁을 벌여 열세한 장비를 가지고서도 장비가 우수한 적을 무찔렀다. 아군은 접근전, 야간전, 산악전, 백병전에 뛰어났다. 미군은 현대화된 뛰어난 장비를 갖고 있지만 야간전, 접근전 등에는 약하다.

셋째, 아군은 기동성이 뛰어나 전선측면을 우회 공격해 적을 섬멸하는 데 자신이 있었다. 분산과 은폐도 뛰어났다. 이에 비해 미군은 규

---

29) 미군에 대한 자료가 부족해 각 부대는 미군에 대한 지식이 있는 국민당군 출신의 장병을 찾았다. 특히 미군과 함께 버마전선에서 작전을 벌였던 장병들로부터 미군의 장단점을 수집해 대책을 연구했다.

정에 따라 전투를 하다 보니 작전이 비교적 단순했다.

넷째, 아군은 용감하고 희생을 두려워하지 않으며 고생을 묵묵히 이겨낸다는 점이다. 반면 미군은 고생을 견뎌낼 수 있는 감투정신이 모자란다. 마시는 물조차 일본에서 공수해 올 정도였다. 그들은 주로 우세한 화력에 의존하기 때문에 아군이 접근전, 야간전을 벌여 그들의 화력을 제대로 발휘하지 못하게 한다면 전투력이 크게 위축될 것이다.

다섯째, 우리는 조국을 바로 등 뒤에 두고 전투를 벌이기 때문에 군수품보급이 비교적 수월하다. 이에 반해 미군은 태평양을 건너와 작전을 벌이므로 필요한 군수품의 상당량을 미국 본토에서 수송해야 했다. 일부 작전물자를 일본에서 조달한다 해도 보급선이 우리보다 길어 인원 및 물자보급이 어려운 편이었다.

이러한 상세한 분석을 통해 우리는 다음과 같은 결론에 이르렀다. 우리가 미군을 이길 수 있다는 것이다. 아군의 장비가 그들보다 크게 뒤떨어져 있다 해도 상대의 장단점을 제대로 파악해서 아군의 장점을 최대한 발휘한다면 말이다.

앞서 말한 분석자료를 근거로 우리가 세운 작전원칙은 다음과 같다.

- 전략적으로는 지구전을 편다.
- 전술적으로는 우세한 병력을 한곳에 집중시켜 전선을 치고 들어가 적의 측면을 우회해서 각개 격파한다.
- 접근전, 야간전, 속전속결의 전통적인 작전을 벌이면서 상대의 장점을 발휘할 수 없도록 한다.
- 미군전투기 공습이 엄청나므로 대낮의 행동은 어렵다.
- 낮에는 병력을 분산시켜 은폐해 공습을 피한다.
- 밤에는 전투기 활동이 제한을 받으므로 우리는 야간전의 장점을 최대한 살려 야간전투를 벌인다.

- 상대의 야포화력이 막강하므로 오랜 시간 정면에서 대치해서는 안 된다.
- 대신 접근전에 우세한 장점을 최대한 살려 기습적으로 상대에게 다가가 그들이 포병, 전투기의 이점을 제대로 살릴 수 없게 만들어야 한다.
- 상대는 우리 측의 철로, 도로를 폭격할 것이므로 우리는 철로, 도로를 이용한 이동은 가급적 피한다.
- 아군보병이 걸어서 움직이는 것은 기계화 기동에 비할 바는 못 되지만 목표물이 적어 은폐가 잘된다는 장점도 있다.
- 우리가 대담하게 전선을 우회, 돌파해서 상대 후면을 치고 들어가 공격하면 우리의 장점을 최대한 살리는 셈이며 수류탄도 위력을 발휘하는 것이다.
- 상대가 바야흐로 북진을 감행하고 있는 만큼 우리는 방어진지를 구축하고 숨어 있다가 기회를 노린다.

우리는 군단장, 사단장급 지휘관을 소집해 여러 차례 작전회의를 열면서 각 부대의 준비상황을 보고받고 작전예비안을 연구했다. 38군의 군단장 양흥초(梁興初)[30], 정치위원 유서원(劉西元)[31], 39군 군단장 오신천(吳信泉)[32], 정치위원 서빈주(徐斌洲)[33], 40군 군단장 온옥성(溫玉成)[34], 정치위원 원승평(袁升平)[35], 42군 군단장 오서림(吳瑞

---

30) 梁興初(1922~1985) 1928년 朱德을 따라 井崗山에 들어감. 34년 장정에 참가. 49년 제4야전군 38군단장. 57년 廣東군구 부정치위원. 71년 四川省 당위원회 제2서기로 있다가 72년 林彪사건에 연루돼 실각.
31) 劉西元(1917~2003) 항일군정대학1기 졸업. 53년 10월 인민혁명군사위 총정치부청년부 부부장. 72년 6월 甘肅省혁명위 부주임.
32) 吳信泉(1910~1992) 紅4방면군 25軍 출신. 49년 1월 제39군 부군단장. 53년 7월 東北군구 부참모장. 81년 포병사령부 부정치위원.
33) 徐斌洲(1912~1996), 44년 晋察冀군구 독립 제8여단장, 종대 부사령관, 군단장 역임. 58년 6월 군사학원 부정치위원. 60년 국무원농업기계부 부부장.

林)[36], 정치위원 주표(周彪)[37] 동지 등은 오랫동안 혁명전쟁을 통해 단련된 데다 부대지휘 경험도 풍부했다.

부대의 사상교육, 훈련, 무기장비의 보충, 군수품보급 등이 모두 제대로 추진되어야 했다.

이곳에 온 몇 개의 군은 원래 하남성에 있을 때 중앙군사위의 결정으로 직접 농사를 짓는 등 생산활동에 종사했다.[38] 병사들은 지난해 (49년) 공산정권이 들어선 이후 '할 일'이 없어져 전쟁터를 떠나 건설현장이나 시골의 논밭에서 생산활동에 참여해 왔던 터였다. 길게는 10여 년씩 대지를 누비며 적을 소탕하던 젊은이들이 정들었던 총을 놓고 손에 서툰 가래나 낫, 곡괭이를 들고 논밭에서 일하는 것이 쉬운 일은 아니었다. 그러니 새삼스레 전투준비에 부산한 병사들이 고기가 물을 만난 듯한 표정을 짓는 것은 당연한 일이었다. 그때 장병들은 또다시 전쟁을 치를지 모른다는 사실을 알고 환호성을 질렀다. 서투른 농사일보다 전장에서 전투를 치르는 게 차라리 편했던 것이다. 병사들

---

34) 溫玉成(1915~1989) 37년 8로군 편입. 47년 東北야전군 제10사단장. 67년 부총참모장, 成都군구 부사령관. 70년 6월 이후 林彪사건과 연루돼 소식이 끊김.

35) 袁升平(1912~2003) 紅1군단 출신. 장정 참가. 49년 제4야전군 40군 정치위원. 55년 北京군구정치부 주임. 79년 2월 군사과학원 정치위원 82년 9월 중앙고문위 위원.

36) 吳瑞林(1915~1995) 45년 東北에 진출해 東北민주연군독립 제1사단장. 48년 東北야전군 제5종대 부사령. 49년 제4야전군 제42군단장, 武漢으로 옮겨 重慶공격에 참가. 50년 黑龍江省 北大荒으로 이주해 생산활동에 종사. 72년 5월 해군 부사령관.

37) 周彪(1910~1981) 32년 중국공산당 가입. 47~52년 華北야전군 종대, 군, 병단간부. 55년 중장. 64년 공군사령부 부정치위원.

38) 河南省에서 생산활동 중이던 제13병단은 몇 개월 동안 훈련다운 훈련을 하지 못했다. 대포 안에 참새가 둥지를 틀고 앉았을 정도였다.

의 진지한 모습은 우리 지휘관들을 흐뭇하게 했다. 하루 4시간씩, 길다면 길다고 할 수 있는 사상교육을 용케 잘 견뎌냈다.

등화, 나, 한선초, 해패연, 두평등 병단 지휘관들은 직접 일선부대에 가서 정신교육, 군사훈련을 지켜보았다. 지휘관들은 조선반도의 안전이 우리 중국의 그것과 직결된다는 점을 강조했다. 미군들은 북진의 고삐를 늦추지 않을 것이고 조선반도를 통일하게 되는 경우 중국에까지 전쟁의 불똥이 튀리라는 점을 주지시켰다. 결국 우리가 항일투쟁이나 국민당과의 전투에서 익히 경험했듯 강한 정신력은 충분히 화력의 열세를 메울 수 있다는 점을 강조했고 병사들도 수긍했다.

무기탄약 등 장비검사를 하기도 했다. 동북군구 동지들과 군수품보급 문제를 협의했다. 바야흐로 날씨가 서늘해져 월동장비를 때맞춰 준비해야 했다. 솜옷, 솜 신발, 솜이 들어 있는 군모 등 물자준비가 모두 끝났다.

2

출병결정

김일성 파병요청

변방의 안동은 경치가 빼어나게 아름다웠다. 날씨도 사람 살기에 안성맞춤이었다. 안동과 압록강을 사이에 두고 마주보이는 곳이 조선의 신의주였다.

1950년 10월 7일 저녁때였다. 사방에 어스름이 깔렸다. 나는 등화와 저녁밥을 먹던 중이었다. 미군이 38선을 넘었다는 소식을 접하고 조선반도의 형세가 아주 어렵게 되고 있다는 얘기를 나누고 있었다. 바로 이때 갑자기 남쪽에서 윙윙거리는 소리가 들려왔다. 소리가 점점 크게 들렸다. 우리는 왠지 이상한 예감이 들어 밖으로 뛰쳐나갔다. 강 건너편 남쪽하늘에 커다란 불똥이 벌 떼처럼 몰려 있었다. 등화가 고함을 질렀다.

"전투기다. 미군전투기야."

유심히 하늘을 쳐다보니 대형 B29폭격기가 수십 대, B29보다 몸집이 작은 무스탕전투기들도 눈에 띄었다. 마치 하늘에 몰려든 참새 떼마냥 미군전투기들이 층층으로 깔려 신의주 하늘을 뒤덮었다.

좀 있으려니 미군전투기들이 폭격을 시작했다. 도시 한복판에 폭탄을 들이붓는 듯했다.

"꽝, 꽝"

잇단 폭발음이 들리면서 불과 몇 분 만에 신의주는 불바다를 이루었다. 좀 지나자 불바다에서 검붉은 연기가 샘솟듯 뿜어 나왔다. 신의주는 졸지에 죽음의 도시로 변해 움직이는 것이라고는 찾아볼 수 없었다.

나와 등화는 이 모습을 지켜보고 참담한 마음을 금할 수 없었다.

그러나 미군전투기는 신기하게도 신의주와 강 하나 사이인 안동은

전혀 손을 대지 않았다. 또 두 도시를 잇는 압록강대교도 폭격을 하지
않았다.

나중에 알게 된 사실이지만 미국정부는 공군에 압록강철교의 중국
쪽 절반과 중국영토를 폭격하지 말도록 명령을 내렸다. 그렇지 않았다
면 중국과의 전쟁이 시작되면서 전쟁의 불길이 끝없이 확대될 것이기
때문이었다.

이튿날, 우리가 진강산에 올라 바라보니 신의주는 완전히 폐허가 되
어 있었다.

아침식사를 한 뒤 등화는 병단 사령부에 나가 정보분석회의를 열었
다. 나는 집에 남아 군사위에 보내는 보고자료를 작성했다.

나는 책상에 앉아 있으려니 마음을 추스르기 어려웠다. 최근 몇 개
월간 한반도에서 일어난 형세변화가 주마등처럼 머리를 스쳤다.

6월 25일 조선전쟁이 일어나 9월 상순까지 조선인민군은 남한의
90% 이상의 지역을 '해방'시켰다. 미군과 국군을 낙동강 동쪽 1만㎢의
협소한 부산 일대로 밀어붙여 완전한 '해방'을 눈앞에 두고 있었다.

그러나 9월 중순 국면이 급변했다. 미군은 조선인민군 후방의 빈틈
을 노려 미제10군단 아몬드 소장의 지휘 아래 제10군단 소속 해병 1
사단, 보병 제7사단 등 7만여 명의 병력과 3백여 척의 함정, 5백여 대
의 비행기를 동원해 9월 15일 인천에 상륙작전을 감행했던 것이다.

전후 리지웨이 장군이 평했듯이 인천상륙작전의 성공과 대담성 그
리고 전술적인 예술성은 '전쟁사상 가장 탁월한 것'이었다. 인천상륙작
전의 성공으로 미군은 곧 서울, 수원 쪽으로 진격했다.

9월 16일 미제8군 사령관 워커 중장의 지휘 아래 부산 일대에 갇혀
있던 미군, 국군 10개 사단이 북으로 반격을 개시했다. 조선인민군은

앞뒤로 싸워야 하는 불리한 여건에 몰리자 퇴각하지 않을 수 없었다. 9월 23일 낙동강에서 북진한 미기병제1사단과 인천상륙 뒤에 동남쪽으로 진격한 미제7사단이 수원에서 만나게 되자, 조선인민군은 더욱더 불리해졌다.

9월 28일 미군과 국군상륙부대가 서울을 점령했다. 이틀 뒤 미군과 국군은 38선을 넘어 북진을 감행했다.

10월 1일 북조선 외무장관 박헌영(朴憲永)39)은 모 주석에게 보내는 김일성의 친서를 들고 북경으로 날아왔다. 박헌영은 모 주석과 주은래 총리를 만나 중국인민해방군의 병력지원을 간청했다.

심야에 김일성 수상도 평양에서 긴급히 조선주재중국대사 예지량(倪志亮)과 정무참사 무관인 시성문(柴成文)40)을 불러 중국이 하루빨리 군대를 파견해 조선인민군의 작전을 지원하고 미국의 침략을 막아주도록 부탁했다.

10월 2일, 맥아더는 미국합동참모본부 '9·27'명령에 따라 '유엔군사령부제2호작전명령'을 하달했다. "미제8군은 진격을 계속해 평양을 점령할 것. 미제10군단은 원산에 상륙해 두 부대가 평양과 원산을 잇는 허리부분에서 만나 인민군의 퇴로를 끊고 계속 북진할 것"이라는 내용이었다.

조선의 전황이 급격히 악화됨에 따라 중국이 제때 조선에 병력지원을 해주지 않으면 안 될 위기였다.

우리 제13병단 지휘부와 일선병력은 이미 출동준비를 끝낸 상태였

---

39) 朴憲永(1900~1955) 경성제일고보 졸업. 46년 11월 남조선노동당 부위원장. 48년 9월 내각부 수상 겸 외상. 53년 3월 반당, 반국가파괴분자, 간첩혐의로 당적에서 제명. 동시에 부수상 겸 외상에서 해임. 55년 12월 처형당함.

40) 柴成文(1915~) 제2야전군 정보처장. 62년 주덴마크 공사. 66년 2월 총참모부 정보부장. 69년 10월 중소 교섭 당시 중국정부대표단 부단장. 70년 8월 국방부 외사국장. 판문점휴전회담과 관련한 회고록 집필.

다. 당중앙, 모 주석의 명령이 떨어지기만 하면 우리는 즉각 조선에 출동할 수 있었다.

중국인민지원군 총사령관 팽덕회 동지

내가 조선전황에 대해 생각에 잠겨 있을 때 등화가 밖에서 급히 뛰어 들어왔다. 그리고는 들뜬 목소리로 나를 부르는 것이었다.

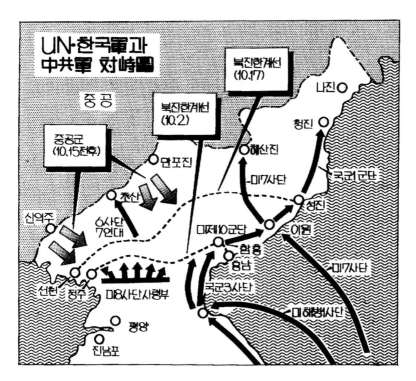

50년 10월 19일 미군과 국군은 평양을 점령한 뒤 질풍같이 북진을 계속했다. 워커 중장이 이끄는 미제8군은 서부전선, 맥아더 원수의 직접통제를 받는 미제10군단은 동부전선에서 세찬 공격을 시도했다.

"이봐, 이봐. 중앙에서 지금 막 전문이 내려왔는데 팽덕회 동지를 우리의 사령관 겸 정치위원으로 임명했대."

"정말이야?"

"이래도 거짓이란 말야. 전보를 보라구."

나는 그의 손에서 전보를 뺏어 훑어보았다.

팽덕회, 고강, 하진년, 등화, 홍학지, 해패연 동지 및 중국인민지원군[41] 각급 지휘관 귀하

1. 조선인민해방전쟁을 돕고 미제국주의의 공격에 맞서 조선인민, 중국인민과 동방각국인민의 이익을 보호하기 위해 중국인민지원군에게 명령한다. 신속히 조선국경 내로 출동해 조선 동지들과 함께 침략자들에 맞서 영광스러운 승리를 쟁취하라.

2. 중국인민지원군은 13병단 예하 38군, 39군, 40군, 42군 및 변방포병 사령부 예하 포병1사단 2사단 8사단을 통괄한다. 앞서 말한 각 부대는 즉각 준비를 마치고 출동명령을 기다릴 것.

3. 팽덕회 동지를 중국인민지원군 사령관 겸 정치위원으로 임명한다.

4. 중국인민지원군은 동북지방을 총후방기지로 삼는다. 후방에서의 모든 임무, 군수품보급, 조선 동지들을 돕는 것과 관련된 모든 일은 동북

---

41) 13병단을 東北으로 보낸 뒤 중공중앙은 이들이 참전할 경우 어떤 이름을 사용할지 고민했다. 계속해서 중국인민해방군의 이름을 사용할 경우 중국정부의 군대가 정식으로 미국, 영국, 프랑스 등이 만든 유엔군과 전쟁을 벌이는 셈이다. 중국이 미, 영, 프랑스와 전쟁에 돌입하게 되면 소련은 중국의 동맹국으로 원조를 하게 돼 세계대전으로 확대될 가능성이 높았다. 따라서 중공중앙은 중국인민해방군의 이름으로 참전하지 않고 '支援軍'의 명의를 사용하려 했다.

중앙이 정식으로 출병하기 전 모택동이 공산당원이 아닌 이른바 민주당파 인사들을 불러 이런 뜻을 비치자 당시 정무원 부총리이던 黃炎培 선생이 '支援軍'대신 '志願軍'을 사용할 경우 비정부군대라는 성격을 보다 확실하게 나타낼 것이라고 건의했다. 말 그대로 중국민간인들이 자원해서 조선에 들어가 조선정부의 지휘를 받아 전투를 벌인다는 뜻이다.

군구 사령관 겸 정치위원 고강 동지가 지휘감독 및 책임을 진다.

5. 우리 중국인민지원군은 조선국경에 들어가 조선인민, 조선인민군, 조선노동당(공산당), 기타 민주당파와 조선인민의 영도자 김일성 동지에게 우애와 존중의 뜻을 나타내야 한다. 아울러 군사기율과 정치규율을 엄격히 준수해야 한다. 이것은 군사적인 임무를 달성하는 데 가장 중요한 정치적 기초인 셈이다.

6. 예상할 수 있는 모든 어려운 사정을 면밀하게 고려하라. 뜨거운 정열, 용기, 세심함과 감투정신으로 이러한 어려움을 이겨낼 수 있도록 하라.

지금 전반적인 국제정세와 국내정세는 우리에게 유리한 반면 침략자들에게는 불리하다. 동지들이 용감하게 현지의 인민들과 힘을 합쳐 침략자들을 무찌른다면 최후의 승리는 바로 우리 것이다.

중국인민혁명군사위원회 주석 모택동
1950년 10월 8일 북경에서

"팽 사령관이 오시게 됐다니 정말 다행이야."

"그래 말이야."

팽 동지는 중앙군사위의 부주석이다. 우리 인민해방군의 부총사령관이기도 하다. 그는 전군의 존경을 한 몸에 받고 있었다. 풍부한 전투지휘 경험을 가지고 있기도 했다. 해방전쟁 때 그는 서북지역에서 악조건을 무릅쓰고 열세를 이겨내 국민당의 호종남(胡宗南)[42]을 물리쳤다. 이제 팽 사령관이 우리의 항미원조전쟁을 맡아 미국과 전투를 벌이게 됐으니 한결 든든했다.

"팽 사령관이 이쪽으로 오신다니 정말 마음 든든한 일이야."

"근데 말야, 홍형, 잘 모셔야 할거야."

"뭐라구."

---

42) 胡宗南(1896~1962) 47년 국민당 제1戰區 사령장관.

"내가 펑 사령관에 대해서 잘 아는데, 일 욕심이 대단한 분이야. 책임감도 뛰어나고 일 처리도 까다롭게 하시지. 전투 중에 조금이라도 실수를 저지르면 불벼락을 내리신다구. 눈 밖에 나면 그냥 넘기시지를 않거든. 자네도 신경 단단히 쓰라구."

"펑 동지의 성격이 어떻든 상관없어. 맡은 일만 열심히 하면 되지 걱정도 팔자일세."

"지금 한 말은 농담이고, 펑 사령관이 오시기 전에 조선에 들어갈 준비를 다 끝내야 할 거야, 조금도 빈틈없이."

"알아서 모시자 그 말이지."

그날(10월 8일) 오후 우리는 또 하나의 전문을 받았다. 펑 총사령관과 고강이 북경을 떠나 벌써 심양에 도착했으며 9일 펑 총사령관이 그곳에서 군단장급 이상 간부회의를 연다는 것이다. 즉각 우리는 각 군 군단장, 정치위원들에게 알려 9일 아침까지 심양에 모이도록 지시했다. 그날 밤 우리는 안동에서 기차를 타고 심양으로 갔다.

이튿날(10월 9일) 아침, 나와 등화는 먼저 펑 총사령관이 묵고 있는 대화여관(지금의 요녕빈관)을 찾아갔다. 펑 사령관을 만나자마자 등화가 말했다.

"펑 동지께서 오신 것을 환영합니다. 동지께서 사령관을 맡았다는 소식을 듣고 저희들의 마음이 한결 든든했습니다."

"그렇다면 안심이구만. 우리 함께 미국에 대항해서 조선을 지원하세."라고 말하며 미소를 머금었다.

"근데 말이야, 나는 엄밀한 의미에서 지원군이 아니야."

"그렇다면 사령관 동지께서는 여기 어떻게 오셨습니까?" 내가 궁금증을 이기지 못해 물었다.

"나는 모 주석이 지명하는 바람에 온 거야. 원래는 임표 부주석이

오기로 했는데 그가 몸이 아프다고 하는 바람에 모 주석이 나를 보낸 거야."

팽 사령관이 농담을 건네는 것을 보고 나도 한마디 거들지 않을 수 없었다.

"팽 사령관 동지, 그렇게 말씀하신다면 저도 지원군이라 할 수 없습니다."

"어째서지." 팽 사령관은 내 말을 듣고는 궁금하다는 눈치였다.

"저는 등화가 꼬드기는 바람에 친구 따라 강남 간다는 식으로 따라왔거든요. 갈아입을 옷조차 전혀 가져오지 못했습니다. 저도 지원하고는 거리가 멀지요."

팽 사령관은 잠시 웃더니 내게 말했다.

"하하. 자네가 그런 말을 하는 걸 보니 등화 저 친구 대단한 재주꾼이구먼."

등화가 끼어들었다. "두 분 다 마음에 없는 말씀을 하고 있습니다. 알고 보면 두 분 다 스스로 지원한 지원군들입니다. 두 분을 여기 가라고 했을 때 겁먹고 벌벌 떠셨습니까. 아니면 요모조모 따져서 결정하셨습니까. 기쁜 마음으로 흔쾌히 여기 오신 것 아닙니까."

팽 사령관은 등화의 열변을 듣고 크게 웃음을 터뜨렸다. 뒤따라 우리도 큰소리로 웃었다.

팽 사령관은 잠깐 웃더니만 내게 말했다. "자네는 갈아입을 옷도 없이 왔다고 했는데 나는 어떤지 아나? 4일 오전 서북지방의 지도자들과 서북지방을 개발하는 계획을 연구하고 있었지. 그런데 북경에서 갑자기 비행기를 보내와서는 즉각 북경으로 와서 회의에 참석하라는 거야. 1분도 지체할 수가 없다면서 말이야. 집에 돌아가기는커녕 세면도구 하나 없이 비행기를 탄 거야. 그 와중에서도 서북건설 문제를 토의하려는 모양이다 싶어 서둘러 사무실에서 서북개발 자료를 한 보따리 들고 왔지. 정말 조선전쟁 문제를 토론할 줄은 꿈에도 생각 못 했어."

팽 사령관의 구수한 말씀에 우리는 한바탕 웃지 않을 수가 없었다.

참전임박

"그날(4일) 오후 4시 넘어 북경의 중남해(中南海)43)에 도착했지. 중앙정치국에서 조선지원 출병문제에 대해 토론을 하고 있더구먼. 다들 출병이 현실적으로 어렵다는 말들을 했고 전반적인 분위기는 부정적으로 흘렀어.44) 맨 마지막에 모 주석이 나섰어. '여러분들의 얘기는 다 일리가 있다. 그러나 곁에 있는 사람이 위험한 지경에 처해 있는데 수수방관한다는 것은 괴로운 일이 아닐 수 없다'는 요지였어. 나는 막 도착한 참이라 발언을 하지는 않았지만 속으로는 우리가 출병해 조선을 도와야겠구나라고 생각했지.

---

43) 중국공산당중앙위원회, 국무원의 소재지 및 공산당 수뇌부들의 거처가 있는 청조 황실의 御苑. 이 안에 있는 頤年堂은 49년 건국 이후 66년까지 당중앙의 중요회의 및 결정이 내려진 곳으로 유명하다.

44) 중국 측 자료에는 林彪가 이날 회의에서 미군 1개 사단이 수백 문의 야포를 보유하고 있는 데 비해 아군 1개 사단에는 고작 10여 문의 야포밖에 없는 데다 제공권마저 전혀 없다는 등 객관적인 조건을 이유로 들어 참전에 반대한다고 밝혔다고 한다.
　　10월 6일 계속해서 최고군사회의가 소집돼 참전과 관련된 구체적인 문제를 논의했다. 회의는 주은래 주재로 총참모부가 있는 居仁堂에서 열렸다. 임표는 계속해서 출병에 반대했고 주은래는 이러한 태도를 비판하면서 중앙의 결심이 이미 정해졌음을 강조하고 이제는 어떻게 집행할 것이냐는 문제를 연구할 때라고 밝혔다. 이 회의에서는 또 주은래, 임표가 소련에 가서 무기장비 구입문제를 협상하도록 결정했다.

회의가 끝나자 중앙반공청(中央辦公廳)[45] 동지가 나를 북경호텔에 묵게 했어. 그날 밤 호텔 잠을 자려니까 도대체 잠이 와야지. 내 형편에 무슨 푹신푹신한 침대냐 싶어 카펫 위로 잠자리를 옮겼지. 그래도 잠이 쉬이 오지 않더구먼. 이런저런 생각을 하게 되더군. 미국이 우리와 강 하나를 사이에 둔 조선을 점령한다면 우리의 동북지방을 위협할 것은 불 보듯 뻔하다는 생각. 미국이 대만을 통제하고 있으니 우리의 상해 등 화동(華東)지방을 위협하겠지. 그들이 우리를 침략하고자 한다면 언제든지 구실은 찾을 수 있을 거다. 호랑이는 결국은 사람을 잡아먹는 법. 언제 먹을 것이냐는 호랑이의 위장에 달린 건데 먹지 말라고 사정해 봤자 헛수고지. 그네들이 침략하려는 것이 기정사실인데 우리가 먼저 맞받아치는 것이 어떨까. 우리가 지금 미국을 피하면 사회주의국가를 건설하는 데 어려움이 클 것이다. 미국이 우리와 전투를 벌이기로 한다면 그네들은 속전속결이, 우리는 장기전이 유리하다. 그들은 정규전이 유리한 반면 우리는 항일전쟁 때와 같이 비정규전이 낫다. 더구나 우리는 전국적으로 통일된 정권이 수립되어 있고 소련의 원조도 있으니 항일전쟁 때보다는 훨씬 유리하다. 국가건설의 앞날을 생각해서라도 당연히 출병해야 한다. 우리가 조선을 군사적으로 도와주지 않으면 중화민족의 막강함을 어떻게 드러내겠는가. 식민지, 반식민지의 인민들이 제국주의 침략에 반대해서 일으키는 민족민주혁명을 고무시키기 위해서라도 출병을 해야 한다. 사회주의의 위력을 과시하기 위해서도 출병을 해야 한다. 병력을 출동해 조선을 도와주는 것은 당연한 일이며 정의로운 일이며 슬기로운 일이다. 이런 생각들을 하며 하룻밤을 꼬박 새웠지."

열변을 토하던 팽 사령관은 갑자기 우리들에게 "자네들은 어떻게

---

45) 당중앙의 사무를 통괄하는 총서기의 직속기구.

생각하는가?"라고 질문했다.

등화가 "사령관 동지의 견해에 전적으로 동의합니다."라고 말했다.

나도 "우리는 반드시 출병해야 한다고 생각합니다."라고 덧붙였다.

팽 사령관은 고개를 끄덕이며 말을 이었다. "이튿날(10월 5일) 오후 당중앙은 중남해의 이년당(頤年堂)에서 회의를 속개했어. 여러 동지들의 발언이 끝나고 모 주석이 내 의견을 묻더구먼. 그래서 조선에 출병하는 것은 필요하다고 말했지. 해방전쟁에서 몇 년 늦게 승리한 셈 치자고 말이야. 미군이 압록강과 대만을 차지해 버티고 서 있다면 언젠가는 우리에게 반드시 전쟁을 걸어올 것이다. 그네들은 수시로 전쟁 구실을 찾을 것이라고 얘기했지. 그날로 당중앙, 모 주석은 조선출병을 결정했고 나더러 조선에 가라고 하시더구먼.

주석 말씀이 원래는 얼마 전까지 제4야전군을 이끌던 임표를 보내려고 했는데 그가 아프다며 소련에 병을 치료하러 가겠다고 해서 나를 대신 보내게 됐다고 말이야.

모 주석이 내 의향이 어떠냐고 물으시기에 기꺼이 맡겠다고 했지. 발등에 불이 떨어져서 명령을 내리시는데 어떻게 남에게 미룰 수가 있겠어. 나라를 위해서나 사회주의를 위해서도 나 팽덕회가 싫다고 거절할 수는 없었어."

팽 사령관이 격앙된 목소리로 얼마 전에 있었던 일들을 설명하자 나는 깊은 감동에 빠졌다.

이때 비서 양봉안(楊鳳安)이 들어왔다. "회의가 곧 시작됩니다."

회의장은 동북군구 제3초대소 회의실에 마련되었다. 회의에 참석한 사람은 동북군구 사령관 겸 정치위원 고강, 지원군 사령관 겸 정치위원 팽덕회, 동북군구 부사령관 하진년, 13병단 사령관 등화, 정치위원 뇌전주, 제1부사령관 홍학지, 부사령관 한선초, 참모장 해패연, 정치부

주임 두평과 13병단 소속 각 군의 군단장, 정치위원들이었다.

회의는 고강이 주재했다. 먼저 등화가 당중앙과 모 주석의 지원군 조선출병 참전에 관한 결정과 지원군조직, 팽 사령관 임명에 관한 명령을 낭독했다.

이어서 고강이 연설했다. 그는 중앙에서 조선출병 문제를 놓고 토론을 벌인 상황을 소개했다. 그 다음에 중앙이 그에게 지원군의 군수품 보급 등을 책임지도록 했다고 말했다. 그는 군수품보급에 차질을 빚지 않고 임무를 완수하겠다고 했다. 세 번째로 그는 팽 총사령관이 명령을 받은 사정을 설명했다. 마지막으로 우리 13병단 동지들에게 팽 총사령관의 지휘에 따르도록 당부했다.

이쯤 말한 뒤 고강은 팽 사령관 쪽을 돌아보며 한 말씀 하시라고 권유했다.

팽 사령관이 연단에 나섰다.

"나는 사실 북경에 도착해서 5일 명령을 받았습니다. 8일 심양에 왔고 저녁때 김일성 동지의 대표 박일우를 만났고 오늘 여러 동지들과 만나게 되니 그야말로 쏜살같이 달려온 셈입니다. 여러분의 부대는 4야전군의 주력입니다. 해방전쟁 때 나는 직접 여러분을 지휘한 적이 없어서 제대로 지휘할 수 있을지 걱정스럽습니다."

팽 사령관이 이처럼 겸손하게 말하자 모두 웃음을 터뜨렸다. 긴장됐던 회의장의 분위기가 단숨에 살아났다.

"사령관 동지는 해방군의 부총사령관이시고 중앙군사위원회 부주석이십니다. 이번에 저희들의 부대를 지휘하러 오셨으니 분명 지휘를 잘하실 겁니다. 이번 전쟁에서도 꼭 승리를 거둘 겁니다. 사령관 동지께서는 마음 놓으십시오. 저희들은 반드시 사령관 동지의 지휘에 따르겠습니다. 어디서 지휘를 하시든 어디서 전투를 하시든 말입니다. 사령관 동지를 총사령관으로 모시니 저희들은 더욱 용기가 용솟음칩니다."
지휘관들이 모두 입을 모았다.

팽 사령관은 당중앙과 모 주석의 지시를 염두에 두고 회의석상에서 현재의 절박한 정세, 우리가 반드시 참전해야 한다는 필요성 등을 상세히 설명했다.

"엊저녁에 조선내무상 박일우 동지가 심양에 와서 내게 조선의 전황을 알려주고 나서 곧장 돌아갔습니다. 박일우 설명으로는 미국이 최근 일본에서 5만 병력을 동원해 국군에 보충시켰다는 겁니다. 또 미국에서 7개 사단을 조선에 보내와 동, 서조선만에서 상륙작전을 펼 거라고 말했습니다. 김일성 동지는 재차 아군이 빨리 출동해 줬으면 하고 재촉한다는 얘기였습니다. 그래서 아군의 출병이 결정된 이상 하루빨리 출동해야겠다는 생각이 들었습니다."

그는 조선에 들어간 뒤 작전지휘 방침에 대해서도 언급했다.

"우리의 당면 임무는 조선인민을 적극적으로 원조해 침략자들에게 반격을 가해야 하는 것입니다. 그래서 일단의 혁명근거지를 확보해서 상대를 섬멸시키는 기지로 삼아야 하는 것입니다. 상대의 기술장비가 뛰어나고 조선반도의 폭이 좁다는 조건을 감안해야 합니다. 아군이 과거 국내전쟁에서 채택했던 대평원을 누비는 기동전은 조선전장에 맞지 않습니다. 그래서 진지전과 기동전을 적절하게 섞어 전투에 임해야 합니다. 상대가 공격해 오면 우리는 최대한 현 위치를 고수해 상대의 전진을 막아야 합니다. 그러나 상대의 약점을 발견하면 그때는 신속하게 공격에 나서 상대의 후방으로 치고 들어가 퇴로를 끊고 전멸시켜야 합니다. 땅을 보존하는 것은 우리의 당연한 임무입니다. 그러나 더욱 중요한 것은 상대의 인명을 살상시켜야 한다는 점입니다. 전술은 상황에 맞게 그때그때 순발력 있게 운영해야 합니다. 아무 진지나 무턱대고 사수하는 것은 쓸데없는 짓입니다. 그러나 지킬 필요가 있다는 판단이 서면 그때는 무슨 일이 있더라도 진지를 사수해야 합니다. 우리는 단순한 방어를 하는 것이 아닙니다. 가장 좋기로는 상대의 인명을 살상하면서 진지를 지키는 것입니다. 지금 우리가 맡은 임무는 영광스러운 일이 아닐 수 없습니다. 그러나 동시에 엄청난 희생을 요구하는 것이기도 합니다. 나는 동지들이 이 영광스럽고도 어려운 임무를 충실히 완수하리라 믿습니다."

회의가 끝난 후 우리는 팽 총사령관에게 두 가지를 건의했다. 하나는 병력이 부족할 것으로 판단되는 만큼 병력을 늘여달라는 건의였다. 원래 중앙은 1차로 2개 군 병력을 조선에 보낸다는 계획이었다. 그러나 지금 형편으로서는 아무래도 병력 규모나 전투력에서 부족하다는 판단이었다. 또 하나는 일단 국경지대에 있는 4개 군을 한꺼번에 조선에 투입해야 한다는 건의였다. 미군전투기가 여러 차례 압록강 상공까지 날아온 터여서 그들이 우리가 압록강변에 집결한 것을 알아채고 압록강의 철교를 폭파한다면 자칫 후속병력을 조선에 투입하기가 어려워지기 때문이었다. 그래서 일시에 4개 군을 투입시키자는 판단이 들었다. 팽 사령관은 "괜찮은 생각"이라면서 "모 주석과 중앙군사위에 동지들의 건의내용을 보고하겠다."고 말했다.

그날 밤, 나와 등화, 13병단의 다른 지휘관들은 안동으로 되돌아왔다.

10월 11일, 팽 총사령관이 안동에 왔다. 그날 우리 병단 지휘관들로부터 출동준비 상황을 보고받기 위해서였다.

미군이 인천에 상륙하기 전 등화, 나, 해패연은 우리들이 이해하고 있던 조선전황에 대한 우리의 분석과 예측을 중앙에 전보로 보고한 적이 있다. 팽 사령관은 그 보고서를 읽었노라고 말한 터여서 이번에

는 주로 각 군의 역사적인 배경, 작전 특기, 현재의 집결상황 및 준비
상황, 최근 파악한 일단의 전황을 보고드릴 참이었다.

팽 사령관이 오기 전에 우리에게 준비를 하도록 통지가 왔다. 우리
지휘관 몇이서 상의 끝에 참모장 해패연이 보고하도록 했다.

"사령관, 부사령관이 모두 여기 계신데 말씀들을 하지 않으시겠다니
제가 제대로 보고드릴 수 있을지 모르겠습니다."

"그러면 등 사령관이 보고드리지."

내가 말했다. 뇌전주, 한선초, 해패연, 두평도 모두 찬성이었다.

"홍형, 그러지 말고 당신이 해. 나는 저번에 조선에 가서 전황을 파
악할 준비를 하고 부대준비 작업은 자네가 책임진다고 했잖아. 그러니
자네가 보고해." 나는 더 이상 남에게 미룰 수 없었다.

"그럼 내가 먼저 보고를 할 테니 여러분들이 보충해요."

내가 먼저 보고를 끝내자 등화가 조선에 가지 못한 이유를 설명했다.

"현재 조선에서 일어나고 있는 구체적인 소식은 알 길이 없습니다.
조선 측과 연락을 취하고는 있지만 제대로 연결이 되지 않고 있습니
다. 현재로서는 조선주재 우리 대사관 무관이 파악하고 있는 정보에
전적으로 의존하고 있습니다. 최근 입수한 정보는 그쪽의 상황변화가
엄청나게 빨리 이루어지고 있고 상대는 매우 빠른 속도로 압록강을
향해 전진하고 있다는 정도입니다."

팽 사령관은 우리의 보고를 들으면서 고개를 끄덕이기도 했다.

상황보고가 끝난 후 팽 사령관이 입을 열었다.

"모 주석께서 보낸 전보를 받았소. 4개 군을 동시에 조선에 출병해야
한다는 우리 제안에 찬동하신다는 말씀이었소. 다른 의견들은 없소."

등화와 내가 건의했다.

"4개 군을 동시에 조선으로 출병시킨다 해도 병력은 아무래도 부족

합니다. 저희들의 분석으로는 아군의 화력이 약해 유엔군의 화력과는 비교가 안 됩니다. 미군 1개 사단을 섬멸하는 데 아군 2개 군이 필요하고 국군 1개 사단을 섬멸하는 데 아군 1개 군 투입이 예상됩니다. 따라서 당중앙에 건의하셔서 병력을 하루빨리 늘려야 합니다. 중앙에서는 원래 화동(華東)지방과 감숙, 섬서성(甘肅, 陝西省)에 이동된 용해(隴海・甘肅省) 진포(津浦・天津) 북녕(北寧・北京과 南京)線 24개 사단을 제2차, 제3차 조선지원 병력으로 삼았습니다. 내년 봄부터 순차적으로 투입한다는 겁니다. 그러나 지금 상황으로서는 시간이 없습니다. 이 병력을 얼른 전선으로 이동시켜야 합니다."

"동지들의 의견은 아주 좋소. 제13병단 전투력이 아무리 뛰어나다 해도 병력에는 한계가 있는 법이오. 우세한 병력을 집중해 상대를 섬멸한다는 아군의 일관된 원칙을 관철하려면 다른 병력이 계속 보충되어야지. 곧 중앙에 보고하겠소."

팽 총사령관이 중앙에 건의한 후 중앙은 곧 송시륜(宋時輪)[46] 동지가 이끄는 제9병단에게 밤낮을 가리지 말고 조선전선으로 이동하도록 했다.

이어 우리는 팽 총사령관에게 다른 건의를 했다.

"우리 4개 군이 전선에서 전개하면 후방을 누가 엄호합니까. 후방을 엄호하는 병력이 없으면 군수품보급이 제대로 이루어질지가 걱정입니다. 1개 군을 이동시켜 후방을 엄호하도록 해야 합니다."

팽 총사령관은 이 건의도 주도면밀하다고 판단했다. 당시 국민당 대

---

46) 宋時輪(1907~1990) 湖南中學 및 황포군관학교 졸업. 1930년 제20군 참모장. 王震, 張宗遜과 함께 賀龍 장군 휘하의 3용장으로 꼽힘. 37년 항일전 발발 후 林彪 휘하의 연대장. 1946년 제4집단군 제28군단장. 49년 제3야전군 제9병단 사령관. 54년 9월 국방위원. 55년 상장. 58년 군사과학원 부원장. 67년 실각. 72년 복권. 80년 군사과학원장, 중앙고문위 상무위원.

륙잔류 병력과 전투를 계속하고 있는 부대도 있었고 농사를 짓거나 부대막사를 짓고 있는 부대들도 있어 한꺼번에 다 데려올 형편은 아니었다. 그래도 천진에 있던 제66군이 전선에서 가장 가까웠다. 그래서 중앙은 66군을 천진에서 전선으로 이동하도록 명령을 내렸다.

당시 66군은 논농사를 짓고 있던 중이었다. 대부분의 병사들이 논에서 그대로 집합해 열차에 올랐다. 4개 군이 조선에 들어온 지 6일 뒤였다. 이번 작전회의는 하루 남짓 걸렸다.

이튿날, 즉 10월 12일, 박일우도 조선에서 안동에 도착했다. 그는 팽 총사령관을 만나러 온 것이었다. 박일우는 팽 총사령관과 우리 병단 사령부 지휘관들에게 조선의 최근 전황과 쌍방의 배치상황을 일러주었다.

"현재 미제1사단, 제2사단, 제24사단, 영제27여단과 국군 제1사단은 이미 서울 북쪽 38선상에 있는 개성, 김화에 집합해 평양을 진공할 준비를 하고 있습니다. 국군 수도사단, 제3사단은 원산에 도착했으며 국군 제6사단, 제7사단, 제8사단은 지금 원산 일대로 몰려오고 있습니다. 해상에서 보급을 받고 있습니다. 미해병 제1사단은 서울, 미제25사단은 대전과 수원 선에 있습니다. 미제7사단은 대구, 부산 선에 있고 미제8군사령부는 대전에 있습니다. 김일성 수상이 지휘하는 조선인민군은 38선에서 결사항전을 하고 있습니다. 남부에 있던 인민군들 중 38선 이북으로 철수한 병력은 5만여 명이며 나머지는 남조선에 머물러 있습니다."

박일우는 정황소개를 마친 뒤 재차 김 수상과 조선당중앙을 대표해 우리 당중앙에 보다 빨리 출병지원을 해달라고 요청했다.

팽 총사령관은 즉각 우리 당중앙과 모 주석에게 보고를 드리겠다고 답변했다. 박일우의 전황소개가 끝나자 팽 총사령관은 병단 사령부 지휘관들에게 기왕 파악했던 상황을 기초로 조선에 들어간 뒤의 병력배치에 대해서 연구하도록 지시했다. 이리하여 조선에 들어간 뒤 1개 군은 평양 동북쪽 2백km떨어진 덕천현 산악지대까지 전진하고 나머지 3개 군과 3개 포병사단은 덕천 북쪽의 희천, 전천, 강계에 머물도록 결정했다. 따라서 첫 번째 가능성으로 미군과 국군이 '분별력 있게' 전진을 멈춘다면 평양 원산 이북지역 중 적어도 산악지대는 상대에게 점령당하지 않는 것이다. 그러면 아군은 시간을 최대한 벌어 작전준비를 할 수 있다. 두 번째 가능성으로 원산 평양 서쪽의 상대가 북진해서 덕천 등을 공격하는 것인데 아군은 필요병력으로 평양의 상대를 감제하는 동시에 주력을 집중해 원산에서 밀려오는 상대를 섬멸한다. 상대 2, 3개 사단만 섬멸한다면 상황은 크게 바뀔 것이다.

그날 밤 8시쯤 팽 총사령관과 우리는 모 주석의 전보를 받았다.

> 팽덕회, 고강, 등화, 홍학지, 한선초, 해패연 동지 귀하
> 1. 10월 9일 명령은 잠시 집행하지 말 것. 13병단 각 부대는 현 위치에서 훈련을 계속하되 출동은 하지 말 것.
> 2. 고강 동지와 팽덕회 동지는 내일이나 모레 북경에 와서 나와 상의를 했으면 좋겠음.
>
> 모택동
> 10월 12일 20시

팽 총사령관은 전보를 훑어보더니 걱정스런 표정을 감추지 못했다. 그는 아무 말도 없이 다음 날(13일) 날이 밝자마자 북경으로 돌아갔다. 내 생각에도 출병하라는 명령을 내릴 때는 언제고 이제 와서 명령을 유보시킨단 말인가 의아했다.

사흘 뒤(15일) 팽 총사령관이 북경에서 안동으로 돌아온 뒤 모든

의문이 풀리고 사정을 알게 됐다.

9월 15일 미군이 인천상륙작전에 성공한 뒤 미국 트루먼 대통령과 맥아더 원수는 북조선을 점령해야겠다는 결심을 했다.

이후 스탈린과 모 주석은 이번 전쟁을 전적으로 조선인민군에게 맡긴다는 것은 불가능하다는 데 인식을 같이했다. 그래서 중소 양국은 조선을 지원하는 문제를 협상하기 시작했다.

스탈린의 망설임

스탈린은 소련군을 출동시켜 조선을 지원함으로써 미군과 맞붙는다면 전쟁이 세계로 번져 제3차 세계대전을 일으킬지 모른다고 우려했다. 두 차례의 세계대전 이후 형성된 세계의 역학구조를 파괴할지 모른다고 생각했다. 그래서 대신 중국이 출병하기를 바랐다.

그런데 우리(중국)도 어려운 점이 적지 않았다. 우리들은 갓 해방을 이루어 국력이 약한 상태였다. 우리 군대가 보유한 무기장비도 보잘것 없었다. 현대화된 장비를 갖추고 제공권을 장악하고 있는 미군을 상대로 변변한 전투기 하나 없는 우리가 출병을 결심하는 것이 쉬운 일은 아니었다.

여러 차례의 협상을 거쳐 중국이 출병지원을 하는 대신 소련 측은 공군전투기 등을 보내 우리를 지원키로 합의를 보았다. 이런 합의를 토대로 우리 당중앙은 10월 초 정식으로 출병할 것을 결의했고 10월 2일 모 주석은 당의 결정사항을 스탈린에게 전보로 알렸다. 전보는 이런 내용이었다.

1. 우리는 지원군의 이름으로 일부 군대를 조선 국경 안으로 파견해 미국과 이승만 군대와 전투를 벌여 조선 동지를 돕도록 결정했습니다. 전 조선이 미국인에게 넘어가 조선의 혁명역량이 근본적인 실패로 끝난다면 미국침략자들은 더욱 기고만장할 터이고 이것은 전 동양에 불리할 것입니다.

2. 우리는 이왕 조선으로 출동해서 미국과 전투를 벌인다고 결정한 이상, 첫째, 조선 땅에서 미국과 여러 나라 침략군을 쫓아내기 위해 철저한 준비를 해야 합니다. 둘째, 중국군대가 조선 땅에서 미국군대와 전투를 벌이는 이상(우리가 지원군의 이름을 사용하기는 합니다만) 미국은 선전포고를 하고 중국과 전쟁상태에 들어간다고 보아야 합니다. 미국은 적어도 중국의 많은 대도시와 공업기지를 폭격할 가능성이 있으며 (중국)해안지역을 공격할 수 있을 것입니다……

이에 따라 당중앙은 10월 8일 정식으로 중국인민지원군을 구성해, 펑더화이 동지에게 지원군 총사령관을 맡겼던 것이다. 이러한 사정은 우리가 모두 알고 있던 터였다. 이쯤 해서 우리 13병단은 일체의 전투준비를 끝냈다. 완전무결하게 준비를 마치고 중앙의 명령만 내리면 즉각 조선으로 출동하려 했다.

그런데 이때 스탈린이 갑자기 우리에게 공군전투기 출동 준비가 제대로 되어 있지 않으니, 잠시 출병을 늦추어 달라는 통고를 해온 것이다.

나중에 펑더화이 총사령관이 밝힌 바에 따르면 스탈린의 준비가 덜돼 있다는 얘기는 진정한 이유가 아니라는 설명이었다.

진짜 이유는 우리가 이 전쟁에서 이길 수 있을지 스탈린이 회의를 갖기 시작했다는 것이다. 그는 우리가 정말로 출병결정을 내린 데다 미국도 중국에 선전포고를 준비해 전쟁상태에 들어가려 하자 걱정과 함께 주저를 하게 된 것이다. 스탈린은 중국군대가 비록 장개석(蔣介石)의 국민당군대를 누르고 승리하긴 했지만 형편없는 구식 무기로 미군을 이길 수 있을까 불안감을 지울 수 없었던 것이다.

스탈린은 만일 소련이 전투기를 지원해 아군을 엄호했다가 우리가 패할 경우 어쩔 수 없이 말려들어 미국과 전면전을 벌이게 될 가능성이 높아지며 심지어 제3차 세계대전을 일으킬지도 모른다고 걱정을 했던 것이다.

소련의 이러한 태도변화에 대해 모 주석과 팽 총사령관은 당혹감을 느꼈다. 우호국 사이에 이런 일이 있을 수 있는가, 이미 협의가 끝난 일을 갑자기 바꿀 수 있는가 하고 말이다. 그러나 당시 전황이 워낙 긴박해 일각도 출병을 늦출 수 없는 형편이었다.

모 주석은 즉시 주은래 동지를 소련에 급파해 스탈린과 협상을 하게 하는 한편, 팽 총사령관 등을 북경에 불러 향후 대책을 마련토록 한 것이다. 이것이 바로 모 주석이 12일 병력출동을 잠시 유보시킨 전말이었다.

주 총리는 스탈린과 만나 생각을 바꾸도록 설득했으나 실패했다. 스탈린은 공군전투기의 지원이라는 당초의 약속을 지키겠다는 확답을 하지 않고 얼버무렸다. 모 주석은 이 소식을 듣고는 더 이상 소련의 공군전투기가 중국군대를 지원하리라고 기대하지 않았다. 모 주석은 위대한 정치가요, 군사전략가였다. 비범한 결단력의 소유자였다.

그는 팽 총사령관 등 중앙정치국원 동지들과 협의를 거친 끝에 의연히 역사적인 결단을 내렸다. 소련의 공군전투기 지원이 없더라도 원래 계획대로 출병지원을 하기로 최종결정을 내렸다. 결정이 내려지자마자 모 주석은 즉시 주 총리에게 다음과 같이 지시했다.

1. 정치국 동지들과 협의한 결과 만장일치로 아군이 조선에 출동하는 것이 유리하다는 결론을 얻었음. 처음에는 국군을 집중 공략해야 함. 국

군과 싸울 경우 이길 가능성이 높기 때문임. 원산, 평양 선 이북의 산악지대에 근거지를 구축해야 함. 우선 국군 몇 개 사단에 타격을 입히면 조선의 전세는 우리에게 유리하게 바뀔 수 있음.

2. 우리가 앞서 말했듯이 적극적인 정책을 펴는 것이 유리함. 우리가 출병하지 않고 상대가 압록강변까지 밀려오도록 내버려두면 국내외적으로 불리할 것임. 우선 동북지방이 더욱 불리할 것이며 모든 동북변방군이 흡수될 것이고 남만주의 전력을 빼앗길 것임. 결론적으로 우리는 꼭 참전해야만 하며 참전은 최대의 이익, 참전하지 않으면 최대의 손실이라는 판단임.

주은래 총리는 모 주석의 지시를 받은 뒤 재차 스탈린을 접견했다. 스탈린은 주 총리가 짧은 시간에 잇따라 만나려 하는 것을 보고 자신에게 협상조건을 제시할 것으로 여겼다. 주 총리는 "중국당과 정부는 이미 결정을 내렸습니다. 소련의 공군지원과 관계없이 중국은 원래 계획대로 출병해 조선을 지원하기로 결정했습니다."고 통고했다. 스탈린은 소련의 공군출동과 관계없이 중국이 출병해 조선을 지원한다는 사실을 알리리라고는 미처 생각지 못했다. 스탈린은 너무나 예상 밖의 중국 참전소식을 듣고 감격해 말문을 잃었다.

이러한 사정을 주 총리는 즉각 우리 당중앙에 보고했다.

팽 총사령관은 중앙정치국에 참여해 출병결정을 내린 뒤 모 주석에게 안동에서 파악한 조선의 전황과 우리 13병단 사령부가 함께 연구한 아군참전 견해를 보고했다. 그는 또 모 주석과 다시 한번 지원군의 작전방침과 부대배치를 연구했다.

10월 15일 팽 총사령관이 북경에서 안동으로 비행기 편으로 되돌아왔다. 다음 날 팽 총사령관은 안동에서 지원군의 사단장급 이상 지휘

관회의를 열었다. 회의에서 팽 총사령관은 당중앙, 모 주석의 참전결
정과 조선에 들어가서의 작전임무를 전달했다.

작전의 골자는 진지전과 유격전을 신축성 있게 골고루 활용해 먼저
방어를 펴다가 조선인민군과 연합해 대대적인 반격을 펼친다는 것이
다. 이에 따라 4개 군이 동시에 압록강을 건너 강계, 희천, 운산덕천,
맹산 지역에 집결하도록 했다.

회의가 끝난 뒤 우리는 '지원군'의 이름으로 소속부대원들을 소집해
참전을 자원한다는 결의모임을 가졌다. 우리들 자신도 처음에는 '지원
군'으로 불릴 줄은 몰랐다. '지원군'이라 불리는 의도는 정부가 공개적
으로 선전포고를 하는 것이 아니라 인민이 자원해 북조선을 지원한다
는 인상을 주기 위해서였다.

그래서 모두들 인민해방군의 모표, 흉장을 떼어냈다. 간부들은 조선
인민군의 군복으로 갈아입고 선서의식을 거행했다. 이제 우리는 모든
연대, 모든 사단, 모든 군, 모든 병단이 지원군에 가입했음을 선서했
다. 이는 비밀을 유지하려는 필요성과 함께 중국의 참전으로 미국에게
나라 대 나라의 전쟁이라는 선전구실을 주지 않기 위해서였다.

3

압록강 도하

50년 10월 19일 참전

10월 19일 황혼, 싸늘한 가을비가 촉촉이 땅을 적셨다. 희뿌연 안개가 사방을 뒤덮고 있었다. 찬 기운이 온몸에 스며드는 가을비가 내리는 가운데 40, 39, 42, 38군과 3개 포병사단이 동시에 안동, 장전하구(長甸河口), 집안 등 3개의 압록강 다리를 건너 씩씩하게 조선으로 들어가고 있었다.

저녁 7시쯤, 날이 저물어가는 어슴푸레함 속에 나는 소련제 가스67 지프차를 타고 안동의 압록강철교를 향했다. 이때 40군 병사들이 강을 건너고 있었다. 철교 위에는 각종 차량, 대포견인차 등이 줄을 지어 움직이고 있었고 모표, 흉장 등 중국군대라는 표시가 전혀 없는 지원군 지휘관과 전사들은 엄숙한 표정이었다. 다리 아래 강물은 평소 때와 달리 용솟음치는 듯했다.

나는 철교 옆에 차를 세우게 하고 조선으로 들어가는 병사들을 지그시 바라보았다. 갑자기 내 가슴속에서도 저 압록강물같이 짜릿한 전율감이 용솟음치기 시작했다.

인민지원군의 출병에 대해 당중앙과 모 주석은 아주 신중했다.[47]

---

47) 최근 모택동 비서들의 회고에 따르면 한국전쟁 참전 결정이야말로 모택동 일생일대 최대의 어려운 문제였다. 결정을 내리기 위해 모 주석은 며칠 밤을 뜬눈으로 지새우며 장고한 끝에 참전 결심을 내렸다고 한다. 모 주석은 오랜 전쟁기간 동안 중대한 전략적인 결정에 부닥칠 때면 밤낮을 가리지 않고 심사숙고하면서 여러 밤을 자지 않는 습관이 있는데 항미원조의 결정은 그의 결단 중 가장 뛰어났던 것으로 평가받고 있다.

10월 19일, 여러 날 밤낮을 잠을 이루지 못했던 모택동은 이날도 여전히 잠을 이룰 수 없었다. 잠잘 때가 되어 3번이나 수면제를 먹었지만 잠을 자지 못했다. 밤이 되어 섭영진 총참모장 대리가 아군은 이미 압록강을 건너기 시작했다고 보고했다. 그러자 모택동은 경호원에게 "이제 자자"고 한마디 던지고는 잠자리에 들어 곯아떨어졌다고 한다.

10월 8일 모 주석은 "중국인민지원군은 즉시 조선에 출동해, 조선 동지들의 승리를 도와주라"는 명령을 내렸다.

그러나 모 주석은 12일 "10월 9일 명령은 실행하지 말고 13병단 사령부 예하 각 부대는 변함없이 훈련하되 출동은 하지말 것"이라고 명령했다. 활시위를 팽팽히 당긴 상태였다.

사흘 뒤인 10월 15일 오전 5시 모 주석은 다시 "우리 선두부대는 17일 출동하는 게 좋겠다"는 전보를 보내왔고 17일 오전에는 이를 다시 이틀 연기하는 내용의 최종지시를 내렸다. 첫째, 선두부대는 19일 출동에 대비하고, 내일(18일) 정식 명령이 내려갈 것이며 둘째, 팽 동지와 고강 동지는 비행기를 타고 급히 북경에 오라는 내용이었다.

모 주석의 지시를 받고 팽 총사령관은 서둘러 북경에 갔다. 우리는 안동에서 모 주석의 명령을 기다렸다. 18일 밤 9시가 넘어서야 모 주석의 명령을 접수했다.

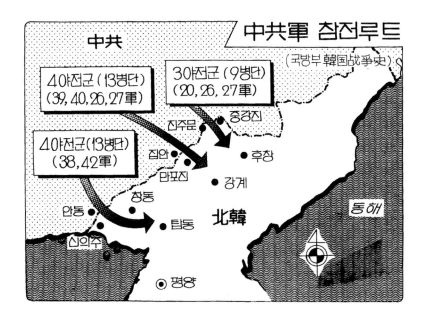

등화, 홍학지, 한선초, 해패연 및 하진년 부사령관 귀하

4개 군과 3개 포병사단은 예정된 계획에 따라 북조선에 들어가 작전을 벌이도록 결정했음. 내일 19일 밤부터 안동과 집안 선에서 압록강을 건너도록. 비밀을 지키기 위해 도하부대는 매일 황혼 무렵에 이동을 시작해 다음날 새벽 4시가 되면 이동을 중단할 것. 5시 이전에 은폐를 끝내고 그에 대해 철저히 검사할 것. 시험 삼아 첫날 밤(19일 밤)에는 2, 3개 사단만 도하준비를 할 것. 다음 날 밤에는 이동병력 규모를 상황에 따라 신축성 있게 운영할 것. 나머지는 고강, 팽덕회 동지가 알아서 처리할 것.

모택동
10월 18일 21시

19일 팽 총사령관은 비행기로 북경에서 안동으로 되돌아왔다. 즉각 사령부 지휘관회의를 소집했다. 출병 직전인 탓으로 회의장의 분위기는 긴장됐다. 팽 총사령관은 먼저 군사위원회와 모 주석의 작전계획을 전한 뒤 각 부대별 조선진입 노선과 시간을 최종 확정했다.

4개 군과 3개 포병사단은 10월 19일 저녁부터 서, 중앙, 동쪽 3개 방향을 따라 비밀리에 압록강을 건넌 후 예정된 작전지구로 전진한다. 40군은 안동과 장전하구에서 도강해 구장 덕천 영변 일대로 전진한다. 39군도 안동과 장전하구에서 도강해 일부는 비현, 남시동 일대에 진지를 구축하고 주력은 구성, 태천 일대로 전진한다. 42군은 집안에서 도강해 두창리 오로리 일대로 전진한다. 38군은 42군의 뒤를 따라 도강해 강계 방면으로 전진한다.

우리가 부대별 진입시간과 노선을 확정짓고 있을 때 박일우가 황급히 회의장에 뛰어 들어왔다. 그는 팽 사령관이 안동에 되돌아온 사실을 알고 달려온 것이다. 그의 얼굴은 초췌하고 어두웠다. 팽 총사령관을 만나자마자 그가 다급하게 물었다. "팽 총사령관, 출병 날짜가 정

해졌습니까?"

팽 총사령관은 나지막하면서도 단호하게 말했다. "이미 결정되었소. 시간은 오늘 저녁 4개 군. 3개 포병사단이 일제히 출동할 것이오."

박일우는 순간 눈물을 글썽이며 울먹였다. "정말 잘됐습니다. 출병을 안 했더라면 큰일 날 뻔했습니다."

"때마침 잘 왔소. 전황을 우리에게 설명해 주시오." 팽 총사령관이 권했다.

박은 조선의 사정을 설명했다. "최근 이틀 동안 전황은 우리에게 아주 불리해지고 있습니다. 17일 유엔군 총사령관 맥아더가 '유엔군 제4호작전명령'을 하달했습니다. 미제8군과 평양에 있는 미제10군단을 원산에서 합치려던 계획을 바꾸어 제10군단을 곧장 압록강변으로 보내도록 했습니다. 명령이 떨어지자 미군과 국군은 18일 오후 삼면이 포위된 평양을 향해 세찬 공격을 폈습니다. 이제 평양함락은 시간문제입니다."

그는 잠시 뜸을 들인 뒤 황급히 말했다. "현재 미군은 추수감사절 (11월 23일) 이전에 전 조선을 점령해 압록강물을 마시자며 미친 듯이 몰아붙이고 있습니다."

박이 말을 마치자 실내는 일순 쥐 죽은 듯이 조용해졌다. 곧 팽 총사령관이 물었다. "당신네들은 무슨 대안이 있소?"

박이 대답했다. "우리 당과 정부는 당정기관과 부대를 신의주, 강계 방면으로 옮기고 있으며 이미 임시수도를 강계로 옮겼습니다. 김 수상은 '팽 총사령관이 하루빨리 조선에 오셔서 함께 미군을 몰아내는 계책을 마련하자'고 했습니다."

팽 총사령관이 머리를 끄덕이면서 "좋소. 나도 김 수상을 하루빨리 만나볼 생각이오. 김 수상은 지금 어디 있소?" 하고 물었다.

박은 고개를 저으며 말했다. "구체적인 장소는 저도 모릅니다. 다만 제가 알기로는 개천에서 희천, 구성, 중국의 장전하구와 집안현을 잇는 선상의 어느 곳에서 피신하고 있을 겁니다."

"박 동지, 우리가 언제 출동했으면 좋겠소?"

"빠르면 빠를수록 좋습니다. 물론 지금 당장 출동하는 것이 가장 좋지요."

팽 총사령관은 박일우의 말을 듣고는 책상을 치면서 일어섰다.

"상대의 진공속도가 빠르니 지금 당장 조선에 들어가야겠소. 당신들은 부대가 조선에 들어간 뒤의 작전 및 집결지 등을 확정 지은 뒤에 나중에 내게 보고하시오." 그는 박과 함께 차를 타고 사라졌다.

팽 사령관을 수행한 이는 군사위원회서 데려온 통신처장 최륜(崔倫), 비서 양봉안과 경호원 4명이었다. 최륜은 트럭을 타고 일행을 뒤따랐다. 트럭에는 무전통신시설이 장치돼 있었다.

팽 총사령관이 조선으로 향한 뒤 우리 사령부에서는 회의를 계속했다. 유엔군이 재빨리 북진하는 바람에 우리가 조선반도의 허리부분까지 진격해서 방어를 펴는 것이 이미 불가능해진 만큼 작전의 변경은 불가피했다. 연구검토를 거듭한 끝에 아군이 조선에 들어가면 '적극적인 방어, 즉 진지전과 기동전을 배합해서 반격, 습격, 매복 등으로 인명을 살상, 소모시킨다'는 작전방침을 확정했다.

먼저 구성, 태천, 구장, 덕천, 영변, 오로리를 잇는 선에서 방어를 펴상대의 진공을 가로막는다. 조선인민군이 철수해 정돈하는 것을 엄호하고 향후 전략적인 반격의 계기로 삼는다.

우리는 상대의 진격속도로 미루어 그들이 설사 아군이 조선에 들어와 참전하는 것을 발견한 뒤에도 공세를 멈추지 않을 것으로 판단했다. 그래서 아군이 맞닥뜨릴 수 있는 상황을 대충 다음 세 가지로 생

각했다. 첫째, 상대가 먼저 우리의 예정 작전지역에 도달하는 것. 둘째
는 우리가 막 예정 작전지역에 이르렀을 때 상대가 나타나는 것. 세
번째는 우리가 전진 도중 상대와 만나는 것이다. 따라서 일선부대에는
전개 도중 시종 전투태세를 유지하고 때에 따라서는 기동 중에 상대
를 공략할 준비를 하도록 명령을 내렸다.

기습공격의 효과를 높이기 위해 아군은 야간 행군 및 매복, 엄밀한
위장, 무선통신 통제 등 일련의 기밀유지책을 채택해서 아군의 행동과
기도를 은폐하기로 했다. 우리는 작전에 따른 병력배치를 군, 사단에
전보로 알렸다. 팽 총사령관에게도 보고를 끝내자 벌써 황혼 무렵이었
다. 저녁밥을 먹고 둥화, 나, 한선초는 각각 부대를 인솔해서 출발했
다. 병단 정치위원 뇌전주는 이때 갑자기 북경으로 전보발령이 나서
우리와 함께 조선에 가지 못했다.[48] 우리들이 묵었던 숙소는 압록강
철교에서 아주 가까웠다. 지프차를 타고 몇 분 거리였다.

이때, 강 건너편의 신의주는 아주 고요했다. 그러나 조금만 남쪽으
로 내려가면 불시에 공습하는 전투기의 윙윙하는 굉음이 세차게 들려
왔다. 격전이 벌어지고 있는 전장이 가까워진 것이다.

날이 점점 어두워졌다. 갑자기 수행참모가 내 귀에다 가만히 속삭였
다. "사령관 동지, 강을 건너시죠."

"음" 일종의 긴장감이 온몸을 감쌌다.

과거 싸웠던 상대와는 딴판이다. 우리는 상대의 장점을 진지하게 살
펴 적을 알고 나를 알아야 한다. 결코 적을 가벼이 봐서는 안 된다.
과거의 낡은 경험은 소용없다는 생각이 들었다. 이쯤 생각이 미치자
나는 온몸에 짜릿한 전율을 느꼈다. 나는 위장을 철저히 한 지프차에

---

48) 賴傳珠는 참전준비 도중 인민해방군 총간부부 제1부부장으로 전보돼 북
경으로 떠났다.

성큼 오르면서 갑자기 애틋한 마음으로 어둠에 잠겨 있는 조국의 대지를 돌아다보았다. 차는 재빨리 안동 압록강철교를 건넜다.

피난행렬

밤이 깊어지자 보슬비가 그쳤다. 갑자기 구름이 흩어지며 휘영청 보름달이 얼굴을 드러냈다. 온 하늘에 서리가 잔뜩 뿌려지고 가을의 찬바람이 소슬한 분위기를 자아냈다. 곳곳에 단풍잎이 물들어 있었다.

국경을 넘어선 지프는 산길을 달리기 시작했다. 산길이 좁은 데다 미군비행기가 언제 공습해 올지 몰라 차의 전조등을 끄고 전진하려니 이만저만 고생이 아니었다.

조금 더 나가려니 북쪽으로 철수하는 조선인민군 전사들과 피난민행렬과 맞닥뜨렸다. 좁은 길에 사람을 가득 실은 우마차가 들어서니 오도 가도 못 할 지경이었다. 게다가 우리 병사들이 인민군 군복을 입은 탓에 중국군대인 줄 몰라 전혀 길을 양보하려 들지 않았다. 적이 조바심도 났지만 다툴 수도 없어 우리가 먼저 길을 내주었다.

후퇴하는 인민군병사들에게 나의 조선인 연락원이 행선지를 물어보자 "압록강에서 모인답니다."는 한결같은 대답이었다.

그때 갑자기 윙윙하는 굉음이 들리더니 미군비행기 몇 대가 우리 머리 위를 지나갔다. 비행기의 굉음이 사라지는가 싶더니 조선말로 왁자지껄했다. 사정을 알고 보니 후퇴하는 조선인민군 군관이 타고 있던 차 운전병이 워낙 앞길이 보이지 않자 비행기가 우리 머리를 지날 때쯤 공교롭게 전조등을 켜버린 것이었다. 이에 당황한 인민군보병이 총개머리판으로 전조등을 깨버렸고 화가 난 운전병이 분통을 터뜨리며 시비가 붙었던 것이다.

1시간여쯤을 갔을까. 미군전투기가 또 고공에서 맴을 돌았다. 갑자기 내가 탄 지프차 앞에 가던 아군트럭 한 대가 길가의 도랑으로 굴러 떨어졌다. 도랑이 꽤 깊어서 트럭은 여러 번 곤두박질한 끝에 바닥에 처박혔다. 트럭이 뒹구는 소리를 듣고 나는 차에서 내려 "어찌된 일이냐"고 물었다. 알고 보니 트럭 앞에 가던 조선인민군의 지프차가 갑작스레 멈춘 때문이었다. 그 지프차가 어째서 꽁무니를 비스듬히 하면서 길 한복판을 가로막았는지 모르겠지만 트럭은 추돌할까 봐 핸들을 갑자기 꺾어버렸다. 공교롭게도 그 길은 새로 닦여 길가의 흙이 부드럽다 보니 트럭의 무게를 감당하지 못해 와르르 무너져 내린 것이다. 나는 트럭운전사가 깔려 죽었을 것이라 생각했다. 좀 있다가 내가 밑에다 고함을 질렀더니 "죽은 사람은 없고 조금 다쳤으니 곧 올라갈 겁니다"는 대답이 들려왔다. 나는 트럭운전병에게 후속부대가 오기를 기다렸다가 차를 위로 끌어올릴 방법을 생각해 보라고 했다. 나중에 차를 끌어올려 전방으로 향했다.

우리는 노상에서 불시에 생각지도 못한 여러 상황을 만나기는 했지만 지프차는 계속 앞으로 나아갔다. 나는 지프차에 앉아 요 며칠 사이 일어난 사정을 돌이켜 보았다.

외신보도에 따르면 이달 15일, 즉 5일 전에 맥아더는 웨이크 섬에서 미국 대통령 트루먼과 만나는 자리에서 "중공은 조선에 출병할 수 없다"고 단언했었다. 그는 대통령에게 이렇게 말했다. "대통령 각하, 가능성은 희박합니다. 중국은 만주에 30만의 병력을 보유하고 있습니다. 그중 10만에서 12만 5천 명을 넘지 않는 병력이 압록강변에 배치돼 5만에서 6만 명이 도강작전을 벌일 가능성은 있습니다. 제 판단으로는 중국이 이 전쟁에 참가할 뜻이 있기는 합니다. 그러나 우리의 힘이 막

강하고 중국이 취약한데도 중공부대가 압록강을 건너온다면 인류역사
상 최대의 학살이 이루어질 것입니다. 어떠한 중국 지휘관도 이러한
위험을 무릅쓰고 대량의 병력을 이미 엄청나게 파괴된 한반도에 투입
하지는 않을 것입니다." 그는 의기양양하게 트루먼에게 약속했다. "추
수감사절까지 전 한국에서 정규적인 저항은 끝날 수 있도록 하겠습니
다. 저는 성탄절까지는 제8군을 일본으로 철수시키고 싶습니다."

그러나 맥아더는 우리 중국이 출병한 사실을, 그것도 한 번에 20여만
명의 병력이 출동한 사실을 상상이나 했으랴. 그러나 기세등등한 미군
과 전쟁을 치르는 데 위험은 당연히 따르는 법이다. 우리 지원군은 이
러한 위험을 무릅쓰기로 결정한 것이다. 전쟁이 언제 끝날 것인지 우리
는 장담할 수 없지만 이러한 지구전에서는 우리도 빨리 이길 수 없고
미국도 빨리 이길 수 없다는 점은 분명하다. 맥아더가 추수감사절이나
성탄절까지 전쟁을 끝내겠다는 것은 그의 희망사항일 뿐이었다. 우리
같이 지구전에 노련한 병력들이 대거 조선으로 들어가니 맥아더는 추
수감사절까지 전쟁을 끝내려는 꿈을 이룰 수 없을 것이기 때문이다.

앞으로 나아갈수록 후퇴하는 조선병사들과 피난민이 많아졌다. 그러
다 보니 일부 눈치 빠른 자들은 우리가 조선인민군이 아니라 중국지
원군부대임을 알아챘다. 군복은 조선인민군의 것이긴 해도 일부 무기
가 소련제가 아닌 미제무기(대부분 장개석군에게 빼앗은 것임)이며
엄청난 병력이 이동했기 때문이었으리라.

한 조선인민군 군관이 우리 연락원에게 말을 건네 왔다.

"혹시 중국대륙에서 오셨습니까?"

"그렇습니다."

"아, 그래요. 수고 많으십니다. 적들이 어찌나 세차게 공격을 하는지

정신이 다 나갈 지경이오. 그네들의 전투기 공습이며 대포 등의 화력
이 어찌나 위력적인지 말로 표현할 수 없어요. 압록강변에서 모인다고
모두들 그쪽으로 가고 있답니다. 그런데 말입니다. 중국 동지들은 전
투기나 대포는 어느 정도 갖추고 오셨는가요."

"우리는 전투기는 전혀 없고 대포도 별로 볼 만한 게 없습니다. 보
병들의 소총이 무기의 대종을 이루고 있어요."

"아, 그래요. 그렇지만 비행기나 대포도 없이 미군과 싸우는 것은
힘들 텐데……."

그 조선군관은 아무래도 미덥지 않은 듯 말끝을 흐리더니 한숨을
내쉬는 것이었다.

4

지원군사령부 결성

미군과 국군의 질풍 같은 진격

조선 평안북도 동창과 북진 사이 기복이 고르지 못한 구릉지대가 있었다. 구릉 위아래로 소나무와 갖가지 나무들이 빽빽이 들어차 있었다.

10월 20일 새벽 우리는 병단 사령부에 합류했다.(병단 사령부는 장전하구에서 압록강을 건넜다) 그날 황혼 무렵, 나는 40군 병력이 지나가는 것을 보고 중대, 대대, 연대간부들을 만나보았다. 그들의 정신력은 대단했다. 병사들은 휴대품이 많기는 했지만 사기는 높았다. 나는 차에서 내려 1개 중대의 군장을 살펴보았다. 갖출 물건은 모두 가지고 있었다. 나는 그들을 격려하기 위해 큰 소리로 외쳤다. "과거 우리는 국민당의 장개석을 타도했다. 이제는 미제국주의자들과 만나게 됐다. 이길 자신이 있는가?"

병사들이 우렁찬 목소리로 대답했다.

"자신 있습니다. 반드시 타도하겠습니다. 사령관 동지, 마음 놓으십시오." 나는 병사들의 이러한 정신상태를 보고 매우 흡족했다.

10월 21일 오후, 우리는 팽 총사령관의 전보를 받았다. 팽 총사령관은 전보에서 이렇게 지시했다. "금일 9시 동창과 북진 사이의 대동(大洞)에서 김일성 동지와 만났음. 전방의 상황은 아주 혼란스러워 평양에서 철수하는 부대와는 이미 사흘 동안 연락두절임. 함흥 순천 이남에는 우군이 없고 함흥의 적이 북진을 계속할지는 불명임. 등화, 홍학지, 한선초 동지는 필수인원을 데리고 빨리 내가 있는 곳으로 와서 적을 섬멸할 수 있는 병력배치를 논의하기 바람. 해패연 동지는 잔여인원을 데리고 부대를 따라 전진할 것"

팽 총사령관은 전보에서 그와 연락할 수 있는 위치를 알려주었다.

우리가 연락지점에 도달하면 그의 연락원과 접촉한 뒤에 그와 만나기로 했다.

팽 총사령관이 압록강을 건너 조선에 들어간 이후 우리는 줄곧 그의 소식을 기다렸으나 이틀씩이나 전혀 연락이 없어 아주 초조했다. 그러다 이 전보를 받으니 안도감이 밀려왔다. 이때의 정세는 우리가 출발했을 때와는 많은 변화가 있었다. 우리는 연달아 모 주석으로부터 부대배치를 바꾸고 팽 총사령관과 합류하라는 전보를 접수하고 있었다. 상황이 긴박하게 돌아가니 우리는 팽 총사령관으로부터 지시를 받고 그와 함께 향후행동을 연구해야만 했다. 이때 한선초는 이미 40군 사령부와 함께 최전선으로 가버려 연락이 되지 않았다. 등화와 나는 상의 끝에 우리 두 사람이 먼저 팽 총사령관을 찾아가기로 했다.

21일 밤 7시가 넘어 날이 어두워진 뒤에 우리는 출발했다. 남의 눈에 띄지 않기 위해 나와 등화는 따로 떠났다.

내가 탄 지프는 갈 길을 재촉했다. 22일 아침 5시가 넘어서 사방이 희뿌연해졌다. 나는 깜빡 잠이 들었다. 안내인이 갑자기 나를 깨우더니 "연락지점에 도착했다"고 말했다. 그러더니 10여 호의 인가가 있는 산골을 가리켰다.

내가 연락지점에 이르렀을 때 등화는 아직 도착하지 않았다. 40세 정도의 조선 여성이 나를 맞이했다. 그녀는 키가 작고 머리를 땋고 있었다. 강단이 있게 보였다. 나를 보더니 그녀는 알아들을 듯 말듯 한 중국말로 내게 자기소개를 했다. "저는 이 연락처의 주임입니다."

"나는 중국인민지원군 13병단 부사령관 홍학지요. 지원군 사령관 팽덕회 동지의 연락원을 만나러 왔소."

"벌써 알고 있습니다. 그런데 팽덕회 총사령관의 연락원은 아직 오지 않았습니다. 잠시 기다리시죠."

"얼마나 기다리면 되오."

"그것은 저도 알 수 없습니다."

"좀 빨리 연락할 수는 없을까요."

"최선을 다해 연락해 보겠습니다. 그러나 이곳에는 전화나 무선통신 시설이 없고 차도 없습니다. 사람을 보내 찾아보겠습니다."

말을 마친 뒤 그녀는 사람을 보내 우리가 찾으려는 팽 총사령관의 연락원을 찾게 하는 한편 우리들의 밥을 짓도록 했다.

아침 7시가 넘자 날은 이미 환해졌다. 아침밥상이 차려지자 등화도 도착했다.

이때 미군의 P51전투기가 날아와 우리가 머물러 있던 촌락에 한바탕 기관총을 퍼부었다.

아침밥을 다 먹어도 연락원은 오지 않았다. 여주임은 우리를 방으로 안내해 휴식을 취하거나 눈을 붙이도록 했다. 마음 놓고 잠을 잘 수 있는 형편인가. 미군전투기는 끊임없이 공중을 선회하면서 기관총을 퍼붓는데 말이다.

나는 온돌방에 누어 요 며칠 새 관련부서에서 보내온 전황을 회상해 보았다.

10월 19일 아군이 조선에 들어오던 날 미제1군단의 3개 사단이 평양을 점령했다. 20일, 미군 제187공수여단이 숙천, 순천에 투하해 평양에서 철수하는 조선인민군의 퇴로를 끊으려 했다.

이때 미군과 국군의 병력은 42만 명에 달했다. 전투기는 1천1백여 대, 각종 군함은 3백여 척이었다. 지상부대는 5개 군단 15개 사단, 2개 여단 등 23만여 명이었다. 그중에서 미군 3개 군단 6개 사단(사단마다 탱크 1백54대, 57~155mm 야포 3백52문 보유) 12만여 명에다 다른 국가 군대 1만 2천여 명이 있었다.

평양의 함락은 상대를 더욱 의기양양하게 만들었다. 그들은 이것이 북조선의 '철저한 실패'를 상징하며 중국은 출병, 참전하지 않을 것이며 설사 출병한다고 해도 '출병하기에 유리한 시간도 이미 지나가버렸다'고 판단했다. 맥아더는 추수감사절 전에 전쟁을 끝낸다는 전략의도를 실현시키기 위해 조선인민군의 철수부대와 유격대에 맞설 일부병력을 제외하고 4개 군단 10개 사단 1개 여단, 1개 공수여단 등 13만여 명의 병력을 집중해 속전속결의 방침에 따라 동서 양 전선(주력은 서부전선)에서 병력을 여러 갈래로 중국, 조선국경으로 몰아붙이게 했다.

서부전선은 미8군 사령관 워커 중장이 지휘하는 미군 제1군단과 국군 제2군단 등 모두 6개 사단, 1개 여단과 1개 공수여단이 있었다. 미 제1군단 예하 미제24사단, 영국군 제27여단, 국군 제1사단은 평양, 사리원 일대에서 경의선철로를 따라 신의주 삭주 벽동 쪽으로 진격해왔다. 국군 제2군단 예하 국군 제6, 제7, 제8사단은 성천 파읍 양덕 일대에서 초산 강계 쪽으로 밀려왔다. 또 미제1군단 예하 미기병 제1사단과 187공수여단은 평양 숙천 일대에 위치해 예비대로 활동했다.

동부전선에는 아몬드 소장이 지휘하는 미제10군단과 국군 제1군단 등 모두 4개 사단이 있었다. 미제10군단 예하 미해병 1사단과 미제7사단 및 국군 제1군단 예하 국군 수도사단, 국군 제3사단이 장진호를 따라 두만강변의 혜산 강계 쪽으로 진격했다.

이때 상대는 이미 그들을 가로막을 사람이 없다고 생각했다. 그들은 이미 '군사상 공백지대'에 들어왔다고 생각했다. 조금도 거리낌 없이 사단, 심지어 연대나 대대별로 각각 중조국경을 향해 재빠르게 밀려왔던 것이다. 상대는 국군을 선두에, 미군을 후미에 두고 차를 탄 보병을 선도에 내세우며 파죽지세로 치고 올라왔다.

20일에는 서부전선의 국군 제2군단 소속 국군 제6, 제7, 제8사단이 이미 순천 신창리 성천 파읍을 잇는 선까지 이르렀다. 우리의 구장덕천 영변 등 예정 방어지역에서 고작 70~100㎞ 떨어진 거리였다. 동부전선의 국군 수도사단은 이미 오로리 홍원 일대를 점령해 우리의 예정 방어지역에 도달해 버렸다.

이때 압록강을 건넌 아군 5개 사단은 압록강 남안의 신의주 동쪽 삭주 만포 일대에 이르렀을 뿐이었다. 예정 방어지역에서 120~270㎞까지 떨어져 있었다. 상대보다 먼저 우리의 예정지역에 도달하기는 이미 불가능했다. 그러나 유리한 조건은 상대가 아직 아군의 대군이 조선에 들어온 사실을 모른 채 도로를 따라 마음 놓고 전진한다는 점이었다. 그들의 병력은 비교적 분산되어 있는 데다 가운데의 국군 3개 사단이 돌출돼 있었다. 동서 양 전선 사이에 80여㎞의 커다란 틈도 있었다. 이러한 모양새는 아군이 적의 판단착오에다 병력을 분산해 마구잡이로 진격하는 약점을 이용하기에는 안성맞춤이었다. 기동 중에 상대에게 기습공격을 할 수 있다는 것이다. 확실한 것은 아군이 불시에 적을 나누어 포위해서 각개 격파할 수 있는 가장 좋은 기회라는 점이다.

이에 근거하여 모 주석은 시세를 따진 끝에 즉시 결단을 내리고 어제(10월 21일) 새벽 연달아 3번씩 우리에게 전보를 보내와 지시를 내렸다. "원래의 계획을 포기하라. 대신 기동 중에 적들을 섬멸하라"

모 주석은 21일 새벽 2시 반 팽덕회, 등화, 홍학지, 한선초에게 보낸 전보에서 이렇게 지적했다. "이 시각까지 미군과 국군은 우리 지원군이 참전하리라고 생각을 못 하고 감히 동서 두 길로 나뉘어 마음 놓고 전진하고 있음" "국군 수도 3사단 등 2개 사단은 7일 남짓 지나 장진에 도착한 뒤 강계로 방향을 돌릴 것으로 예상됨. 아군이 첫 번째 전투로 이 2개 사단을 깨뜨리는 준비를 하지 않는다면 42군의 1개 사단은 장진 일대에서 상대를 막으면 충분함. 42군의 주력은 맹산 이남지역(바로 국군 6사단의 진로)에서 원산 평양 간 철로선을 절단하면서 원산 평양 두 곳의 적을 감제해 그들이 북으로 원조를 못 하게 해야 함. 아군 3개 주력사단을 집중시켜 국군 6, 7, 8, 3개 사단을 각개 격파해야 함."

"이번에 국군 3개 사단을 격파해 출국 후 첫 번째 전투에서 승리를 거두면 조선전세를 변화시킬 수 있는 가장 좋은 기회임. 병력배치에 대해서는 팽, 등 동지가 치밀하게 계획을 짜서 실행토록 할 것." 모 주석은 전보의 말미에 이렇게 지시했다. "팽, 등 동지는 함께 머물도록, 흩어져서는 안 됨."

21일 새벽 3시 반, 모 주석은 등화 동지와 팽덕회, 고강 동지에게 전보를 보내왔다.

"13병단은 즉시 팽덕회 동지가 있는 곳으로 가서 행동을 같이하면서 중국인민지원군사령부로 개편, 조직할 것. 그리고 나서 부대배치를 끝낼 것. 지금은 전투에서 유리한 시기를 얻느냐는 문제가 걸려 있다. 며칠 내로 전역의 병력배치를 끝내야 하는 문제이다. 며칠 내로 전투를 개시해야 하는 것이다. 먼저 일정한 시기에 방어를 한 뒤에 다시 공격을 논의하는 그런 문제는 아니다." 전문의 말미에 그는 13병단 사령부가 반드시 팽 총사령관과 행동을 같이하라는 것을 또다시 강조했다. 그는 "당신(등화를 가리킴)과 나머지 동지들은 필수인원을 데리고 팽 사령관의 거처에 합류할 것"을 지시했다.

우리 지원군이 출국한 뒤 첫 번째 전투는 확실히 관심이 컸다. 당시 모 주석은 수시로 전보를 보내 지시했으며 그의 지시 또한 명확하고 구체적이어서 세세한 문제까지 참을성 있게 우리에게 주의를 기울이도록 했다.

21일 새벽 4시, 모 주석은 팽덕회, 등화에게 전보를 보내와 전역에서의 병력배치에 대해 지시했다.

1. 평안남도, 평안북도, 함경도의 3도경계선에 있는 묘향산 소백산 등 제고점을 차지하도록 할 것. 동서 양쪽의 적을 분리해 그네들이 점령할 수 없게 해야 함.
2. 적의 진격방향에 주의할 것.
3. 희천이나 다른 적당한 곳에 튼튼한 방공호를 지어 사령부의 안전을 도모하라.

대동에서 김일성 동지를 만나다

오전 10시 남짓 됐을까, 팽 총사령관의 연락원이 찾아왔다. 그는 등화와 나를 보자 "팽 총사령관은 이 근처의 대동이라는 마을에 계십니다. 빨리 만나보고 싶어 하십니다."고 말했다.

온돌방에서 이제 막 잠이 들었던 등화는 이 말을 듣자마자 물고기처럼 펄떡 일어나더니 내게 "지금 출발하지." 하고 재촉했다.

나와 등화가 연락지점에서 떠났을 때 이미 오전 11시가 넘었다. 우리 두 사람이 탄 가스67지프차 두 대는 위에다 소나무가지로 철저한 위장을 했다.

그러나 시골마을의 밭도랑을 지나 개활지에 이르자 미군무스탕전투기 10여 대가 왱왱거리며 날아들었다. 폭탄을 투하하면서 기관총세례를 퍼부었다. 그러나 그들은 마구잡이로 공격을 하는 듯했다. 직접적으로 우리를 맞추지는 못했다. 그러나 안전을 위해 우리는 모두 차에서 내려 잽싸게 몸을 숨겼다. 지프차는 신속하게 산골짜기에 들어갔다. 전투기는 공중에서 몇 바퀴를 돌더니 우리를 찾지 못한 채 날아가 버렸다.

매우 가까운 거리였지만 우리는 여러 차례 미군전투기를 만났다. 그때마다 모두 차에서 내려 몸을 숨기고 차를 산골짜기에 집어넣었다.

이리하여 약 1시간 남짓 전진하자 앞에 집 몇 채가 눈에 띄었다. 안내원이 '대동'이라고 했다.

대동도 산골이었다. 골짜기 입구에 초병이 여럿 있었다. 우리의 접근을 제지했다.

"함부로 들어갈 수 없습니다. 누구십니까."

"등화, 홍학지가 와서 팽덕회 동지를 만나러 왔다고 말씀 전해."

보초병은 안에 들어가서 보고한 다음 "들어오십시오."했다.

우리가 골짜기로 들어서자 팽 총사령관의 경호원이 초가집을 가리키며 우리에게 말했다. "총사령관 동지는 저기서 김 수상과 말씀을 나누고 있습니다. 잠시 기다리면 말씀이 끝날 테니 먼저 점심식사를 들라고 하셨습니다."

우리는 작은 방에서 점심식사를 마치고 이들의 회견이 끝나기를 기다렸다. 1시간 넘게 기다렸을까. 모 주석의 지시도 있고 해서 얼른 총사령관을 만났으면 했지만 예상 외로 이들의 만남은 끝날 줄 몰랐다.

결례를 무릅쓰고 경호원에게 서너 차례 분위기를 살펴보도록 부탁했다. 오후 2시쯤 됐을까. 경호원이 우리에게 말했다. "들어오시랍니다."

방안에 들어서니 10여㎡ 크기 정도였다. 두 사람이 저만치 방 한가운데 의자에 앉아 담소를 나누고 있었다. 마치 백년지기의 만남처럼 다정했고 김 수상의 모습은 생각보다 여유 있었다.

나는 몇 년 전 동북 해방전쟁 당시 김일성 동지를 한 번 본 적은 있으나 말을 나눈 적은 없었다.

지금 조선의 형세가 급박하다는 느낌을 전혀 받을 수 없을 정도로 그의 태도는 태연자약했다.

팽 사령관 역시 만족스러운 표정이었다.

우리는 먼저 그들에게 경례를 하고 악수를 나누었다.

김일성 동지는 우리를 의자에 앉게 한 뒤 웃으며 말했다.

"동지들은 어떻게 찾아왔습니까? 이곳은 외진 곳이고 은폐가 잘되어 있어 찾기 어려웠을 텐데요."

등화가 대답했다. "팽 사령관께서 우리에게 전보를 보내 오라고 하시더군요." 나도 거들었다.

"오늘 사령관 동지 연락원이 데려다주었습니다."

팽 총사령관이 웃으며 고개를 끄덕였다.

김일성 동지도 고개를 끄덕이며 "아, 그래요. 요 며칠 새 적들이 쉴 새 없이 북진하는 바람에 우리도 철수하느라 정신이 없었어요. 나도 지금 막 평안북도인 이곳에 왔는데 팽 총사령관께서도 때마침 오셨더구면요."

김일성 수상은 우리와 몇 마디를 더 나눈 뒤 "팽 총사령관과 말씀들 나누시오." 하며 방을 나갔다.

지원군 부사령관을 맡다

그가 나간 뒤 등화가 서둘러 말했다. "사령관 동지 이틀 동안 아무런 연락을 주시지 않아 걱정을 많이 했습니다."

팽 총사령관이 웃으며 말했다. "약간 사정이 있었지."

"압록강을 건넌 뒤 나는 북한 신의주시 노동당 이위원장(외팔이면서 키다리였다)을 만났지. 조선 부수상 박헌영도 거기서 우리를 기다리고 있더구먼. 김일성 수상은 어디 계시냐고 물었더니, 박헌영의 말로는 지금은 연락이 되지 않는다는 거야. 수풍발전소에 가서 소식을 기다리자더군. 그때 날씨는 가랑비가 내리다가 눈으로 바뀌어 흩날렸어. 도로는 진흙탕이고 전진하기가 어려워 그날 밤은 발전소에서 지냈어. 20일 정오에 박헌영이 김 수상과 연락이 닿았어. 김수상이 대동에 있는 걸 알았지. 황혼 무렵 우리는 김 수상을 만나기 위해 대동으로 출발했지. 박헌영이 바르샤바승용차를 타고 앞서가면서 길을 안내했지. 나는 가스67지프차를 타고 뒤에서 따라가고 말이야. 그의 승용차는 빨리 가고 내가 탄 지프차는 느릿거려 조금 달리니까 한 길 차이가 났어. 시간을 아끼기 위해 나는 박헌영의 바르샤바승용차에 옮겨타 전속력으로 달렸지. 뒤에 따라오던 무전 차량은 종적도 보이지 않고 말이야. 무전기가 없으니 자네들에게 연락할 수가 있어야지. 21일 오후가 돼서 최륜의 차가 내가 있는 곳을 찾아왔더구먼. 자네들에게 보낸 전보도 그들이 도착한 다음에 보낸 거야."

"아, 그렇게 된 거구먼요." 나와 등화는 고개를 끄덕였다.

팽 총사령관은 김일성 수상과 회담한 내용을 설명하기 시작했다.

"내가 먼저 우리 당중앙과 주석의 결정을 알렸지. 지원군은 1차로 12개 보병사단, 3개 포병사단 등 약 20만 명으로 하고 그 밖에 24개 사단을 대기시켰다가 2차, 3차 조선에 들어가 작전을 벌일 계획이라고 말했지.

우리의 작전은 평양, 원산 이북과 덕천, 영변 이남지구에 진지를 쌓고 방어한다는 생각이고 조선인민군이 조직적으로 적의 진격을 막아주면 우리가 한결 작전하기에 수월하다는 얘기를 했지.

그리고 우리 당중앙과 모 주석이 출병을 결심한 것은 결코 쉽지 않은 결정이었다는 점을 밝혔어. 이제 이왕 출병을 결정한 바에는 첫째 조선문제를 합리적으로 해결하는 데 보탬이 되어야겠다고 했지. 관건은 미군의 인명을 살상시킬 수 있느냐에 달려 있다고 말이야. 둘째로는 미국이 중국과 전쟁상태에 들어갈 거라고 했어. 적어도 미국이 동북지방과 공업도시를 폭격하고 우리의 해안지방을 공격하는 데 대해 준비를 해야 한다고 말이야."

팽 사령관의 말이 계속됐다. "내가 이어서 김 수상에게 말했지. 현재 문제는 기반을 제대로 잡을 수 있을까 여부인데 가능성은 딱 세 가지라고. 첫째는 기반을 잡는 것인데 적을 섬멸해 평화적으로 조선문제를 해결하는 거야. 두 번째는 기반을 잡되 피아 쌍방 간에 대치상태로 접어드는 거고. 세 번째는 기반을 잡지 못하고 되돌아가는 거라고 말이야. 우리는 첫 번째가 가장 가능성이 높다고 판단한다고 말했지. 김일성 동지는 모택동 동지, 중국 공산당 중앙위원회가 출병결정을 내린 데 대해 깊은 감사의 뜻을 나타내시더구면."

"김일성 동지는 이런 말씀도 하시더구면. 요 며칠 새 상대의 진공속도가 워낙 빨라 당신들이 예정한 방어지역에 제때 도달하기는 어려울 것이라고 말이야. 그래서 내가 '상대의 진전상황을 우리는 상당부분 파악하고 있습니다. 우리의 계획은 며칠 전에 세운 것이어서 지금 상황에 따라 바꾸겠습니다. 인민군이 상대를 막는 사정은 어떻습니까?' 하고 물었더니 김일성 동지 말이 상대의 병력이 우세한 데다 포화가 강하고 엄청난 전투기가 있어 진공을 막는 데 어려움이 많다고 하더군. 그래서 내가 물었지. 현재 인민군의 병력이 어떻게 되느냐고. 김 동지 말씀이 '이것은 누구에게도 말하지 않은 건데 우리는 지금 3개 사단 병력을 보유하고 있을 뿐입니다. 1개 사단은 덕천 영변 이북, 1

개 사단은 숙천, 1개 탱크사단은 박천에 있습니다. 그 밖에 1개 공병단과 1개 탱크여단이 장진부근에 있습니다. 남쪽에 떨어진 부대들도 계속해서 북쪽으로 철수 중입니다.' 하고 말이야."

팽 총사령관은 우리 두 사람에게 말했다. "김일성 동지는 여기까지 말씀하고는 더 이상 말씀을 안 하시더구먼. 조선의 상황은 이제 우리에게 달린 것 같아."

팽 총사령관이 우리에게 물었다. "모 주석이 보내신 전보를 다 받았는가."

"받았습니다."

내가 말했다. "사령관 동지, 동지께서 21일 중앙군사위와 저희에게 보내신 전보를 보았습니다. 당초의 결심과 병력배치를 바꾸겠다는 동지의 의견은 모 주석의 의견과 완전히 일치했더군요. 저희들도 찬성합니다."

팽 총사령관은 자리에서 일어나더니 이리저리 발걸음을 떼었다. "어느 정도 근거지를 점령해 진지를 구축시켜 방어를 진행하려던 원래의 계획을 즉각 바꾸어 기동 중 적을 섬멸할 기회를 찾아야겠는데, 모 주석이 말씀한 바와 같이 국군 제6, 7, 8 3개 사단을 공략해 출국 첫 번째 전투를 승리로 이끌려고 하는데 자네들의 의견은 어떤가."

등화가 말했다. "저희들의 생각과 완전히 일치합니다."

"구체적인 작전계획을 수립했는가."

"구체적인 계획은 저와 홍형이 이미 연구를 끝냈습니다."

"그럼 말해 보지."

"총체적인 구상은 즉각 3개 주력군을 서부전선에 집중시켜 각각 국군 제6, 7, 8사단을 공략하는 겁니다. 구체적인 병력배치를 보면 동부전선은 42군 예하 1개 사단에 1개 포병여단을 배속시켜 장진 일대를 지키게 해서 국군 수도사단, 제3사단을 막도록 하겠습니다. 군 주력은 먼저 소백산 일대를 점령해 전황을 살펴 다시 맹산 이남으로 밀려들게 하겠습니다. 서부전선은 40군을 덕천, 영변 일대에, 38군은 희천, 39군은 태천, 구성 일대로 진격시켜 사정을 살펴가며 적을 섬멸할 기회를 살피도록 하겠습니다."

팽 사령관은 고개를 끄덕였다. "우리가 대규모로 조선에 들어온 것을 상대는 전혀 눈치 채지 못한 만큼 작전을 제대로 세우면 우리에게 충분히 승산이 있소."

이때 내가 건의했다. "39군이 태천 쪽으로 오게 되면 신의주 정주가 비게 돼 상대가 서해안으로 상륙해 올 경우 일을 그르치게 됩니다. 그래서 66군을 안동, 신의주 일대에 배치했으면 합니다."

팽 총사령관은 그 자리서 "당장 군사위원회에 전보를 치시오. 66군을 내일, 모레 이틀에 걸쳐 천진(天津)으로부터 급히 보내 신의주, 정주의 교통 선을 장악하고 지원군의 예비대로 쓸 수 있도록 요청하라."고 지시했다.

그는 이어 후방보급 문제에 대해서도 물었다.

내가 대답했다.

"이미 동북군구와 협의를 끝냈습니다. 병참보급선은 세 갈래로 나누었습니다. 장전과 신창 북진을 잇는 제1선, 집안과 별합리 오평리의 제2선, 임강 주파 장진을 잇는 제3선이 있습니다. 물자수송을 위해 10만 명의 민간근로자들이 동원되었습니다."

팽 총사령관이 말했다. "각 병참보급선의 예비부대마다 상당량의 탄약과 1개월 치의 양식을 비축해야지. 또 정치동원령을 발령하여 전 지휘관들과 병사들에게 용감한 전투정신을 발휘하도록 말이야. 초전승리로 조선전세를 바꿔 조국에 영광을 돌리자고 호소해야지."

등화와 나는 "초전필승은 반드시 필요합니다. 팽 총사령관의 지시가 실효를 거두도록 노력하겠습니다."고 다짐했다.

팽 총사령관이 또 말했다. "내가 김일성 동지와 상의한 끝에 지원군 사령부는 대유동(大楡洞)에다 세우기로 했어." 팽 총사령관은 벽에 걸린 군용지도를 가리키며 말했다.

"대유동은 대동의 북쪽이야. 여기에서 아주 가까워. 자네들은 얼른 사람을 보내 해패연에게 알려줘. 병단 사령부 필수요원들을 데리고 최대한 빨리 대유동으로 옮기라고 말이야. 병단 사령부가 대유동에 도착하면 각 군, 사단과 통신연락을 취해야겠지."

등화가 "알겠습니다."고 대답했다.

팽 총사령관이 말했다. "자네들도 빨리 대유동에 가서 병력배치를 재조정해. 나는 여기서 김일성 동지와 조선전황에 대해 좀더 생각을 해보고 나서 대유동에 가서 합류하겠다."

이후 항미투쟁 중 팽 총사령관은 자주 김일성 수상에게 가서 전황을 알려주고 김 수상도 자주 지원군사령부로 직접 와서 전황을 파악하곤 했다. 전쟁의 국면 등 중대한 문제에 대해 상의하곤 했던 것이다. 평시에는 지원군의 관련 작전상황은 김 수상이 파견한 지원군주재 전권대표가 수시로 그에게 보고하곤 했다.

대유동은 조선의 유명한 금광이었다. 평안북도 북진에서 북서쪽으로 3㎞ 떨어져 있는 곳으로 사면이 산으로 둘러싸인 산골짜기였다. 산골짜기 양편 산기슭에 금광갱이 여럿 뚫려 있었다. 갱 아래는 낡은 가건물이 몇 채 있었지만 갱 안은 습기가 차고 어두워 사령부는 베니어로 지은 가건물 안에다 마련했다.

10월 24일 팽 총사령관이 대동에서 대유동사령부로 와 우리와 합류했다.

이미 한선초, 해패연과 병단 사령부지휘부 동지들은 대유동으로 와서 각 군, 사단과 연락을 끊임없이 취하면서 전투준비로 부산했다.

팽 총사령관은 대유동에 온 그날 밤 병단 사령부 지휘관들을 소집해 전략회의를 가졌다.

그는 먼저 김일성 동지와의 협의 내용을 설명했다. 지원군과 조선인민군의 협조문제, 지휘계통의 통일문제 등등이었다.

그는 조선인민군이 후퇴하면서 전력에 커다란 손실을 입었다고 전했다. 그나마 방호산(方虎山)이 이끄는 군단이 비교적 손실이 적은 편이라고 말했다. 따라서 이번 작전은 주로 중국인민지원군이 맡아야 한다는 게 팽 사령관의 설명이었다.

팽 사령관은 "이제 지원군의 지휘부를 구성해야겠소. 전투가 눈앞에 다가왔는데 시간이 없으니 어쩔 수 없소. 조선에 13병단이 들어왔으니 임시로 13병단 사령부지휘부를 지원군지휘부로 합시다. 모 주석도 내 생각에 동의했는데 귀관들 생각은 어떻소."

우리로서야 마다할 이유가 없었다. 엊저녁만 해도 모 주석은 우리에게 전보를 보내 빨리 팽 사령관과 작전계획을 짜라고 당부했으니까 말이다.

팽 사령관은 우리의 동의를 들은 뒤 "지금은 전쟁을 눈앞에 두고 있으니만큼 여러분과 미리 상의하지 못한 점 이해하시오."라며 지휘부의 임무를 각각 부여했다.

"나는 지원군 총사령관 및 정치위원으로 작전의 총책임을 맡을 거요. 등화 동지는 제1부사령관 및 부정치위원으로 간부관리와 정치공작을, 홍학지 동지는 제2부사령관으로서 사령부 일과 특과병, 후방보급일을 각각 맡으시오. 한선초 동지는 제3부사령관으로 최전선에 나가 작전 독려하는 일을, 해패연 동지는 지원군 참모장으로 임명하오.

두평 동지는 지원군정치부 주임을 맡으시오. 지원군당위원회의 조직은 당중앙, 모 주석의 지시에 따라 이렇게 결정했소. 팽덕회는 지원군의 당서기에 임명하고 등화 동지는 당위부서기에, 홍학지, 한선초, 해패연, 두평동지는 상무위원에 임명하오."

팽 총사령관은 또 말했다. "일의 편의상, 조선인민군과의 협조를 위해 우리 지원군의 지휘부에 조선 동지 한 명이 필요할 것 같소. 내가 김일성 동지와 상의한 끝에 박일우 동지로 결정했소. 그의 직위는 부사령관 겸 부정치위원이며 동시에 우리 당위의 부서기를 맡게 됐소."

사령부 일을 참모장인 해패연 외에 내가 맡게 된 이유는 무엇인가. 나는 원래 15병단 부사령관 겸 참모장이었다. 그런데 15병단 사령부지휘부가 현재의 13병단 사령부이며 사령부 일을 내가 줄곧 관장해 온 터였다. 해패연은 과거 12병단 참모장이었고 13병단 사령부에 대해 그다지 익숙하지 못했다. 그래서 등화가 건의해 나더러 사령부 일을 겸직토록 한 것이다.

지원군사령부 구성에 관해 팽 총사령관의 원래 구상은 15병단 사령부(즉 13병단 사령부)를 기초로 쓸 만한 사람을 몇 명 더 골라 하나의 새로운 지원군사령부를 만들려는 거였다. 후에 팽 총사령관이 보기에 13병단 사령부의 구성원이 국내전쟁의 어려운 경험을 거친 백전노장들이었고 새로운 인원을 보충하려 했으나 시간이 촉박해 13병단 사령부를 그대로 지원군사령부로 바꾼 것이다. 그가 데려온 인사들도 사령부에 배치됐다. 지휘의 편의상 지원군사령부의 처장은 팽 사령관이 데려온 사람을, 원래 13병단 사령부의 처장은 부처장으로 임명했다. 결론적으로 말해 13병단 사령부를 지원군사령부로 바꾼 것은 출발 전에 미리 확정 지은 것이 아니라 대유동에 도착한 뒤 모 주석과 팽 총사령관이 임시로 결정한 것이다.

이튿날(25일) 모 주석은 팽 사령관이 중앙군사위에 보낸 보고를 당중앙의 이름으로 승인해 지원군사령부의 지휘부가 정식으로 성립됐다.

5

첫 승리

10월 25일, 첫 접전

우리나라가 출병을 결정한 데서부터 제1차 전역[49]의 시작까지 중앙군사위와 우리는 전역을 언제 어떻게 치를지 끊임없이 바뀌는 적정을 끝까지 예의 주시했다. 우리는 조선 중부의 허리부분에 방어선 구축을 준비하기 시작했다. 그러나 유엔군이 이렇게 빨리 북쪽으로 밀려들지 생각지 못했다.

미군은 9월 15일 인천에 상륙한 뒤 10월 1일 38선을 넘었고 10월 19일 아군이 압록강을 넘은 것과 동시에 미군은 평양을 점령했다.

20일 미공수부대 제187여단은 평양 이북에 공중 투하되었다. 맥아더는 비행기로 공중시찰을 하며 "이제 조선의 전쟁은 끝났다."고 큰소리쳤다.

유엔군이 빠른 속도로 진공하자 우리는 끊임없이 계획을 바꿀 수밖에 없었고 움직이면서 상대를 공략하는 유격전을 최종작전으로 결정했다.

그들은 이미 덕천, 영변을 지나 구장에 도착했다. 국군 6사단 7연대는 심지어 압록강변의 초산까지 들어왔다. 그들 말로는 "이미 압록강에서 말에게 물을 먹였다."는 것이다.

그들은 각 부대별로 잽싸게 압록강을 향해 줄달음질쳐 왔다. 우리들은 그들이 이렇게 빨리 올라올 줄은 몰랐다. 그러나 그들 또한 중국이 이미 출병해 있다는 사실을 눈치 채지 못했다. 쌍방은 서로를 몰랐던 것이다.

---

49) 戰役은 戰爭과 戰鬪의 중간개념으로 여러 개의 전투, 즉 공세와 수세를 통틀어 일컫는 군사용어이다. 우리는 '중공군 제1차 공세'라고 표현하고 있으나 중국측 용어를 최대한 살린다는 뜻에서 '제1차 전역'이라고 쓴다.

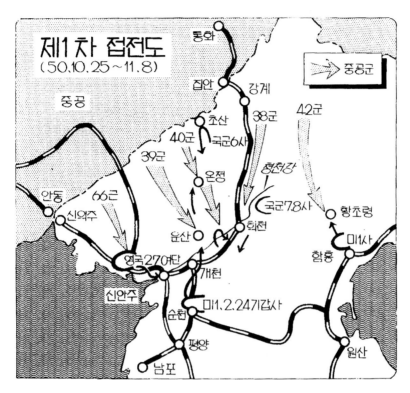

제1차 접전도
(50.10.25〜11.8)

중공군

통화

중공

집안 강계

42군

초산 38군

40군 국군6사

39군

온정

청천강

안동

66군 국군7,8사 황초령

신의주

윤산 희천 미1사

영국27여단 함흥

개천

신안주

순천 미1,2,24기갑사

평양

남포 원산

10월 25일 지원군 40군 118사단이 국군 제6사단을 기습 공격한 것이 첫 번째 전투였다. 11월 8일까지 계속된 제1차 전역에서 정예인 제38군이 희천을 제때 점령하지 못하는 잘 못을 저질렀다.

　당시 정황은 순식간에 바뀌었다. 부대도 끊임없이 배치를 바꾸어야 했다. 그렇지 않으면 전쟁터의 상황에 적응할 수가 없었다. 이런 상황 을 이해해야만 당중앙과 팽덕회 사령관의 지휘가 얼마나 탁월한지를 알 수 있다.

　우리가 대유동에 도착한 이후 각 군과 유선전화로는 통화를 할 수 없었다. 무전기만이 유일한 연락 도구였다. 사령부에서 그다지 멀지 않 은 전방에 자리 잡은 40군 118사단만이 유일하게 전화통화가 가능했다.

10월 25일 새벽 2시쯤 병단 사령부 당직전화가 울렸다. 참모장 해패연이 당직을 맡고 있었다. 전화는 118사단에서 걸려온 것이었다. 정면에서 적을 발견했다는 급보였다.

상대를 이렇게 빨리 만나리라고는 예상하지 못했던 해 참모장은 "잘못 본 것 아니야."라고 큰 소리로 말했다.

"틀림없었습니다. 확실히 적입니다. 외국말로 떠들어 알아들을 수 없었습니다."

"당신들 위치가 어디야."

"북진~온정 도로상에 있습니다. 북진에서 멀지 않은 곳입니다."

"적은 얼마나 되지."

"잘 모르겠습니다."

"미군들이야, 국군이야."

"현재로서는 잘 모르겠습니다."

"계속 적들을 감시하고 절대로 노출되지 말고 수시로 보고해."

해 참모장은 상황이 상황인지라 내게 연락을 해왔다. 사령부 당직실에서 전화를 기다리려니 전화벨이 울렸다. 118사단 사단장 등악(鄧岳)[50]이었다.

"나는 홍학지다. 전방의 적들이 미군인가, 국군인가."

등악이 말했다. "아무래도 국군인 것 같습니다. 우리 정찰대원들이 그들이 조선말을 한다고 보고해 왔습니다. 국군 제6사단병력으로 보입니다."

나는 "국군이라면 그대로 놔두라. 적이 우리 포위망 안으로 들어오면 그때 기습 공격해서 섬멸하라."고 지시했다.

---

50) 鄧岳(1918~2000) 72년 심양군구 부사령관. 78년 남경군구 부사령관. 全人代(전국인민대표대회) 해방군대표.

이와 동시에 우리는 운산 북쪽에 투입된 40군 120사단에 전보를 보내 일개 연대 병력으로 운산동 북쪽의 간동, 옥녀봉 일대를 점령토록 했다.

25일 오전 9시쯤 40군 120사단으로부터 전보가 들어왔다. 이날 오전 7시쯤 국군 1사단의 선두부대가 탱크 10여 대를 앞세우고 운산~온정 도로를 따라 들어오다 우리 120사단 360연대의 공격을 받아 도주했다는 내용이었다.

이것이 우리가 조선에 들어온 이후 적들과의 첫 번째 접전이 된 셈이다.

25일 정오 등악 사단장이 전화로 기쁜 소식을 알려왔다. "오전 10시 20분쯤 국군 제6사단 2연대 선두 1개 대대가 온정에서 북진으로 진격해 오다 우리 제118사단 354연대가 353연대와 연합해 풍중동, 양수동 일대에 매복해 있다 기습공격을 퍼부었습니다. 상대 대부분을 섬멸했고 수백 명을 생포했는데 그중 3명이 미군군사고문입니다."

그날 밤 118사단의 주력부대는 온정을 점령해, 이미 초산, 고장까지 들어온 제6사단 7연대의 퇴로를 끊었다.

항미원조전쟁의 서막은 이렇게 시작되었다.

38군의 실책

10월 27일 밤, 대유동 지원군사령부의 가건물에는 기름등불이 밝게 타고 있었다.

팽덕회 사령관, 등화, 박일우, 나, 한선초, 해패연이 모여 지도를 보면서 긴장된 표정으로 적정연구를 하고 있었다.

26일에도 유엔군은 계속해서 '무모하게' 북진했다. 국군 제6사단 7연대는 중조국경에서 몇 킬로미터 떨어지지 않은 초산을 점령한 뒤 국경지대에 포격을 퍼붓기도 했다. 국군 제6사단의 주력부대는 희천에 이르렀고 제1사단은 운산 이북을 넘보고 있었다.

26일 팽 총사령관은 무모하게 대드는 국군에게 따로따로 타격을 입히기 위해 38군, 40군 예하 2개 사단, 42군 제125사단을 동원해, 먼저 희천지방을 점령한 국군 제6사단 일부와 제8사단 2개 연대를 집중 공격키로 했다.

이를 위해 39군을 신속하게 운산 서북쪽으로 보냈다. 국군 제1사단의 북진과 희천으로의 지원을 막기 위해서였다.

동시에 66군으로 하여금 그날 저녁 철산, 차련관, 비현일대에 집결해, 미제24사단, 영국군 제27여단의 서진을 막을 준비태세를 하도록 했다.

동시에 50군의 주력은 안동, 신의주 방면으로 보내 후방안전을 꾀하기로 했다.

팽 총사령관은 뒷짐을 지고 뚫어져라 지도를 바라봤다. 지도에는 피아의 병력배치를 나타내는 조그만 깃발이 가득 꽂혀 있었다.

등화가 말했다. "39군 제117사단과 40군 일부가 이미 운산 북쪽에 도착해, 국군 제1사단과 전투에 들어갔습니다. 120사단도 이미 온정 동쪽의 구두동에 이르러 국군 제6사단 19연대 소속의 2개 대대와 전투를 개시했습니다. 42군은 황초령에 이르렀습니다. 모두 다 계획대로 진행되고 있습니다. 그런데 38군에 문제가 생겼습니다."

등화의 보고를 듣고 있던 팽 총사령관의 안색이 흐려졌다. "뭐라고" 등의 보고가 계속됐다. "네, 다름이 아니라 38군의 행군속도가 지나치게 느립니다. 목표지점인 희천까지 아직 60여㎞ 떨어져 있습니다. 아무래도 희천 일대에 반격을 가하기에는 어려움이 있을 것 같습니다."

팽 총사령관은 버럭 소리를 질렀다. "양흥초(38군단장), 이자가 제정신이 아냐. 이번 공세에서 가장 중요한 임무를 맡은 자가 공격목표 지점에도 가지 못했다니, 뭘 그렇게도 꾸물대고 있어."

팽 총사령관은 머리끝까지 화가 치민 듯했다. 잠시 작전상황실에는 무거운 침묵이 흘렀다. 이때 참모장 해패연이 침묵을 깨뜨리며 적정보고를 했다.

"국군은 동, 남, 서남 방향 등 3방향에서 온정으로 몰려들고 있습니다. 온정에 있는 우리 부대를 협공하려는 듯합니다. 또 희천에 있던 상대의 주력은 이미 철수한 것 같습니다."

팽 총사령관은 "이를 어쩌면 좋은가. 영 무슨 다른 방도가 없나. 그물에 다 잡아넣은 대어를 놓치다니, 이럴 수가……"라며 말을 잇지 못했다.

이때다 싶어 내가 건의했다. "사령관 동지, 원래 계획을 바꾸는 게 좋을 듯합니다. 먼저 희천의 상대를 공격하는 계획은 포기하는 게 좋겠습니다. 따라서 초산 쪽에 있는 40군 주력을 동원해 온정으로 몰려드는 국군을 격퇴했으면 합니다. 40군 일부는 국군 제6사단 7연대를 완전히 포위한 다음 희천, 운산에 있는 상대 6, 7개 연대가 지원해 오길 기다렸다가 38, 39, 40군을 집중시켜 운산 북쪽에서 한꺼번에 밀어붙였으면 합니다."

곁에 있던 등화와 한선초가 거들었다. "지금 상황에서는 홍 동지가 건의한 작전계획이 최상이라고 생각됩니다."

팽 총사령관도 머리를 끄덕이며 단호하게 말했다. "좋다. 그렇게 하지. 즉각 각 군, 사단에 전보를 쳐서 이 사실을 알려라."

10월 28일 오후 지원군사령부의 수뇌부들은 계속해서 작전상황을 검토하면서 작전계획을 짜느라 부산하게 움직였다.

먼저 등화가 보고했다. "상대와 아군이 대치한 지 하루가 지났습니다. 오늘에서야 국군 제8사단 10연대의 2개 대대가 희천에서 온정 쪽으로 지원하러 왔습니다. 그러나 국군 제8사단의 주력은 여전히 희천, 구장에 있으며 제1사단도 운산 북쪽에 머물러 있습니다. 상대를 모두 북쪽으로 유인하려는 우리의 작전은 제대로 실현되기가 어려울 것 같습니다."

해패연이 이어 보고했다. "초산에 있던 국군 제6사단 7연대는 더 이상 공격할 생각을 않고 고장 남쪽으로 물러갔습니다. 그러나 미군 제24사단, 영국군 제27여단은 여전히 서쪽으로 몰려와 각각 태천 동남쪽과 정주 서쪽으로 진격해 오고 있다는 보고입니다."

이때 비서가 들어와 "사령관 동지, 모 주석의 전보입니다."며 전보를 내밀었다.

팽 총사령관은 잠시 전보를 훑어보더니 우리에게 내용을 전했다. "모 주석의 말씀으로는 이번 공세의 관건은 고장, 초산에 있는 국군 제6사단 7연대를 확실히 붙잡아 도망치지 못하게 해야 한다는 거야. 그러면 국군 1, 6, 8사단이 증원을 반드시 할 것이며 우리가 싸워 이길 수 있다는 거지. 두 번째는 3개 군을 분산하지 말고 한꺼번에 집중시켜 전역전개를 해나가면 공격 시 효과를 발휘하고 적을 섬멸하는 것이 수월하다는 거야."

팽 총사령관은 모 주석의 지시내용을 우리에게 전해 준 다음 잠시 작전구상에 잠겼다. 이윽고 결심이 선 듯 우리에게 지시했다.

"40군의 주력은 온정으로 향하는 상대를 신속히 물리친 뒤 남하할 것. 40군 118사단은 50군 148사단과 합동해 고장에 있는 국군 제6사단 제7연대를 물리칠 것, 39군 115사단은 태천~구성 간의 도로를 점령해 미제24사단의 북진을 차단하고 병력을 집중해 운산의 국군 제1사단을 포위한 뒤 공격기회를 노릴 것. 38군은 신속하게 희천을 점령한 뒤 구장, 군우리 쪽으로 돌격할 것. 동시에 66군은 구성으로 전진해 미제24사단의 북진을 저지할 것. 이상. 다른 의견이 없으면 즉각 시행하라."

28일 밤 아군은 작전계획대로 착착 움직였다. 40군 주력은 그날 밤 온정으로 향하던 국군을 공격해, 29일 아침까지 치열한 공방전 끝에 국군 제6사단 2개 대대와 제8사단 2개 대대 등 4개 대대의 저항을 물리치고 남진했다.

29일 오후 39군은 운산에 있던 국군 제1사단을 동북, 서남쪽 등 3면에서 포위하고 매복한 채 상대의 증원군이 도착하기만을 기다리고 있었다.

66군은 구성 쪽으로 계속 이동해 미제24사단의 진격을 가로막을 태세를 완료했다.

29일 자정 40군 118사단장 등악이 희소식을 전해 왔다. "오늘밤 우리 사단은 고장에 있던 국군 제6사단 제7연대를 기습해서 커다란 피해를 가하고 고장을 점령했음"

그렇지 않아도 작전준비가 착착 진행됨으로써 화기애애하던 상황실 분위기가 아연 축제 분위기로 변했다.

이틀 새 118사단이 거둔 2차례의 대승은 제1차 공세의 추이를 초조하게 지켜보던 우리 수뇌부 지휘관들로서는 더할 나위없는 승전보였다.

그들을 표창하기 위해 팽 총사령관은 즉시 펭덕회, 등화, 홍학지, 한선초, 해패연, 두평 동지의 명의로 그들에게 '축전'을 보내도록 지시했다.

그러나 호사다마라고나 할까. 예상했던 대로 양흥초가 이끄는 38군이 문제였다.

강계를 거쳐 희천에 도착해, 국군 6사단과 8사단의 퇴로를 끊어야 하는 중대한 임무를 맡은 38군은 북조선 임시수도인 강계로 후퇴하는 조선인민군병사와 피난민들의 봇물 터지는 듯한 행렬과 맞닥뜨려 병력이동을 제대로 진행시키지 못했다.

더욱이 희천으로 진입하는 길은 왼쪽에는 묘향산맥이 버티어 있고 오른쪽은 청천강이 흐르고 있어 우회할 만한 길도 없었다. 철도와 나란히 달리는 유일한 이 길에 우마차를 끌고 강계로 밀려오는 피난민 대열의 아수라장 속에 거꾸로 끼어든 38군은 아무리 서둘러 봤자 진창 속에서 허우적대는 꼴이었다.

이 같은 사정을 알게 된 지원군사령부는 전군의 트럭이나 지프 등 동원할 수 있는 거의 모든 차량을 38군으로 보내 기동력을 살리려 했다.

그러나 이 지원이 38군을 더욱 옭아매는 결과가 됐다. 길을 가득히 메운 피난민행렬 속에서 트럭을 타고 거슬러 올라가는 것처럼 무모한 일은 없었던 것이다. 아무리 경적을 울려봤자 길을 재촉하는 피난민들에게는 '쇠귀에 경 읽기'였다. 마음은 급하고 금쪽같은 시간만 흘러갔다.

설상가상으로 피난민들의 늪 속에서 헤매던 38군 지휘부와 군 예하 112사단 지휘부는 때맞춰 찾아온 적기 공습을 당해 막대한 인명피해를 보았을 뿐만 아니라 대피하느라 많은 시간을 허비했다.

30일 아침 펑 총사령관과 우리는 작전상황실에서 초조하게 각 군으로부터, 특히 38군으로부터의 소식을 기다리고 있었다.

드디어 38군으로부터 전보가 날아들었다. 허겁지겁 전보를 펼쳐드니 예상대로 불길한 소식이었다.

> "본군 113사단 28일 희천에 도착했으나, 시간을 지체하는 바람에 29일 저녁 무렵에야 공격을 개시했음. 희천을 점령했을 때 그곳에 있던 국군 제8사단은 이미 남쪽으로 도망쳤음. 상대에게 타격을 입힐 수 있는 좋은 기회를 놓친 것으로 판단됨."

이 전보를 보고 나자 펑 총사령관은 불같이 노했다. 그만큼 38군이 맡은 임무가 막중했던 탓이리라. "양훙초, 양훙초. 이자가 그렇게 좋은 기회를 놓치다니. 결코 용서할 수 없다. 군법회의에 당장 회부해. 큰 잘못을 저지른 대가를 톡톡히 치러야지. 이것 봐, 지금 당장 38군에 전보를 쳐, '희천에서 꾸물대지 말고 즉각 구장, 군우리 방향으로 진격해, 상대의 퇴로를 끊으라'고 말이야."

운산전투

11월 1일 오전, 대유동 지원군사령부 작전상황실.

조선에서의 첫 공세를 준비하고 있는 터라 팽팽한 긴장감이 감돌고 있었다. 전선의 각 부대로부터 들어오는 무전소리가 긴박감을 더해 주었다.

펑 사령관과 우리는 머리를 맞대고 앞으로의 작전에 대해 궁리를 거듭했다.

이번 작전에서 38군의 임무는 막중했다. 38군이 예정대로 희천을 장악해 상대의 퇴로를 끊었더라면 39, 40군과 함께 3개 군의 대병력으로 국군 6, 7, 8 3개 사단에 커다란 타격을 가할 수 있었기 때문이다.

그런데 양훙초가 이끄는 38군은 유감스럽게도 희천을 제시간에 장악하지 못했다.

하는 수 없이 운산에 있는 국군 제1사단을 치기로 했다. 그리고 38군은 희천에서 계속 남하해 청천강 쪽의 퇴로를 끊게 했다.

40군 118사단이 10월 25일 양수동에서 첫 승리를 거둔 이후 우리는 39군을 운산으로 보내 국군 제1사단을 포위해 그들의 동향을 예의 주시했다. 그리고 때를 기다리도록 했다. 어설프게 서두르다가는 낌새를 알아차리고 후퇴를 하면 만사가 도로 아미타불이 되기 때문이었다.

이것이 당시 우리로서는 최선의 선택이었다. 다행스러웠던 것은 국군 제6사단의 상당수와 제8사단의 2개 연대가 우리에게 큰 타격을 입었음에도 불구하고, 유엔군사령부 측은 중국군 대규모 병력이 조선에 들어온 사실을 제대로 알지 못했다는 사실이다. 유엔군은 우리를 발견하기는 했지만 '상징적'으로 출병했을 뿐 이같이 대규모로 몰려왔다는 사실을 몰랐던 것이다.

따라서 유엔군은 전 조선을 점령하겠다는 의도를 버리지 않고 계속 북진을 시도했던 것이다.

10월 31일 미제24사단, 영제27여단이 각각 구성과 선천에 도착했다. 미제1군단 제1기병사단도 평양에서 운산에 도착해 국군 제1사단을 지원했다.

우리가 군우리에서 협공하는 것을 피하기 위해 국군 제8사단은 구장으로 물러나 방어에 임했다. 국군 제7사단은 동쪽의 구장과 덕천으로 이동했고 국군 제1사단은 영변과 그 동쪽 일대로 물러났다. 측면을 보강하기 위해서였다. 미제9군단 예하 제2사단은 평양에서 북쪽의 안주로 이동하기 시작했다. 미제8군의 예비대 역할을 위해서였다.

이때 서부전선의 적군이 비록 병력배치를 재조정했다 하더라도 병력은 여전히 분산된 상태였다. 더구나 아군에 대한 상황을 제대로 알지 못했다. 이에 비해 아군은 적군의 병력과 부대배치에 대해 기본적인 파악이 끝난 상태였다.

유엔군과 국군은 청천강 이북에 5만여 명의 병력이 분산되어 있었다. 이에 반해 지원군은 10~12개 사단, 즉 12만~15만 명의 병력을 투입할 수 있어 그들보다 2, 3배에 가까운 인원상의 우위를 보였다. 기본작전은 적의 측면을 돌아치는 우회작전에다 병력 수의 우세를 이용한 정면돌파를 동시에 펼치기로 했다.

우리는 비교적 장비가 열세이며 신참병들이 많아 전력이 떨어지는 것으로 알려진 국군 제8, 제7, 제1사단을 먼저 공략한 뒤 여세를 몰아 미군과 영국군을 치기로 했다.

팽 총사령관은 이러한 생각을 모 주석에게 보고했다. 모 주석은 즉시 답전을 보내와 동의의 뜻을 나타내면서 보다 확실한 작전을 지시했다. "이번 공세에서 가장 중요한 점은 퇴로를 끊는 일이다. 우선 38군 병력과 42군 1개 사단은 청천강 퇴로를 철저히 끊어야 한다. 그리고 그 밖의 군·사단은 각 부대가 맡은 상대의 측면과 후방에 깊숙이 파고 들어간 뒤 각개 격파를 해야 한다. 그렇게 되면 승리는 우리 것이다."

이에 따라 우리는 다음과 같이 병력배치를 했다. 38군은 신속하게 구장의 상대를 공략한 뒤 청천강 왼쪽의 원리, 군우리, 신안주 방면으로 돌격해 상대의 퇴로를 끊는다. 42군 125사단은 덕천 방향으로 돌격해 덕천을 점령한 뒤 동쪽과 남쪽에서 도와주러 오는 상대를 막아 아군의 측면안전을 확보한다. 40군은 정면의 상대를 신속히 돌파한다. 1일 밤, 일부병력이 상구동 일대에서 운산의 상대가 도망가는 것을 막는 외에 주력은 영변의 국군 제1사단을 포위해 섬멸할 기회를 엿본다. 그다음 서남쪽으로 돌격한다. 39군은 1일 밤 운산의 상대를 공격 섬멸한 뒤 용산동 일대로 돌격한다. 40군이 미기병 제1사단을 섬멸하는 데 합세한다. 66군은 일부병력을 구성 서쪽에서 미제24사단을 감제시키면서 주력은 사정을 봐서 상대의 측후로 돌격, 섬멸한다. 50군 주력은 신의주 동남쪽 차련동 일대로 진격해 들어가 영국군 제27여단을 공략할 준비를 갖춘다.

50년 11월 1일 저녁, 중국인민지원군 소속의 각 부대가 일제히 포문을 열었다. 바야흐로 조선전쟁에서의 중국인민지원군의 제1차 전역이 본격적으로 시작된 것이다.

이에 앞서 39군은 이날 오후 5시 운산을 공격했다.

39군은 당초 오후 7시 30분 운산을 공격할 예정이었으나 최전방에 나선 척후병들이 이날 오후 1시 50분 운산에 있던 국군 제1사단 12연대가 퇴각하려는 움직임이 있다고 보고했다. 사실은 철군이 아니라 국군 대신 미기병 제1사단 8연대가 임무를 교대해 운산에 들어오려던 참이었다.

당시 미제8군 사령관 워커 중장은 중국군이 국군 전면에서만 나타난다는 사실에 주목하고 어쩌면 국군 내부에서 문제가 발생한 것이 아닌가 하는 의구심마저 가졌다. 워커 중장은 중국군의 존재를 미군이 직접 확인해야 한다는 생각을 가졌다. 그래서 미제8군 예하 제1기병사단 8연대를 국군 제1사단이 진주하고 있는 운산에 들여보내던 중이었다.

아무튼 우리는 운산의 상대가 국군에서 미군으로 바뀐 줄 모르고 8개 보병연대(2개 포병단과 1개 포병대대, 고사포 1개 연대 배속)를 동원해, 공격시간을 앞당겨 오후 5시에 공격을 개시토록 했다.

그날 밤 달은 늦게 떴으나 하늘은 맑았고 하현달이 전장을 비추고 있어 공격하기에는 안성맞춤이었다.

우리 병사들은 기습작전을 펴듯 접근해 소총을 난사하고 수류탄을 던져 미군의 허를 찔렀다.

'천하무적'이라는 별명을 가진 미제1기병사단치고는 너무 무력했다. 제39군은 이튿날 새벽까지 공격을 한 끝에 운산을 점령해 탱크와 트럭 등 70여 대를 노획하는 전과를 올렸다.

39군은 여세를 몰아 운산 남쪽의 남면교에 자리 잡은 제8연대 직할대와 제3대대의 퇴로를 막고 그들을 완전 포위했다. 물론 미군은 제1기병사단 예비부대인 제5기병연대를 동원하고 폭격기와 탱크의 지원을 받으며 포위망을 뚫으려 했다. 그러나 우리들의 포위망이 워낙 탄탄해 허사였다.

운산 주변의 산들은 우리 병사들이 지른 불로 연기가 자욱했다. 우리의 예상대로 폭격기의 공습이나 탱크의 포격은 목표를 알 수 없는 '장님폭격'이 돼버려 별다른 효과를 거두지 못했다. 또 지원 병력인 제5기병연대가 달려들려고 하면 기관총과 박격포를 퍼부어 제지했다.

결국 2일 오후 3시, 미제1군단장 밀번 소장은 제1기병사단장 게이 소장에게 즉시 신안주로 퇴각할 것을 명령했다.

이때쯤은 우리 제38군이 청천강 남쪽 기슭을 따라 서쪽으로 진격을 개시해 원리로부터 군우리에 압력을 가하고 있었던 것이다.

아무튼 미제1기병사단이 더 이상의 지원을 포기하고 철수하자 3일 밤 대대본부 뒷산에 원형진지를 구축하고 저항하던 미제8기병연대 3대대는 완전히 붕괴됐으며 대대의 잔병 약 2백 명은 대대장 아몬드 소령 등 2백50여 명의 부상자를 남겨두고 필사의 탈출을 기도했으나 아군에 포로로 잡히거나 전사했다.

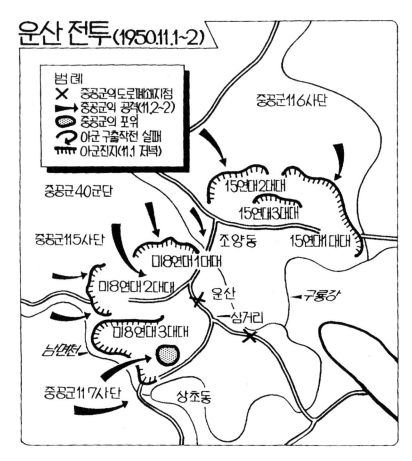

운산 전투(1950.11.1~2)

범례
× 중공군의 도로[봉쇄]지점
↓ 중공군의 공격(11.2~2)
⌒ 중공군의 포위
↑ 아군 구출작전 실패
ㅠㅠ 아군진지(11.1 저녁)

중공군116사단

중공군40군단

15연대2대대

15연대3대대

중공군115사단

조양동

15연대1대대

미8연대1대대

미8연대2대대

운산

구룡강

남면천

미8연대3대대

삼거리

중공군117사단

상초동

지원군 제39군은 천하무적이라는 미제1기병사단을 운산에서 만나 측후를 치고 들어가는 기습공격을 성공시켜 큰 승리를 거두었다.

이와 동시에 아군 제115사단 343연대는 박천에서 운산의 제8기병연대를 지원하러 온 제5기병연대를 운산 남쪽에서 물리쳤다. 우리는 이 전투에서 제5기병연대장 존슨 중령을 전사케 하는 전과를 올렸다.

39군이 운산에서 거둔 대승은 각별한 의미를 지니는 것이었다.

국군을 상대로 하려다가 얼떨결에 마주친 미군이었지만 우리 병사들은 강인한 정신력과 탁월한 전투력을 발휘해 대승을 거두었기 때문이다.

특히 미군에서 최정예부대로 손꼽히는 미제1기병사단의 콧대를 꺾은 것이 무엇보다 흥분되는 일이었다.

11월 2일 오후 6시 38군은 원리를 점령해 상대의 오른쪽 측면을 위협했다.

이날 40군이 상구동, 고성동, 묵시동을 잇는 선에서 저지돼 영변의 상대를 포위할 수 없었다.

이와 동시에 66군도 제때 상대의 철수를 발견하지 못했다. 뒤늦게 발견했을 때도, 주력이 상대의 후방을 파고 들어 퇴로를 끊지 못했다. 미제24사단을 그대로 놓치고 말았다.

한편 이날 오후 7시 모 주석은 전보로 지시를 내렸다. "38군 전부를 동원해 안주, 군우리, 구장확보에 중점을 둘 것. 특히 군우리에 중점을 두고 야전공사로 진지구축에 힘쓸 것. 그래야만 청천강 남북 상대의 연결고리를 끊을 수 있음. 그다음 평양서 오는 미제2사단의 지원부대와 국군 제6, 7, 8사단의 잔여병력을 공격할 것. 그리고 최대한 아군은 평양 부근까지 진출해야 전략상 큰 승리를 거둘 수 있음."

2일 22시, 모 주석은 또 우리에게 전보를 보내 지시했다. "이번 전역의 핵심적인 관건은 우리 38군 전 병력이 신속하게 움직여 군우리, 개천, 안주, 신안주 일대를 점령하는 데 있음. 그래야 남북에 있는 상대의 연결고리를 끊고 북진하는 미군제2사단을 확실하게 소멸할 수 있음. 이것이야말로 가장 필수적이다."

11월 3일 새벽, 미제1군단은 전전선에 걸쳐 철수를 단행했다. 개천, 신안주를 우리에게 뺏겨 퇴로가 끊어질 것을 우려했기 때문이다. 국군 제2군단 예하 제8사단과 제7사단은 원리로부터 군우리 동남쪽 비호산으로 퇴각했고 군우리에는 미제24사단 제5연대, 비호산 남쪽의 개천에는 미제2기사단 9연대가 배치되었다.

국군 제1사단도 그날 저녁 무렵 영변부근에서, 미제24사단 19연대 1, 2, 3대대는 청천강 북쪽 기슭을 따라 남하해 구룡강도하점, 안주교, 신안주교를 지키는 형태로 포진했다.

상대가 철수를 개시했다는 정보를 입수한 뒤 팽 총사령관은 3일 오전 나와 둥화, 한선초, 해패연 동지와 함께 연구를 거듭한 끝에 각 군에 명령했다. "즉각 모든 방법을 강구해 신속하게 적을 붙잡을 것. 절대 도망가게 해서는 안 된다." 특히 "상대를 따라잡아 각개 격파를 해야 승리를 거둘 수 있다."고 강조했다. 동시에 38군에게는 "신속하게 군우리, 안주, 신안주를 향해 전진 공격해 신안주에서 숙천 후방으로 통하는 상대의 연결고리를 끊을 것."을 지시했다.

그러나 상대는 기계화행군이고 우리는 도보행군이어서 우리보다 훨씬 빨리 달아났다. 3일 황혼 무렵에 이르러 서부전선의 상대는 일부병력이 청천강 북안의 교두보를 지키면서 남아 있을 뿐 나머지 주력은 전부 청천강 이남으로 철수했으며 신안주와 개천을 잇는 선에서 강을 면한 유리한 진지를 점령하고 있었다.

11월 4일 청천강 일대는 종일 눈발이 섞인 찬바람이 휘몰아쳤다. 아군은 비호산의 북쪽 기슭에서 공격의 고삐를 늦추지 않았다. 비호산은 해발 6백22m. 정상에서는 군우리뿐 아니라 동쪽의 덕천, 남쪽의 순천까지 내려다볼 수 있는 요충지이다. 더욱이 이곳을 빼앗으면 미제8군의 오른쪽 측면을 위협할 수 있는 기회를 맞게 된다.

아군은 국군 제7사단 3연대를 정면 돌파하고 군우리에 있던 미제24사단 5연대를 급습해 비호산 정상을 빼앗는 듯했다. 그러나 궂은 날씨를 무릅쓰고 출격한 미공군전투기의 공습으로 상당한 피해가 발생해 비호산 정상 공격은 일단 실패로 끝났다.

5일 팽 사령관과 우리는 연구를 거듭한 끝에 더 이상 상대를 공격할 기회는 사라졌다는 데 의견의 일치를 보았다. 더욱이 병사들이 휴대한 식량과 탄약이 바닥나 버렸다. 힘을 재충전할 기회가 필요했던 것이다.

제1차 전역

우리가 1차 전역을 이 정도 선에서 그친 데는 다음과 같은 사정이 고려됐다.

이번 공세에서 우리가 타격을 입힌 상대는 그다지 많은 병력이 아닌 것으로 판단됐다. 따라서 상대가 잠시 휴식을 취한 뒤 병력을 재편성해 우리에게 보다 강력한 반격을 꾀할 가능성이 있다는 점을 염두에 두었다. 더욱 중요한 이유로는 아군의 '실체'를 그들이 제대로 파악하지 못하고 있으며 우리가 이를 역이용하면 다음의 대반격에서도 또다시 승리할 수 있다는 점이었다.

이러한 여러 사정을 고려한 끝에 아군 지휘부에서는 이번 공세에서 얻은 전쟁의 주도권을 유지한다는 전제 아래 11월 5일 각 군에 공격 중지를 명령했다.

이후 서부전선에서 아군은 일부병력으로 적을 감시하는 것을 제외하고는 주력을 비현, 구정, 태천, 운산과 구장 북쪽에 집결시킨 뒤 병사들에게 탄약과 식량을 보충해 줬다.

이쯤 해서 시기적으로는 좀 거슬러 올라가는 느낌은 있지만 동부전선으로 눈을 돌려보기로 한다.

서부전선에서 국군, 유엔군 주력이 중조국경을 향해 몰려드는 것과 동시에 동부전선에서도 그들은 북조선의 임시수도인 강계와 두만강 쪽을 향해 물밀듯이 밀고 올라왔다.

10월 25일 국군 수도사단의 주력이 상통리, 신흥을 잇는 선까지 진출했고 기타 병력은 동해안 철도를 따라 북상해 단천을 점령했다.

우리 42군 주력은 동부전선에서 그들의 진격을 저지하라는 임무를 받았다. 임무수행을 위해 부군단장 호계성(胡繼成)[51]이 2개 사단을 이끌고 예정된 지점으로 향했다. 24일과 25일에 걸쳐 20여 대의 차량으로 2개 대대 병력을 먼저 수송해 황초령과 부전령, 2곳의 요충지를 점령했다. 또 황초령 남쪽의 연대봉을 차지했다. 인민군을 대신해 방어하는 것과 동시에 우리 주력이 전진하는 것을 엄호토록 했다.

호계성을 비롯한 군 지휘관들이 병사들을 독려하러 아우리 부근을 지날 때였다. 우연히 소련군사 고문단 몇 명과 마주치게 됐다.

그들이 먼저 우리 42군 지휘관들에게 말을 건네 왔다.

"수고 많으십니다. 어디로 가는 길이오."

"황초령 일대 병력배치가 제대로 돼 있는지 살펴보러 갑니다."

"그런데 중국에서 대규모 병력이 조선전쟁에 참전하러 왔다는 얘기는 들었습니다만 제대로 장비나 갖추었는지 궁금합니다."

"글쎄요. 보시다시피 변변치는 않습니다."

"그렇다면 중국에는 전투기가 있기는 있습니까?"

"전투기는 한 대도 없습니다."

"그러면 우리의 T34와 같은 탱크는 몇 대 있습니까?"

"전혀 없습니다. 중대마다 박격포 정도가 있을 뿐 대포도 거의 없습

---

51) 胡繼成(1915~) 저자와 동향. 제4야전군 42군 126사단장.

니다. 그저 소총 정도의 개인화기와 수류탄 정도 갖추고 있습니다."

"그렇군요."

호계성은 나중에 나를 만난 자리에서 이같이 전하면서 소련군사 고문단들의 표정은 우리가 열세한 장비를 가지고서도 과연 현대화된 장비를 갖춘 미군과 제대로 싸울 수 있을까 하는 의구심이 역력했다는 것이었다.

26일 미제10군단 소속의 해병 제1사단이 원산에 상륙해 함흥과 장진을 돌아 강계에 가려고 했다. 국군 제3사단 주력은 원산에서 함흥으로 향했고 제26연대는 상하 통리에 도착해 국군 수도사단에 이어 북진해 왔다. 국군 수도사단은 동쪽으로 옮겨 부전령, 풍산, 성진 쪽으로 진격해 왔다.

27일 우리도 42군 주력을 투입했다. 제124사단을 황초령 남쪽의 초방령에 배치했고 1개 대대를 소백산에 보내 국군이 우회해 강계로 가는 것을 막고 그들의 동서전선의 연결을 끊으려 했다. 동시에 제126사단 일부를 부전령에 배치해서 상대의 북진을 막게 했다.

그날 그들과 우리 42군은 치열한 전투를 벌였다. 국군 수도사단, 제3사단과 미해병 제1사단은 엄청난 화력으로 우리 진지에 맹공을 가했다.

아군은 포병의 지원과 인민군의 분투에 힘입어 밤낮을 가리지 않고 며칠간의 격전 끝에 그들의 공격을 무력화시키는 데 성공했다.

11월 6일 밤 아군의 서부전선 반격작전이 이미 끝났고 42군 주력이 방어작전 임무를 완성하자 우리 지원군사령부는 11월 7일 아침 42군 주력을 황초령진지에서 철수시켜 유담리로 보내 전투준비를 하도록 했다.

서부전선과 동부전선에 걸친 이번 공세는 우리가 조선에 들어와 치른 첫 번째 전역이었다.

제1차 전역은 조선전황이 크게 위태로워 아군이 서둘러 조선에 들어온 상황에서 교전에 들어간 것이다. 아군과 적군이 첫 번째로 부딪친 전투였다. 모 주석과 중앙군사위, 팽 총사령관의 뛰어난 지시를 받으며 아군은 전략전역상의 돌발사태를 맞아 전장의 실제상황에 근거해 끊임없이 작전형태와 계획을 바꾸었던 것이다. 여기에다 전체 지휘관과 병사들이 영웅적인 전투를 벌이면서 근접전, 야간전의 특징을 살려 국군 제6사단에 대해 괴멸에 가까운 타격을 입혔으며 국군 제1사단, 제8사단과 미기병 제1사단에 타격을 입혔다. 이번 전역에서 모두 상대 병력 1만 5천여 명을 살상했다. 미친 듯이 밀어붙이던 상대를 압록강변에서 곧장 청천강 남쪽으로 밀어내 추수감사절 전에 전 조선을 섬멸하겠다는 상대의 기도를 분쇄했다. 초전의 승리를 거두어 조선의 전쟁상황을 처음 안정시킨 셈이다.

1차 전역이 끝난 뒤 훗날을 위해 우리는 포로로 잡은 1천여 명을 간단히 교육시킨 뒤 곧바로 풀어주었다.

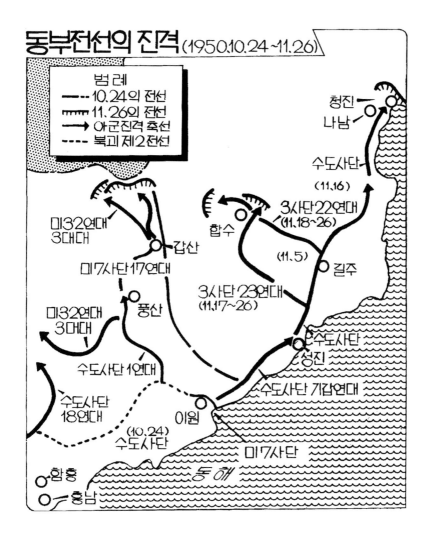

동부전선의 진격 (1950.10.24~11.26)

범례
- ----- 10.24의 전선
- ~~~~~ 11.26의 전선
- → 아군진격 축선
- ----- 북괴 제2전선

청진
나남

수도사단
(11.16)

미32연대
3대대

합수

3사단22연대
(11.18~26)

갑산

미7사단17연대

(11.5)

길주

(11.17~26)

풍산

3사단23연대

미32연대
3대대

수도사단 1연대

수도사단
성진

수도사단
18연대

수도사단 기갑연대

이원

(10.24)
수도사단

미7사단

함흥

동해

흥남

6

제2차 전역의 대승

미국군부 일대 소동

우리 중국인민지원군이 돌연 조선전장에 나타나 제1차 공세를 승리로 이끌자 미국정계, 군부에는 일대 소동이 벌어졌다. 그러나 유엔군 총사령관 맥아더는 아군 주력이 압록강을 건넜다는 사실을 믿으려 하지 않았다.

맥아더는 일본 도쿄에 앉아 한반도전쟁터를 이따금 방문해 전선을 다니곤 했다. 그러나 일선지휘관은 미8군 사령관 워커였다. 워커는 제대로 정황을 파악해 아군 주력이 이미 압록강을 건너 참전하고 있음을 알고 여러 차례 맥아더에게 보고했지만 맥아더는 귀를 기울이지 않았다. 그는 그만큼 오만하고 독선적이었다.

제2차 세계대전의 수많은 병장들이 모두 그의 부하였다. 그가 중장이었을 때 현재 나토군 총사령관 아이젠하워가 참모장이었다. 그처럼 오만하고 남에게 굽히질 않던 패튼도 맥아더의 말은 들었다. 맥아더는 노련할 뿐 아니라 전공도 혁혁했다. 태평양군도작전, 인천상륙작전이 다 그의 작품이다. 그러니 그의 오만함은 하늘을 찌를 듯했다.

그는 자신이 일본에 앉아 있기만 해도 우리 중국군이 감히 압록강을 건너지 못하리라고 생각했던 것 같다. 당시 맥아더는 일종의 자아도취에 흠뻑 빠져 우리 군대가 대규모로 조선에 들어오리라고 추호도 예상치 못했던 것이다.

브래들리 대장을 수석으로 하는 미국합동참모본부 연석회의까지도 맥아더의 권위에 대한 숭배로 그의 생각에 동의했다.

그들의 판단으로 아군의 참전가능성은 압록강 연안의 발전시설의 보호를 위해 변경부근의 완충지대를 확보하기 위해서라는 것이다. 그들은 중국이 건국한 지 얼마 되지 않아 해야 할 일이 산더미처럼 쌓여 있는 상태에서 감히 미국과 대결할 수 있겠느냐고 생각했던 것이다.

또 국군이 낙동강지역으로 밀려간 때나 유엔군이 인천에 상륙하던 때에도 출병을 하지 않았던 중국이 뒤늦게 미군이 중조국경에 이르러서야 출병한다는 것은 중국이 자위를 위해서일 뿐 결코 미국과 싸우려는 의도가 없음을 나타내는 것이라고 판단했다. 더욱이 제1차 전역 후 중국이 대규모의 공격을 하지 않은 것도 미국의 이러한 오판에 크게 기여했다.

그러나 우리가 동북지방에 방대한 군대를 집결할 가능성에 대해 그들은 분명 불안을 느꼈다.

우리에 대한 대책회의에서 맥아더로 대표되던 강경파들은 "중국의 대부대와 물자가 만주에서 압록강을 건너온다면 유엔군 전부를 궤멸시킬 위험이 있다"면서 "만주를 폭격해 중국군대기지와 압록강 위의 모든 다리를 폭파해야 한다"고 주장했다.

그러나 영국, 프랑스로 대표되는 일부 국가는 '만주폭격'은 세계대전을 유발시킬 위험성이 크다며 압록강 양 기슭에 '완충지대'를 설치하자고 나섰다. 그 다음 정치적인 방식으로 조선문제를 해결하자는 것이었다.

미국 국가안전보장회의는 세계를 제패하려는 글로벌 전략에서 출발해 맥아더의 견해에 동조하면서 트루먼 대통령에게 다음과 같이 건의했다. "중국의 출병의도가 판명되기 전에 빠른 속도로 전 조선을 점령해야 하며 맥아더의 작전임무를 바꾸어서는 안 된다."

안전보장회의는 동시에 맥아더가 압록강 위의 모든 조선다리를 폭파하려는 계획을 승인했다.

미국은 이미 정한 방침을 실현하기 위해 한편으로는 동맹국들에게 "무력충돌을 확대할 뜻은 없으며" "유럽을 떠맡고 있는 의무를 저버

리지 않는다"는 뜻을 재천명했다. 동시에 스웨덴과 영국을 통해 우리의 속마음을 떠보았다. 소위 '중공의 이익을 보장한다'는 것을 미끼로 전 조선을 침범하는 것을 좌시해 달라는 것이었다. 다른 한편으로는 자국 내에서 전쟁확대 준비를 적극적으로 추진해 조선전장에서 맥아더는 보다 큰 규모의 소위 '최후공세' 즉 성탄절공세를 일으킬 준비를 하고 있었다.

맥아더의 머리가 뜨겁다면 워커의 머리는 냉정한 편이었다. 그는 맥아더의 계획에 순응하면서도 현실적으로 아군이 대규모로 조선에 들어오지 않았을까 내심 걱정을 했다.

이러한 모순되면서도 복잡한 심리상태였던 워커는 우리의 참전병력과 의도 등을 살펴보기 위해 제1차 전역이 끝난 뒤인 11월 6일 일부 병력을 동원해 서부전선에서 시험적인 성격의 도발을 감행했다. 이러한 시험도발은 동부전선에서도 동시에 이루어졌다.

서부전선에서 그들은 먼저 국군 제7사단을 비호산 쪽으로 진격시키고 국군 제8사단을 덕천으로 진격시켰다.

이어 영국군 제27여단, 미제24사단과 미기병 제1사단도 각각 청천강을 건너 박천, 영변을 잇는 선으로 진격했다. 서쪽으로는 청천강 어귀서부터 북으로는 가산, 동으로는 장신동, 용산동, 사동에서 영변에 이르는 전선을 확보하여 '공격개시선'으로 삼으려 했다.

동부전선에서는 미해병 제1사단이 계속 황초령을 향해 진격하고 미제7사단의 일부는 풍산을 향하고 국군 수도사단의 일부는 명천을 점령했다.

이와 동시에 그들은 우리의 조선지원 병력을 저지하기 위해 압록강의 모든 교량폭파를 주요 목표로 하는 2주일간의 공중폭격을 단행했다.

맥아더는 미공군에게 '전부 출동' '여러 번 출동' '최대의 역량'으로

"만주 국경에 있는 북한 쪽의 모든 국제교량을 파괴하라"는 명령을 내렸다. 또 국경에서 전선에 이르는 구역의 '모든 교통수단, 군사시설, 공장, 도시와 농촌'을 폭격하도록 했다. 맥아더의 명령이 떨어진 뒤 적기는 매일 1천여 대가 출동해 엄청난 융단폭격을 가하면서 아군이 계속해서 조선에 들어오는 것을 막으려 했다. 또 우리 수송선을 파괴해 이미 조선에 들어온 아군부대를 소멸시키려 했다. 이런 상황에서 우리가 자칫 주의를 기울이지 않으면 상대에게 주도권을 뺏기기 쉬웠다.

모 주석, "한 달 내 평양 – 원산 선을 확보하라"

이런 상황에 대해 펑 총사령관 등 우리 군 수뇌부가 그냥 팔짱을 끼고 앉아 있었던 것은 결코 아니었다. 상대의 반격을 우리는 이미 예상하고 있었던 것이다.

제1차 전역 끝나기 전에 펑 총사령관은 등화 부사령관, 북조선의 박일우 부사령관, 나. 한선초 부사령관, 해패연 참모장 등과 함께 앞으로의 작전에 대해 심각하게 논의했다.

그 결과 11월 4일 "상대가 반격을 시도한다면 그들을 유인해 깊숙이 끌어들인 다음 섬멸한다"는 작전 기본방침을 세웠다.

서부전선은 주력을 신의주, 구성, 태천, 운산과 희천 이남의 신흥동, 소민동, 묘향산지역에 분산시키기로 했다. 각 군은 1개 사단씩을 선천, 남시, 박천, 영변, 원리, 구장에 각각 배치시키기로 했다. 이 같은 부대 배치에다 다음과 같은 전술을 짰다.

전선의 정면에서 기동방어전을 펼치면서 일정 병력으로 유격전을 펴 상대의 숫자가 적으면 그대로 공격하고 많을 경우에는 일단 물러나 상대 병력을 깊숙이 끌어들인 뒤 측면과 배후로 치고 들어가 주력 부대에 타격을 입힌다는 작전이었다.

한편 동부전선에 있는 제42군 주력은 고토수, 구진리, 부전령 일대에 배치하고 1개 사단은 영변, 사단의 일부병력은 덕천에서 양덕방향으로 기동전을 펴도록 했다.

우리는 이 같은 결심을 모 주석과 당중앙에 알려 의견을 물었다. 아울러 산동성(山東省)에 주둔하고 있던 제9병단을 하루빨리 조선에 보내달라고 건의했다.

모 주석은 5일 새벽 1시, 전보를 보내와 펑 총사령관의 결심을 승낙했다.

> 11월 4일 15시 전보 받았음. 작전부서 결정에 동의함.
> 덕천 쪽이 아주 중요함.
> 아군은 원산, 순천철로선 이북지역에서 전투를 벌여 적을 몰아내야 함.
> 평양, 원산을 잇는 선을 전방으로, 덕천, 구장, 영변 북쪽과 서쪽을 후방으로 삼아 장기전을 펼치는 것이 유리함.

같은 날인 5일 밤 10시에 모 주석은 또다시 전보를 보내와 송시륜이 이끄는 제9병단(제20, 제26, 제27군 등 3개 군)을 곧 조선에 보내 동부전선을 맡기기로 했다고 전해 왔다.

모 주석은 전보에서 "강계, 장진은 제9병단이 전적으로 맡는다. 상대를 깊숙이 끌어들여 타격을 입힐 수 있는 기회를 엿본다. 제9병단은 앞으로 지원군사령부에서 직접 통제하라. 북경에서 제9병단의 작전에 대해서는 관여하지 않겠다. 제9병단 소속 1개 군은 곧장 강계를 거쳐 장진으로 갈 것."이라고 말했다.

11월 8일 동부전선의 유엔군과 국군은 고토수, 풍산, 길주를 맹렬히 공격하면서 강계를 돌아, 우리의 퇴로를 끊으려 했다. 서부전선에서도 유엔군은 병력을 집중해 청천강을 따라 북진했다.

이러한 정황과 모 주석이 "미군과 국군의 북진기도를 분쇄하기 위해서는 동서 양 전선에서 고루 상대를 유인하고 측방을 친 다음 맹렬하게 공격을 확대하라"는 전보의 뜻을 받들어 이날 우리는 작전회의를 소집해, 제2차 전역을 어떻게 수행할 것인지를 논의했다.

펑 총사령관은 때가 때인지라 무척 흥분해 있었다. 제1차 전역 이후 무모하게 몰아붙이는 유엔군 측을 비난했다.

"지금 맥아더가 제정신이 아니구먼. 분명 우리를 우습게 알고 있는 게 틀림없어. 우리 대부대가 이미 압록강을 건너 조선에 들어온 사실을 까맣게 모르는 것 같아. 우리는 바로 이 점을 노려야 해. 상대방의 판단착오를 이용하는 거야. 상대에게 짐짓 약점을 보인 뒤 깊숙이 끌어들인 다음 치는 게 상책일 것 같은데 말이야."

펑 총사령관의 주장과 모 주석의 지시는 그대로 적중했다.

'콜럼버스의 달걀'이라고나 할까. 지나고 나면 쉬운 법이다. 그러나 당시 상황을 돌이켜보면 그러한 유인작전은 결코 쉬운 일이 아니었다. 모 주석과 펑 사령관과 같은 전략가들이 아니면 감히 상상도 할 수 없는 모험이요, 도박이었다.

왜냐하면 당시 국군과 유엔군은 맹렬한 기세로 몰려들었고 상대적으로 우리는 제1차 전역의 피곤함에서 벗어나지 못한 상태였기 때문이다.

이러한 상황에서 어느 부대가 상대를 유인할 것이며 어떻게 끌어들일 것인가 등등 풀어야 할 문제가 한두 가지가 아니었다.

펑 총사령관은 고심 끝에 이번 전역의 미끼노릇을 주력 중의 최정예부대인 38군 112사단에게 맡기기로 했다. 이것은 군사상 원칙을 무시한 파격적인 작전이었다. 군사학적인 관점에서 '미끼'는 보통 주력부대가 아닌 약체부대가 떠맡게 된다. 주력은 역습을 위해 아껴두는 것이다.

그러나 제2차 전역을 위해 팽 총사령관은 과감하게 최정예부대를 '미끼'로 던져 상대의 심리를 역이용하는 고도의 군사전술을 선보였던 것이다.

팽 총사령관은 "상대의 공세를 가로막을 최정예부대가 어느 사단인가." 하고 등화와 나에게 물었고 우리는 서슴없이 38군 112사단을 추천했다. 112사단은 원래 항일전쟁과 국민당과의 전쟁 당시 '철군(鐵軍)'으로 알려진 제4야전군의 선봉사단인 4야 1사단이었기 때문이다.

팽 사령관은 "이번 전역에서 최정예부대를 선봉에 내세워야 돼. 지금 상대는 공군력과 화력의 우세를 믿고 몰아치고 있잖아. 상대의 공격예봉을 누그러뜨리고 상대를 깊숙이 우리의 손아귀 안으로 끌어들이자면 최강의 부대를 활용할 수밖에 없어."라고 말했다.

물론 제2차 전역이 끝난 뒤 112사단의 전공에 대해서 이론이 분분했던 것은 사실이다. 일부에서는 112사단이 아무런 역할도 하지 못했다고 말들을 하지만 그것은 하나는 알고 둘은 모르는 것이다.

앞에서 말한 바와 같이 112사단은 바로 제2차 전역에서 가장 핵심적인 역할을 맡았던 것이다.

병력을 이동해 상대의 측면으로 우회시켜 들어가는 데 우리는 교묘하게 상대방 내부의 허점을 이용했다.

당시 서부전선의 미제1군단과 제9군단은 미제8군 사령관 워커 중장의 지휘를 받고 있는 반면 동부전선의 미제10군단(군단장 아몬드 소장)은 직접 도쿄에 있던 미극동군 사령관 맥아더 원수의 통제를 받고 있었다.

아몬드 소장은 극동군사령부의 참모장 출신으로 맥아더의 신임이 두터운 장군이었다. 맥아더의 최고의 작품으로 불리는 인천상륙작전도 아몬드가 직접 진두 지휘했던 터였다. 제10군의 지휘권을 맡을 정도로 맥아더는 그를 후원했다.

이치로 따지자면 조선에 건너와 있는 미군 3개 군단은 모두 미8군 사령관인 워커의 명령 아래 움직여야 했지만 편제의 모순으로 제10군 단장 아몬드 소장은 조선 작전에서 전혀 워커의 말을 듣지 않았다. 워커 또한 아몬드 소장이 이끄는 동부전선의 제10군단에 대해서는 거의 무관심했다.

그러다 보니 서부전선과 동부전선에는 80~100km의 틈이 벌어져 있었다. 이 틈새를 국군이 메워준다고는 했지만 그들의 사기는 이미 떨어져 있었고 장비도 가장 열세였다. 서부전선의 미제8군 동쪽은 덕천, 영변 일대의 국군이 방어를 맡고 있었다.

펑 총사령관은 바로 이러한 상대방의 약점을 놓치지 않았다. 그는 38, 40, 42군 등 3개 군의 대병력을 동원해 덕천, 영변의 국군의 뒤를 돌아 퇴로를 끊도록 했다.

38군 112사단이 선봉에 나서 희천에서 구장을 잇는 도로를 지키고 있다가 짐짓 후퇴하는 척하면서 유엔군을 끌어들였다.

38군 113사단, 114사단과 40군 전 병력은 덕천의 북서쪽에서 동남쪽으로 기동했다. 동부전선에 있던 42군 주력은 황초령에서 영변 쪽으로 이동했다. 이제 동부전선은 산동성에서 온 제9병단이 맡게 됐다.

39군과 66군은 각각 태천과 구성에 집결해, 덫을 놓은 상태로 국군과 유엔군을 기다리고 있었다. 혹시나 있을지 모를 상대의 상륙작전에 대비해 50군은 서해안 경비를 게을리 하지 않았다.

막 조선 땅에 들어온 동부전선의 제9병단(26군 제외)의 일부는 구진리 남쪽에 진지를 구축해, 전투태세에 들어갔고 주력부대는 구진리 남서쪽과 동남쪽에 집결해, 장진 쪽으로 진격해 오던 미해병 제1사단 2개 연대와 먼저 맞붙은 뒤 본격적인 전투에 들어갈 계획이었다.

8일 오후 3시 우리는 작성된 작전계획을 모 주석에게 보고했고 모 주석은 다음 날인 9일 회신을 보내와 동의했다.

모 주석은 전보에서 "11월과 12월 초까지 1개월 내에 동서 양 전선에 걸쳐 한두 차례의 공세를 펴 상대의 7, 8개 연대를 무력화시키고 전선을 평양~원산 간 철도까지 확대한다면 일단 성공"이라고 지적했다.

모 주석은 제1차 전역에서 우리가 당한 차량손실에 대해서도 언급했다.

"곧 소련차량이 대규모로 공급될 것이다. 적기의 공습으로 매일 30대의 차량이 손실된다고 치면 한 달에 평균 9백 대의 차량손실을 입게 되는 셈이다. 그렇더라도 1년 많아야 1만여 대의 차량이 사용 불능 상태에 빠지게 된다. 이 정도의 손실은 소련정부 측의 차량제공에다 고장 난 차를 수리하거나 미군차를 노획하는 것으로 충분히 보충할 수 있다."

모 주석은 대규모 차량제공에 대해서 "덕천, 영변, 맹산으로 이르는 넓은 도로를 보수할 것. 이것은 전략상 중요한 임무."라고 강조했고 "추위를 이겨낼 의복, 식량, 탄약의 충분한 제공을 위해 동북군구 주석 고강에게 방법을 강구토록 하라고 지시했다."고 밝혔다.

우리는 모 주석의 전보를 받고 정말 감격했다. 역시 모 주석은 뛰어난 전략가였다. 그는 일선에 있는 우리의 건의를 전적으로 받아들였을 뿐 아니라 이번 전역에서의 목표, 충분한 물자보급 등 전선에 있는 우리가 미처 깨닫지 못하는 주요한 사항들을 일깨워 주었던 것이다.

이러한 과정을 통해 우리는 국군과 유엔군의 성탄절공세를 막고 전선을 평양, 원산까지 밀어붙이는 작전계획을 정식으로 결정했다.

덪

11월 13일 대유동광산의 산골짜기에 자리 잡은 팽 총사령관의 작전상황실. 전봇대를 잘라 대충 두들겨 만든 단층집이다.

이날 중국인민지원군 당위원회 성립 후 첫 번째 당위원회회의가 열렸다.

바깥은 영하 20도를 밑도는 강추위가 몰아쳤지만 지글거리는 난로불이 한결 방안을 훈훈하게 만들었다.

회의는 지원군 사령관이며 정치위원인 팽 동지가 주재했다. 그는 제1차 전역에서의 경험과 교훈을 결론지을 참이었다. 또 군단장급 이상 지휘관들에게 당면한 제2차 전역에서의 작전계획과 부서결정을 통보할 예정이었다.

오전 8시 30분쯤 부사령관 등화, 한선초, 그리고 나, 부정치위원 두평 등 지원군사령부의 수뇌부들이 모두 상황실에 도착했다.

벌써 군단장들은 도착해 있었다. 지난 10월 19일 조선에 들어온 지한 달도 채 되지 않았지만 전장 특유의 친밀감이 방안을 뒤덮었다. 여기저기서 웃음소리가 끊이지 않았다. 악수하는 사람, 어깨를 두드리는 사람, 모두 꺼칠꺼칠한 얼굴들이지만 희색이 만면했다.

38군 군단장 양흥초, 39군 군단장 오신천, 40군 군단장 온옥성, 42군 군단장 오서림, 66군 정치위원 왕자봉(王紫峰) 등의 모습이 눈에 띄었다.

이때 팽 총사령관이 문을 열고 상황실에 들어섰다. 그는 입을 꽉 다물고 표정 하나 없는 엄숙한 얼굴이었다. 나는 대뜸 팽 총사령관의 심기가 불편하다는 것을 눈치 챘다. 아마도 지난 제1차 전역에서 38군이 제대로 명령을 수행하지 못했기 때문이라는 것도 대충 감이 잡혔다.

등화가 회의 벽두 제1차 전역 때의 상황을 설명하기 시작했다.

등화가 어느 지방을 얘기했을 때 팽 총사령관은 (지원군사령부작전처 부처장) 양적(楊迪)에게 지도에다 가리켜 보라고 했다. 팽 사령관의 얼굴이 잔뜩 굳어 있는 것을 보고 양적도 꽤 긴장이 돼 자신도 모르게 잘못 짚었다. '아차' 싶어 얼른 다시 제 위치를 가리켰지만 팽 사령관은 대뜸 큰소리로 나무랐다. "어째서 지도 하나 제대로 가리키지 못해." 등화가 38군의 상황을 얘기하기 시작했다.

아니나 다를까. 팽 총사령관이 대뜸 자리에서 벌떡 일어나 38군단장 양흥초를 손가락으로 가리키며 혼내주기 시작했다.

"양흥초, 당신은 하는 일이 어째 그래. 내가 분명 희천으로 가서 차단하라고 했잖아. 그런데 왜 차단하지 못했어. 그동안 뭘 했어. 그러고도 주력부대라고. 주력은 무슨 주력. 이번은 처음 싸우는 전투잖아. 모두들 어려움을 이겨내고 맡은 바 임무를 완수했어야지. 보다 많은 상대를 섬멸했어야지. 39군은 운산에서 미제1기병사단을 멋지게 공격했고 40군은 온정에서 국군 제6사단에 엄청난 타격을 입혔는데 당신은 최정예부대라고 말로만 하면 뭘 하나. 응. 할 말 있으면 해봐."

양흥초는 팽 총사령관의 거센 질책을 받으면서도 한마디도 대꾸를 하지 않았다.

"패장(敗將)은 유구무언(有口無言)"이라던가. 사실 양흥초는 항일전쟁시기 제4야전군의 명장 중의 명장이었다. 오죽하면 '상승장군(常勝將軍)'이란 칭호가 붙었을까. 그런 그도 오늘만은 어쩔 줄 몰라 하는 모습이 퍽 애처롭게 보였다.

회의 도중 점심시간이 되었다. 식탁에서 우연히 양홍초와 함께 자리를 하게 됐다.

그가 풀이 죽은 채 주저주저하면서 말을 건넸다.

"부사령관 동지, 심려를 끼쳐드려 죄송합니다. 그런데 말입니다. 우리 38군이 지난번처럼 헤맨 적은 단 한 번도 없지 않았습니까. 국군의 퇴로를 차단하는 데 현실적으로 어려운 점이 너무 많더라고요. 아까는 분위기도 그렇고 해서 변명을 늘어놓으면 더 혼이 날 것 같기에 아무 말씀도 안 드린 겁니다."

맹장의 풀 죽은 모습을 보니 내 마음도 안쓰러웠다.

"양형, 심려하지 말아요. 사령관 동지께서 말씀은 그렇게 하셔도 양형을 다 생각해서 그러시는 것 같아요. 한번 실수는 누구나 저지를 수도 있는 것이니 앞으로 분발하세요."

양홍초가 고개를 끄덕였다. "부사령관 동지의 충고, 명심하겠습니다. 앞으로 두 번 다시 실수는 하지 않겠습니다."

오후에 회의가 속개됐다.

팽 총사령관이 앞으로의 작전계획에 대해 설명했다.

"맥아더는 지금 제정신이 아니다. 아직까지도 우리의 주력부대가 압록강을 건너온 사실을 인정하지 않고 있는 것을 보면 분명히 알 수 있다. 맥아더는 추수감사절 전에 전 조선을 점령하겠다고 큰소리쳤다가 우리의 1차 전역 때문에 망신을 당했다. 그는 이제 성탄절까지는 전 조선을 점령하겠다고 목청을 높이고 있다.

조선을 점령하는 시간이 다만 늦었을 뿐이라고 둘러대면서 말이다. 자기네 병사들에게 이번이 마지막 공격이고 어서 전 조선을 점령하고 일본에 돌아가서 성탄절을 보내자고 다그치고 있다."

열변을 토하던 그의 얼굴에 쓴 웃음이 배어나왔다.

"그러나 어림도 없는 일. 교만한 군대는 반드시 패하는 법이다. 나는 이 자리서 귀관들에게 분명히 약속한다. 결코 미군은 전 조선을 점령하지 못한다. 천하의 맥아더도 두 손을 번쩍 들게 될 것이다."

그는 몸을 돌려 상황실 벽에 걸려 있는 대형 작전지도를 손으로 가리키며 말을 이었다.

"맥아더의 공격형태를 살펴보면 지상부대를 먼저 가동한다. 지상부대로 탐색전 성격의 공격을 거는 거야. 이것은 벌써 시작했어. 또 엄청난 전투기를 동원해 공격을 해오는 것이다. 압록강의 모든 다리와 나루터에 공습을 퍼부어 동북지방의 우리 병력이 도강하거나 물자를 수송하는 것을 막는다는 계획이다. 이것 역시 벌써 시작했다."

이때 등화가 끼어들었다.

"맥아더가 너무 단순하게 생각하는 것 아닙니까. 우리의 제9병단 휘하 3개 군, 12개 사단이 지금도 샘물 솟듯이 조선으로 들어오고 있는데 그따위 전투기의 공습으로 행군을 막을 수 있다고 생각하니 말입니다."

"그동안 수집한 정보를 분석해 보면 맥아더가 취할 앞으로의 작전 계획은 불을 보듯 뻔하다.

유엔군은 공격준비를 갖춘 다음 미제10군단은 장진호 서쪽으로 진격을 해오고 미제8군은 청천강을 따라 북상할 거야. 그들은 동서쪽으로 밀고 오다가 강계 남쪽에 있는 무평리에서 만나 우리 지원군과 조선인민군을 독안에 든 쥐로 만들어 무력화시킨 뒤 중조국경으로 진출한다는 계획이다. 맥아더의 작전은 얼핏 보면 환상적이야. 그러나 탁상공론에 불과해. 그는 머잖아 냉수 마시고 속 차리게 될 거야."

그는 이쯤에서 참모장 해패연에게 피아 병력배치 상황을 보고하도록 했다.

"그럼 유엔군의 병력배치 상황을 보고드리겠습니다. 유엔군은 서울을 경비하면서 후방의 조선인민군을 '소탕'하던 미제25사단과 새로 조선에 파견된 터키여단, 영제29여단을 서부전선 북쪽에 배치 완료했습니다. 또한 미 본토에서 날아온 미제3사단은 동부전선에 배치되어 있습니다.

이로써 전선에 배치된 유엔군의 지원 병력은 5개 군단 13개 사단 3개 여단 1개 공수연대, 총 22만 명입니다. 제1차 전역 때보다 8만여 명이 늘어난 숫자입니다.

유엔군의 공군도 최신예 제트전투기 2개 연대를 증강시켜 모두 1천2백 대의 전투기를 보유하고 있습니다. 전체적으로 볼 때 대단한 기세를 올리고 있는 셈입니다."

해 참모장은 팽 총사령관을 힐끔 쳐다본 뒤 우리 병력에 대해 보고했다.

"우리 제9병단의 주력은 이미 집안, 임강을 통해 조선에 들어와 동부전선에서 작전을 수행하고 있습니다. 제9병단을 합치면 아군은 6개 군 30사단 총 38만여 명의 병력이 들어와 있는 셈입니다.

전선에 배치돼 있는 유엔군 지상부대 병력에 비해 1.7배가 많습니다. 그중에서 동부전선에는 우리 15만여 명, 유엔군이 9만여 명으로 우리가 1.66배가 많고 서부전선은 우리 23만, 상대방이 13만 명으로 우리가 1.75배 많은 셈입니다. 결국 동서부 양 전선에 걸쳐 아군은 병력의 우세를 보이고 있는 셈입니다."

내가 한마디 거들었다.

"사령관 동지와 참모장의 말씀을 들으니 맥아더가 단단히 잘못 생각하고 있는 것 같습니다. 미국의 정보수집 능력이 생각보다 형편없구먼요. 맥아더가 크게 후회하겠는데요."

긴장감으로 짓눌린 상황실 분위기가 갑자기 밝아지면서 모두들 웃음을 터뜨렸다.

팽 총사령관이 말했다.

"우리가 병력이 많다고는 하지만 아직 전투기와 탱크의 공급이 이루어지지 않은 상태이다. 그러니만큼 우리는 기동전, 진지전, 유격전을 그때그때의 상황에 따라 활용해 상대 병력을 최대한 살상해야 한다. 물론 유엔군은 밀어붙이겠지.

우리가 미리 쳐놓은 덫에 유엔군이 걸리는 날이면 각개 격파를 해 섬멸해야지. 내 생각은 서부전선에서는 대관동, 온정, 묘향산, 평남진을 잇는 선까지 상대를 끌어들인 뒤 기습공격을 시도하고 동부전선에서는 구진리, 장진을 잇는 선까지 유인하면 되겠어."

그때 누군가가 질문을 던졌다. "사령관 동지, 유엔군이 제대로 밀고 들어오지 않으면 어떡하지요."

팽 총사령관은 미소를 지으면서 말했다. "그거 좋은 질문이다. 그네들이 오지 않으면 어떡하냐구. 염려 마. 그들은 반드시 올 거야. 맥아더 생각에 밥숟가락을 막 입에 넣으려 하는 판인데 멈출 리가 있나. 만약 그네들이 오지 않는다면 우리가 치고 나가야지.

동부전선에서는 영흥에 있는 유엔군을 포위하는 것이며 서부전선에서는 2, 3개 군을 동원해 덕천서 출발해 순천, 숙천을 차단한다.

결론적으로 말해 올해 안으로 한바탕 전투를 더 벌여 상대의 6, 7개 연대 병력을 궤멸시키고 전장을 평양, 원산까지 밀고 내려가야 한다. 그래서 수동적이며 방어적 입장을 취하게 하고 아군이 또다시 공격을 개시하도록 한다. 그러나 이건 어디까지나 가정이다. 내 생각으로는 우리가 당초 생각한 대로 뒤로 물러나 미끼를 던지면 반드시 대어가 낚일 것이다."

회의에 참석한 각급 지휘관들은 펑 총사령관의 자신만만한 모습을 보고 용기백배했다.

나도 은근한 자신감과 함께 용기로 가슴이 뿌듯해 왔다.

회의가 끝난 뒤 지원군수뇌부는 전면전에 대비해 조선인민군과 합동으로 유격전을 벌이기로 잠정 결정했다. 지원군 42군 125사단의 2개 보병대대와 조선인민군 1개 연대를 합쳐 유격대를 구성해, 유엔군 측의 후방인 맹산, 양천, 성천지역에 침투시켜 그 지역에 흩어져 있는 조선 인민군과 함께 적 후방 교란작전을 펴도록 했다.

또 유엔군 측 후방에 남아 있는 또 다른 조선인민군 제2, 제5군단 예하 11개 사단, 3개 여단은 철원평야지대 주위에서 유격활동을 펴 상대에게 심리적인 불안감을 주도록 했다.

이와 함께 장진에 있던 조선인민군 제3군단을 중국인민지원군 제9병단에 배속시켜 연합작전을 펴도록 했다.

중앙군사위원회와 동북군구는 또 병참보급을 보강하기 위한 대책을 강구했다. 그 결과 철도부대 제1사단이 조선에 급파돼 만포와 희천을 잇는 철도복구사업에 투입됐다.

1개 후근(後勤)부대 후근 지부(分部)와 1개 병참수송선을 늘여 기존의 3개 후근부대와 3개 수송선을 확충했다. 물론 모 주석이 지시한 "덕천, 영변, 맹산에 이르는 국도를 하루빨리 보수하라"는 명령과 "동서 양 전선에서 추위를 이기는 데 필요한 피복, 식량, 탄약의 충분한 보급"을 달성하기 위해 최선을 다했다.

이런 배경으로 제2차 전역이 시작되기 전까지 병참부대에 근무하는 병사는 6만 명을 넘어섰다.

11월 14일 지원군 당위원회회의가 13일에 이어 두 번째로 열렸다. 그런데 이날 미군전투기가 용케도 지원군사령부가 있는 대유동을 찾아내 폭격해 왔다. 대유동이 습격당한 배경은 이러했다.

미군들은 1차 전역 당시 전장에서 후퇴할 때 어쩔 수 없이 내버려 두고 가는 차량이나 무기장비 등이 숱했다.

그러나 미군들이 도망간 지 1, 2시간도 되지 않아 미군전투기들이 벌 떼처럼 날아와 보병들이 버리고 간 장비에 소이탄을 무더기로 퍼부어 불태워버리곤 했다. 자기네들 무기나 장비를 우리가 노획해 쓰지 못하도록 할 셈이었다.

그러나 우리도 미군전투기들이 날아오기 전 짧은 시간을 틈타 미군 차량이나 무기, 장비 등을 잽싸게 볏짚으로 덮어 위장하곤 했다.

지원군사령부 직할부대원들은 1차 전역 도중 유엔군의 트럭, 지프 등 60여 대의 각종 차량을 긁어모아 대유동의 산골짜기에 이리저리 숨겨놓은 뒤 짚단을 얹어 전투기 조종사들의 눈을 속이려 했다. 팽 사령관을 비롯한 우리는 장비를 노획한 데 대해 매우 흡족해했다. 그런데 나는 아무래도 마음이 놓이지 않아 차량을 숨겨놓은 곳에 사람들을 보내 제대로 위장이 됐는지 살펴보도록 했다.

그러나 14일 오후 1시가 막 넘었을 때 미군전투기 4대가 대유동 골짜기로 날아왔다. 대유동 상공에 이르러 이들 전투기들은 갑자기 고도를 낮추어 전투기 특유의 앵앵거리는 엔진소리로 골짜기를 뒤덮는 가운데 흩어져 갔다.

이들 전투기들은 지면으로부터 불과 10m도 채 되지 못할 정도로 저공비행을 해 조종사들의 모습까지 보일 지경이었다.

그런데 전투기들이 워낙 저공비행을 하다 보니 세찬 바람이 지면에서 일어나 그만 미군차량들을 덮었던 볏짚들이 날아가 버렸다. 윤기가 자르르한 미군차량들이 모습을 드러낸 것이다.

일단 차량들이 눈에 띄자 전투기들은 기다렸다는 듯이 소이탄과 기총소사를 퍼부어댔다.

당시 우리에게는 대공포 같은 방공무기가 전혀 없었다. 참으로 안타까운 순간이었다. 미군전투기들이 눈앞에 어른거려도 어찌할 도리가 없었다. 일부병사들은 워낙 안타까웠던지 소총을 들고 적기를 향해 사격을 퍼부었으나 헛일이었다.

도리어 미군전투기들이 그 병사를 향해 기관총소사를 퍼부어 보복했을 뿐 아니라 이번에는 지원요청을 받은 듯한 수십 대의 전투기가 엄청난 굉음을 터뜨리며 공습을 감행해와 대유동 골짜기를 불바다로 만들었다.

미군전투기들의 공습이 끝난 뒤 골짜기로 허겁지겁 달려가 보니 숨겨놓은 미군차량의 절반이 넘는 30여 대가 잿더미로 변했고 나머지도 대부분 파괴됐다.

당시 우리가 조선에 들어온 직후에는 차량이 아주 귀중했고 그나마 제1차 전역 도중 미군전투기의 공습으로 우리 측의 차량손실이 상당했기 때문에 노획한 미군차량으로 우리의 손실 일부를 메울 수 있다고 판단했는데 이같이 파괴를 당하니 정말 원통한 마음이었다.

팽 사령관은 이 사실을 알고 매우 화를 냈다. 사령부 지휘관들이 차량의 보존에 대해 소홀히 취급한 것 아니었느냐는 것이다.

내가 막 팽 사령관방에 들어서려 할 때 방안으로부터 팽 사령관의 화난 목소리가 들려왔다.

"도대체 사령부의 지휘관들은 뭣 하는 거야. 전혀 책임감들이 없어."

팽 사령관은 나와 참모장 해패연이 방에 들어서는 것을 보자 버럭 고함을 질렀다.

"당신들 무슨 낯으로 찾아왔어. 미군차량을 제대로 숨겨놓지도 못하고 말이야. 어떻게 해서 얻은 보물들인데 고스란히 잿더미로 만들었는가 말이야. 말 좀 해봐."

나는 팽 사령관의 노기를 누그러뜨릴 심산으로 짐짓 웃으며 말했다.

"사령관 동지, 화를 가라앉히십시오. 사실 미군차량들은 철저하게 위장해 산골짜기에 제대로 은폐를 시켜놓았습니다. 그래도 미군전투기들 눈에 띄어 폭탄세례를 받는 데야 어떡할 도리가 없잖습니까."

그는 내 말에 어이가 없는 듯 "흥" 하고 코웃음을 쳤다.

내가 다시 말했다.

"칠 테면 치라죠. 친 다음에 도로 뺏어오면 될 것 아닙니까."

내 말을 듣자 팽 사령관은 더 화가 나는 모양이었다.

"이 친구가 지금 제정신이 아니구먼. 그따위 말이 어디 있어."

이왕 내친걸음이어서 나는 계속 너스레를 떨었다.

"그럼 저보고 어떡하란 말입니까. 이번 일은 이번 일이고 다음번에 미군들과 맞닥뜨리면 끝장을 내겠습니다. 심려 놓으십시오."

이쯤 되자 팽 사령관도 화가 꽤 풀어진 모양이었다. 더 이상 잿더미가 된 미군차량 문제를 꺼내지 않았다. 대공무기가 없는 상태에서 발생한 잊지 못할 추억거리라고 말할 수 있다.

11월 16일 오전 팽 사령관, 등화 부사령관, 한선초 부사령관, 해패연 참모장, 그리고 나는 계속해서 제2차 전역의 준비상황을 논의했다.

팽 사령관이 해패연에게 유엔군과 국군의 공격상황에 대해 물었다.

해패연이 보고했다.

"11월 6일, 유엔군 측이 시험적인 도발을 시작한 이래 아군은 계획에 따라 모든 전선에서 천천히 물러나 상대를 깊숙이 유인하고 있습니다. 9일 우리 38군 112사단은 개천의 서북쪽에 있는 비호산 일대의 진지를 포기했습니다. 아시다시피 해발 6백22m의 비호산은 군우리,

동쪽의 덕천, 남쪽의 순천을 내려다볼 수 있는 요충지이기 때문에 비호산 점령은 미군 측에 커다란 자신감을 불러일으킬 것으로 예상됩니다. 또 10일에는 39군 115사단이 덕천을 포기했습니다."

팽 사령관이 물었다.

"동부전선은 어떻소."

"네. 동부전선에서도 아군은 황초령을 포기했습니다. 지금 미군은 황초령, 풍산, 명천 등 세 갈래로 나뉘어 북상하고 있습니다."

해 참모장은 동부전선의 상황을 보고한 뒤 꺼림칙한 표정으로 단서를 붙였다.

"그러나 상대의 행동이 지나치게 느립니다. 어제(15일)까지 서부전선에서 상대는 박천, 용산동, 영변, 덕천을 잇는 선까지 올라와 있습니다.

동부전선에서도 하갈우리, 풍산, 명천 북쪽을 잇는 선까지 진출해 있습니다. 10일 동안 겨우 9~16km씩 진출한 데 불과합니다. 따라서 우리의 공격개시선까지 올라오려면 시간이 좀더 걸려야 할 것 같습니다."

이때 부사령관 한선초가 끼어들었다.

"참모장의 보고를 듣자 하니 상대가 퍽 신중하게 진격을 하는 듯한데 저번 제1차 전역에서 너무 무모하게 달려들었다가 낭패를 당한 데 대한 상대적인 두려움 같은 것이 아닐까."

나도 한마디 건넸다.

"112사단이 비호산에서 너무 부자연스럽게 후퇴한 게 아닌가 싶어. 워커가 우리에게 또 당하나 싶어 잔뜩 의심하게 한 것이 아닌지 모르겠어."

나중에 알게 된 사실이지만 당시 미제8군 사령관 워커 중장은 예하 첩보부대장에게 "중공의 군대가 정말 당신 보고대로 소규모부대인가, 정규군도 아닌 소규모부대가 이렇게 위협적일 수가 있을까. 이해하기 힘들군."이라며 의심을 품었다고 한다.

작전계획 수립을 책임지고 있는 부사령관 등화가 짜증난 표정으로 불쑥 말을 던졌다.

"그러면 유엔군은 언제 우리의 공격개시선까지 밀려온단 말인가. 그야말로 백년하청(百年河淸)이겠구면."

팽 사령관이 약간은 어수선해진 작전회의의 분위기를 수습했다.

"참모장, 그러면 어떤 계획이 있는가. 상대를 공격개시선까지 끌어들일 방도가 뭔가."

"네, 현재로서는 상대가 의심하지 않도록 더욱 안심시켜 북진을 계속토록 하는 방법밖에는 없는 듯합니다."

내가 건의했다.

"제 생각으로는 상대가 의심하지 않도록 하는 게 급선무인 것 같습니다. 그래서 아군에서 최정예인 몇 개 중대를 골라 상대에게 소규모로 기습공격을 펴 우리가 무작정 뒤로 물러선다는 의심을 주지 않았으면 합니다."

팽 사령관이 내 건의를 듣더니 고개를 끄덕였다.

"홍 부사령관의 견해가 그럴듯해 보이는군. 각 군에 전보를 보내 진격해 오는 상대에게 소규모의 기습공격을 하라고 해. 대신 주력부대는 지금 위치에서 10여 km 더 물러나도록 하고 말이야. 절대로 우리의 의도를 눈치 채게 해서는 안 돼. 그들에게 일종의 착각을 불러일으켜야 돼. 우리가 자기네들에게 힘에 겨워 도망가는 인상을 주도록 해야지."

이러한 전술을 구사하며 아군의 주력은 11월 17일 서부전선 운산,

구장을 잇는 선 북쪽과 영변 동북쪽까지 후퇴했다.

동부전선의 20군도 유담리 서쪽과 서북쪽에 집결해 42군 주력부대가 황초령 북쪽에서 하던 저격임무를 이어받았다. 42군 주력은 영변 동북쪽 일대로 이동하기 시작했다.

11월 25일 제2차 전역 개시

우리가 주춤주춤 물러서자 상대는 의심스런 눈치를 보였던 게 사실이다.

그러나 그들은 아군의 병력이 '많아 봐야 6, 7만 명을 넘지 않을 것'으로 잘못 판단했다. 또 이미 실시하고 있는 공습으로 우리 지원부대를 전쟁터에 들어올 수 없게 만들었다고 판단해 전력을 기울여 맹공을 퍼부었다.

11월 21일, 서부전선의 유엔군은 이미 워커가 설정해 놓은 '공격개시선'을 넘어섰다. 전역을 위한 전개를 끝낸 셈이었다.

미제8군 사령관 워커는 11월 14일 이른바 '공격개시선'을 설정했었다. 박천 서쪽 약 20km 지점의 납청정으로부터 태천, 운산, 온정, 희천을 잇는 선이었다.

여기까지 각 부대를 진출시키고 명령이 내려지는 공격개시일에 일제히 반격을 시작하면서, 북상한다는 구상이다.

'공격개시선'은 적유령산맥의 남쪽기슭까지 이어져있었다. 맥아더와 마찬가지로 미제8군도 우리가 적유령산맥에 포진한 것으로 잘못 알고 있었던 것이다.

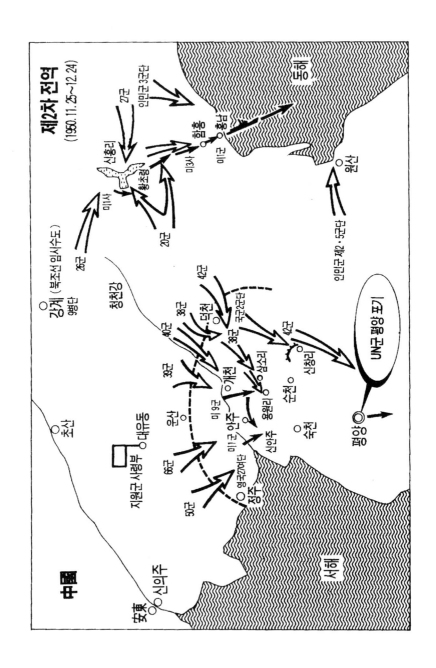

이때 서부전선의 아군은 50군, 66군, 39군, 40군, 38군, 42군이 각각 정주 서북쪽 구성, 태천, 운산, 덕천 북쪽과 영변 북쪽으로 각각 이동해서 숨을 죽이며 유엔군의 공격을 기다리고 있었다. 동부전선에서는 제9병단의 27군이 구진리에 도착했고 26군은 후창강 어귀에 이르렀다. 이로써 제9병단 휘하 3개 군은 모두 예정지점에 도달한 셈이었다.

이때 측면 우회공격의 임무를 맡은 제38군은 이미 덕천까지 움직였고 42군은 서쪽으로 영변까지 이동했다. 이 지역은 동쪽으로 높은 산들을 끼고 있는 좁은 산길이어서 3개 군 12만여 명이 짧은 기간 내에 통과하기는 매우 어려운 일이었다. 이러한 대병력을 위한 병참수송 또한 쉽지 않은 문제였다.

아무튼 운산의 40군은 희천 정면으로 이동했다. 더 이상 동쪽으로 움직이지 말고 그 자리에서 대기하도록 했다. 40군과 태천의 39군은 청천강 북쪽 정면에서 은폐하면서, 매복하고 있었다.

기다란 자루형태를 이루어 상대가 들어오기만 하면 협공, 무력화시킬 참이었다. 앞서 얘기한 38군 112사단은 이때 구장 부근으로 철수했는데 '미끼' 역할로 선두에 나서 유엔군 측의 반격에 맞서다 보니 엄청난 인명손실을 입었다. 그래서 38군의 예비대로 만들어 최전선에서 좌우로 병력을 분산시켰다.

11월 22일, 23일 유엔군은 전진을 계속했다. 맑게 갠 늦가을 날씨였다. 늦가을치고는 비교적 높은 기온이 계속됐다. 특히 23일은 미국인들의 추수감사절. 청천강 남쪽에 포진한 미제8군 13만 6천여 명은 추수감사절에 먹는 칠면조고기를 들며 총반격의 날을 기다렸다고 하던가.

우리는 유엔군 측의 공격상황에 대해 기본적인 분석을 이미 마친 상태였다.

상대의 진격이 점차 활발해짐에 따라 이에 대한 작전을 구상하는 지원군사령부의 움직임도 긴박하게 돌아갔다.

11월 24일 우리는 원래 작전계획을 재차 수정했다. 서부전선에서 6개 군의 대병력을 집중시켜 유엔군이 우리의 덫에만 걸리면 대대적인 반격을 개시한다는 것이다. 38군과 42군은 덕천, 영변의 국군 제2군단 주력에 타격을 입힌 뒤 개천, 순천, 숙천 방향으로 우회해서 퇴로를 끊는다.

이와 함께 전선 정면의 40, 39, 66, 50군과 합동으로 활발한 기동전을 벌여 북진하는 미군 2, 3개 사단을 무력화시킨다. 동부전선에서도 제9병단은 주력부대를 동원해 미해병 제1사단 2개 연대를 장진호지역에서 저지한 뒤 기동전을 벌이면서 퇴각하는 미군들에게 계속해서 타격을 입히도록 한다는 내용이었다.

우리가 구체적인 작전계획 수립을 끝냈을 때 펑더회 사령관은 "내가 제1선에 직접 나가 진두지휘를 하면 어떨까."라는 견해를 나타냈다.

우리는 모두 반대했다. 펑 총사령관은 지원군사령부에서 전체상황을 지휘해야지 굳이 일선에 나갈 필요는 없다는 판단 때문이었다.

한참 동안 실랑이를 벌인 끝에 펑 사령관은 "그래, 귀관들의 뜻대로 하지. 나는 가지 않겠다."면서 "한선초, 당신이 나를 대신해서 38군에 가서 최일선의 전투를 지휘 감독하지. 38군과 42군은 측면을 우회 공격하는 중요한 임무를 맡고 있다는 사실을 잊지 말고 말이야."라고 당부했다.

우리가 비록 대병력이지만 제1차 전역 이후 전선에서 철수할 때 야간행군에다 솜을 넣은 흰색방한복의 은폐가 제대로 잘돼 미군정찰기의 눈에 띄지 않은 것은 얼마나 다행한 일인지. 더구나 유엔군은 우리가 자기네들을 무서워해 삼십육계 줄행랑을 친 줄 알고 있었으니 말이다.

(11월 24일 오전 10시) 서부전선에서 유엔군이 그들의 '공격개시선'

을 돌파해 북진을 감행하고 동부전선에서도 유담리, 신흥리 등을 돌파하자 유엔군 총사령관 맥아더는 '오만하게도' 동부전선의 해병부대가 우리를 포위할 수 있는 주요 거점에 이르렀다고 여겨 전쟁이 바야흐로 결정적인 국면으로 접어들고 있다고 생각했다.

11월 24일 맥아더는 직접 도쿄에서 안주에 있는 미제8군사령부에 날아와 총공세를 명령하면서 "성탄절까지 한국전쟁을 끝내자"고 목소리를 높였다. 그는 병사들에게 "이번 공세가 끝나면 집으로 돌아가 성탄절을 보내게 하겠다."고 호언장담했다. 그는 동서전선에 있는 미군, 국군들을 다그쳐 동시에 우리를 공격토록 했다.

서부전선의 미제8군 휘하에는 미제1, 제9군단과 국군 제2군단 등 3개 군단, 8개 사단, 3개 여단 및 1개 공수여단이 배속됐다. 좌측방의 미제1군단 휘하에는 미제24사단, 국군 제1사단, 영국군 제27여단이 배치돼 가산, 고성동에서 각각 신의주, 삭주 방향으로 진격했다. 미제9군단 휘하의 미제25사단, 미제2사단은 입석, 구장에서 각각 삭주, 벽동, 초산 방면으로 진격했다.

미제9군단의 예비대로는 터키여단이 군우리에 있었고 미기병 제1사단이 순천에서 기동했다.

우측방에는 국군 제2군단이 국군 제7사단, 제8사단을 지휘하면서, 각각 덕천 북쪽 사동과 영변에서 희천, 강계로 진격했다. 예비대로는 국군 제6사단이 북창리, 가창리에서 기동하고 있었다.

영국군 제29여단은 평양에, 미공수 187여단은 사리원에 머물며 미제8군 예비대로 있었다.

동부전선에는 도쿄의 유엔군총사령부가 직접 지휘하는 미제10군단이 미해병 제1사단, 미제7사단, 제3사단을 지휘해 장진호에서 무평리, 강계 방면으로 진격했다. 국군 제1군단은 수도사단, 국군 제3사단을 거느리며 동해안을 따라 두만강으로 향했다.

이 같은 상대의 대공세를 우리는 '방어하면서 최대한 힘을 축적했다가 상대가 피로를 느낄 때쯤 역습을 시도한다'는 작전의 기본방침을 세운 뒤 모든 준비를 끝마쳤다.

진인사대천명(盡人事待天命)이라던가. 우리 병사들은 북조선의 산세 험한 산기슭마다 두툼한 흰 솜옷을 입고 추위를 이기며 때를 기다리고 있었다.

유엔군이 전면공세를 취한 지 이틀째인 11월 25일, 상대는 이미 우리가 덫을 놓고 기다리고 있던 전장에 속속 도착했다.

서쪽으로는 납청정에서 태천, 운산, 신흥동을 거쳐 영변 동쪽에 이르기까지 약 1백40km에 이르는 타원형의 커다란 자루모양을 이루었다.

자연히 상대의 병력은 분산되고 측면이 드러났다. 또한 후방이 비어 있어 아군이 공세를 취할 수 있는 모든 여건이 무르익어 갔다.

유엔군의 크리스마스공세 이틀째인 11월 25일 저녁 무렵 우리의 38군, 42군은 정면의 각 군과 합동으로 덕천, 영변의 국군 제7, 제8사단을 향해 기습적으로 대대적인 반격을 가했다. 바야흐로 제2차 전역이 정식으로 시작된 것이다.

전역이 벌어지기 직전 감독차 파견된 한선초 부사령관의 참여 아래 38군은 연대장 이상 간부회의를 열었다. 회의석상에서 양흥초 군단장은 이번 전역에서 38군이 맡은 임무를 간부들에게 설명했다.

특히 양 군단장은 지난번 당위원회에서 팽 사령관에게 당한 망신을 솔직하게 털어놓았다. 군단장이 담담한 어조로 사령관의 질책을 전하자 간부들의 얼굴에는 '이번에는 잘해야겠다'는 오기가 서리는 것 같았다.

항일전쟁 당시 '철군(鐵軍)'이라는 제4야전군의 후신으로서 있을 수 없는 치욕이라는 비장감이 회의장을 가득 메웠다.

양 군단장이 목소리를 높였다.

"펑 총사령관께서 우리를 크게 나무라셨다. 동작이, 지나치게 굼떴다는 것이다. 우리 군으로서는 치욕적인 지적이었다. 귀관들은 어떻게 생각하는가. 다가오는 제2차 전역 때도 지난번처럼 굼벵이노릇을 할 텐가. 이번에도 공격시간을 제때 맞추지 못하면 상대의 퇴로를 끊을 수 없게 된다. 다시 한번 강조한다. 이번 제2차 전역에서는 어떠한 일이 있더라도 상대의 후방을 가로막아 그들을 무력화시켜야 한다. 귀관들은 임무를 반드시 완성하리라 믿는다. 이상."

총공격 개시 전. 작전배치에 따라 최강의 38군 112사단은 청천강 동쪽 기슭을 따라 상대를 깊숙이 끌어들이는 역할을 멋지게 해냈다.

25일 황혼, 총공격 개시의 총성이 울리자마자 38군은 즉각 3개 사단을 세 갈래 길로 나누어 덕천의 국군 제7사단을 맹공격했다. 113사단은 상대의 우측에서 덕천 남쪽으로 돌아서 국군 제7, 제8사단의 경계지점을 돌파했다.

신평리에서 대동강으로 도하해 국군 제6사단 1개연대의 저지선을 돌파했다. 하룻밤을 급속 행군한 끝에 26일 오전 8시 덕천 남쪽 차일봉에 도착해 남쪽으로 철수하는 상대의 퇴로를 돌파했다. 114사단은 정면으로 치고 들어가 26일 오전 11시에 덕천 북쪽을 점령했고 또 사평역에 있던 국군 제7사단 곡사포대대를 무찔렀다. 이로써 덕천의 국군 제7사단을 완전히 포위하는 데 성공한 것이다.

모 주석 장남, 모안영 전사

이쯤 해서 모택동 주석의 아들 안영(岸英)의 죽음에 대해서 말해 보기로 하자.

지원군사령부가 대유동에 자리 잡은 뒤 미군전투기들은 여러 차례 공습을 감행해 왔다. 앞서 얘기했다시피 노획한 미군차량이 폭격으로 잿더미가 된 지 얼마 되지 않아 두 차례나 더 공습을 받았다. 때문에 당중앙에서는 우리에게 여러 차례 전보를 보내와 방공(防空), 특히 지휘관들의 안전에 많은 신경을 쓰라고 주문했다.

나는 지원군 부사령관으로서 특히 사령부 자체 경비문제를 떠맡고 있었다. 지원군사령부지휘부의 안전문제 역시 내 소관이었다. 미군전투기의 공습이 잦으니만큼 팽덕회 사령관의 안전문제에 신경을 쓰지 않을 수 없었다. 생각 끝에 그의 숙소에서 10여m 떨어진 산골짜기에 방공호를 뚫기로 했다. 공습 등 비상시에 대비키 위한 것이었다.

나는 1개 공병중대를 보내 산골짜기에 방공호를 만들도록 했다. 공사를 하려면 당연히 폭약을 사용해야 했고 폭발음이 대단했다. 그날 저녁 팽 총사령관이 막 잠이 들었을 때 공교롭게도 폭발음이 들렸던 모양이다. 단잠을 깬 팽 사령관은 언짢게 생각하며 공병중대를 철수시켰다.

당시 나는 현장에 없어 저간의 사정을 알지 못했다. 이튿날 우연히 방공호 공사현장을 지나면서 보니 공병중대는 온데간데없고 공사가 중단된 상태였다. 이상한 생각이 들어 사람을 보내 공병 중대장을 불렀다.

"자네, 왜 공사를 중단시켰지."

"네, 팽 총사령관께서 방공호를 뚫지 말라고 하셨습니다."

"이봐, 그건 자네가 신경 쓸 문제가 아니야. 방공호 공사는 내 소관이고 자네는 내 명령대로 공사를 진행하면 되는 거야."

중대장이 내 말에 당황한 표정을 지으며 물었다.

"좋습니다. 명령대로 공사를 수행하겠습니다만 팽 총사령관께서 왜 또 왔느냐 하시면 뭐라고 말씀드리지요."

"그러면 내가 일을 하라고 지시했다고 말씀드려. 그리고 폭약을 터뜨릴 때는 사령관 경호원들에게 사전통보를 해. 그러면 경호원들이 사령관 동지께 보고할 거고 사령관 동지도 나름대로 마음의 준비를 하고 있어 달리 놀랄 일도 아니잖아. 아무튼 방공호는 누가 뭐래도 반드시 뚫어야 한다는 사실을 명심해."

이리하여 중대장은 공병대를 이끌고 방공호 공사를 재개했다. 그러나 팽 사령관은 이들이 온 것을 보고 화를 냈다.

"누가 시켰어. 어느 친구가 너희들을 보냈지."

"홍학지 동지의 명령입니다. 공사를 계속 하라십니다."

"아니 그 친구가 정신이 있어 없어. 그리고 말이야, 내가 공사는 그만두랬잖아. 당장 그만두고 돌아가."

"홍동지께서 무슨 일이 있어도 공사를 끝마쳐야 한다고 하셨습니다."

"그것참, 이봐 경호원, 얼른 가서 홍 부사령관을 불러와. 지금이 어느 땐데 한가롭게 동굴이나 뚫고 있어."

팽 총사령관께서 부른다는 전갈을 받고 내가 달려가자 그는 화가 머리끝까지 나 있었다.

"이봐, 산 위에서 뭘 하겠다는 거야. 그렇게도 할 일이 없나."

"사령관 동지, 오해 마십시오. 방공호를 뚫는 것은 바로 동지의 안전을 위해서입니다."

"이 사람아, 지금은 전쟁 중이야, 그따위 한가한 공사놀음은 당장 집어치워."

"사령관 동지, 방공호는 유사시 필요할 때가 있을 겁니다. 적기가 몰려들 때 허둥지둥 방공호를 파 봤자 때가 늦어 당하는 수밖에 없습니다."

팽 총사령관은 내 대꾸가 마음에 들지 않은 듯 화를 벌컥 냈다.

"적기가 날아오면 그때는 내가 알아서 할 테니 자네는 상관 마. 내일은 내가 알아서 하면 될 것 아니야."

"사령관 동지, 그렇게 말씀하시면 안 됩니다. 동지의 안전을 위하라는 당중앙의 배려와 명령이 있었습니다. 동지의 몸은 개인의 몸이 아니라 우리 인민지원군 전체를 위한 몸이 아닙니까."

내가 이쯤 말하자 팽 총사령관은 침묵을 지켰다. 방공호 공사는 본격적으로 재개됐다.

공병대 병사들은 밤낮을 가리지 않고 방공호 공사에 몰두했다. 마침내 멋진 방공호가 완성됐다. 이 방공호 위쪽 10여 미터 떨어진 곳에 좀더 큰 방공호를 뚫었다. 우리의 작전상황실이었다.

11월 23일, 모 주석은 심양에 있던 고강을 대유동 지원군사령부에 보내왔다. 고강이 전선에 온 것은 전방의 병참보급 문제를 직접 눈으로 확인하는 한편 김일성 수상, 팽덕회 총사령관과 중조연합군의 지휘계통 통일문제를 상의하기 위해서였다. 계획으로는 팽덕회를 연합사사령관, 등화를 부사령관, 박일우를 부정치위원, 조선총참모장 김웅(金雄)[52]을 부사령관으로 삼으려 했다.

24일 오후 미군전투기 4대가 지원군사령부에 날아들었다. 사령부 상

---

52) 金雄(1912~) 경북김천 출생. 中國황포군관학교 졸업. 8로군 연대장. 45년 만주의 조선의용군 제1지대장. 50년 6월 제1군단장(중장), 51년 민족보위성부상. 53년 2월 전사한 金策 후임으로 전선사령관(상장), 58년 대장으로 예편됐다가 延安派 反金日成사건에 연루돼 숙청. 68년 10년 만에 다시 등장해 대외문화연락위 부위원장, 남예멘 대사 등을 역임.

공을 서너 번 맴돌던 전투기들은 갑자기 기수를 낮추면서 기총소사와 함께 공습을 감행해 왔다. 2차례 계속된 공습으로 산비탈에 있던 변전소가 불에 타버렸다. 이날 저녁에는 미군무스탕정찰기가 유유히 사령부 상공을 맴돌고 돌아갔다.

미군전투기가 뻔질나게 나타나 맴도는 것을 보고 나는 문득 의심이 들었다. 그동안 몇 차례 미군기의 공습을 받아온 경험으로는 그들이 공습을 할 때는 꼭 첫날은 정찰비행을 하고 이튿째 대대적인 공습을 감행해 왔기 때문이다.

특히 이날 저녁 날아온 정찰기는 꺼림칙했다.

또 당시 우리가 입수한 정보로는 미군이 지원군사령부의 수뇌부를 찾는 데 혈안이 돼 있다는 것이었다. 아무래도 안 되겠다는 생각이 들어 등화 부사령관을 찾아갔다.

"이봐, 심상찮은 느낌이 드는데, 내일 미군전투기들이 꼭 몰려들 것 같아. 미리 손쓸 방도는 없는지 신경 좀 써봐."

내가 좀 다급해 보였는지 등화는 여유 있는 투로 말했다.

"손을 쓰기는 무슨 손을 써. 그렇지만 사령관 동지를 모시고 함께 무슨 방도를 마련해야 되는데……. 당신이 가서 좀 모시고 오지 그래."

나는 펑 총사령관의 핀잔을 염려하는 등화의 속셈을 대뜸 눈치 챘다. 펑 사령관은 일에 몰두하면 개인적인 안전에 대해서는 전연 개의치 않았다. 내가 펑 사령관을 모시러 가니 예상한 대로 완강했다.

"무슨 말이야. 나는 미군비행기가 무섭지 않아. 몸을 웅크리고 머리 처박아 가며 피하고 싶은 생각은 전혀 없어. 그 일로 모여 얘기할 필요는 없단 말이야."

하는 수 없이 등화, 나, 해패연 참모장, 두평 부정치위원 등 몇 명이 모여 내일의 방공문제에 대해 지혜를 짜냈다.

그 결과 다음과 같이 결정했다. 지원군사령부 지휘부의 장교, 병사들은 내일 날이 밝기 전 아침식사를 끝낸다. 날이 샌 뒤에는 연기를 절대로 내지 않는다. 그 다음 모두 흩어져 몸을 피한다.

또 팽 총사령관을 제외한 사령부 지휘관들은 그날 밤으로 방공호의 손질을 완전히 끝낸 뒤 이튿날(25일) 아침 5시에 병사들과 같이 서둘러 식사를 마치고 모두들 방공호로 자리를 옮기기로 했다.

따라서 회의가 끝난 뒤 해패연 참모장 주관으로 작전상황실 이전 작업을 서둘렀다. 나는 마음이 놓이질 않아 공병대를 다시 불러 방공호를 이용하는 데 불편이 없도록 마지막 손질을 하도록 했다.

나는 어떡하면 팽 총사령관의 고집을 누르고 그를 방공호로 옮길 것인가를 궁리했다. 문득 한 가지 방법이 떠올랐다. 팽 총사령관은 일이 있으나 없으나 벽에 걸린 작전지도를 들여다보는 습관이 있었다.

방에 작전지도가 없으면 어쩔 수 없을 것이란 생각이 들었다. 그래서 그가 잠이 든 뒤 나는 몰래 그의 방에 들어가 방안에 걸려 있는 작전지도를 떼어 내 산기슭의 방공호로 옮기는 고육책을 썼다.

그날 밤, 고강은 귀국했다.

이튿날(25일) 아침 5시가 넘자마자 우리는 서둘러 아침식사를 마치고 방공호로 들어갔다.

팽 사령관만 작전상황실에 그대로 남아 있었다. 우리는 경호원과 참모를 보내 여러 차례 방공호로 모시도록 했으나 팽 총사령관은 요지부동이었다. 다급한 우리는 결국 부사령관급 중 한 명이 팽 총사령관을 직접 모셔오는 게 좋겠다는 데 의견을 같이했다.

등화, 해패연, 두평 등은 모두 팽 총사령관의 질책이 두려워 가기를 원치 않았다. 모두들 "홍형은 사령관 동지와 농담도 잘하잖아. 홍형밖에 설득할 사람이 없는 것 같소."라며 내 등을 떠밀었다. 당시 내가 맡은 일이 사령부 내 각종 업무이고 사령관의 안전 또한 주요한 임무라고 여겨 "좋아, 내가 가겠다."며 팽 사령관을 찾아갔다.

내가 들어서자 팽 사령관은 화난 얼굴로 야단부터 쳤다.

"이봐, 내 작전지도를 어디다 빼돌렸지."

내가 말했다.

"사령관 동지, 위의 방공호로 옮기시지요. 작전지도는 방공호 안에다 잘 걸어놓았습니다. 화롯불도 뜨뜻하게 만들어놓았고 다른 사람들도 모두 그쪽으로 옮겨 사령관 동지가 오시길 기다리고 있습니다."

"도대체 여기 있으면 어떻다는 거야." 팽 총사령관은 화부터 벌컥 냈다. 나는 계속해 팽 사령관의 마음을 돌리려고 애썼다.

"사령관 동지, 여기는 안전하지 못합니다. 방공호로 가는 것은 우리들의 안전을 위해서이고 우리 모두의 결정입니다."

그래도 팽 사령관은 막무가내였다.

"그렇게 무서우면 자네 혼자 가면 돼. 나는 여기도 안전하다고 생각해. 무섭기는 뭐가 무섭다고 그래."

나는 안 되겠다 싶어 바깥에 있는 경호원들을 불러 거의 떠밀다시피 해서 팽 사령관을 방공호로 옮기는데 '성공'했다.

당시 팽 사령관의 경호원과 참모들 몇은 그의 숙소에 그대로 남아 있었다. 고서흔(高瑞欣)과 성보(成普)등 2명의 참모는 당직 근무 중이었다.

팽 사령관의 비서였던 모택동 주석의 큰아들 모안영도 우리와 함께 방공호로 피신했다. 그러나 안영이 나중에 사령관 숙소에 왜 다시 돌아갔는지 이유를 알 수 없다.

우리가 산기슭의 방공호에 들어간 지 얼마 되지 않아 미군전투기들이 몰려왔다. 10대쯤 날아온 전투기들은 곧장 팽 사령관 숙소 위로 달려들어 폭탄세례를 퍼부었다. 소이탄이 숙소를 덮는가 하더니 금방 불바다로 변했다.

우리는 방공호 입구에 버티고 서서 불바다를 이루고 있는 사령관 숙소를 내려다보았다. 2분도 채 안돼 팽 사령관의 숙소는 잿더미로 변해 폭삭 내려앉았다.

팽 사령관 참모 성보는 폭탄세례가 시작되자마자 잽싸게 뛰쳐나와 얼굴에 약간의 화상을 입었을 뿐 무사했다.

그러나 모택동 주석의 아들 안영과 사령관참모였던 고서흔은 미처 빠져나오지 못했다. 전투기들은 팽 사령관 저격이 목표였던 듯 숙소를 불바다로 만든 뒤에는 곧 날아가 버렸다.

팽 사령관은 방공호에서 나와 숙소로 달려갔다. 잿더미에서 끄집어낸 두 명의 시체는 형체를 알아볼 수 없을 정도로 끔찍했다.

전투기의 폭격은 소름이 끼칠 정도로 정확했다. 사령관 숙소만 잿더미가 됐을 뿐 조금 떨어진 경호원숙소는 건드리지 않아 말짱했다.

그날 팽 사령관은 하루 종일 방공호에 틀어박혀 침묵을 지켰다.

저녁 무렵. 내가 사령관을 찾아갔다. "사령관 동지 저녁식사를 드시지요." "아, 홍형이구만. 자네 이제 보니 썩 괜찮은 친구야." 팽 사령관은 반갑게 내손을 잡았다.

"저는 원래 좋은 사람입니다. 나쁜 사람이 아닙니다."

"자네가 아니었다면 오늘 내가 여기 없었을 것이네."

"아침에 제가 경호원더러 동지 이불을 들고 나오라고 시켰는데 동지께서 필요 없다고 굳이 말리시는 바람에 가져오지 못했는데, 보십시오. 오늘밤 이불을 덮지 못하고 주무시게 됐습니다."

"내가 오늘 운수가 대통했던가 봐."

"이 다음에 방공호를 더 파더라도 절대 욕하시면 안 됩니다."

그는 잠시 미소를 짓더니 곧 깊은 고뇌에 빠졌다. 한참 만에 어두운 얼굴로 독백하듯 토로했다.

"아, 어째 모안영을 폭사하게 내버려뒀단 말인가. 모 주석에게 무슨 말씀을 드리지……."

모안영은 팽 총사령관의 비서 일을 보면서 러시아어통역도 맡고 있었다. 숨질 때 나이 겨우 28세였다. 아버지인 모 주석을 닮아 재주가 많고 총명한 젊은이로 전도가 유망했는데 애석하게도 대유동에서 죽고 말았다.

팽 총사령관 숙소가 폭격당한 이후 나와 등화는 더 이상 집에는 거처할 수 없다는 결론에 이르렀다. 우리가 있던 곳 부근에 강이 하나 있었다. 강 아래 시멘트로 만든 건물이 있었다. 우리는 그곳으로 옮겨 갔다. 안에 일정 공간을 떼어 내 팽 사령관의 야전침대를 놓았다.

지원군사령부의 조선 동지인 박일우 일행은 산골짜기에서 우리 숙소보다 아래 있었는데 그들은 동굴에 들어가지 않고서도 폭격을 당하지 않았다.

그날(11월 25일) 오후 우리는 지원군사령부의 사령관 숙소가 폭파당하고 모 주석의 장남 안영이 전사한 사실을 모 주석과 중앙군사위원회에 보고했다. 대체적인 내용은 "우리가 오늘 오전 7시 일찌감치 방공호에 대피해 있었고 모안영은 참모 3명과 함께 사령관 숙소에 머물러 있었다. 오전 11시쯤 미군비행기가 상공에 이르렀을 때 그들은 숙소에서 나왔다가 적기가 보이지 않자 다시 들어갔다. 그때 사라졌던 전투기가 갑자기 되돌아와 1백 개에 가까운 소이탄을 투하해, 숙소에 명중되면서 참모 2명은 뛰쳐나왔고 모안영과 고서흔 등 2명은 제대로 빠져나오지 못해 변을 당했다."는 내용이었다.

후에 팽 사령관으로부터 들은 얘긴데 주은래 총리는 사령부의 보고를 받은 뒤 차마 모 주석에게 장남이 숨진 사실을 알리지 못했다고 한다. 한참 시간이 지난 뒤 보고를 받은 모 주석은 안영의 시체를 중국으로 옮겨오지 말라고 했다.

지금도 조선 회창에 있는 안영의 무덤에는 참배객들이 끊이지 않는다는 얘기를 전해 듣고 있다.

한편 당중앙은 팽 사령관의 숙소가 미군전투기의 폭격으로 불타고 안영이 숨진 사실을 보고받자마자 그날(11월 25일)로 우리에게 다음과 같이 지시했다.

"현재 조선전쟁이 긴박하게 돌아가고 있으므로 지휘의 연속성과 지원군수뇌부의 안전을 위해 수뇌부를 분리해 운영하라."

중앙의 지시에 따라 이튿날(26일) 오전 우리는 산비탈에서 회의를 열고 어떻게 분리 운영하는지를 연구했다.

회의가 시작되자 팽 사령관이 입을 열었다.

"당에서는 수뇌부를 분리, 운영하라고 지시했다. 내 생각으로는 일부는 최전선에, 나머지는 후방에 배치했으면 한다. 아무래도 내가 최전선에 가야 할 테니 자네들 중 자원자 한 사람만 나와 같이 전선으로 가자."

내가 얼른 자원했다.

"제가 사령관 동지를 모시고 전선에 나갔으면 합니다."

그러자 등화 부사령관이 끼어들었다.

"당에서 수뇌부를 분리, 운영하라는 것은 사령관 동지의 안전을 위하는 데 첫째 목적이 있습니다. 그러자면 사령관 동지께서는 후방에 있는 것이 좋을 것 같고 저와 홍동지가 최전선에 나갔으면 합니다. 한 동지와 해 참모장이 후방에서 팽 사령관을 모시고 있으면 어떨까 싶은데요."

해패연이 펄쩍 뛰었다.

"등 동지께서는 무슨 말씀을 그렇게 하십니까. 제가 최전선으로 나가야죠."

두 번씩이나 잇따라 회의를 열었지만 뾰족한 수가 생각나지 않았다. 전쟁터에 나온 그 누가 후방에 머물러 있고 싶어 할 것인가. 최전선에 나서 병력을 지휘하고 싶은 욕망이 없는 지휘관은 없으리라.

팽 사령관은 뚜렷한 결론도 내리지 못하고 분위기가 흐트러지자 버럭 고함을 질렀다.

"모두 최전선에 가겠다고 하면 자네들 안전문제는 어찌할 셈인가."

등화가 웃으며 말했다.

"그러니까 사령관 동지는 안전을 위해 후방에 계시고 저희들만 최전선으로 가면 되지 않겠습니까."

"그건 안 돼."

한나절 동안 논의를 벌였으나 결론이 나지 않자 팽 사령관은 결국 지휘부를 분리, 운영하지 않고 대신 방공에 최대한 주의를 한다는 선에서 마무리 지었다.

중앙에서 이런 사정을 알아차린 후 아주 빨리 또 다른 지시가 내려왔다. 팽 총사령관의 안전을 전담할 사람을 지정하라는 것이었다. 당위원회를 열어 토론해서 결정하라는 것이었다. 팽 총사령관은 전보를 보더니 "필요 없어."라고 잘라 말했다.

등화가 말했다. "이것은 중앙의 지시입니다. 당위에서 모임을 열어 연구해야겠습니다."

"그렇다면 나는 빠지겠네."

등화는 부서기로서 나, 해패연, 두평을 찾아서 함께 연구하자고 했다. 팽 총사령관의 안전을 책임지는 사람은 곧 팽 사령관과 함께 후방에 남아 있어야 하기 때문이었다. 회의가 시작되자마자 내가 먼저 등화에게 말했다.

"이번 일의 책임은 막중하다. 자네가 부서기니까 책임을 지도록 하지."

"그건 안 돼. 자네는 사령부 일을 맡고 있으니 이번 일의 책임도 떠맡지. 그리고 말이야, 자네가 맡는 게 좋을 거야. 무슨 일을 당하더라도 내가 중간에서 원만히 수습해 줄 수 있잖아. 내가 책임을 맡으면 발뺌할 여지가 없거든."

난상토론 끝에 그들은 모두 내가 맡아야 된다고 주장했다. 나는 어쩔 수 없이 굴복해 동의하고 말았다.

회의가 끝난 후 등화가 팽 총사령관에게 보고했다. "이미 결정했습니다. 홍학지 동지가 사령관 동지의 안전을 책임지게 됐습니다."

"무슨 일이야. 전담자를 정했단 말인가. 다시 한번 말하겠는데 필요 없어."

내가 말했다. "이것은 중앙의 결정입니다. 저희들이 정한 게 아닙니다. 동지의 안전이 전군의 지휘에 아주 중요하기 때문이잖습니까?"

팽 총사령관은 이 말을 듣고 더 이상 아무 말을 하지 않았다. 그 후 우리가 다시 방공호를 파더라도 그는 잠자코 있었다.

38군의 대활약

다시 전쟁터로 돌아가 보면 11월 25일 황혼 무렵 제2차 전역의 총공세가 시작됐다.

당초 38군은 26일 저녁에나 하루 만에 포위망에 걸려든 국군 제7사단에 대해 공격을 시작하려 했다. 그러나 상대가 낌새를 채고 포위망을 뚫으려 하는 기색이 보여 공격개시 시간을 오후 2시로 앞당겼다.

공격이 개시된 오후 3시쯤 미군전투기의 공습지원이 시작되자 국군은 포위망을 뚫으려 안간힘을 썼다. 쌍방이 치열한 격전 끝에 38군은 국군 제7사단의 5천여 병력을 무력화시켰다. 미군사고문 7명도 포로로 잡았다.

동시에 42군은 영변, 맹산을 각각 공격해서 점령해 국군 제8사단 대부분을 섬멸했다.

40군은 38군 작전과 병행해 구장 북쪽의 신흥동, 소민동의 미제2사단을 공격해 신흥동의 상대 3개 중대, 소민동의 상대 2백여 명을 섬멸했다. 후에 38군과 42군이 이미 덕천, 영변을 점령하고 상대의 후방을 깊숙이 치고 들어갔기 때문에 40군은 구장, 개천 쪽으로 진공했다.

50, 66, 39군도 이어 각각 박천, 안주, 영변, 개천 방향으로 돌격을 개시했다.

26일 밤, 39군은 시산동에서 포로들에게 투항권고를 하도록 해 미제25사단 1개 중대 모두 115명이 투항해 왔다.

선봉 38, 42군은 국군 7, 8사단의 대부분과 6사단 일부를 무력화시켜 상대 오른쪽 전선에 커다란 구멍을 뚫는 데 성공했다.

27일 상대는 이 틈새를 막기 위해 미제1기병사단 일부를 순천에서 신창리 쪽으로 급파하는 한편 터키여단을 개천에서 덕천 쪽으로 이동시켜 우리의 우회공격을 막으려 했다.

팽 사령관은 급전을 보내 38군의 주력을 원리, 군우리 쪽으로 진공토록 했다. 그중 일부는 군우리남쪽의 삼소리로 이동해 군우리, 개천에 있는 상대의 퇴로를 차단하도록 지시했다.

팽 사령관은 "38군은 반드시 삼소리를 장악해, 개천과 평양 간의 연결고리도 끊어야 한다."고 강조했다. 그는 '차단만이 승리의 열쇠'임을 강조했다.

당시 38군의 전위는 113, 114사단 2개 사단이 맡았다. 부군단장 강용휘(江擁輝)[53]가 직접 전위부대의 지휘책임을 맡았다. 강 부군단장은 114사단과 함께 머물며 전방지휘소를 운영했다.

이러한 사정으로 자연스레 삼소리 장악임무는 113사단의 몫이었다.

27일 황혼, 38군 주력은 도로를 따라 개천으로 치고 들어갔다. 28일 새벽 가일령과 그 서쪽 일대를 점령했다. 이 사이에 터키여단 1개 대대의 저격을 분쇄하고 대부분을 섬멸했다. 또 미기병 제1사단의 2개 대대를 궤멸시켰다.

동시에 113사단은 오솔길을 따라 서둘러 삼소리를 향해 떠났다.

그들은 밤새 꼬박 걸었지만 목적지에 이르지 못했다. 이튿날(28일) 동틀 무렵 상대의 후방을 차단했지만 아군부대를 만나지 못했다. 113사단 부대원들은 25일부터 이틀 밤을 잠 한숨 자지 못하고 계속 행군을 해서 여기저기서 불평을 쏟아져 나왔다.

"병사들이 너무 지친 듯한데 목이라도 축이며 숨을 돌리는 게 어떨까요."

"이틀 밤을 꼬박 새며 밥조차 먹을 틈이 없었으니 휴식을 시켰으면 좋은데요."

일선 중대장들로부터 건의가 잇따랐지만 113사단 정치위원 우근산(于近山), 부사단장 유해청(劉海淸)은 아랑곳하지 않았다.

"안돼. 숨을 돌려서는 안돼. 총사령관 동지께서 우리 사단에게 내리신 임무를 생각해 봐. 삼소리를 한시라도 빨리 장악하라는 거잖아. 쓸

---

53) 江擁輝(1916~1989) 항전 초기 8로군 115사단 685연대 중대장. 49년 2월 제38군 112사단장. 53년 북경군관학교 연수. 55년 소장. 56년 중장. 83년 福州군구 사령관.

데없는 말 말고 무슨 수를 써서라도 삼소리에 가야 돼."

결국 113사단은 휴식 없이 날이 밝아도 계속 전진할 것을 결정했다. 행군 도중, 사단 지휘관들은 몸에 걸친 위장이 도리어 위험하지 않을까 하는 생각을 했다.

미군전투기의 눈에 띌 경우 병사들이 위장한 것을 보면 중국인민지원군임을 눈치 챌 것이라는 지적이었다. 미군이나 국군은 방공에 신경을 쓰지 않아 위장을 걸치지 않았기 때문이다. 그래서 일률적으로 위장을 벗도록 지시했다.

우리는 그동안 야간행군만을 해왔다. 그러나 밤이 올 때까지 기다려 다시 행군을 한다면 전역의 좋은 기회를 놓치게 될 터였다. 그래서 날이 밝아도 행군을 계속하기로 결정했다. 국군과 같이 대로를 걸어가기로 한 것이다. 전투기가 날아와도 국군이라고 여기면 폭격을 하지 않을 것이라는 판단에서였다.

시간을 아끼기 위해 행군 도중 미숫가루를 먹기로 했다. 또 무전기를 꺼버렸다. 미군의 무선감청 기술이 워낙 뛰어나 113사단의 행군을 눈치 채는 날에는 큰 화를 불러올 수 있었기 때문이다.

이런 사정을 총사령부 작전상황실에 앉아 있는 우리로서는 짐작할 수 없었다. 팽덕회 사령관, 등화 부사령관과 나는 갑자기 113사단의 무전이 끊어지자 답답해 죽을 지경이었다.

"113사단 이 친구들, 도대체 어디로 사라져 버린 거야. 무전연락도 전혀 없고 무슨 큰 봉변이라도 당한 것 아냐."

팽 사령관이 소리를 질렀다. 113사단은 우리와도 그랬지만 38군 본부와도 연락두절이었던 것이다.

해패연 참모장이 작전처장, 통신처장을 데리고 무전실로 갔다. 그는 모든 무전기에 대해 113사단의 무전, 38군 전방지휘소의 무전을 듣도록 명령했다. 38군 사령부도 어쩔 도리가 없었다. 등화와 나도 무전실로 갔다. 통신처장, 무전실장이 무전기 앞에서 무전을 기다리고 있었다.

모두 113사단 목적지인 삼소리에 제때 도착하느냐의 여부가 이번 전역의 성패를 결정짓는 관건임을 알고 있었다.

38군도 초조했다. 38군의 전방지휘소도 113사단의 행방을 모른다는 것이었다. 113사단이 일부러 무전을 꺼버린 사실을 당시에는 아무도 몰랐던 것이다.

28일 아침 8시 113사단은 마침내 삼소리를 장악했다. 14시간 동안 72km 행군이라는 초인적인 강행군 끝에 대망의 목적을 이룬 것이다.

삼소리를 점령하고 나서 비로소 113사단은 무전을 열고 연락좌표음어를 지원군사령부에 보고했다. 통신처장 최륜이 좌표를 풀어보더니 "아, 113사단이 드디어 삼소리에 도착했다."고 소리쳤다.

모두들 환호성을 질렀다. 이 소식을 팽 사령관의 작전상황실에 전했다. 팽 사령관은 크게 안도의 숨을 내쉬며 말했다.

"아, 이제야 마음이 놓이는군. 이제 어려운 일은 다 끝난 셈이다."

113사단이 삼소리에 도착해 무전을 두드리자 미군이 곧 눈치를 챘다. 미제8군 사령관 워커는 냉정하고도 신중했다. 그는 아군이 자기네들의 퇴로를 끊지 않을까 염려했던 것이다. 113사단이 삼소리에 도착했을 때 미군의 모습은 눈에 띄지 않았다. 그러나 113사단이 진지를 점령하고 전개를 끝낼 무렵 미기병 제1사단 제5연대가 북쪽의 개천 쪽에서 밀려왔다.

우리 113사단과 최정예로 꼽히던 미제1기병사단 사이에 10차례 치열한 격전이 벌어졌다. 113사단은 끝내 미군의 공격을 물리쳤을 뿐만 아니라 남쪽에서 지원차 밀려드는 미군들을 몰아냈다.

113사단의 삼소리 점령은 상대가 군우리에서 삼소리를 거쳐 순천으로 후퇴할 수 있는 퇴로를 완전히 끊는 것으로 유엔군의 엄청난 타격과 연결되는 것이었다.

상대는 삼소리를 거쳐 남쪽으로 퇴각하려던 기도가 분쇄되자 즉각 다른 퇴로를 찾으려 했다. 이때 38군 전방지휘소가 113사단에게 알렸다. "삼소리 서북쪽에 용원리(龍源里)가 있음. 이곳의 도로가 순천으로 이어지므로 상대의 남쪽퇴각로임. 신속히 용원리를 점령할 것" 그러나 38군 전방지휘소의 전보는 용원리의 '원(源)'을 '천(泉)'으로 잘못 썼다. 113사단은 전보를 접수하고 지도를 살펴보았으나 '용천리'라는 곳을 찾지 못했다. 그들은 남쪽으로 통하는 길을 발견하기는 했으나 군전방지휘소에 즉각 보고하지 않았다. 이런 이유로 28일 황혼이 되어서야 주력 337연대에게 이 길을 따라 급히 전진하라고 명령했다. 동시에 원래 계획대로 1개 대대 병력을 안주, 숙천 방향으로 전진시켜 도로와 교량파괴 임무를 완수토록 했다. 29일 새벽 4시, 337연대는 용원리를 점령했다. 원래 상대는 삼소리가 아군에게 점령되자 길을 돌아 용원리를 통해 퇴각하려 했다. 그러나 113사단이 상대보다 먼저 용원리를 점령해 상대의 이쪽 퇴각로도 봉쇄해 버렸다.

이 같은 사전정비가 끝난 뒤 전선 정면에 있던 우리 각 군은 맹렬한 기세로 진공을 시작했다. 미제2사단과 25사단, 터키여단 일부, 미제1기병사단, 국군 제1사단 일부가 각각 우리의 3면 포위망에 걸려들었다.

이쯤 되어서야 유엔군 총사령관 맥아더 원수가 미몽에서 깨어났다.

유엔군 총사령관 맥아더는 11월 29일, 우리의 전면적인 총공세가 시작되자 중국인민지원군이 결코 소수병력이 아니라는 사실을 비로소 깨달았다. 당초 예상했던 상징적인 규모의 병력이 이같이 대대적인 반격전을 결코 펼 수 없으리라는 판단이 섰던 것이다.

맥아더는 대규모 중국인민지원군이 참전했다는 사실을 깨달은 뒤 즉각 유엔군의 철수를 명령했다. 쓸데없는 소모전보다 일단 물러나 전력을 최대한 보존하자는 계산이었던 모양이다.

29일 낮, 서부전선의 미군은 전전선에 걸쳐 철수를 단행했다. 미제1군단은 청천강 북쪽 기슭에서 안주로 철수했으며 미제9군단도 개천과 그 이남지역으로 물러났다.

동시에 순천에 있던 미제1기병사단 주력과 평양의 영제29여단을 북쪽으로 급히 보내 우리의 113사단을 공격해 남쪽으로의 퇴로를 터주려 했다. 113사단은 개천으로 철수하는 상대를 봉쇄하는 임무를 맡고 있었다.

이때 해패연 참모장은 113사단과의 전화통화에서 팽 총사령관의 지시를 전달했다. "사령관 동지께서는 귀 사단이 삼소리와 용원리에 도착했음을 아시고 크게 기뻐하셨다. 임무를 완수했다고 말이다. 사령관 동지께서는 귀 사단이 철저하게 진지를 지켜 적들이 도망가지 못하도록 했으면 좋겠다고 말씀하셨다."

지원군사령부는 38군 전방지휘소에 전보를 보내 114사단, 112사단을 삼소리 북쪽 군우리를 차단하도록 명령을 내렸다. 상대의 퇴각병력의 후면을 차단해 상대를 혼란에 빠트려 삼소리, 용원리에 대한 압력을 줄이기 위해서였다. 동시에 전보를 보내 정면의 몇 개 군을 안주, 개천 방향으로 압력을 가해 상대를 사로잡도록 명령을 내렸다.

42군은 최전선의 예하 사단이 신창리에 이르러 미기병 제1사단 제7연대를 저격해 순천, 숙천 방향으로 우회하는 데 도움을 주었다.

상대의 움직임을 눈치 챈 팽덕회 사령관은 해패연 참모장을 통해 113사단에게 명령을 하달했다.

"귀 사단이 삼소리, 용원리를 때맞춰 장악, 임무를 완성했음을 축하한다. 현 위치에서 상대의 반격을 사수, 퇴로를 완전 봉쇄할 것."

29일부터 유엔군은 이틀에 걸쳐 대대적인 화력을 우리 113사단 진지에 집중시켰다. 엄청난 전투기가 날아들고 탱크, 야포의 지원이 잇따랐다.

113사단은 그러나 이를 악물고 상대의 지상, 공중공격을 막는 데 성공했다. 한때 증원군과 포위망에 갇힌 상대와의 거리가 1㎞가 채 되지 않아 도리어 113사단이 어려운 지경에 빠지기도 했지만 끝내 버티는 데 성공했다.

30일 새벽 1시 40군은 군우리를 점령한 뒤 군 주력은 안주 방향으로 계속 진격했다.

30일 아침 39군은 군우리 서북쪽에서 청천강을 건너 서남쪽으로 공격했고 40군 일부병력은 38군과 합동작전으로 청곡리, 신창리에 있는 상대를 물리쳤다.

38군이 삼소리, 용원리에서 미군과 격전을 치른 뒤 포성은 점차 수그러졌다. 미군포로들이 두 손을 들고 줄지어 내려왔다. 수십 리의 도로, 산 등 곳곳에 미군들이 도망가면서 버린 탐스런 물자들이 널려 있었다.

자동차, 대포, 탄약, 음식물 등등.

그중에는 최신형 자동차만도 1천5백여 대가 새로운 주인을 기다리고 있었다. 고작 1, 2백㎞ 뛴 것이었다. 이런 물자들은 우리 병사들이 피땀 흘려 상대에게서 노획한 전리품들이었다. 항일전쟁 때도 그랬지만 이러한 전리품은 '현지조달'을 우선으로 하는 우리 병사들에게는 아주 요긴한 물품이었다.

군단장, 사단장 등 지휘관들이 "전장정리를 시작하라."는 명령을 내렸다. 병사들은 산에서 내려와 각종 전리품을 순식간에 진지로 운반해 갔다.

전장에는 자동차만 남았다. 차체에 갓 칠한 반질반질한 기름이 어둠 속에서도 반짝반짝 윤이 났다. 병사들이 만져보고 요모조모 살펴보며 흐뭇해했다. 그러나 우리 운전병이 적어서 몰고 갈 수가 없었다.

날이 밝아오자 병사들은 다급했다. 우리에게는 당시 공군전투기가 없는 데다 대공포도 별로 없어 미군전투기들의 공습에 속수무책이기 때문이다.

일단 적기가 다가오면 자동차를 운반해 가는 일은 더욱 어렵게 된다. 반드시 날이 밝기 전에 안전한 곳으로 옮겨 숨겨야 한다. 그러나 자동차는 덩치가 크고 무거워 짊어지고 가거나 손으로 들고 갈수 없었다. 차를 몰고 갈 운전병이 없으니 초조해 봤자 소용이 없었다.

"미군포로 중에서 운전할 줄 아는 친구들을 골라내 차를 몰고 가게 하면 어떻습니까?"

참모들이 머리를 짜낸 끝에 건의했다. 지휘부에서도 묘책이라고 여겼다. 통역을 통해 운전할 줄 아는 미군포로들을 찾아냈다. 그래서 일부 자동차를 은폐하기 좋은 곳에 숨기기는 했다. 그러나 시간과 인력의 부족으로 길에 내버려둘 수밖에 없었다.

하늘 저편에 희뿌연 서광이 비치기 시작했다.

아니나 다를까 곧 미군전투기들이 하늘을 가득 메우며 달려들었다. 전투기들은 흰 날개를 번득이며 소이탄을 쏟아 부었다. 한여름에 소나기가 내리는 꼴이었다. 길에 남아 있던 그 많던 자동차들이 검은 연기를 내면서 이내 한줌의 재로 변했다. 공습을 피해 나무숲에 숨어 있는 병사들은 이를 갈았지만 어떻게 할 도리가 없었다. 미군전투기의 공습이 끝난 뒤 헤아려보니 1천5백 대 중 2백 대 정도를 건졌을 뿐이었다.

지원군사령부는 운전병의 중요성을 새삼 깨달았다. 우리는 국내에 전보를 보내 운전병의 대거파병을 요청하는 한편 자체에서 운전병을 양성하기로 했다. 그 후 전역 때마다 많은 운전병을 대기시켰다가 미군차량을 노획할 때마다 잽싸게 안전한 곳으로 몰고 갔다. 더 이상 미군전투기의 공습으로 애써 얻은 자동차를 잿더미로 바꾸는 일은 사라지게 되었다.

제2차 전역에서 38군은 먼저 국군 제7사단을 무력화시킨 데 이어 터키여단과 미제1기병사단의 맹공을 물리쳤다. 또 삼소리 등 전략 요충지를 점령한 뒤 상대의 증원부대와 철수부대의 결합을 가로막음으로써 혁혁한 전공을 올렸다. 이러한 무공에 대해 팽 사령관은 크게 기뻐했다.

12월 1일 나와 등화 부사령관은 팽 사령관의 사무실에 가서 상대의 철군에 따른 아군 각 부대의 작전에 대해 논의하려 했다.

우리가 사무실에 막 들어가자 팽덕회 사령관은 전황보고를 들여다보고 있었다.

그는 고개를 끄덕이며 "38군이 정말 잘 해냈어. 훌륭해."라고 중얼거리고 있었다. 팽 사령관은 우리가 들어서는 것을 보고 한선초 부사령관이 전선에서 보내온 38군 전황보고서를 우리에게 보라고 넘겨줬다. 전황보고를 읽어본 뒤 등화가 말을 꺼냈다.

"역시 38군은 항일전쟁 때의 명성에 손색이 없습니다. 우리 인민지원군의 주력이라 할 수 있습니다."

나도 거들었다.

"지난번 제1차 전역 때 38군이 제대로 기동을 하지 못해 사령관 동지로부터 혼이 나지 않았습니까. 군단장이 이번 전역에 잘 해낼 수 있다고 하더니 역시 전통은 무시 못 하는가 봅니다."

우리가 치켜세우자 팽 사령관은 한껏 흥분되는 듯 큰소리로 말했다.

"그래, 38군에게 무공을 치하하는 축전을 보내야지."

그는 자리에 앉아 붓을 들더니 직접 무공을 치하하는 축전을 쓰기 시작했다. 축전을 다 쓴 뒤 "이만하면 어때."라고 우리에게 넘겨줬다. 내용은 이러했다.

> 양홍초 군단장 유해청 부군단장 및 38군 전체동지 귀하
> 이번 전역에서는 뛰어난 전투역량을 유감없이 발휘했음.
> 지난번 전역에서 가졌던 여러 동지들의 우려를 깨끗이 씻어냈음.
> 특히 113사단은 신속하게 행동해 상대보다 먼저 삼소리, 용원리를 점령해 남쪽으로 도망치는 상대와 북쪽으로 몰려드는 응원군을 물리쳤음. 적기와 탱크 1백여 대가 하루 종일 폭격을 퍼부었으며 포위망을 뚫으려 했으나 헛수고였음.
> 어제(30일)까지 올린 전과는 훌륭했음. 탱크, 차량이 1천 대에 이르렀고 포위된 적은 여전히 많이 있음. 어려움을 이겨내고 용기를 가지고 포위된 적을 전멸시키기 바람. 아울러 북쪽으로 몰려드는 적 지원부대를 막아주기 바람. 다시 한번 무공을 치하하며 계속 승리를 거두도록 축원함.

축전을 훑어본 뒤 우리는 "좋습니다" 하고 맞장구를 쳤다. 축전 뒷면의 발신자는 펑덕회, 등화, 홍학지, 한선초, 해패연, 두평이었다.

펑 사령관이 말했다. "좋단 말이지, 그러면 가지고 가서 축전을 치도록 하게." 말을 마치고 전보를 참모에게 건네주었다.

참모가 밖으로 나가려는 순간 펑 사령관은 문득 "이봐, 축전에 덧붙일게 있으니 다시 줘봐."라고 말했다.

펑 사령관은 붓을 들어 축전 맨 마지막에 한 구절을 덧붙였다.

"38군 만세"

나는 38군이 펑덕회 사령관으로부터 이같이 높은 평가를 받을 줄은 미처 몰랐다. 물론 38군이 혁혁한 전공을 세운 것은 사실이지만 축전

정도면 무난하다고 여겼으며 사령관이 1개 군에 '만세'라는 칭호를 붙일 줄은 정말 몰랐다. 사상 초유의 일이었으니까.

팽 사령관은 또다시 "어떠냐"고 우리의 의견을 물었다. 우리는 아무 말도 하지 못했다. 등화와 나는 원래 13병단의 사령관과 부사령관을 지냈었고 38군은 13병단 휘하로 역시 왕년에 우리의 지휘를 받았던 터였다. 팽 사령관은 38군을 극찬할 수 있지만 과거의 인연이 있는 우리로서야 그저 묵묵부답일 수밖에 없었다.

나는 새삼 팽 사령관이 '신상필벌(信賞必罰)'이 분명함을 깨달았다.

제1차 전역에서 그렇게 엄하게 꾸짖던 분이 무공을 세우자 칭찬을 아끼지 않았던 것이다.

팽 사령관은 우리가 아무 말도 하지 않자 빙그레 웃었다. "아무 말도 없으니 동의한 것으로 생각하겠네." 그는 전보원고를 참모에게 건네주었다. "가져가서 전보를 치라고. 그리고 전군에 이 사실을 통보하고 군사위원회에도 보고해."

팽 사령관은 '38군 만세'라고 쓴 전보를 보내고서도 미진하다고 여겼던지 흥분된 목소리로 우리에게 물었다. "38군에서 현장보고회를 여는 게 어떨까. 서부전선의 군단장을 모두 가게 하는 거야. 38군에게 축하를 하기도 하고 그들의 전투경험을 정리해 결론을 내리게 하면 좋지 않을까."

우리들도 그의 의견에 동의했다. "필요할 것 같습니다."

"그러면 지금 당장 한선초 부사령관에게 연락해 준비시키도록 하지. 이번 회의에는 나도 가겠어."

나는 팽 사령관의 말을 서둘러 막았다. "사령관께서는 가실 수 없습니다. 대유동은 38군 사령부와 2백여㎞떨어져 있습니다. 연도에는 도처에 상대가 철수할 때 묻은 지뢰가 널려 있고 하늘에는 비행기의 폭격이 예상됩니다. 사령관께서는 우리의 총수이신데 이런 위험을 무릅쓰고 갈수는 없습니다. 제가 대신해서 가겠습니다."

등화가 말했다. "당신은 사령부 일을 맡아야지. 또 사령관 동지의 안전을 전적으로 책임지고 있잖아. 여기서 사령관 동지와 함께 있게. 대신 내가 갈께."

우리 세 사람은 한동안 다투었다. 결국 펑 사령관은 등화가 가도록 했다. 그래서 등화가 펑 사령관을 대신해 가게 됐다. 등화는 38군에 가던 길에 개천, 군우리를 지날 때 미군전투기가 조명탄을 떨어뜨려 사방을 대낮같이 밝게 한 뒤 끊임없이 폭탄을 투하하는 곤경을 당하기도 했다. 연도에는 도처에 미군이 철수하면서 버리고 간 트럭, 탱크와 산처럼 가득 쌓인 군수품이 널려 있었다. 우리 병사들은 트럭, 대포, 탱크 등 중장비는 움직일 수 없어 각종 경화기와 각종 식품을 거두어 긴요하게 쓰게 됐다.

등화가 38군에 도착했을 때 각군 군단장들도 모두 와 있었다. 그들은 모두 펑 총사령관의 전보를 본 뒤에 몰려왔던 터였다. 양흥초가 전투경험을 소개하자 모두들 그에게 축하인사를 건네면서 농담 삼아 하는 말이 "야, 만세군. 당신네 만세군에게 축하드립니다."였다. 양흥초는 더욱 기뻐 입을 다물지 못했다. 그는 노획한 맛있는 음식을 내오면서 정성껏 손님들을 접대했다.

'38군 만세'라는 칭호를 사령관이 사용한 데 대해 당시 조선전장에 들어와 있는 6개 군의 지휘관, 병사들은 큰 자극을 받았다. 이후 다른 부대도 '만세군'이란 칭호를 얻기 위해 전심전력을 다했던 것이다.

동시에 모두들 펑 사령관이 군대를 엄하게 다스리는 만큼 그의 지휘 아래 치러지는 작전은 건성건성 이루어지지 않는다는 것을 실감했던 것이다.

미군은 삼소리, 용원리의 포위망을 뚫기가 어려워지고 우리가 정면에서 밀어붙이자 '독안에 든 쥐' 꼴이 되었다.

미제8군 사령관 워커는 자칫 완전 무력화의 위기에 부닥치자 12월 1일 포위된 자기네 부대에게 안주 방면으로 포위망을 뚫으라고 명령했다. 미군의 원칙은 장비를 내버릴지언정 인명을 중시한다.

워커는 자기네 부대가 포위된 것을 알자 과감하게 장비를 최대한 버리고 가벼운 옷차림으로 안주로 탈출하도록 했다. 상대는 자동차, 탱크 등으로 기동력을 발휘하며 후퇴했고 우리는 도보로 쫓아가니 따라잡지 못하는 것은 당연했다. 상대는 안주를 돌아 숙천을 거쳐 평양 쪽으로 철수했다. 제2차 전역에서 아군은 서부전선에서 국군 제7사단, 8사단, 터키여단 대부분을 무력화시켰다. 또 미제2사단, 제25사단과 미제1기병사단을 물리치는 전공을 세웠다.

유엔군 전격철수

이제 동부전선으로 눈을 돌려보자. 이번 전역에서 동부전선은 서부전선과는 별개로 전투가 진행됐다.

제1차 전역이 끝난 뒤 동부전선으로 미제10군단이 북상해 왔다. 이때 우리의 전력은 미군에 비해 크게 뒤졌다. 서부전선과 단순비교를 해도 아군의 전력은 뒤떨어진 편이었다.

그래서 우리는 모택동 주석과 중앙군사위원회에 건의해 산동성에 있는 제9병단을 하루빨리 참전시켜 달라고 졸랐으나 참전준비를 하는 데 시간이 걸렸다. 우선 급한 대로 42군 예하 2개 사단을 동부전선에 잠정적으로 배치했으나 미제10군단은 강계 방면으로 치고 들어와 아군의 퇴로를 끊은 뒤 혜산과 두만강을 점령하려 했다.

그들이 강계를 점령해 우리의 퇴로를 끊을 경우 아군은 엄청난 손실을 각오해야 할 판이었고 이때 비로소 제9병단이 참전하게 됐다.[54] 제9병단은 20군과 27군으로 제1선을 이루고 26군은 제2선 예비대로 하였다. 병단 사령관은 송시륜, 정치위원은 곽화약(郭化若: 곽이 북경으로 전출된 뒤에는 송 사령관이 정치위원을 겸임했음) 부사령관 도용(陶勇), 참모장 담건(覃健), 정치부 주임 사유법(謝有法) 등등이 제9병단 수뇌부의 면면이었다.

그들은 조선에 들어오자마자 곧장 산세가 험하기로 유명한 동부전선으로 향했다. 당시는 11월 하순, 영하 20도 이하의 혹한에다 함박눈이 쏟아지는 궂은 날씨가 겹쳐 병사들은 엄청난 고생을 했다. 더구나 그들은 날씨가 비교적 좋은 산동성 주둔병사들이어서 혹독한 추위에 시달려야 했다.[55]

---

54) 제9병단은 제3야전군 소속이었다. 예하 제20, 제26, 제27군 등 모두 12개 사단, 약 15만 명으로 구성되었다. 제20군은 원래 1945년 11월 蘇北에서 창설된 新四軍 제1종대였다. 이 종대는 곧 화동야전군의 주력이 되어 화동과 중원전장에서 활약했다. 제26군은 원래 1947년 3월 魯中군구부대가 개편돼 이루어진 華東야전군 제8종대였다. 전신은 항일전쟁 초기 8로군이 魯中에서 창설한 지방무장부대였다. 제8종대 창설 후 이 종대는 화동, 중원전쟁으로 옮겨 다니면서 화동야전군의 주력이 되었다. 제27군은 원래 1947년 3월 山東군구의 제5, 제6여단과 3경비여단으로 이루어진 화동야전군 제9종대였다. 전신은 항일전쟁 기간 8로군이 膠東에서 창설한 지방무장부대였다.

55) 제9병단은 조선에 들어오기 전 추운 지역에서의 전투경험이 모자랐다. 월동장비 등의 준비도 부족했다. 포병은 소련장비와 바꾸기 위해 대부분의 장비를 동북지방에 그대로 두고 왔다. 사단마다 노획한 무기인 미, 일제75㎜ 야포 10여 문을 가지고 참여했다. 이 병단은 군사위의 명령을 받은 직후 서둘러 조선에 들어갔다. 부대는 동북으로 가는 열차 위에서 참전통지를 받고 솜옷을 건네받았으나 일부는 아예 받지도 못했다. 솜

제9병단은 압록강변에서 기차를 내리자마자 숨 돌릴 틈도 없이 장진호 쪽으로 행군해 전개를 시작했다. 제1선부대인 20군은 집안에서 압록강을 건너와 두만강을 따라 정면으로 전진해 전개했고 27군은 강계에서 험준한 조선의 산들을 넘어 하갈우리로 향했다.

지원군사령부의 당초계획은 제9병단도 서부전선과 동시에 11월 25일 공격을 개시한다는 것이었다. 그러나 송시륜 병단 사령관이 난색을 표했다. 공격태세를 가다듬기 위해서는 이틀간의 여유가 필요하다는 것이었다. 팽덕회 총사령관은 제9병단의 건의를 받아들였다.

이런 사정으로 동부전선은 27일 제2차 전역이 시작됐다. 11월 하순 백두산을 비롯해 조선 북부에는 엄청난 눈이 내렸다. 게다가 영하 20도는 보통이고 영하 30도를 밑도는 혹한이 계속됐다. 제9병단 병사 중 일부는 두툼한 솜옷이나 털모자를 걸쳤지만 대부분 방한장비도 별로 갖추지 못했다. 그러나 제9병단의 20, 26, 27군은 모두 3야전군의 주력이었고 항일전쟁 당시 용맹을 떨친 최정예부대였던 만큼 병사들의 사기는 하늘을 찌를 듯이 높았다.

미제10군단장 아몬드 소장은 우리 제9병단이 이렇게 빨리 동부전선에 나타나리라고는 예상하지 못했던 것 같다.

그의 부대는 한랭지대에 도착해 상륙작전을 벌여 산속으로 진격해 들어왔다. 그러나 빨리 진격하려 들지 않았다.

신발 솜 모자도 없이 수건으로 머리를 두르고 모포로 몸을 감싼 병사들이 적잖았다. 영하 30도의 혹한을 무릅쓰고 조선 동부의 험한 개마고원으로 몸을 숨겨 잠입하는 데 15만 명이 미군 공중정찰에 발견되지 않아 미군들을 경악시켰다.

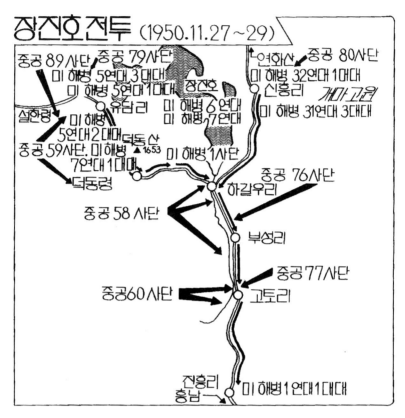

지원군 제9병단은 장진호전투에서 미해병 제1사단에 엄청난 타격을 입혔다. 허를 찔린 미해병들은 유명한 철수작전을 벌이면서 최소한 희생을 줄이는 눈물겨운 사투를 벌였다.

그들은 기계화 부대여서 자칫 빨리 치고 들어오다 퇴로가 끊기면 철수하지 못할 것을 우려했다. 아몬드는 동부전선에서도 비교적 신중했다.

11월 27일 밤 동부전선의 제9병단 예하 27군과 20군은 각각 유담리, 하갈우리, 고토리와 두창리 등에 주둔하고 있는 미제10군단에 대해 공격을 시작했다.

밤을 새우며 격전을 치른 끝에 28일, 아군은 미군을 토막토막 나누어 신흥리, 유담리, 하갈우리 등 몇 개 지역에서 완전히 포위해 유리한 전황을 만드는 데 성공했다. 그러나 상대가 사방을 탱크로 에워싸 포공격을 하는 반면 우리는 소총, 수류탄 정도로 밀어붙이니 화력싸움에서 밀렸다. 게다가 월동준비를 제대로 하지 못해 동상에 걸린 병사들이 속출해 전투력의 손실이 엄청났다.

제9병단은 이같이 어려운 조건 속에서도 며칠 밤낮에 걸쳐 투혼을 발휘해 포위망에 갇혀 있던 미해병 제1사단 소속 1개 연대 병력의 대부분과 국군 수도사단 일부에게 커다란 타격을 입혔다.

미군은 아군의 세찬 공격을 받더니 전투기의 엄호 아래 자동차나 트럭 등을 타고 후퇴하기 시작했다. 동부전선은 세찬 추위에다 높은 산들로 이루어져 있어 미군 기계화 부대의 공격은 별 효과가 없었다.

그래서 아군 대부분이 밀어붙이고 미군은 뒤로 철수하는 꼴이었다. 그들은 평원작전에 적합했던 것이다. 함흥까지 물러나서는 그들은 후퇴하지 않았다. 함흥을 지나면 평원이었기 때문이다. 이때 아군도 형편이 어려웠다. 동부전선의 험준한 지형 때문에 대포는 가져갈 수 없었고 박격포를 어깨에 짊어지고 가는데도 엄청난 희생을 치러야 했다. 그래서 손에 쥘 수 있는 경화기에 의존해야 했다. 이 밖에 미군이 흥남항으로 후퇴한 뒤에는 군함의 화력지원이 엄청났다. 그들은 해, 육, 공군화력으로 세밀한 화망을 구축해 엄청난 화력을 아군에 퍼부어댔다.

팽 사령관은 여러 가지 상황을 고려해 제9병단에게 더 이상 추격하지 않고 상대의 움직임을 예의 주시하라고 명령했다. 유엔군은 동서전선에서 아군의 대공세에 밀려 엄청난 타격을 입은 뒤 12월 3일 38선을 향해 총퇴각했다.

우리는 당시 상대가 이렇게 빨리 철수하는 이유와 어느 선까지 철수하는지 명확히 알 수 없었다. 그래서 경솔하게 맹목적으로 쫓아갈 수 없다는 결론을 내렸다. 그래서 서부전선의 각 군에 "더 이상 추격하지 말고 병력을 재정비해 앞으로의 전투에 대비하라."고 명령했다.

동시에 39, 40, 42군의 각 1개 사단씩을 숙천, 순천, 성천 방향으로 보내 상대를 뒤쫓도록 하는 한편 상대의 동향을 예의 주시하도록 했다.

모택동 주석은 일찍이 11월 2일 평양공략이 쉽지 않을 것이라고 예상하고 평양탈환에 만전을 기하라고 지시한 바 있다. 그러나 유엔군은 아예 평양을 포기한 채 38선까지 철수해 버린 것이다.

12월 5일, 제2차 전역이 서부전선에서 끝났다.

6일, 아군과 인민군이 평양을 되찾았다.

12일, 서부전선의 아군 6개 군이 38선을 향해 진격을 개시했다.

16일, 서부전선의 상대는 전원 38선 이남으로 철수했다.

23일, 미제8군 사령관 워커 중장이 후퇴하던 길에 자동차사고로 숨졌다. 상대의 후퇴 길이 어느 정도로 혼란스러웠는지 알 수 있다.

같은 날, 아군은 38선에 바짝 접근했다. 금천, 구화리, 삭녕, 연천, 철원 등지에 병력을 집결시켰다.

동부전선의 제9병단은 물러나는 미제10군단과 국군을 추격했으나 상대는 24일 흥남에서 전투기와 군함의 막강한 화력지원에 힘입어 동해상으로 철수했다. 이에 앞서 11월 9일 인민군은 원산을 되찾았고 11월 17일 제9병단이 조선인민군 3군단과 협공해 함흥을 되찾았다. 제9병단이 어려운 환경에서 미제10군단을 몰아낸 것은 결코 지나칠 수 없는 전공이었다. 그래서 지원군사령부와 모택동 주석은 제9병단에게 무공을 치하하는 축전을 보냈다. 모 주석은 축전에서 "제9병단 동지들은 극도로 어려운 조건 아래서 분투 노력해 거대한 전략상의 임무를 훌륭히 수행했다."고 추켜세웠다.

이로써 제2차 전역이 완전히 끝난 셈이다.

제2차 전역이 끝난 뒤 펑 사령관은 동부전선의 제9병단에게 함흥, 원산 일대에서 휴식을 취해 전력을 재정비하도록 명령했다.

제2차 전역에 관해 한 미국작가는 이렇게 묘사했다. "11월 25일 날이 어두워지자마자 재난이 밀어닥쳤다. 20만여 명에 이르는 중국인이 워커의 제8군과 아몬드의 제10군단 사이의 빈틈을 꿰뚫어 미8군의 오른쪽에 있던, 국군 제2군단을 공격했다. 국군 제2군단은 붕괴돼 서둘러 도망쳤다. 따라서 중앙부의 미제9군단이 노출됐다. 미제9군단은 우선 전선을 좁혀 방어했지만 끝내는 퇴각했다. 왼쪽의 제1군단과 제9군단이 동시에 후퇴했다. 이틀 후인 11월 27일 동부전선에서 또 다른 중국집단군이 제10군단, 즉 올리브 스미스의 제1해병사단을 공격했다. 중국군대가 배후를 차단해 해병대가 장진 댐에서 포위됐다. ……사정은 금세 명확해졌다. 유엔군이 맞닥뜨린 것은 최상급의 군대였다. 사람을 놀라게 만든 것은 중국인의 기율이 엄정하고 지휘역량이 뛰어났다는 점이다. 워커가 이끄는 제8군은 돌연한 습격을 받아 완전히 얼이 빠진 채 잽싸게 전전선에 걸쳐 후퇴를 감행한 것이다."

제1차 전역의 승리는 조선 북부의 전세를 안정시켰다. 그런데 제2차 전역에서의 승리와 성공은 전세를 완전히 역전시켰다고 할 수 있다.

제2차 전역 동안 지원군은 유엔군 3만 6천여 명의 병력을 무력화시켰는데 그중 미군이 2만 4천여 명이었다. 또 양양을 제외한 38선 이북의 모든 영토와 38선 이남의 옹진, 연안반도를 되찾았다. 유엔군 총사령관 맥아더 원수의 '성탄절총공세'를 '성탄절총퇴각'으로 이끈 것이었다.

제2차 전역 동안 최전선에 나가 전투를 직접 독려했던 한선초 부사령관이 사령부로 되돌아왔다. 그는 일선 부대에서 후방으로부터의 물자보급에 대해 의견이 많더라고 전했다.

우리가 조선에 들어온 뒤 지원군에게 물자보급을 전담하는 후방근무부(後方勤務部: 줄여서 後勤部라고 함)가 없었다. 사령부 아래 후근과(後勤科)가 설치돼 있을 뿐으로 부사령관인 내가 물자보급 문제를 맡고 있었다.

제1차, 2차 전역에서 물자보급, 이를테면 병참에서 드러난 여러 문제점들을 팽 사령관과 나는 파악하고 있었다. 물자보급에 대해 당시 동북군구는 최대한 역량을 모아 군수품의 조달에 많은 힘을 쏟아 왔다. 전선에 있는 우리도 여러 방법을 궁리했다. 이를테면 조선정부에 식량의 현지조달을 요청하는 등등의 물자조달 방법을 생각했다. 그러나 미군전투기의 공습 등 객관적인 여건이 너무 곤란했다. 따라서 근본적인 해결책은 마련되지 않은 상태였다.

이런 문제들을 빚어내는 주요원인은 당시 지원군병참을 책임지고 있는 동북군구 후근부가 멀리 심양에 있어 전선의 전방지휘소에 10여 명을 파견한 데 그쳤기 때문이다. 예하 몇 개의 후근 지부(後勤分部)도 서둘러 조직된 것이어서 체계가 엉성했고 보급역량도 충실하지 못했다. 게다가 적기의 폭격이 엄청나 전선의 수요에 부응하지 못하는 것은 당연했다.

이런 상황에서 병참문제를 누가 와서 맡는다는 것도 어려웠다. 그래서 나는 한선초에게 그 일을 맡기고 내가 최전선에 가겠다고 건의했다.

등화가 말했다. "나도 한형이 당분간 병참 일을 책임졌으면 하는 생각인데."

팽 사령관이 말했다. "내가 보기에는 말이야, 한선초와 홍학지를 맞바꿔서 홍이 최전선에 가서 작전을 독려하고 한은 지원군사령부에서 사령부 일과 병참보급을 맡았으면 좋겠어. 별다른 의견이 없으면 당위에서 통과된 것으로 알고 그대로 시행하라고."

그날 저녁, 나는 짐을 다 꾸리고 지프차도 시동을 걸어놓았다. 전선으로 가기 위해서였다. 떠나기 직전에 나는 팽 사령관의 집무실에 작별인사를 하러 갔다. "사령관 동지, 출발합니다. 다른 지시는 없으신지요."

팽 사령관이 내 말을 듣더니 놀라는 표정이었다. "출발한다고, 어디로 간단 말이야."

"당위에서 결정하지 않았습니까. 저를 전방으로 보낸다면서요."

그는 얼굴표정이 굳어지며 말했다. "말이 그렇다는 것이지 실제로 그렇게 하라는 것은 아니었어. 이번 기회에 한선초의 어려움을 우리가 알게 됐잖아. 아무래도 병참은 자네가 겸임하고 한선초가 전방에 가는 게 낫겠어."

나중에서야 사정을 알았다. 회의가 끝난 뒤 팽 사령관과 등화가 의견을 나누었는데 등화 생각에는 나와 한선초를 맞교대하는 것이 마음에 들지 않았고 팽 사령관도 거기에 찬동했다는 것이다. 그래서 나는 계속 사령부 물자보급 문제와 씨름해야 했다.

두 차례의 전역 중 적기의 엄청난 공습 때문에 밤낮으로 아군후방 보급선이 봉쇄되거나 파괴돼 아군의 주식과 부식공급이 제때 이루어지기 어려웠다. 게다가 제때 공급이 된다 해도 대낮에는 불을 지펴 밥을 짓지 못했다.

미군전투기가 수시로 우리를 찾느라 혈안이 되어 있어 연기를 낼수 없었기 때문이다. 설상가상으로 병사들은 밤낮으로 행군을 계속해 상대를 추격해야 했기 때문에 한가롭게 밥을 지어 먹을 형편이 아니었다. 그래서 미숫가루가 한동안 지원군의 주요 야전식량이 되었다.

미숫가루는 70%의 보리에 콩, 수수 또는 옥수수를 섞어 볶은 다음 갈아 0.5% 식염을 넣어 만든 것으로 휴대나 보존에 편리했다.

전투할 때 모두 미숫가루 부대를 하나씩 등에다 짊어지고 가다가 배가 고플 때면 아무 때나 한 줌 입에 넣어 씹으면 그런대로 요기가 돼 전투식량으로는 안성맞춤이었다.

11월 8일 1차 전역이 막 끝났을 때 동북군구 후근부는 우리의 건의에 따라 인민해방군 총후근부에 "미숫가루를 주 식량으로 삼고 공급량을 늘리자"고 건의하는 한편 지원군사령부에 미숫가루 시제품을 보내와 의견을 물었다.

팽 총사령관과 우리 부사령관들은 이 건의를 알고 미숫가루 시제품을 살펴보니 만족스러웠다. 제2차 전역이 있기 전인 11월 20일, 팽 사령관은 나더러 동북군구 후근부에 전보를 보내 그들에게 이렇게 전하도록 했다.

"보내온 미숫가루 시제품은 좀더 철저하게 갈아 소금을 넣었으면 좋겠다. 볶을 때는 먼저 깨끗이 씻어야 하며 대량으로 전방에 보내주도록"

11월 하순 2차 전역이 시작됐을 즈음 동북군구에서는 전선에 엄청난 양의 미숫가루를 공급하기 시작했다.

수요량이 엄청나 1인당 매월 정량의 3분의 1을 공급한다 해도 1,482만 근(斤. 1근은 500g)이 필요했다. 동북군구에서 아무리 노력해 봤자 1천만 근밖에 생산할 수 없어 모자라는 양을 다른 지역에 의뢰해야 했다.

11월 12일, 전방의 긴급한 미숫가루 공급을 위해 동북인민정부는 '미숫가루 생산을 위한 규정'을 만들어 심양시의 경우 당, 정, 군 각 기관마다 날마다 최소한 미숫가루 13만 8천 근을 의무적으로 생산하도록 했다.

20일 만에 미숫가루 2백76만 근을 생산할 수 있었다. 2차 전역이 시작된 11월 말 현재 전선에 공급된 미숫가루는 4백5만 근에 이르렀다.

12월 18일 동북군구는 '미숫가루, 고기포 생산회의'를 열어 한 달 내로 미숫가루 6백50만 근과 고기포 52만 근을 생산하는 방안을 강구했다.

동북지방은 물론 전국의 당, 정, 군, 민은 행동을 시작했다. 즉각 남녀노소를 동원해 가가호호 미숫가루를 만드느라 '미숫가루 제조열풍'이 불기 시작했다 주은래 총리 등 중앙의 당정지도자들도 틈을 내 직접 북경의 각 단위간부 및 군중들과 함께 미숫가루 제조에 참여하기도 했다.

전선의 병사들은 미숫가루를 먹는 문제가 해결된 데 감격했고 심지어 '미숫가루를 위해 공을 세우자'는 구호까지 나올 정도였다.

12월 23일, 제2차 전역이 승리로 끝날 무렵 계속해서 제3차 전역을 준비하기 위해 팽 총사령관은 내게 그를 대신해 중앙군사위와 동북군구에 보내는 보고서를 기초하도록 했다. 이 보고서에는 이런 구절이 있다. "적기의 파괴 때문에 밤낮으로 불을 지펴 밥을 짓기 어렵습니다. 야간행군 작전 때 모든 부대원들은 동북에서 보내준 미숫가루에 감사하고 있습니다. 이후로는 누런 콩, 쌀과 소금이 가미된 미숫가루를 보내주기 바랍니다."

그러나 미숫가루를 오랫동안 군대의 주식으로 삼는 것은 불가능했다. 미숫가루는 영양성분이 단순하고 비타민도 모자라 오래 먹다 보면 병사들의 체력과 건강에 영향을 미칠 수 있기 때문이다.

예를 들면 미숫가루에는 수분이 모자라 상용하다보면 입 안이 헐어 끝내는 구강염에 걸리는 경우가 많았다. 어떤 병사들은 위하수(胃下垂)에 걸리기까지 했다. 그래서 어떤 병사들은 농담 삼아 "미숫가루를 나무 위에 걸어놓으면 미군전투기 조종사들이 불쌍히 여겨 공습을 하지 않겠지."라고도 말할 정도였다.

❧ 7 ❧

38선을 넘다

38선 돌파를 둘러싼 갈등

2차 전역으로 유엔군은 38선 이남으로 퇴각했다.

이즈음 팽 총사령관 생각에는 우리와 적군 사이의 거리가 지나치게 멀리 떨어져서는 안 된다고 여겼다. 그래서 지원군부대 주력은 휴식을 멈추고 또다시 급속히 전진해 38선 부근에 이르렀던 것이다.

이때 지원군사령부 소재지 대유동은 전선에서 너무 멀어지게 됨에 따라 팽 사령관은 전방지휘소를 평양 북쪽으로 옮기도록 했다.

우리는 성천군 북쪽으로 이동하고 방공을 위해 광산갱도를 찾기로 했다. 결국 성천군에서 남서쪽으로 5㎞ 떨어진 군자리(군자동이라고도 함)를 선택했다. 군자리로 결정한 것은 김일성 수상과의 연락에 편리하고 방공에 유리했기 때문이다. 당시 김 수상은 이미 평양 부근의 서포로 옮긴 상태였다.

여기에 머무르고 있으니 김 수상과의 연락이 비교적 수월했다. 이곳에는 조선의 병기공장이 있었다. 상대가 점령한 뒤 광산은 약간 파괴된 상태였다. 우리는 광산에 도착해서 간단한 수리를 마치고 머무르게 되었다.

이때 팽 사령관이 나를 찾았다.

"이봐, 여기는 전선에서 너무 멀리 떨어져 있는 것 같은데 좀더 가깝게 옮기면 어떨까."

"사령관 동지, 제 생각에는 이곳 군자리가 지휘부 위치로는 현재 가장 적합한 것 같습니다. 아직은 전선 상황이 유동적이기 때문에 자칫 전선에 너무 가깝게 가다 보면 지휘의 안전성에 영향을 받을 수도 있습니다."

내가 조목조목 설명을 하자, 팽 사령관은 고개를 끄덕였다.

"좋아, 일단 여기서 당분간 머무르지. 상황을 살펴본 뒤에 다시 논의하자."

이때 아군이 비록 두 차례 전역에서 승리를 거두긴 했지만 상대의 주력을 대량으로 섬멸한 것은 아니었다. 게다가 부대원들의 손실도 엄청났고 연속된 작전으로 무척 피로했으며 병참공급도 매우 곤란했다. 그래서 팽 총사령관은 일정시간 휴식이 필요하다고 판단해 이듬해 봄까지 기다렸다가 새로운 전역을 개시해야 한다고 여겼다.

그러나 여러 가지 사태진전이 지나치게 빨라 아군을 이듬해 봄까지 내버려두지 않았다.

12월 7일 중국주재 인도대사 파니카가 우리 외교부 부부장 장한부(章漢夫)를 만나 "인도 등 13개국이 며칠 안에 유엔안전보장이사회에 38선에서 휴전한 뒤 협상을 진행하자는 건의서를 제출할 계획."이라고 말했다.

파니카 대사는 "중국이 만약 38선을 넘지 않는다고 보장한다면 이들 국가들로부터 환영과 지지를 얻게 될 것."이라고 덧붙였다.

12월 11일 주은래 총리는 이 제안에 대해 "미국이 먼저 38선을 넘었으며 따라서 38선은 맥아더가 파괴했으므로 더 이상 존재하지 않는다."고 지적했다.

말 속에 숨은 뜻은 분명했다. 그것은 우리가 38선을 넘지 않겠다고 선포할 수는 없다는 뜻이었다.

12월 13일 모 주석은 팽 총사령관에게 보내는 전보에서 이렇게 말했다. "12월 8일 18시 전보 받았음. 다음과 같이 지시함."

1. 미국, 영국 등 각국은 아군을 38선 이북에 머물도록 요구하고 있음. 그러나 이 같은 요구는 시간을 벌어 다시 전쟁을 일으키려는 수작임.

때문에 아군은 반드시 38선을 넘어 남진해야 함. 38선 이북에서 일단 정지한다면 정치적으로 엄청나게 불리해질 것임.

2. 이번 남진에서 개성 남쪽과 북쪽 일대, 즉 서울에서 멀지 않은 일대에서 적을 섬멸할 기회를 가지기 바람. 그다음 상황을 살펴 만일 적이 엄청난 역량으로 서울을 고수할 경우 아군 주력은 개성 선과 그 이북 일대로 물러나 휴식을 취하면서 서울을 공격할 조건을 준비할 것.

또 몇 개 사단을 한강중류 북쪽 기슭으로 접근시켜 인민군이 한강을 건너 국군을 섬멸하는 작전을 지원할 것. 적이 서울을 포기할 경우에는 아군의 서부전선 6개 군은 평양~서울 사이에서 일정기간 휴식한 뒤 다시 전투를 계속할 것.

모 주석의 전보를 받은 뒤 팽 사령관은 우리가 지금 공격을 계속하는 것이 합리적인가에 대해 여러 차례 토의를 거듭했다. 팽 사령관은 군사적인 각도에서 볼 때 지금 당장 공격을 재개한다는 것은 무리라고 판단했다.

아군은 조선에 들어온 지도 1개월여가 되었고 이미 연달아 두 차례의 전역을 치르면서 38선에 이르렀다. 전쟁속도가 이렇게 빠를 줄은 우리도 미처 예상 못 했다. 우리들 현지 지휘관들이 판단하기로도 서부전선의 6개 군은 이미 지칠 대로 지쳐 휴식과 병력보충이 절실했다. 재충전 기간이 꼭 필요하다고 생각했다. 동부전선에 있는 제9병단은 곤란이 더욱 컸다. 인원 탄약 식량이 크게 부족한 형편이었다. 따라서 지금 당장 공격을 재개하는 것은 무리라는 게 지휘관들의 공통된 견해였다. 우리는 국내에 고참병을 보충해 달라고 요청했었다(고참병이 와야 당장 실전에 투입할 수 있지 신병은 훈련과정을 거쳐야 했기 때문이다). 후방부대 병력의 투입도 요구했다. 그러나 후방부대는 아직 오지 않았다. 이런 상황에서 전장의 지휘관은 전역을 옳은지 그른지를 당연히 따져보게 된다.

더욱 중요한 것은 상대가 퇴각하기는 했지만 주력의 역량은 보존되어 있다는 점이다. 우리가 분석하건대 상대가 잽싸게 철수한 것은 역량을 보존하기 위한 이유 외에 다음의 두 가지 원인이 있다고 여겼다.

첫째, 그들은 38선 이북에 방어선이 없다. 38선 이북과 평양 이남은 산이 별로 없는 평야지대로 지형적으로 방어선 구축이 불가능했다는 점이다. 또 계절적으로 겨울이기 때문에 땅이 얼어붙어 임시방어선을 구축하는 것도 쉬운 일이 아니었다. 반면 38선 이남은 전부터 국군의 방어선이 있었으므로 방어하는 데 유리했다.

또 하나는 미군이 2차례의 연이은 패배로 사기가 떨어져 재정비의 기간이 필요했다는 점을 들 수 있다. 미군은 우리와의 접촉을 벗어나 38선 이남의 진지에서 병력을 재정돈하려 한 것이다.

그것은 이렇게도 말할 수 있다. 상대가 그렇게 빨리 철수한 것은 이미 설치해 놓은 진지를 차지하려는 의도가 있었던 것이다.

이런 상황에서 우리가 다시 공격을 재개하는 것은 바람직하지 않다고 팽 사령관은 판단했다.

결국 군사적인 측면에서 공격을 재개하는 것이 무리이지만 모 주석의 지시와 같이 정치적인 측면에서는 즉각 공격을 재개해야 했다. 현지 군사적 상황과 정치적인 주문과는 거리감이 생긴 셈이다. 이럴 경우 어떻게 해야 할까.

팽 사령관은 심사숙고 끝에 "군사는 정치에 종속돼야 한다"는 최종 결론을 내렸다. 그는 병사들이 겪고 있는 어려움을 이해하면서도 작전 준비에 착수해 제3차 전역 준비에 들어가야 한다고 결론을 내렸다.

12월 15일 팽 총사령관, 조선의 박일우 부사령관, 한선초 부사령관, 해패연 참모장 그리고 내가 모여 논의를 거듭한 끝에 정식으로 결정을 내렸다. 겨울을 지나며 재정비의 기간을 가지려던 기존의 계획을 완전히 철회하고 인원부족, 보급부족 등의 어려움에도 불구하고 제3차 전역을 시작해 38선을 넘어야 한다고 말이다.

팽 사령관은 제3차 전역 개시의 필요성을 역설했다.

"귀관들도 알다시피 지금 상황에서 전투를 재개하는 것은 현실적으로 어려운 일이다. 그러나 지금 정치적인 상황이 우리에게 또 한번 전투를 하라고 요구하고 있소. 모택동 주석도 우리에게 공격을 재개하라는 명령을 내렸어. 정치현실이 군사상의 요구를 앞서는 것이니까 공격의 가부를 지금 단계에서 왈가왈부할 수 없다. 이제 38선을 돌파하는 일만 남았어. 다만 현실적인 어려움을 감안해 신중하게 일을 도모해야 해. 미군과 영국군이 서울에 집중되어 있음에 비추어 먼저 병력을 집중시켜 국군을 내려치고 미군을 견제할 생각이야. 먼저 국군 제1사단을 섬멸한 뒤 기회를 보아 국군 제6사단을 공격할 생각이야. 전역발전이 순조로우면 춘천의 국군 제3군단을 공략할 것이고 순조롭지 않을 경우에는 작전방침을 다시 고칠 거야. 돌파를 해야 승리를 거둘 수 있어. 절대로 너무 멀리, 너무 깊숙이 쳐들어가서는 안 돼. 그렇지 않으면 엄청난 어려움을 맞게 되고 우리에게 불리해. 적을 섬멸하는 것도 많이 할수록 좋은 것이지만 적어도 괜찮아. 결론적으로 말해서 38선을 돌파한 뒤 상황을 보고 적당한 선에서 그만둘까 해."

팽 사령관은 이번 전역의 목적은 국군을 먼저 제압해 미군을 견제하는 데 있음을 분명히 했다.

따라서 먼저 국군 제1사단을 공격한 뒤 기회를 엿보아 국군 제6사단을 치기로 했다.

제1, 2차 전역 후 상대는 그동안 경멸의 시선을 보냈던 아군에 대해 공포심을 느끼는 듯했다. 미군인들은 일련의 패배를 "진주만사건 이후 미국 최악의 군사적 패배"라고 규정하기까지 했다.

더욱이 미국 내의 여론은 맥아더 원수가 성탄절까지 조선전쟁을 끝내겠다며 나선 총공세를 "역사상 최대의 오판"이라며 맥아더 원수를 비난했다.

그러나 맥아더 원수가 이끄는 강경파들은 여전히 중국과의 한판 전쟁을 불사한다는 주장을 굽히지 않았다. 그들은 "만주비행장을 폭격하고, 중국해안을 봉쇄하면서 대만의 중국인을 활용해 전면전을 벌이자"고 주장했다.

트루먼 미대통령 등 정책결정권자들은 전쟁이 중국까지 확대되기를 바라지는 않으면서도 "유엔군은 한국에서의 사명을 포기하지 않을 것이며 한국에서 원자탄을 사용할지도 모른다"고 말하기도 했다.

일련의 논쟁. 트루먼과 영국 수상 애틀리회담을 거쳐 그들은 12월 14일 유엔국가들을 '조종'해 소위 '한국휴전 3인위원회' 결의성립을 통과시켰다. 먼저 발등의 불을 끄고 난 뒤 담판을 벌이자는 잔꾀로 숨을 돌리자는 계책(緩兵之計)이었다.

12월 16일 트루먼은 미국 전역에 비상사태를 선포하고 미군을 당시 2백 50만 명에서 3백 50만 명으로 증원할 것이며 1년 이내에 비행기 탱크 생산능력을 각각 4, 5배 늘리겠다고 천명했다.

전장에서 상대는 38선까지 물러났으며 더 이상 물러나지는 않았다.

상대는 조선반도를 가로지르는 2백50㎞의 정면과 폭 60㎞에 이르는 두 갈래 방어선을 구축하고 있었다.

제1방어선(또는 A선)은 임진강 어귀 대동리에서 시작해 문산, 주월리를 거쳐 38선 부근의 장존리에 이르는 선이었다. 제2방어선(또는 B선)은 고양에서부터 의정부, 가평, 춘천을 거쳐 동덕리를 연결하는 것이었다.

방어를 두터이 하기 위해 제2방어선 이남에서 37도 선에 이르기까지 3갈래 기동방어선을 준비하고 있었다. 첫 번째는 한강을 따라 양평, 횡성을 거쳐 강릉에 이르는 것이고 두 번째는 수원에서 이천, 여주, 평창을 거쳐 삼척에 이르는 길이었으며 세 번째는 37도 선을 따라 평택에서 충주를 거쳐 삼척에 이르는 것이었다.

당시 상대는 5개 군단(13개 사단, 3개 여단, 1개 공수여단)으로 총 20만여 명의 병력이었다. 최전선인 제1선에 국군이, 제2선에는 미군과 영국군이 자리 잡았다. 병력 대부분을 서울 주변과 한강 남북쪽 일대 주요교통로에 집결시켰다. 그들은 전전선에서 지키다가 언제든지 철수할 수 있는 태세를 갖추었다.

12월 26일, 미제8군 사령관 워커 중장이 자동차사고로 숨진 지 3일째 되던 날 미육군 참모차장 리지웨이 중장이 8군 사령관으로 부임했다. 리지웨이는 부임하자마자 미국과 국군에게 현 진지를 사수하면서 후퇴하지 말라고 명령했다. 또 가능하다면 공세를 취하라고 지시했다. 그러나 진지를 포기해야만 할 경우 질서정연하게 후퇴하라고 했다.

이야기가 거슬러가지만 잠시 중조연합사령부 결성에 대해 말해 보자.

12월 초, 전선 남쪽에 낙오했던 조선인민군들 중 원대 복귀한 병력이 3개 군단이 되었다. 전투력이 회복됨에 따라 그들은 용기백배했고 전황이 잘 풀려가다 보니 적극적으로 참전시켜 달라고 조르는 지경에 이르렀다.

중국과 조선이 연합작전을 벌이는 경우 통일된 지휘계통의 확립문제가 해결되어야 했다.

그들의 최고사령관은 김일성 수상이며 우리 지원군의 사령관은 팽덕회 동지였다.

중국과 조선군대가 효과적으로 연합작전을 펴기 위해 두 나라는 협상을 거쳐 12월 4일 중국인민지원군과 조선인민군연합 사령부(줄여서 연합사라고도 함)를 창설했다. 모든 작전 범위와 전선에서의 모든 활동은 연합사의 지휘를 받도록 했다.

연합사는 팽 동지가 사령관 겸 정치위원을, 등화가 부사령관을 각각 맡았다. 또 조선 쪽에서는 김웅 동지가 부사령관, 박일우 동지가 부정치위원을 각각 맡았다. 그러나 연합사령부의 설립은 대외에 공개하지 않기로 했다.

김웅은 동부전선에서 김웅지휘부를 조직해서 동쪽의 3개 인민군군단(정면에 제2, 5군단, 원산에 제3군단)을 지휘하고 있었다. 박일우는 지원군사령부에 머물렀다. 인민군은 지원군사령부에 3, 4명의 연락조를 파견해 작전처와 유관업무 연락을 하도록 했다. 연락조장은 상교(上校·우리의 중령급)였는데 중국어 실력이 뛰어났다. 연합사가 명령을 내릴 경우 인민군에게는 연합사의 명의로, 지원군부대에게는 지원군사령부 명의를 그대로 사용했다.

12월 21일, 모택동 주석은 팽 사령관이 건의한 작전방침을 승인하며 다음과 같이 지적했다. "…… 세 번째, 적정판단은 정확하다고 생각됨. 반드시 장기적인 안목에서 고려할 것. 네 번째, 미국과 영국은 아직 사람들의 머릿속에 남아 있는 38선에 대한 낡은 인상을 이용해 정치선전을 계속하면서 우리를 정치회담으로 끌어들이려 함. 그러므로 아군은 38선을 넘어가 다시 한번 전투에서 이긴 뒤 휴식하는 것이 필요함. 다섯 번째, 작전은 동지의 의견을 지지함. 지금 미군과 영국군이 서울지역에 몰려 있으므로 우리가 공격하는 데 불리함. 따라서 우리는 전적으로 국군을 목표로 공격해야 함. 총체적으로 말하면 국군 전부 또는 대부분을 일단 무력화시키면 미국은 고립상태에 빠지고 부득불 조선에 장기간 머무를 수 없게 됨. 미군 몇 개 사단을 좀더 공략할 수 있으면 조선문제는 더욱 쉽게 해결될 수 있음. 이번 전역에 한정해 말한다면 전투가 쉽게 풀려나가고 식량공급이 순조로울 경우 춘천, 가평, 홍천 등에서 비교적 많은 국군을 공략할 수 있음. 여섯 번째, 전역을 시작하기 전 가능하다면 며칠 휴식한 뒤 전투에 투입시킬 것. 국군 제1사단, 제6사단을 공략하기 전에도 이같이 하도록 하고 춘천을 치기 전에도 같은 요령으로 할 것. 전체적으로 볼 때 주도권은 우리의 손아귀에 있으니만큼 지나치게 무리할 필요는 없음. 일곱 번째, 전투가 여의치 못하면 병력을 철수시켜 적당한 곳에서 휴식을 취한 뒤 다시 전투를 치르겠다는 동지의 의견에 전적으로 동감임."

사흘 뒤인 12월 24일, 모택동 주석은 제3차 전역의 구체적인 작전계획에 대해 팽덕회 사령관에게 다시 전보를 보내 "지금 국군과 미군 일부는 38도와 37도 선 사이에 방어선을 치고 있으므로 아군의 입장에서는 상대를 각개 격파하는 것이 가장 유리함. 현재 국군의 병력이 집중되면 우리에게 유리하고 분산해 있으면 불리함. 인민군 제2, 제5군단을 깊숙이 상대 후방에 침투시켜 그들을 분산시키려는 원래계획은 재고할 필요가 있음."이라며 각개 격파를 강조했다.

모 주석의 이러한 지시는 우리들에게 38선 돌파의 결심을 한층 굳게해 줄 뿐 아니라 작전계획을 한결 구체화시켰다.

연합사가 성립됐으므로 우리는 제3차 전역에서는 지원군 6개 군과 조선인민군 3개 군단 등 모두 9개 군단 병력으로 공격을 개시키로 했다.

전역의 목적은 38선 돌파와 국군공략에 있었다. 따라서 측면 우회작전이 아닌 정면 돌파작전을 쓰기로 했다.

임진강 돌파에 중점을 두었다. 상대의 38선 방어선을 정면으로 돌파해 미군과 국군을 분리시킨 뒤 동쪽의 국군을 주 공격대상으로 삼았다.

12월 22일 작전부서를 최종 결정했다. 서울 북쪽에는 서쪽에서 동쪽으로 50, 39, 40, 38군과 6개 포병단이 배치해 지원군우익돌격집단군이 되었다. 조선인민군 제1군단과 연합작전을 벌이며 고랑포에서 영평에 이르는 30여㎞의 정면을 돌파한 뒤 동두천, 서울방향으로 주공을 삼는다. 먼저 38, 39, 40군 3개 주력군을 주공으로 삼아 39군은 중앙에서 정면 돌파해 미군과 국군과의 연결부를 끊는다. 40군은 중간에서, 38군은 동쪽에서 아래로 치고 내려가 국군 6사단을 포위 섬멸하고 다시 국군 제1사단을 섬멸한다. 순조로울 경우 다시 의정부 쪽으로 진격해 승세를 굳히면서 서울을 빼앗을 기회를 엿본다.

50군은 모석동에서 고랑포에 이르는 선을 돌파한 뒤 39군을 따라 전진하면서 39군이 상대에 타격을 입히는 데 합동작전을 벌인다. 인민군 제1군단은 동장리 동쪽 일대에 위치해 문산 쪽으로 진공을 실시한다. 아군의 우익집단군이 상대를 공략하는 데 연합작전을 벌이면서 아군우익의 안전을 맡는다.

춘천, 가평 북쪽에는 서쪽에서 동쪽으로 42, 66군과 1개 포병단이 배치돼 지원군좌익집단군으로서 우측의 38, 39, 40군 등 3개 군을 좌측에서 엄호한다. 좌익집단군은 영평에서 마평리에 이르는 30㎞의 전선 정면을 돌파한 뒤 각각 가평과 춘천 방향으로 돌격한다. 주력을 집중시켜 국군 제2사단의 1, 2개 연대를 공격하고 순조로울 경우 가평 방향으로 치고 들어간다. 이 밖에 66군 일부는 화천에서 북한강을 건너 춘천 북쪽의 국군 제5사단을 공략하는 것처럼 거짓공격을 시도해 5사단의 발을 묶어 좌익의 인민군 제5, 제2군단이 남진하는 것을 도와준다. 42, 66군은 앞서 말한 임무를 완수한 뒤에는 가평, 청평리 쪽으로 치고 들어가 춘천과 서울 간의 교통을 끊는다.

동쪽의 인민군 제2, 제5군단은 아군과 일정한 간격을 유지하면서 전역이 일어나기 전 일부병력을 양구, 인제 일대에 배치해 국군 제2, 제1군단의 연결부를 돌파시킨 다음 홍천 방향으로 진격한다. 상황에 따라 기동하면서 공격해야 할 곳이 있으면 공격해 적을 흡수하는 일을 맡아 지원군 주력 작전과 발맞춘다.

지원군의 수송능력을 강화하기 위해 군사위원회는 우리에게 2천 대의 차량을 보충해 주기로 결정했다. 또 1개 공병단을 조선에 보내 정주~평양 간 도로복구와 교량건설 및 지뢰제거 작업을 하도록 명령을 내렸다. 이 밖에 철도병 교량연대와 독립연대를 조선에 보내 대동강교 등 철로교량을 수리하는 임무를 맡도록 지시했다.

38선남하작전의 식량부족을 해결하기 위해 조선정부와의 협의를 통해 현지인민정부의 협조 아래 아군은 전역을 시작하기 전에 평양 동쪽과 남쪽, 함흥, 영흥 일대에서 양식 3만 톤을 빌려 부대작전의 급한 수요에 충당토록 했다.

지난 두 차례의 전역에서 경험했듯이 아군은 제공권이 없고 적기는 대낮에 맹렬하게 폭격을 일삼느니만큼 우리는 야간에만 전투를 할 수밖에 없었다. 더구나 달이 떠 있는 밤은 아군의 야간전투에 안성맞춤이다.

따라서 공격개시는 보름달이 떠오를 때를 감안해야 했다. 그러나 공격개시일을 보름달로 잡을 수는 없었다. 보름달에 공격을 시작하면 날이 갈수록 달이 작아지고 어두워지기 때문이다. 가장 좋기로는 보름달 뜨기 며칠 전이다. 이렇게 되면 전역이 최고조에 이를 때(우리의 전역은 평균 7일이다) 달은 바야흐로 보름달이며 가장 밝게 된다.

우리가 살피건대 양력 12월 말과 1월 초순은 음력으로 11월 중순, 바로 보름달이 뜨는 시기였다.

그중에서 12월 31일은 바로 보름달이 뜨기 며칠 전이다. 이 시기를 놓치면 1월 중순은 초승달이 뜨는 때로 날이 어두워지면 제대로 앞을 보기 어렵다.

한 달이 더 지나야 보름달이 떠오른다. 12월 31일은 양력으로 섣달 그믐날, 미군과 국군은 새해를 앞두고 설레고 있을 터였다. 성탄절의 분위기도 채 가시기 전이다. 이번에는 섣달그믐날 적의 경계심이 풀어진 틈을 주로 노렸다. 상대의 허를 찌르면 기습의 효과는 한결 두드러지는 법.

이런 상황을 고려해 펑 사령관과 우리는 이번 전역의 공격개시일을 12월 31일 밤으로 결정했다.

제3차 전역에는 둥화가 참전치 못했다. 그는 제2차 전역 후반 38군 사령부의 현장보고회에 참석했다가 돌아오는 길에 자동차사고로 머리를 다쳐 치료를 받기 위해 귀국했다. 귀국길에 그는 동북군구와 군사위원회에 전선의 상황을 보고했다. 이번 전역에서도 펑 총사령관은 최전선에 나가 일선 병력을 직접 지휘하고 싶어 했다. 그러나 마땅한 곳이 없어 펑 총사령관은 이번에도 한선초를 우익부대로 보내 전선을 독려하도록 했다. 좌익의 2개 군은 42군단장 오서림이 지휘했다. 펑 총사령관과 나는 지원군사령부에 머물렀다.

전역준비가 거의 끝날 즈음인 12월 28일 펑 사령관은 최종계획을 모택동 주석에게 보고했다. 모 주석은 다음 날인 29일 회신에서 다시 한번 38선 돌파의 중요성을 강조했다.

"38선에 대해 사람들이 가지고 있던 낡은 인상을 이번 기회에 완전히 씻어버려야 함. 아군이 38선 이남이나 이북 어디서 휴식을 취하든 무방함. 그러나 이번 전역을 일으키지 않고 아군이 겨울 내내 휴식을 취한다면 자본주의 국가들에게 쓸데없는 자신감을 심어줄 우려가 있음.

민주진영의 각국에서도 대부분 자연스럽지 못하다고 여길 것이며 의론이 분분할 것임. 아군이 현재의 병력배치에 따라 1월 상순에 국군 몇 개 사단과 미군 일부를 섬멸하고 2개월 뒤에 춘계공세를 취할 수 있다면 민주진영과 자본주의 각국의 인민대중에 대한 영향은 엄청날 것임. 제국주의에 대해서도 새로운 타격을 입혀 실패감을 안겨줄 것임."

38선을 넘다

12월 31일 황혼. 아군은 예정된 계획에 따라 약 2백km에 걸친 전전선에서 공격을 개시했다. 몇 개 포병단에서 상대 진지를 향해 포격을 개시한 뒤 지상군은 잽싸게 임진강을 도하했다. 38, 39, 40군은 모두 31일 밤에 돌파임무를 끝냈다.

좌익의 42군, 66군도 31일 밤으로 상대 진지를 돌파했다. 한선초지 휘부(줄여서 한지(韓指)라고 함)는 40군사령부와 같이 있었다.

미군은 잇단 패배로 이미 아군에 대해 두려움을 갖고 있어 감히 제1선에서 저항하려 들지 않았다. 제1선을 맡고 있는 것은 모조리 국군이었다. 국군은 우리를 더욱 무서워했다. 아군의 강력한 공격을 받고서 그들은 걸음아 날 살려라 하며 도망쳤다. 우리는 상대의 약점을 꿰뚫어 전적으로 국군만을 공략해 더욱 순조로웠다.

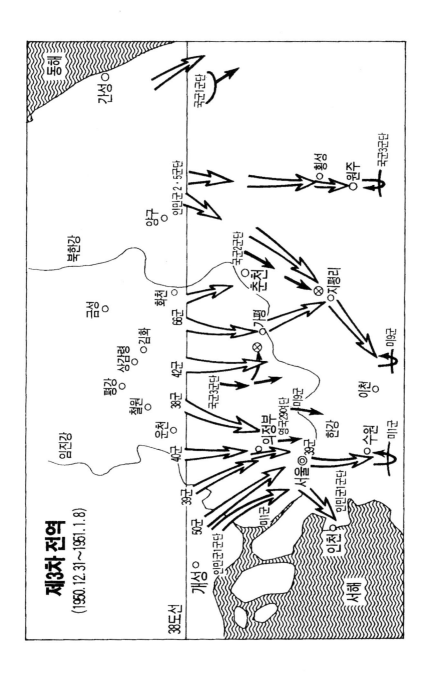

제3차 전역
(1950. 12. 31~1951. 1. 8)

38도선

동해

간성

국군1군단

황성
원주
국군3군단

인민군 2·5군단
양구

북한강

지평리
춘천
국군2군단

금성

가평
미9군

삼방령
김화
66군

이천

평강
철원
42군
국군3군단

의정부
영국29여단
미9군
한강
수원
미군

운천
38군

서울
39군
인민군군단

40군

39군
미군

개성
인민군1군단
50군

인천
인민군군단

서해

그날 밤, 아군은 파죽지세로 상대 B방어선, 즉 미군 방어선을 돌파해 18~20곳의 미군들을 포위했다. 곳곳마다 1개 대대 남짓했다. 그때 우리는 미군을 공략하는 데 약간의 경험이 있었다. 과거 한입에 왕창 먹으려다 제대로 먹지 못한 적이 얼마나 많았던가. 그래서 조금씩 베어 먹기로 해 아군 1개 사단이나 2개 연대가 미군 1개 대대를 포위했던 것이다. 이리하여 18~20군데의 미군대대를 포위했는데 한밤중 돌파에 성공해서 이루어진 것이다.

최전선에서 무전기로 이런 상황을 한선초에게 보고하자 그는 매우 기분이 좋았다. 옆에 있던 작전처 부처장 양적에게 웃으며 말했다. "이거 재미있겠는걸. 날이 밝으면 어떤 일이 벌어질지 궁금하구먼" 포위된 미군들이 탱크를 빙 둘러싸고 그 안에 숨어 있었기 때문이다. 우리는 미군 방어선을 돌파한 뒤 너무나 급하게 서둘러서 추격해 왔기 때문에 포병이 따라오지 못했다. 보병이 휴대한 경화기로 탱크를 공략하는 데는 어려움이 컸다.

이런 상황인데도 한선초는 각 군에 한껏 적을 포위해서 섬멸하도록 지시했다. 완전섬멸이 불가능한 경우에는 일부소멸도 가능하다고 했다. 기동을 하면서 그들에게 접근하게 되면 적기는 자기네 병사들이 다칠까 봐 감히 폭격을 하지 못한다는 것이다. 동시에 폭약을 집중시키거나 수류탄을 터뜨려 적의 탱크를 파괴할 수 있다는 것이다.

소위 '한지(韓指)'는 한선초와 작전처 부처장 양적과 참모 1명으로 이루어졌다. 그들은 2대의 지프차에 나누어 탔다. 중형트럭 1대가 뒤따랐다. 위에는 무전시설을 갖추었고 무전병과 기밀요원이 탔다. 38선을 통과할 때 도로 곳곳에 지뢰가 깔려 있어 더듬더듬 지나가는데 앞에 가던 40군 트럭 1대가 "펑" 소리를 내며 폭파됐다. 그들이 탄 2대의 지프차는 길가를 따라 비스듬히 나아간 반면 뒤에 따라오던 중형

트럭은 도로를 따라 곧장 진행해 가다 그만 "펑" 소리를 내며 파괴됐다. 기밀요원은 여성동지였는데 다리뼈가 폭탄의 충격으로 날아가 응급붕대로 휘감아 서둘러 후송됐다. 남은 이들은 40군의 트럭에 옮겨 타고 서둘러 최전선으로 향했다. 장애물을 헤치고 나간다 해도 찬찬히 들여다볼 수는 없었다. 어디에 지뢰가 묻혀 있는지 알 수가 없었다. 다만 길 어귀에 지뢰가 특히 많이 묻혀 있었다. 길을 가는데 도처에서 "펑, 펑" 폭발음이 들렸다. 그들은 하반야(下半夜, 자정 이후 밤)에 남조선에 진입했다. 날이 밝으면 움직일 수 없었다. 미군전투기가 정신없이 폭격을 해대기 때문에 날이 밝기 전 그들은 동두천(의정부북쪽) 북쪽 산의 한 절간에 숨어들었다. 날이 밝자 적기가 날아와서는 저공비행을 하며 아군에게 기관총소사를 해대며 미군지상부대가 포위망을 뚫는 것을 도와주었다. 이 순간, 포위된 적 탱크가 잽싸게 움직이고 이어서 차량들이 움직였다. 우리는 눈을 빤히 뜨고서도 적이 도망가는 것을 따라잡을 수 없었다. 그래서 포위된 미군 대부분은 도망쳐버렸고 일부의 적에게 타격을 입혔을 뿐이다.

39군은 31일 17시 40분 임진강을 돌파한 후 군 주력은 1일 동트기 전 상대 방어선 약 10㎞를 치고 들어가 도강을 준비하던 50군에게 큰 도움을 주었다. 40군 소속 제117사단은 돌파 후 연도에서 상대의 5차례에 걸친 저격을 물리쳤다. 1일 5시 우회해서 상수리, 선암리에 이르러 국군 6사단과 국군 1사단의 연결고리를 끊는 데 성공했다. 그러나 유리한 지형을 이용하고서도 제6사단을 제대로 차단할 수 없었다.

40군은 31일 18시 30분 임진강을 돌파한 뒤 1일 동트기 전 상대의 방어선 12㎞까지 치고 들어가 동두천 서쪽의 안흥리 상패리를 점령했고 일부병력을 동두천의 동산에 보내 국군 제6사단의 퇴로를 끊으려 했으나 상황을 제대로 이해하지 못해 스스로 철수하는 바람에 구멍이 생겼다.

38군은 31일 18시 돌파 후 주력은 포천의 미군(1개 연대)을 향해 공격을 시작했다. 포천 서쪽 신읍리에 이르렀을 때 포천의 미군이 남쪽으로 철수하기 시작했다. 예하 114사단은 우회임무를 맡아 1일 12시에는 상대의 방어선 깊숙이 20㎞까지 치고 들어가 동두천 동남쪽에 있는 칠봉산을 점령했다. 그러나 길이 멀고 험한 탓에 조금 늦게 도착하는 바람에 39군과 함께 포위망을 구성하지는 못했다.

아군이 확실하게 적을 포위하지 못해 50군 주력은 39군의 협조를 얻어 1일 아침 임진강을 돌파하고 2일 문산 동쪽에 이르렀다. 문산의 국군 제1사단은 아군 50군, 39군의 공격을 받자 2일 12시 남쪽으로 물러났다.

인민군 제1군단은 2일 문산 부근 선유리, 파주 일대에 이르렀다.

좌익집단군인 42군은 31일 18시 20분 상대 진지를 돌파했으며 주력은 1일 화현리 중판리 적목리 일대까지 전진해 국군 제2사단 1개 대대 이상의 병력을 살상했다. 그러나 낮에는 가평 남쪽으로 진격을 하지 못해 상대퇴로를 끊지 못한 바람에 가평의 적이 퇴각하기에 이르렀다. 2일 10시 42군은 가평을 점령했다.

66군 주력은 31일 20시 30분 상대 진지를 돌파한 후 1일, 2일 사이 차례로 수덕산 상하홍적리, 상하남종 일대를 점령했다. 그리고 42군과 합동해 이 일대의 국군 제2사단 31연대, 32연대와 국군 제5사단 36연대 대부분과 국군포병 제24대대를 섬멸했다. 예정된 임무를 성공적으로 완수한 셈이다. 그러나 66군에서 춘천 쪽의 양동작전을 맡았던 198사단 주력은 동작이 느려 상대를 제대로 잡지 못해 춘천 북쪽의 상대가 남으로 퇴각하게 했다. 2일 15시, 우리는 춘천을 점령했다.

인민군 제5, 제2군단은 전역이 일어나기 전 이미 일부병력에게 38선을 넘어 국군 제3사단이 퇴각하는 것을 뒤쫓도록 했다. 전역이 일어난 후에는 주력부대 역시 38선을 넘어 지원군작전에 동참했다.

51년 새해 첫날, 미군전투기가 끊임없이 군자리 상공을 맴돌았다. 조선인민군전방사령부는 전승을 축하하고 새해를 맞이해 팽 총사령관, 나와 해패연을 초청해 개고기를 대접했다. 전역의 진행이 순조로운 터라 조선의 여성접대원들이 연거푸 팽덕회 사령관에게 술을 권했고 팽 사령관 역시 마다하지 않고 술잔을 들이켰다. 이어 주흥이 무르익자 무도회가 시작됐다.

나는 팽 사령관의 안전을 책임진 몸이다 보니 여간 불안스럽지 않았다. 인민군사령부 건물 위로 미군전투기들이 끊임없이 선회하고 있었고 사령부 건물 자체가 제대로 은폐되어 있지 않아 자칫 공습을 당하면 큰 화를 입을 가능성이 컸다.

나는 아무래도 안심이 되지 않아 슬그머니 팽 사령관의 소매를 잡고 "이제 돌아가시죠"라고 권해 우리 지원군사령부로 되돌아왔다.

사령부에 도착해 팽 사령관께서 거나하게 취했다 싶어 휴식을 좀 취하도록 권하자 그는 말짱한 얼굴로 되레 내게 "홍형, 괜찮아. 장기판이나 들고 와, 두 판은 두어야지." 하며 껄껄 웃는 것이었다.

1월 2일, 아군은 이미 전전선에 걸쳐 상대 방어선 깊숙이 15~20㎞까지 치고 들어가 상대 전 병력을 혼란 속에 빠뜨렸다. 그들은 제1방어선(국군방어선)이 완전히 무너지자 동쪽 측면이 완전히 드러났다. 상대는 우리가 그들의 동쪽 측면에서부터 깊숙이 우회포위를 할 경우 10만여 명의 군대가 한강 북쪽 기슭에서 배수작전을 벌이는 위험에 빠질 것을 우려해 1월 2일 전전선에서 철수를 개시했다.

팽 총사령관과 나는 상대가 이미 저항할 뜻을 버리고 잽싸게 철수한다는 보고를 받았다. 그들이 서울을 포기할 가능성이 있다고 보았다. 또한 한강 남쪽 기슭을 지키거나 심지어 계속해서 남쪽으로 철수할지 모른다고 판단했다. 일선에 승기를 틈타 계속 밀어붙이라고 지시했다.

1월 3일, 우익집단군과 인민군 제1군단에게는 인천 서울 수원 쪽으로 추격하도록 명령을 내렸고 좌익집단군과 인민군 제5, 제2군단은 홍천, 횡성 쪽으로 추격에 나섰다.

1월 3일, 우익 50군은 고양 북쪽에서 미제25사단 1개 대대의 저항을 물리친 뒤 고양 남쪽의 영국군 제29여단의 퇴로를 끊었다.

격전 끝에 그날 밤 제29여단 휘하 1개 보병대대와 제8기병(탱크)연대 직속 중대를 물리치고 탱크 11대를 노획했다.

영국군 제29여단은 2차대전 당시 노르망디상륙작전에 참가한 그 유명한 몽고메리부대의 후신이다. 50군은 포위망을 압축한 뒤 폭약을 터뜨려 선두탱크를 파괴했다. 나머지 탱크는 자연히 퇴로가 막혀 탱크병들이 모두 투항했다. 영국군 제29여단 대대장도 생포했다.

이와 동시에 39군은 의정부 서남쪽에서 미제24사단 21대대와 조우해 사살했다. 이어 의정부 서남쪽에서 영국군 제29여단 2개 중대를 사살했다.

4일, 38군, 40군은 의정부 남쪽에서 미제24사단 17연대 일부를 사살했다.

아군이 미군 방어선을 돌파하자 그들은 필사적으로 후퇴했다. 서울도 포기하기에 이르렀다. 제8군이 신속하게 서울을 철수하기 위해 3일 오후 워커 중장의 후임으로 부임한 미제8군 사령관 리지웨이 중장은 직접 한강대교에 나와 지휘했다. 오후 3시 이후 한강의 통행을 금지시켰다. 한강다리와 그 길목에는 군인을 제외한 누구도 통행할 수 없다고 규정하고 헌병에게 이 규정을 위반하는 시민들에게는 발포하도록 명령했다. 그날 오후 미군은 서울을 떠나 한강 남쪽 기슭으로 철수했다.

우리는 미군이 서울을 포기할 수도 있다고 예상했지만 그들이 이처럼 빨리 서울을 포기하리라고는 생각지 못했다. 또 그들이 곧장 수원을 잇는 선까지 물러날 줄도 생각지 못했다.

4일 밤 우리 우익의 50군과 39군 116사단, 조선인민군 제1군단은 서울을 재점령했다. 아군이 서울을 탈환한 사실은 국제적으로 큰 반향을 불러일으켰다. 미군의 위신은 땅에 떨어지고 아군은 사기가 충천했다.

5일 낮 조선인민군은 서울에서 장엄한 입성의식을 거행했다. 이날 밤 북경 천안문광장에서 전승을 축하하는 군중들이 밤을 새며 열광했다.

그러나 이때 미군은 서울 부근 김포공항과 인천항을 장악하고 있었다.

팽 총사령관은 아군이 승세를 몰아 한강을 건너 한강 남쪽 기슭의 적을 몰아낸다면 서울을 확고히 할 수 있을 뿐만 아니라 김포, 인천 등 요충지를 확보할 수 있어 앞으로의 작전에 더욱 유리하다고 판단했다.

그래서 팽 총사령관은 4일 밤 50군에 빨리 한강을 건너 후퇴하는 상대를 추격토록 하고 인민군 제1군단은 1개 사단만을 서울방어에 맡기고 나머지 주력은 김포공항과 인천항을 점령토록 했다.

당시 팽 사령관의 또 다른 생각은 이러했다. 서울을 점령한 뒤에 지나치게 깊숙이 추격하는 것은 필요하지 않다는 생각이었다. 당시 아군 후방과는 너무 멀리 떨어져 있어 병참보급이 제대로 이루어지지 않았다. 그래서 일부병력에 도망치는 상대를 쫓으라고 명령을 내리는 것과 동시에 38, 39, 40군 등 주력부대는 한강 북쪽 기슭에서 3일 동안 쉬도록 했다.

5일, 50군과 인민군 제1군단이 한강을 건너 인천, 김포, 수원 쪽으로 추격을 계속했다. 50군은 6일, 7일 과천, 군포에서 미국, 영국군 일부를 섬멸했고 7일 수원, 금양장리를 점령했다. 인민군 1군단은 5일 김포를 점령했고 8일 인천을 공격해서 점령했다.

좌익집단군인 42군, 66군은 한강, 소양강을 건넌 뒤 4일, 66군은 홍천을 점령했고 42군은 양덕원리를 점령했다. 그 후 42군 제124사단은 계속 전진해 6일 이목정 일대에서 미군 제2사단 1개 중대를 섬멸했고 7일 지평리를 점령했다. 8일 차례로 양평 여주 이천을 점령했다. 인민군 제2, 5군단은 각각 6일, 8일 횡성, 원주 일대를 점령했고 계속해서 영주 방향으로 추격했다.

1월 8일 우리는 이미 37도 선 부근 평택 안성 제천 삼척까지 몰아붙였다.

이때 팽 총사령관과 우리의 판단은 이러했다. 이번 전역에서도 쉽게 이기기는 했지만 상대 주력을 무력화시키지 못한 점, 또 유엔군이 방어선을 쉽게 포기했으나 주력은 일찌감치 남쪽으로 후퇴한 점 등을 고려할 때 상대가 우리를 깊숙이 유인한 뒤 우리의 배후에서 또다시 상륙작전을 꾀하려는 음모가 있을 것 같았다. 8일 팽 총사령관은 전군에 추격정지 명령을 내렸다. 이로써 제3차 전역도 일단락되었다.

평양주재 소련 대사의 항의

아군이 조선에 들어온 지 2개월여 동안 3차례 전역에서 모두 대승을 거두었다. 더욱이 이번 제3차 전역에서 아군은 앞서 두 차례의 전역보다 훨씬 어려움이 큰 상황에서도 조선인민군과 함께 7일 밤낮 연합작전을 벌여 80~110㎞를 전진하면서 상대를 37도 선 부근으로 밀어내고 서울을 점령했다.

이로써 그들이 유엔에서 장난치려던 휴전음모와 38선을 고수하면서 시간을 벌어 다음 전쟁을 준비하려던 기도를 분쇄했다. 한 걸음 더 나아가 아국의 국제사회에 대한 위신과 영향력을 확대했으며 상대의 내부모순과 패배감을 심화시켰다.

이때 우리 진영에선 잇단 승리에 힘입어 계속 밀어붙여 끝장을 내자는 의견들이 나왔다.

일부에서는 "왜 추격을 중지하지요, 지금 상대는 걸음아, 날 살려라 하고 도망치고 있고 서울마저 해방시킨 터에 왜 계속 밀어붙이지 않고 이쯤 해서 제3차 전역을 종결짓는 거요."라고 공개적으로 투덜거렸다.

또 다른 친구들은 "제3차 전역을 중지해서는 안 되며 승기를 잡았으니 여세를 몰아 미국친구들을 조선반도에서 아예 몰아내야 돼."라고 주장했다.

팽 총사령관은 결단코 이런 견해에 동조하지 않았다. 그는 그런 견해가 실제에 맞지 않으며 군사적인 측면에서 볼 때 근본적으로 있을 수 없다고 생각했다. 팽 총사령관은 내게 여러 번 말한 적이 있었다.

"단숨에 가능할 것 같아? 천만에. 그렇게 많은 장비를 갖춘 상대를 단숨에 바다로 빠뜨릴 수 있을까. 불가능해. 마찬가지로 상대도 우리를 밀어낼 수 없을 거야. 가능하다면 말이야, 우리가 상대를 섬멸시키려는 임무를 빠른 시일 안에 완수하기를 바랄 뿐이지."

그러나 특히 조선주재 소련 대사 라자예프는 팽 총사령관의 견해에 반대했다. 그는 팽 사령관을 겨냥해 "누가 전투에서 이기고도 적을 추격하지 않는가. 이런 작전을 지시하는 사령관은 도대체 누구인가."라고 공개적으로 비난했다. 그는 줄곧 우리더러 계속 추격해서 부산까지 밀고 들어가 상대를 바다에 빠뜨리라고 촉구했다.

팽 총사령관은 그 말을 전해 듣고는 "그의 말에 신경 쓰지 마. 내가 인민에게 책임을 지고 있는 한 경솔할 수 없어."라고 말했다.

나는 팽 사령관과 조석으로 함께 있다 보니 그의 생각을 이해할 수 있었다. 내 생각에도 팽 사령관의 견해가 피아 양측의 실정을 객관적으로 분석한 데 기초를 둔 옳은 판단이라고 생각했다.

팽 사령관은 라자예프가 한쪽 면만을 본 것으로 여겼다. 단순히 우리가 이긴 것, 병사들의 사기가 극도로 오른 일면만을 보고 언급한 것이지 우리가 갖추지 못한 여러 조건들을 보지 못했다는 것이다. 팽 총사령관은 '상대를 바다에 몰아넣는 것'은 아군이 현재 보유하고 있는 역량으로는 이룰 수 없다는 판단을 한 것이다.

첫째, 아군은 2개월여의 연속작전으로 극도로 피로했고 병력손실 또한 엄청나다는 점이다. 반드시 휴식과 재정비가 필요했다. 둘째, 제3차 전역에서 아군이 승리를 거두기는 했지만 상대의 주력에 타격을 가하지는 못했다는 점이다. 상대 장비의 절대적인 우세 등을 감안하면 피아 전력대비에 변화가 생기지 않아 아직은 결전의 시점이 성숙되지 않았다는 점이다. 셋째, 제3차 전역 후 아군의 전선이 신속하게 남쪽으로 뻗어갔기 때문에 보급선이 500~700km에 이르고 있었다는 점이다.

여기에 미군기 공습이 가세하고 수송장비가 모자라 보급에는 더욱 큰 어려움이 따랐다. 부대에서 필요한 양식을 대부분 현지에서 꾸어서 충당하고 있는데 그나마 현지인민들의 여유분도 한계가 있는 만큼 수요를 제대로 채우기가 어려웠다.

넷째, 아군이 당시 동서해안 방어에 허점을 보여 양익측면이 드러나 있다는 점이다.

우리가 계속 남진할 경우 상대가 우리 측면과 배후에서 상륙작전을 감행해 협공해 온다면 '인천상륙작전의 재판'이 되지 말라는 법은 없다.

위에서 말한 분석에 기초해서 팽 총사령관은 예하 부대에 추격중지 명령을 내렸던 것이다.

한선초 동지는 40군 사령부에서 팽 총사령관과 해패연에게 보내온 전보에서 이렇게 말했다. "이번 전역(3차 전역을 가리킴)에서 활약을 한 것은 모두 고참병들이었습니다. 최전선 작전부대는 극도로 피로했고 어려움이란 말로 나타낼 수 없을 정도였습니다. 38선 이남에서 적들은 집을 불태우고 양식을 없애버려 병사들이 밥을 먹거나 휴식하는 데 어려움이 많았고 체력소모가 컸습니다. 게다가 병참보급이 제때 이루어지지 않았습니다. 최전선에서는 양식, 탄약, 신발 등의 보충이 시급합니다. 새로운 병력충원 없이 현재 병력에 의존해서 대공세를 다시 시작하려 든다면 분명 불가능하다고 말씀드릴 수 있습니다." 한선초 동지가 얘기한 사정에서도 알 수 있듯이 팽 총사령관이 일선부대에 추격중지 명령을 내린 것은 정확한 결정임이 다시 한번 입증되고 있다.

그런데 뜻밖에도 소련 대사는 이일을 스탈린에게까지 확대시켰다. 팽 총사령관은 모 주석에게 전보를 보내 자신의 견해를 설명했다. 모 주석은 팽 총사령관의 의견을 스탈린에게 전달했다.

스탈린은 답신에서 "열세한 장비로써 세계최강의 미제국주의를 무찌른 팽덕회는 당대 천재적인 군사전문가이다. 팽의 의견이 옳다."고 말했다. 그는 동시에 라자예프를 비판하면서 다시는 함부로 발언을 하지 못하게 하겠다고 했다. 그 후 라자예프를 귀국 조치시켰다.

제3차 전역 당시 미군포로들과 만나 나눈 대화에 대해 잠깐 얘기해보겠다. 당시 포로들의 얘기가 아직도 생생하다.

51년 1월 상순, 나는 군자리 지원군사령부에서 포로로 잡혀온 5명의 미군 중대장과 만나 통역을 두고 얘기를 나누는 기회를 가졌다.

나는 미군들이 중국군에 대해 어떤 인상을 가졌는지 궁금해 "지원군에 대해 어떻게 생각하는지 허심탄회하게 말씀 좀 해보시오."라며 말문을 열었다.

그러자 한 중대장이 엄지손가락을 치켜세우며 "당신들 전술은 대단합니다. 나는 제2차 세계대전에도 참전했습니다만 우리 작전은 포병화력 공격부터 시작해 비행기가 대량 폭격을 퍼부은 뒤 보병이 나중에 갑니다. 그런 데 반해 중공군은 바로 우리 등 뒤로 접근해 배후를 강타하지 않습니까. 이런 전투는 처음 겪어봅니다."

내가 말했다. "당신네들 전투는 밀어붙이는 것이고 우리는 지형을 이용해서 분할, 우회, 포위로 이루어지는 거죠."

그가 말했다. "중국군대의 그 같은 전법은 끔찍했습니다."

"그런 말을 들으니 아군의 전술이 유효한 것 같구려."

다른 중대장이 거들었다. "당신네 병사들은 용감합니다. 우리 사병들은 모두 집단으로 움직이지요. 중대, 대대별로 말입니다. 당신네 병사들은 어떻게 3~5명씩 작전을 벌일 수 있는지 이해하기 어렵습니다."

다른 중대장도 동감을 나타냈다. "중공군들은 독립작전에 능합니다. 우리들은 전투를 단체로 하며 훈련 역시 단체로 받습니다. 각개 전투 능력이 당신네만 못합니다."

또 다른 중대장이 말했다. "전투는 낮에 하고 밤에는 쉬어야 되지 않습니까. 그런데 당신네는 밤에 공격해 오니 우리는 언제 기습을 받을지 몰라 전전긍긍하는 형편입니다."

"무슨 방법을 쓰든 아군의 장점을 충분히 발휘할 수 있고 당신네들을 이길 수만 있으면 좋다는 생각이오."

아군은 2개월에 걸친 잇단 전투로 극도로 피로했다. 3차 전역이 끝나기 전에 벌써 팽 총사령관은 적당한 시기에 병력을 휴식시켜야겠다는 뜻을 가진 바 있었다. 그래서 3차 전역이 끝나자마자 팽 총사령관은 일선부대에 명령을 내려 휴식을 취하도록 했다. 1951년 1월 8일부터 지원군 주력부대와 인민군 제1군단 일부가 각각 서울, 고양, 동두천, 마석우리, 가평과 김화 일대에서 휴식에 들어갔다. 다만 50군과 38군 112사단, 인민군 제1군단 2개 사단이 한강 남쪽에서 해안방어와 한강대교 남쪽진지의 경계를 맡았고 42군 제125사단이 남한강 동쪽에서 정면의 상대를 경계하는 일을 맡았다. 인민군 제2, 제5군단도 일부병력을 정면경계에 투입하고 주력은 홍천, 횡성 동쪽 일대에 집결시켜 휴식에 들어갔다. 팽 총사령관은 중앙에 전보를 보냈다. "병력들이 잇단 작전으로 큰 손실을 보아 휴식과 보충이 급히 필요함. 신병은 제때 보충되지 않을 뿐만 아니라 경험이 없으므로 국내의 군에서 고참병을 추려서 보충하는 것이 필요함. 조선의 부대들은 현지에서 휴식을 취하고 탄약을 비축하는 데 3개월 정도의 준비가 있어야 다시 전투에 들어갈 수 있음"

팽 총사령관은 지원군사령부에서 이렇게 말했다. "이번은 대충 쉬는 것이 아니라 진짜 푹 쉬는 거야."

당시 김일성 수상은 팽 사령관의 향후계획에 대해 직접 알고 싶어했다. 김 수상의 제의에 따라 1월 10일 저녁 그는 조선주재 중국대사관 무관 시군무(본명 시성문)를 대동하고 군자리 중조연합사령부를 찾아와 팽 총사령관을 만났다. 나도 이 회의에 참석했다.

회의가 시작되자 팽 총사령관은 먼저 김일성 수상에게 지난 3차례 전역에서 지원군의 사상자가 많고 수송이 어려운 데다 병사들의 영양이 모자라 휴식과 보충이 절실하다고 지적하고 도로수송을 위해 복구가 시급하다고 밝혔다. 상대는 20여만 명의 병력을 평택, 안성, 제천, 영월, 삼척을 잇는 선에 방어선을 구축해 어느 정도 자리를 잡았다고 소개하고 우리가 이 선에서 상대를 공략하는 것이 그들을 부산과 같이 협소한 곳으로 밀어 넣는 것보다 유리하다는 견해를 밝혔다. 팽 총사령관은 우리 측이 충분한 준비과정을 통해 이 선에서 보다 많은 상대에 타격을 입히는 것이 필수적이라며 이 점을 특히 강조했다. 여러 면에서 볼 때 상대 7, 8만 명을 다시 살상시키거나 중대한 정치상황의 변화가 없다면 그들은 조선반도에서 물러나지 않을 것이라고 강조했다. 팽 총사령관이 이러한 견해를 밝힌 후 쌍방은 향후 작전문제에 대해 의견의 일치를 보았다. 즉 다음 전역은 2, 3개월 뒤 봄에 실시할 것이며 이 기간 동안 부대를 훈련시킨다는 것이다. 쌍방은 1월 25일 군자리에서 중조 양국군 고급간부연석회의를 개최하기로 합의했다.

51년 1월 25일 중조 양국군 고급간부회의가 예정대로 군자리에서 열렸다.

그곳에는 커다란 탄광갱도가 있었다. 여러 층으로 나뉘어져 있었는데 제일 밑에 널따란 광장이 있었다. 거의 1천 명 가까이 앉을 수 있을 정도였다. 그러나 우리는 그렇게 많은 인원을 맞을 수 없었다. 책상 의자를 어디서 준비한단 말인가. 음식마련도 수월치 않았다. 그래서 고급간부회의로 제한했다. 고급간부회의를 연다고 해도 전시다 보니 1백 명이 넘는 참석자들이 앉을 의자도 제대로 준비하기 어려웠다. 벽돌을 쌓아 널빤지를 걸친 것도 있었고 부근의 초등학교에서 부서진 의자들을 긁어모으고 해서 대충대충 회의장분위기를 만들었다.

회의참석자는 김일성 수상과 조선노동당 중앙정치국 주요책임자, 지원군 사령관 팽덕회와 지원군지휘관, 동북인민정부 주석 고강, 지원군 직속부대, 각 군 지휘관, 19병단 사령부에서 조선전쟁을 참관하러 온 지휘관, 조선인민군 총사령부와 각 군단 지휘관 등 모두 122명이었다.

25일 오전, 조선의 김두봉(金枓奉)의 개막사를 시작으로 회의가 시작됐다. 이어 팽 총사령관이 '3차례 전역의 결론과 앞으로의 임무'라는 제목의 보고를 했다. 25일 오후부터 26일까지 조선의 박헌영, 중국의 등화, 두평, 해방, 한선초와 내가 차례로 주제발표를 했다. 27일에는 전투경험의 결론을 쉽게 도출하고 이해를 돕기 위해 양국인사를 섞어 6개 조로 나뉘어 분임토의를 벌였다. 28일부터 29일 오후까지 김 수상과 고강 주석이 기조발언을 했다. 그다음 송시륜 지원군 제9병단 사령관, 방호산조선인민군 제5군단장, 유해청 지원군 제38군 113사단 부사단장, 장봉(張峰) 지원군 제39군 116사단 부사단장이 각자 작전상의 경험사례를 소개했다.

29일 오후 팽덕회 사령관이 대회결론을 맺었다. 그는 대회결론에서 다음과 같이 밝혔다.

"3차례 전역의 경험에 비추어 볼 때 상대가 아무리 우수한 장비를 갖추고 있다 해도 우리가 탄력성 있는 부대운용과 용감무쌍한 보병작전을 결합해 밀어붙인다면 전쟁에서의 승리는 보장할 수 있음을 알 수 있다. 앞으로도 우리는 야간전투와 대담한 우회, 침투를 지속적으로 전개하는 것과 동시에 소수 정예부대로 상대 포병진지와 전방지휘소를 습격해 혼란에 빠뜨리는 작전이 필요하다. 이 밖에 물자보급의 중요성을 빠뜨릴 수 없다. 조선의 지형적인 조건으로 보급품 수송이 어렵고 번거로우니만큼 후근작업의 효율을 높여야 한다."

나는 후근작업에 관련된 주제발표를 통해 지난 3개월간의 실태를 점검했다.

"우리 병사들은 굶주림과 동상의 위험을 무릅쓰고 혁혁한 전공을 세웠다. 그러나 병사들은 지금 3가지 두려움에 떨고 있는 실정이다. 굶주림과 탄약부족, 그리고 부상을 당한 후 내버려지지 않을까 하는 두려움이다. 이것은 우리가 제공권을 완전히 미군에 뺏긴 때문이다. 지난 3차례의 전역을 통해 우리는 1천 2백여 대의 트럭을 잃었다. 하루 평균 30대꼴이다. 우리의 후근역량이 부족해 물자보급에 큰 어려움을 겪고 있다. 미군은 13명의 병참요원이 보병 1명에게 보급을 해주고 있는 반면 우리는 1명의 후근요원이 6~10명의 일선병사의 보급을 떠맡고 있다.

그러면 앞으로 어떻게 할 것인가. 다음번 전역에는 트럭 3천4백 대분의 보급이 필요한데 우리는 고작 트럭 1천여 대를 보유하고 있을 뿐이다. 따라서 첫째, 철로를 보수해 열차를 통한 보급을 강화하겠다. 둘째, 보급물자에 우선순위를 매겨 전선에 수송하겠다. 셋째, 트럭수송 외에 인력, 우마차 등 모든 운송수단을 동원해, 보급에 최선을 다하겠다."

동북군구 고강 주석은 기조발언을 통해 이렇게 밝혔다.

"전선보급을 책임지고 있는 사람으로서 전방의 상황을 제대로 이해하지 못한 점을 사과드린다. 역사적으로 볼 때 군대가 보급을 제때 받지 못해 참패한 적이 많았다. 원활한 물자보급을 위해 동북군구에서 6명의 위원을, 동북인민정부에서 4명의 부장을 선발, 후근작업을 전담토록 했다. 또 물자보급을 위해 철도수리와 비행장 보수에 최선을 다하겠다."

전방에서 중조 양군 고급간부회의가 열리는 것과 동시에 동북군구는 심양에서 지원군 제1차 후근회의를 열었다. 중앙군사위 부주석 주은래 동지가 해방군 총참모장 대리 섭영진, 총후근부장 양립삼, 공군 사령관 유아루(劉亞樓)56), 포병 사령관 진석련(陳錫聯)57), 군사위운

수사령부 사령관 여정조(呂正操) 동지 등을 이끌고 심양에서 와서 회의에 참석했다. 때마침 심양에서 치료를 받고 있던 등화도 회의에 참석했다.

이번 회의는 앞서 있었던 3차례 전역에서의 병참보급에서 얻은 교훈을 바탕으로 항미원조전쟁이 아군의 병참보급을 새로운 단계로 끌어올렸으며 군수품보급에 뚜렷한 변화가 일어났음을 명확하게 강조했다. 보급은 새로운 지도방침, 새로운 공급방법, 새로운 작업체계와 작업분위기로써 이러한 변화와 현대화 전쟁의 요구수준에 발맞추어야 한다는 결론에 이르렀다.

---

56) 劉亞樓(1910~1965) 長征 때 林彪의 제1군단 제2정치부 주임. 53년 2월 공군 사령관. 공군상장. 59년 국방부 부부장.

57) 陳錫聯(1915~1999) 劉伯承, 鄧小平의 부하. 紅軍大學 졸업. 52년 포병 사령관. 69년 중앙정치국 위원. 75년 부총리. 82년 중앙군사위 상무위원 겸 중앙고문위 상무위원.

8

서울 포기

리지웨이의 반격전술

한편 유엔군이 37도 선 부근으로 물러나 서울마저 우리 수중에 떨어지자 미군의 위신은 크게 손상을 입었다.

전황이 불리해지자 유엔군 진영은 분열상을 보이기 시작했다.

51년 1월 상순 열린 영연방수상회의에서 영국은 공개적으로 미국이 더 이상 영연방제국을 조선전장에 끌어들이지 말 것과 정전회담에 나서라고 촉구했다.

이에 반해 맥아더로 대표되는 미국 내의 '매파'들은 아예 우리의 동북지방을 폭격해 중국에까지 전쟁을 확대시켜야 한다고 목소리를 높였다.

이런 와중에 트루먼 미대통령은 51년 1월 12일 "유엔군은 결코 군사적인 패배 이외에는 제 발로 한국 땅을 떠나지 않겠다."고 선언했다.

리지웨이 장군은 제2차 세계대전 당시 노르망디상륙작전에 공수사단장으로 참전한 적이 있었다. 전임 워커 중장보다 군 경력은 짧았지만 작전경험은 풍부했다.

리지웨이는 1950년 12월 25일 제8군 사령관으로 임명된 날 오전, 미국에서 일본으로 가 맥아더를 만났다. 그는 맥아더에게 "전황이 우리에게 유리하다고 판단될 때 제가 공격을 개시한다면 반대하시겠습니까?"라고 물었다. 이에 대해 맥아더는 "제8군은 자네에게 달렸네, 매튜, 자네가 좋다고 생각하면 그대로 하면 되네."라고 답했다.

리지웨이가 이처럼 물은 까닭은 무엇인가. 그는 맥아더가 하급부대의 일에 참견하기를 좋아한다는 사실을 알았기 때문이다. 리지웨이는 맥아더가 자기행동에 간섭하기를 꺼렸기 때문에 선수를 쳐 맥아더에게서 전권을 부여받은 것이다. 이리하여 부대기동을 마음대로 할 수 있게 됐다.

리지웨이는 맥아더로부터 전권을 부여받은 26일 오후 조선전선의 제8군사령부로 날아왔다.

리지웨이 중장은 50년 12월 말 조선에 온 이래 워커 중장이 실패한 교훈을 되살려 병력을 집중하며 방어선을 두텁게 하는 등 작전의 변화를 꾀했다. 또 국군을 엄격히 통제해 직접 미군사단의 지휘를 받도록 했다. 그는 '공격이 최상의 방어'라는 신념 아래 병력을 정비했다.

동시에 미군들은 양호한 수송조건을 최대한 활용해 병력과 탱크 및 야포를 늘리면서 전방보급도 개선해 나갔다.

원래 부산에 있던 미제10군단이 37도 선 부근으로 이동해 제1선 작전에 가담하는 등 유엔군의 지상병력만도 25만 명을 웃돌게 되었다.

리지웨이는 51년 1월 15일부터 이른바 '자석전술'을 구사했다.

대규모의 교전에 앞서 탱크 등으로 이루어진 소규모 기계화 부대로 끊임없이 아군과 접촉해 소모전의 형태로 우리 병사들의 움직임을 제약해 우리가 기습공격을 못 하도록 억제했다.

자기네들에게 유리하면 우리를 밀어붙여 요충지를 점령하는 반면 불리하면 잽싸게 물러나 버리는 것이었다.

리지웨이 중장은 정찰기를 타고 우리 진지를 살핀 끝에 우리의 보급선이 지나치게 길어 더 이상의 효과적인 공격을 할 수 없으리라고 판단한 것 같았다.

따라서 아군이 피로하고 보급이 여의치 못한 틈을 타 대대적인 반격을 해오곤 했다.

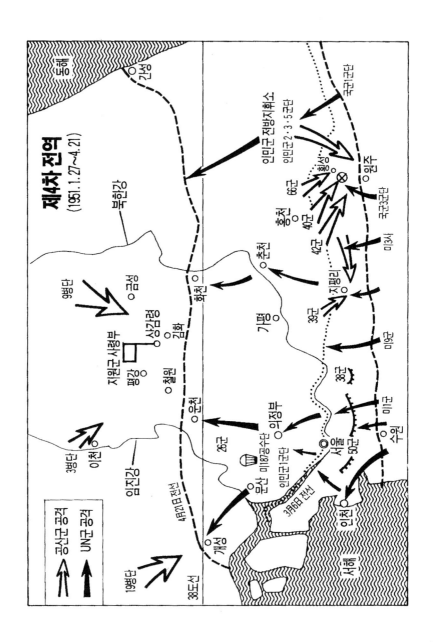

제4차 전역
(1951.1.27~4.21)

1월 25일, 유엔군은 5개 군단 16개 사단 3개 여단 1개 연대 등 모두 23만 명의 병력을 동원, 2백km에 걸친 전전선에서 밀고 나왔다.

그들은 주력인 미제1, 제9 2개 사단 등 모두 6개 사단 3개 여단을 서부전선(한강 서쪽)에 배치시켜 서울 쪽으로 돌격을 감행했다. 미제 10군단과 국군 제3, 제1군단 등 모두 8개 사단, 1개 연대는 동부전선에서 보조공격을 맡았다.

이번 공세에서 상대의 편제상 특징은 이러했다. 미군과 국군의 혼성이었으며 미군은 주공을 맡으면서 주로 서부전선에, 국군은 동부전선에 배치됐다. 아군이 측후로 치고 들어가는 것을 막고 이전에 소규모 병력을 여러 갈래로 신속히 투입했다가 아군에게 각개 격파된 교훈을 되살려 그들은 전역의 방어선을 두터이 하는 한편 주력을 밀집대형으로 '돌다리도 두드리며 건넌다'는 식으로 공격해 들어왔다.

그들의 구체적인 병력배치는 이러했다.

서부전선: 미제1군단(3개 사단, 2개 여단을 관할)은 터키여단, 미제 25, 제3사단, 영국군 제29여단을 제1제대로 삼아 야목리에서 금양장리에 이르는 약 30km의 정면에서 전개해 서울 쪽으로 주공격을 실시했다. 국군 제1사단은 오산리 일대에서 예비대가 되었다. 미제9군단(3개 사단, 1개 여단을 관할)은 미기병 제1사단, 미제24사단, 영국군 제27여단을 제1제대로 삼아 금양장리와 여주에 이르는 약 38km의 정면에서 전개했다. 예봉산 쪽으로 진격을 감행했으며 국군 제6사단은 원호리 일대에서 예비대가 됐다.

동부전선: 미제10군단(4개 사단, 1개 연대를 관할)은 미제2사단, 미공수187연대, 국군 제8, 제5사단을 제1제대로 삼아 여주에서 평창에 이르는 67km정면에서 전개해 횡성, 양덕원리, 청평천 쪽으로 돌격을 시도했다. 미제7사단은 제천에서 예비대가 되었다. 국군 제3군단(2개

사단을 관할)은 국군 제7사단을 제1제대로 삼아 오동리와 북리동에 이르는 30㎞ 정면에서 전개해 하부진리, 현리 쪽으로 돌격했다. 국군 제3사단은 영월과 그 동쪽에서 예비대가 되었다. 국군 제1군단(2개 사단 관할)은 국군 제9사단과 수도사단을 제1제대로 만들어 북동리에서 옥계에 이르는 30㎞ 지역에서 전개해 동해안을 따라 북쪽으로 진격을 개시했다.

이 밖에 미해병 제1사단, 국군 제11사단은 각각 의성, 대구에 위치하면서 전역예비대로 활동하게 됐다. 국군 제2사단은 충주, 단양 등에서 경비와 후방 교통수송을 엄호하는 임무를 맡았다.

우리는 당시 리지웨이가 이렇게 빨리 미제8군을 정비해 반격을 시도할 줄은 몰랐다. 1월 8일 우리가 제3차 전역을 끝냈는데 그들은 불과 1주일 뒤인 15일 탐색전 성격의 공격을 우리에게 개시했다.

우리의 최일선부대는 분대규모의 특공대를 조직해, 매복과 야습 등으로 상대의 공격을 견제하려고 했다.

25일, 상대가 전면공격을 취해 오자 팽 사령관은 27일 전군에 휴식 중지 명령을 내렸다.

자연히 군자리에서 진행 중이던 중조 양군 고급간부회의는 즉각 제4차 전역동원회의로 이름이 바뀌었다.

제4차 전역에서 우리는 한때 고전을 면치 못했는데 팽 사령관은 이 점을 예상하고 1월 31일 모택동 주석에게 보내는 전보에서 "제3차 전역의 피로가 겹쳐 이번 전역에서는 잠시 후퇴할 수도 있습니다."라고 보고했다.

당시 아군의 입장에서는 조선에 오기로 결정된 제19병단이 아직 오지 않은 상태였다. 또 원산, 함흥에 있던 제9병단은 병력충원이 제대로 이루어지지 않아 즉각 작전에 투입하기는 어려웠다. 따라서 전선에 투입할 수 있는 병력은 막 3차 전역을 끝낸 지원군 6개 군과 인민군 3개 군단에 불과했다.

우리는 장비에서의 열세는 물론 병력의 열세까지 겹치는 이중고에 시달리게 됐다. 그렇다고 주력의 역량보존을 위해 무턱대고 서울을 포기하고 북쪽으로 철수하는 것도 정치적으로 불가능한 것이었다.

유엔군의 주공격목표는 서부전선, 즉 한강과 서울 방면이었다. 주공을 맡은 미군의 진격속도는 비교적 빨랐다. 리지웨이 장군은 미군을 선두에 세우고 국군을 뒤따르게 했다. 동부전선서는 국군이 주공을 맡았는데 진격속도는 비교적 느렸다.

팽 사령관, 한선초 부사령관, 해패연 참모장과 나는 정세를 분석한 뒤 상대의 진격을 최대한 억제해 시간벌기 전술을 펴도록 결정했다.

이에 따라 팽 사령관은 한선초를 서부전선의 한강 방면으로 보내 38군, 50군과 인민군 제1군단을 독려하면서 최대한 막아내도록 했다.

동부전선에서는 상대를 깊숙이 유인한 뒤 주력을 집중해 반격을 시도함으로써 상대의 1, 2개 사단에 타격을 입혀 서부전선의 측면을 위협해 최대한 상대의 공격을 늦춘다는 계획을 세웠다.

당시 우리의 생각은 이러했다. 우리의 반격이 제대로 먹혀 들어가면 상대의 전진을 멈추게 하거나 원래 진지로 후퇴시킬 수도 있다. 그러나 상대가 우리의 서부전선 병력이 취약한 것을 눈치 채고 계속 밀어붙인다면 동부전선에서도 우리는 후퇴할 수밖에 없다. 만일 우리의 반격이 제대로 풀리지 못하면 상대는 38선까지 밀고 올 수도 있다.

우리는 모 주석에게 서둘러 제19병단을 전선에 투입해 줄 것을 요청했다.

팽 사령관은 한강 남쪽에 급파된 한선초에게 최대한 시간을 끌어줄 것을 당부했다. 아군의 주력이 식량과 탄약을 제대로 보급받을 수 있도록 시간을 벌어달라는 주문이었다.

이런 위급한 상황에서 심양에서 요양 중이던 등화가 때마침 지원군 사령부로 되돌아왔다. 팽 사령관은 등화를 즉각 동부전선에 보내 39, 42, 40, 66군을 동원해 국군이 주축을 이룬 공격을 무력화시키도록 했다. 동부전선의 아군은 대부분 막 제3차 전역을 치른 뒤여서 군화, 미숫가루 등의 보충이 제대로 이루어지지 않은 어려운 상태였지만 어쩔 수 없이 참전케 됐다.

지평리 철수

51년 1월 25일, 유엔군의 반격이 예상 외로 빨리 시작되자 우리는 적이 당황했다.

먼저 김웅이 지휘하는 인민군 제2, 제5군단이 방어태세를 갖춰 등화 부사령관이 이끄는 최일선부대와 연합으로 반격기회를 노렸다.

지원군사령부는 또 신속히 26군을 철원으로 보내 지원군의 전역 예비대로 삼게 했다. 미군이 측후에서 상륙작전을 벌이지 못하도록 인민군에게 계속해서 동, 서해안 방어임무를 맡기는 외에 원산일대에서 휴식을 취하고 있던 제9병단 예하 20, 27군에게 동해안 방어임무를 맡겼다.

병력배치를 마친 뒤 등화와 한선초는 각각 그들의 지휘소를 이끌고 동서전선으로 향했다(이 2개의 지휘소는 팽 총사령관을 대신해 전방 각 군의 작전행동에 협조하기 위해서였다). 이른바 등화지휘소는 등화와 작전처 부처장 양적에다 2명의 경호원, 2명의 암호병, 2명의 무전병으로 이루어졌다. 한선초지휘소는 한선초와 124사단 참모장 초검비

(肖劍飛) 이외에 경호원 2명, 암호병 2명이었다.

이때 펑덕회 총사령관은 전선에 가까이 가기를 원했기 때문에 지원 군사령부를 김화로 옮겼다. 김화 북쪽에 대산리가 있다.

숲이 빽빽이 들어서 있는 첩첩산골이었다. 우리 사령부는 은폐하기에 가장 알맞은 산골짜기의 한 지점을 골라 굴착공사 끝에 안성맞춤의 거처를 마련했다.

회의가 있을 때면 부근 금광굴에 가서 열었다. 2월 7일, 중앙군사위원회는 순환참전의 원칙을 정해 제3병단(12, 15, 60군)과 제47군을 3월부터 속속 조선에 보내 참전토록 했다.

조선에 들어온 뒤에는 곧 들어올 제19병단(63, 64, 65군)과 함께 모두 9개 군 27사단을 제2선부대로 삼도록 했다.

중앙군사위는 또 다음과 같이 결정했다. "기갑병의 참전준비를 가속화하며 고사포 3개 사단 외에 22개 대대, 방공포 2개 사단, 로켓포 9개 단, 유탄포 3개 단의 확충과 훈련을 서둘러 끝낸다. 또 조선에 있는 부대와 조선에 들어갈 부대에 경화기를 새로 지급하되 일단 36개 사단에서 새로운 화기를 교체한다."

1월 25일 서부전선의 미제1군단은 야목리에서 금양장리에 이르는 전선 정면에서 우리를 향해 공격을 개시했다.

주력은 수원~서울을 잇는 국도를 따라 두 갈래로 나눠 서울을 향해 공격했다. 이어서 미제9군단도 28일, 금양장리에서 여주에 이르는 정면에서 공격을 시작했다.

미군의 이번 공격은 과거의 도로를 따라 진격하는 단순한 방식이 아니라 산을 타고 고지를 점령하면서 정면의 여러 갈래로 몰려드는 점이 인상적이었다.

공격로마다 1개 대대에서 1개 연대의 병력이 탱크와 야포의 막강한 지원을 받으며 우리의 방어요충지를 향해 한꺼번에 달려들었다.

상황이 어렵다 보니 나도 직접 서부전선에서 방어임무를 맡은 50군과 38군 112사단을 진두 지휘하게 됐다.

살을 에는 듯한 겨울날씨에 땅은 꽁꽁 얼어붙고 식량과 탄약보급은 거의 이루어지지 않은 끔찍한 상황에서도 모두들 잘 버티어냈다.

작업도구도 거의 없는 상황에서 야전공사로 공격을 막아냈다. 전투는 시간이 갈수록 격렬해지고 방어에 어려움이 컸다. 야전공사라 해봤자 주로 눈 더미에다 물을 뿌려 치우는 게 고작이었다. 50군과 112사단은 필사적으로 상대의 공격을 막아냈다.

참호 파기로 방어를 하는 것이 유일한 방법이었다. 50군은 장춘(長春)에서 혁명을 일으킨 국민당 제60군을 공산당 정권 수립 후 개편한 전통 있는 부대였다.

이번에 38군의 주력부대와 호흡을 맞춰 열심히 임무에 충실했다. 군단장 증택생(曾澤生)은 줄곧 병력을 이끌고 최전선에서 지휘했다. 요충지마다 상대와 쟁탈전을 쉴 새 없이 벌여 그들에게 상당한 타격을 입혔다.

이 때문에 팽 총사령관은 지원군 총사령부 지휘관 이름으로 1월 31일 50군, 특히 148사단 전체 병력과 그중에서도 가장 전공을 올렸던 443연대, 444연대와 447연대의 무공을 치하하는 전보를 하달했다.

2월 3일에 이르러 상대는 수리사산, 군포장, 광교산, 문형리, 발리봉, 천덕봉, 이포리를 잇는 아군진지를 점령했다. 아군은 제2선 진지로 물러나 방어를 계속했다. 이때, 서부전선의 아군은 이미 10일 밤낮 동안 전투를 벌인 데다 제2방어선에서 상대를 강력하게 저지하기 위해 한선초 부사령관은 2월 4일 원래 50군이 방어를 맡았던 남태령, 과천, 군포장분계선 서쪽의 40㎞ 정면을 인민군 제1군단이 맡도록 해 50군

방어 정면을 줄이는 대신 방어선을 두터이 했다. 그는 38군 주력을 한강 남쪽 기슭으로 보내 112사단이 맡고 있는 방어를 강화하도록 했다. 팽 총사령관은 9병단 26군에게 2월 15일까지 의정부, 청평천 일대로 나아가 방어선을 두터이 하도록 지시했다.

2월 7일, 상대는 상당한 희생을 치른 뒤 인민군 제1군단과 50군의 제2방어진지를 돌파했다. 이때 한강의 얼음은 벌써 녹기 시작했다.

아군 진지는 한강에서 그다지 멀지 않았고 상대가 자칫 밀어붙인다면 우리는 배수의 진으로 맞서 전군이 전멸할 위험이 있었다.

따라서 인민군 제1군단과 지원군 제50군의 일부병력으로 한강대교 남쪽 진지를 방어하게 한 뒤 주력은 한강을 건너 북쪽에서 방어를 계속했다.

그러나 38군 전체는 계속해서 한강 남쪽에서 상대의 저항에 맞섰다. 상대의 동서전선의 연계를 끊고 아군 동부전선의 측면을 보호하기 위해서였다.

50군과 인민군 제1군단 주력이 한강 북쪽으로 철수한 뒤인 2월 8일 미제1군단이 한강으로 접근하기 시작했고 10일 인천을 점령했다.

미제9군단의 제24사단, 영국군 제27여단, 그리스대대와 국군 제6사단 등이 야포, 탱크, 비행기의 합동지원을 받으며 38군에 맹공을 퍼부었다.

1월 31일 동부전선에서도 유엔군은 공격을 개시했다. 미제2사단, 국군 제8, 제5사단은 한강 동쪽 원주 무륵리에서 지평리와 횡성 쪽으로 공격해 왔다. 미제7사단과 국군 제7, 제9, 제3사단도 각각 북진을 시작했다.

팽 사령관은 이러한 상황에서 등화에게 명령을 내려 42군 주력과 66군 198사단을 가평, 김화에서 오음산으로 남하시켜 미제2사단과 국군 제8사단을 저지토록 했다.

인민군 제5, 제2군단은 횡성, 방림리에서 방어를 전개하고 등화의 주력인 39군, 40군과 66군은 5일과 6일 각각 중원산, 홍천 등 예정지점으로 진격했다.

2월 9일, 미제2사단 23연대와 프랑스대대가 지평리에서 아군에게 저지당했다. 국군 제8사단은 횡성 서북쪽에서, 국군 제3사단과 국군 제5사단은 횡성 동북쪽에서 저지당했다.

국군 제2사단 2개 대대와 미공수 제187연대는 횡성과 그 이남에 위치했고 국군 제7, 제9사단과 수도사단은 대미동, 하부진리, 강릉을 잇는 선에 진출했다. 전선 전반으로 볼 때 지평리와 횡성 북쪽의 상대가 돌출된 상태여서 반격에 유리했다.

이런 상황에 대해 팽 사령관, 해패연 참모장과 나 세 사람은 긴급회의를 열었고 등화와도 전보를 통해 논의를 거친 결과 즉각 동부전선에서 반격을 개시토록 결정했다. 그러면 어떤 방법으로 공격할 것인가.

팽 사령관의 생각은 이랬다. 지평리와 횡성 두 곳에서 전선이 돌출해 있으므로 우리가 타격을 입히는 데는 절호의 기회이다. 그러나 현재의 병력으로는 동시에 두 곳을 공략해 좋은 효과를 거둘 수 없다. 먼저 한 곳을 치려면 어느 곳이 좋을까. 두 곳 모두 장단점이 있었다.

지평리를 먼저 친다면 서부전선의 상대 주력부대에 큰 충격을 던져주고 우리의 동서 양 전선이 긴밀하게 결합될 수도 있다. 그러나 지평리에는 상대 병력이 집중되어 있는 데다 이미 진지구축 공사를 마친 상태여서 신속하게 공략하기는 어렵다. 1~2일 만에 상대에게 타격을 입히지 못할 경우 이천, 횡성에서 증원군이 몰려들어 도리어 아군이 위태로운 지경에 이르게 된다.

반면에 횡성 북쪽을 고려해 본다면 병력은 비록 많으나 국군이 대부분이며 전투력이 취약하다. 게다가 기동 중이라 측면이 그대로 노출돼 있어 우리가 신속하게 포위하는 데 유리했다.

따라서 펑 사령관은 2월 9일, 먼저 횡성을 공격하기로 결정했다. 우선 상대 3개 연대 병력타격을 목표로 하되 제대로 될 경우 다시 상대 2, 3개 연대를 공략해 전세를 안정시킨다는 계획이었다.

이때 아군이 집결하고 있는 것을 눈치 챈 것 같아 당장 공격하지는 않고 기회를 엿보다 2월 11일 밤에 반격을 개시키로 했다.

등화가 이끄는 동부전선지휘소는 횡성 서북쪽, 지평리 북쪽의 인적이 드문 조그만 마을에 자리 잡았다.

펑 사령관의 명령을 받고 등화는 먼저 횡성 서북쪽의 국군 제8사단을 공격하기로 결정했다.

그래서 미제2사단의 지원을 끌어들인 뒤에 주력을 투입해 기동 중에 타격을 입힐 심산이었다. 이어서 원주와 목계 동쪽으로 밀고 들어갈 참이었다. 42군(39군 117사단과 포병25단 1개 대대 병력 포함)은 예하 124사단, 117사단을 횡성 서북쪽의 학곡리, 상가우리 등에 돌격시켜 국군 제8사단의 퇴로를 끊도록 했다. 또 125사단을 횡성 서남쪽으로 보냈다. 원주 쪽에서 지원 나올 가능성이 있는 상대를 막으면서 66군과 합동작전을 벌이도록 했다. 126사단은 주읍산과 지평리의 상대를 감제하도록 했다. 66군 주력은 횡성 서북쪽에서 횡성 동남쪽으로 치고 들어가 횡성에 있는 상대의 퇴로를 끊게 했다. 일부병력은 상대의 지원부대 저지를 준비했다. 그다음 횡성 쪽으로 돌격하도록 했다.

66군 198사단은 오음산에서 횡성 북쪽으로 돌격하도록 했다. 40군은 2개 포병대대를 배속시켜 정면에서 횡성 서북쪽의 풍수원, 이수정, 광전 일대의 국군 제8사단을 공격토록 했다. 39군(제117사단은 제외)은 등화집단군예비대로서 용두리 동남 일대에 배치되었다.

또 조선인민군전선사령관 김웅지휘부는 인민군 제3, 제5군단을 동원해 횡성 동북쪽의 국군 제5사단 일부를 공략한 뒤 횡성 동남쪽의 학곡리 쪽으로 진격토록 했다.

2월 11일 오후 5시, 등화지휘소와 김웅지휘부는 예정된 계획에 따라 횡성반격작전을 개시했다. 밤을 새우는 격전 끝에 등화가 이끄는 제40군, 42군의 주력과 제66군 198사단은 국군 제8사단의 퇴로를 끊었다. 우리의 맹렬한 공격을 받은 국군 제8사단은 대부분 횡성 쪽으로 물러나려 했다.

12일 낮, 제39군 117사단과 제40군 118사단은 가운북산, 학공리 일대에서 국군 제8사단 대부분을 포위했다. 또 제40군 120사단과 제42군 124사단도 광전지구에서 상대를 포위하는 데 성공했다. 밤을 지새우는 격전 끝에 국군 제8사단 예하 3개 연대에 큰 타격을 가했다.

그러나 제66군의 주력이 예정된 시각에 예정된 지점에 이르지 못해 아쉬웠다. 횡성반격작전은 2월 13일 아침에 끝났다.

리지웨이 장군은 그의 회고록 「한국전쟁」에서 아군의 횡성에서의 승리를 이렇게 술회했다.

"중공군대의 공격 전면에 있었던 미제2사단은 처음 용감하게 맞섰으나 엄청난 손실을 입었다. 우선 대포의 손실이 엄청났다. 이러한 손실은 주로 국군 제8사단이 지나치게 서둘러 철수하는 바람에 생겨났다. 제8사단은 적의 야간공격을 한 차례 받더니만 완전 붕괴돼 미제2사단의 측면을 그대로 노출시켰다. 국군의 엄청난 대패에는 이들이 중공군들에 대해 일종의 외경심을 갖고 있는 게 아닐까 하는 생각마저 들 정도였다. 중공군이 국군진지까지 숨을 죽이고 접근해 돌진한다면 대다수 국군들은 겁을 집어먹고 걸음아 날 살려라며 달음박질 칠 것 같은 느낌마저 들었다."

팽 사령관은 즉각 등화에게 지평리의 상대를 공격하라고 명령했다.

지평리는 상대가 한사코 버티고 있는 전략요충지였다. 등화는 39군과 42군 일부를 서둘러 재정비해 13일 밤 신속하게 지평리의 상대를 공격토록 했다.

그러나 우리 공격부대는 상대 방어진지를 돌파하는 데 실패했다.

우리는 제공권이 없어 고전을 면치 못했다. 대낮에는 미군전투기가 벌 떼처럼 달려들어 맹폭을 가하더니 우리는 어쩔 수 없이 밤에만 이동이 가능했고 밤에만 공격을 할 수밖에 없었다. 첫날 밤 공격에 실패한 후 이튿날 밤에서야 겨우 포병의 지원을 받아 사흘째 밤 비로소 공격다운 공격을 했지만 역부족이었다.

반면 상대는 지원 병력이 물밀듯이 몰려왔다. 등화는 당시 전황을 분석한 끝에 더 이상의 공격은 불가능하다고 판단했다. 그래서 그는 15일 오후 5시 30분 지평리에 대한 공격중지를 명령했다. 동시에 그는 전 부대원들에게 철수하기 전에 전리품을 확실히 챙기도록 명령했다. 횡성 반격전 중에 상대가 엄청난 무기와 장비, 특히 신형 대포와 신형 차를 내버려두고 후퇴했는데 그때는 지평리 공격에 바빠 제대로 회수를 못 했기 때문이다.

16일, 동트기 전 등화가 이끄는 부대는 북쪽으로 '이동'하기 시작했다.

그는 지평리에서 상대를 제대로 포위하지 못한 점에 대해 '자아비판'을 했다. 그러나 그가 최선을 다했음이 밝혀지자 팽 사령관은 더 이상 나무라지 않았다.

동부전선에서 등화가 이끄는 부대가 반격을 펼치는 와중에 서부전선의 유엔군은 한강 남쪽의 제38군과 제50군 1개 연대를 향해 맹공을 퍼부었다. 38군은 시종 진지를 사수하면서 상대의 주공을 잘 막아냈다.

그러나 동부전선의 지평리에서 우리가 철수한 뒤 상대의 추격이 거세져 전전선은 또다시 균형을 이루었다.

펑 총사령관은 38군과 50군 예하 1개 연대에게 16일과 18일 각각 한강 북쪽으로 철수토록 명령했다.

제4차 전역은 1월 27일부터 2월 16일까지를 제1단계로 일컫는다.

서울 철수

2월 17일, 제4차 전역 제1단계가 끝난 다음 날, 펑 총사령관은 각 군과 군사위에 보낸 전보에서 이렇게 평가를 내렸다.

"이번 상대의 공격에서 느낄 수 있는 것은 미군의 주력을 소멸시키지 않고서는 그들이 조선에서 물러가지 않으리라는 점이다. 이것은 이번 전쟁이 장기전일 것이며 동시에 상대의 공격에서 제1, 2차 전역 때와 아주 다른 점을 느낄 수 있다. 병력이 많을뿐더러 동서 양 전선의 병력이 밀집대형을 이루었고 방어선이 두터워 공격대형이 질서정연했다. 한선초집단군이 이를 악물고 적극방어에 나서 23일 동안 상대 병력 1만여 명을 살상해 상대 주력을 남한강 서쪽에 묶어두었다. 이튿날을 타 등화집단군, 김웅집단군이 횡성 일대 국군 8사단, 미제2사단 1개 대대와 국군3사단, 5사단 각 1개 부대에 타격을 입히는 데 성공했다. 반격전에서의 첫 승리였다. 그러나 승리가 만족스러운 것은 아니다. 제때 퇴로를 끊지 못해 다 잡았던 상대 병력을 놓쳤기 때문이다."

13, 14일 2일간 밤에 지평리의 상대를 공격해 약간의 성과를 거두었으나 상대는 신속하게 3개 사단을 규합해 증원했다. 횡성에 이른 상대

는 궤멸됐지만 원주에 있던 상대의 방어선이 무너지지 않았다.

2월 17일, 팽 총사령관과 나, 해패연 등은 향후작전, 병력배치 등을 연구했다. 팽 총사령관의 판단으로는 아군이 제4차 전역에서 승리를 거두긴 했지만 상대의 인명살상이 그다지 많지 않았다. 도리어 상대는 계속해서 북쪽으로 밀어붙여 아군의 보충과 휴식을 노리는 한편 우세한 기술장비를 이용해 아군을 대량으로 살상하려 했다. 이때 아군의 제1선 부대는 너무 피로했고 병력은 계속 줄어드는 데 비해 병력충원은 이루어지지 않았던 것이다.

예비대는 제19병단이 2월 15일 조선에 들어와 예정지점을 향해 전개한 것을 제외하고 제3병단과 제9병단 및 기타 부대는 4월 초쯤 돼야 38선 부근에 도착할 예정이었다.

이런 형편인데 상대가 예상 외로 진격속도를 빨리해 38선에 이른다면 우리가 곤란한 처지에 빠지기 십상이다.

팽덕회 사령관은 여러 점을 고려해 이렇게 결정했다. 전전선은 즉각 기동방어전에 돌입해 2개월간의 시간을 벌어야 한다. 그래야 제2선부대가 전진 및 전개하는 것을 엄호하고 교통운송을 개선할 수 있다.

또 상대를 깊숙이 끌어들여 한강 북쪽에 이를 때쯤 재반격을 시도한다. 기동방어의 부대배치는 이러했다. 인민군 제1군단, 지원군 50, 38, 42, 66군과 인민군 제5, 2, 3군단 등 모두 8개 군단을 제1제대로 한다.

서쪽으로는 한강어귀서부터 하진부리 서쪽에 이르는 1백50km의 전선 정면에 폭 25~30km의 제1방어진지를 구축한다.

방어진지에서 상대를 격퇴하면서 1개월간의 시간을 버는 게 주요 임무이다.

인민군 제1군단 제19사단, 지원군 26, 40, 39군 등 3개 군 1개 사단은 서쪽으로 문산서부터 의정부를 따라 제2방어진지를 구축한다.

제1제대의 방어선이 임무가 끝나면 제2선으로 옮겨서 방어임무를 떠맡게 된다. 이런 사전조치를 취한 뒤 아군은 야금야금 후퇴를 했다. 최대한 상대 공격에 버티면서 뒤로 물러나는 것이다.

팽 사령관은 이렇게 말했다.

"물러날 때는 물러나야지. 그러나 무작정 물러날 수는 없고 38선까지는 무방하다. 그런데 단번에 물러나면 여러 가지로 불리하다. 첫째는 후방에 있는 몇개 군이 조선으로 전개하는 데 불리하고 또 하나는 우리 병사들의 사기가 떨어지게 된다. 그리고 무엇보다 중요한 것은 정치적인 측면에서 우리에게 불리하다. 조선 동지들은 물론이고 소련 등에도 설명하기가 뭣하다. 제삼자는 분명 트집을 잡을 거란 말이야. 당신네 중국인들은 어찌된 셈이냐고. 저번에는 신바람을 내며 37도 선까지 치고 내려가더니만 이번에는 도로 38선 너머까지 퇴각하느냐고 말이다. 따라서 이번 기동방어는 시작부터 한계를 가지고 시작하는 셈이다. 38선을 정치적인 약속의 경계선으로 삼아야 한다. 항일전쟁 때와는 달리 우리 마음대로 철수할 수는 없단 말이다."

팽 사령관 지적대로 무작정 38선 너머까지 철수할 수 없는 형편이다 보니 우리는 각 군에 하루 몇 ㎞씩 후퇴해야 한다는 구체적인 숫자까지 제시해야 했다.

2월 중순의 어느 날 오후, 나는 탄광갱도의 내 거처에서 전방과 군사위원회에서 보내온 전보를 읽고 있었다.

갑자기 비서가 숨을 헐떡거리며 나를 찾았다.

"부사령관님, 얼른 가보십시오. 총사령관 동지께서 벼락같이 화를 내고 계십니다."

"무슨 일이야."

"종우일(鍾羽一. 후근부 제4지부장) 동지가 제9병단 전투식량 보급을 제대로 하지 못한 모양입니다."

나는 서둘러 펑 사령관 숙소로 달려갔다.

내가 채 말을 꺼내기도 전에 펑 사령관이 버럭 호통을 쳤다.

"전역이 곧 시작될 테고 제9병단(26군)이 서둘러 전장에 출발하려 해서 종우일에게 양식을 전해 주라고 했는데 제대로 전달을 못 하다니. 군율을 어겼으니 내 이자를 군법에 따라 엄중하게 처리하겠다."

"사령관 동지, 고정하십시오. 문제가 어떻게 됐는지 일단 알아본 뒤에 처리를 하셔도 늦지는 않을 겁니다."

내가 덧붙였다. "무슨 오해가 있을지 모르니 제가 직접 이 문제를 해결하도록 해주십시오. 반드시 해결하겠습니다."

나는 서둘러 사령부에 되돌아와 동북군구 후근부 전방지휘소 책임자 두자형(杜者衡)에게 지시했다.

"얼른 제4지부에 가서 자초지종을 파악해 돌아오시오."

두자형이 조사해 온 바에 따르면 사정은 이러했다. 제9병단의 작전출동에 즈음해 종우일이 양덕에서 원산까지 트럭 40대분의 양식을 보급해 주기로 했다. 그런데 어제저녁 7시가 조금 넘어 예정지점에 도착해 보니 군대가 보이지 않았다. 9시가 넘게 기다려도 사람 그림자는 보이지 않고 그러자니 자연히 운전병들 입에서 자칫 양식을 여기 두고 갔다가 일을 그르치는 경우가 있을지 모르니 그대로 갖고 돌아가자는 말이 나왔다. 종우일도 이런 경우 뚜렷한 방안이 없다 보니 식량을 싣고 그대로 돌아왔다는 것이다.

제9병단 병사들이 오늘 아침 예정지점에 도착해 보니 기다리던 양식이 없었다. 곧바로 지원군사령부에 전화를 걸어 "양식도 없이 무슨 전투를 벌이느냐."고 볼멘소리를 한 것이 펑 사령관에게까지 보고가 된 것이다.

나는 곧 팽 사령관에게 전말을 보고드렸다. 그제야 화가 풀린 듯한 팽 사령관은 눈을 치켜뜨며 물었다.

"그래, 알기는 알겠는데 이 문제를 어떻게 풀 참인가."

"지금 날이 어둑어둑하지만 내일 밤까지는 제9병단 병사들에게 양식을 보급해 주겠습니다."

"좋아, 전쟁터에서 설마 농담을 하는 것은 아니겠지."

나는 숙소로 돌아오자마자 제9지부부장(分部部長) 왕희극(王希克)과 정치위원 이강(李鋼)에게 전화를 걸어 지상명령을 내렸다.

"당신들은 오늘밤 트럭 60, 70대를 동원해 제9병단에 양식과 물자를 어떤 수를 쓰든지 내일 밤까지는 갖다 주시오. 죽음을 무릅쓰고라도 반드시 내 명령을 지키시오."

나는 종우일에게도 명령을 내렸다.

"당신이 어제 갖다 주지 못한 물건들을 내일 밤까지 꼭 갖다 주시오. 당신이 직접 인솔하시오. 이번에도 실패하면 그때는 책임을 묻겠소."

왕희극과 이강은 비지땀을 흘리며 트럭 70여 대를 마련해 수송 길에 나섰다. 이튿날 얼마나 엄청나게 눈이 내렸던지 차가 길을 제대로 가지 못할 지경이었다. 그러나 운전병들이 정신력으로 잘 버텨내 그중 6대가 미군전투기에 폭격당해 희생되었을 뿐 나머지 트럭은 그날 밤 무사하게 예정지점에 도착했다.

그런데 부대는 이미 기동 중이었다. 운전병들도 이번에는 감히 돌아올 마음을 못 먹고 밤새 눈길을 뒤진 끝에 그 다음 날 오전 마침내 부대행렬을 찾아냈다. 양식과 물자를 완전히 보충했음은 물론이다.

제9병단 송시륜 사령관은 즉각 지원군사령부에 전보를 보냈다.

"필요한 모든 물건은 전부 보충됐음."

이 소식을 전해들은 팽 사령관은 주위 사람에게 "홍학지 그 친구, 확실하구먼. 믿을 만한 친구야."라고 말했다는 얘기를 전해 들었다.

2월 19일, 상대는 한강 동쪽에서 공격을 재개했고 우리 방어부대는 식량과 탄약공급이 형편없는 상황에서도 분투해 공격을 최대한 늦추게 했다.

상대는 3월 6일까지 보름이 지나서야 동부전선에서 치고 올라와 서부전선과 균형을 이루었다. 이때쯤 서부전선에서도 유엔군은 이미 도강준비를 마쳤다.

이 기간 팽 사령관은 북경에 가서 모택동 주석에게 전선 상황을 보고하고 앞으로의 작전방침에 관해 협의하고 돌아왔다.

3월 7일, 상대는 5개 군단 모두 14개 사단 3개 여단과 2개 연대 병력을 집중시켜 전전선에 걸쳐 대규모의 공격을 시도했다.

처음 아군은 상대의 강력한 화력에 눌려 방어경험이 부족하고 전술적인 운용이 서툴러 비교적 사상자가 많았다. 이러한 사정을 간파한 팽 사령관은 이렇게 지적했다.

"기동방어의 목적은 후방의 2개 병단이 전선에 도달할 때까지 엄호하기 위해서이다. 이른바 기동이라는 것은 죽음을 무릅쓰고 임하는 것은 아니다."

이러한 사령관의 지시에 발맞춰 지원군사령부는 일선 각 부대에 병력운용을 "전방에는 적고, 후방에는 많이 배치토록" 하는 원칙을 지키도록 지시했다. 이를테면 한 진지에 너무 많은 병력을 배치했다가 상대 포격에 과도한 희생을 치르지 말자는 뜻이다. 화력운용에서는 일선부대에 있는 보병에게 화기를 최대한 공급해 전방 화력을 강화토록 했다. 밤에는 분대단위의 소규모 병력을 상대 진지에 보내 야습을 감행했다.

3월 14일, 아군은 후일을 기약하면서 서울에서 철수했으며 이어 다음 날인 15일 미제3사단과 국군 제1사단이 서울을 점령했다.

3월 16일 이후 우리 제1제대의 각 군은 38선 이북으로 물러나 휴식을 취했다. 대신 제2제대의 각 군이 미리 설치한 진지에서 유엔군과 치열한 격전을 벌였다.

상대는 계속해서 '주력은 밀집대형으로' '고르게 진격하는' 등 이른바 '자석전술'로 점차 밀어붙이면서 기계화 장비와 우세한 화력에 의존해 아군에 대해 소모전을 벌였다. 아군은 넓은 정면에서 중요지점을 정해 방어에 나서면서 단계적으로 준비태세를 갖추었다. 병력배치는 '점으로써 면을 제압한다'(이점제면(以點制面))는 원칙, '병력은 전방은 적고 후방은 많이(전경후중(前輕後重)), 화력은 전방에 집중한다(전중후경(前重後輕))' 원칙에 따라 저격과 반격, 매복, 습격 등 각종 수단을 총동원해 진지마다 상대의 공격을 막거나 상대를 대량 살상했다.

3월 23일, 상대는 고양, 의정부, 가평, 춘천 선을 점령했으며 미공수 제187연대가 문산에 4천 명의 병력과 탱크, 야포를 투하시켜 북쪽으로 이동하는 인민군 제1군단의 퇴로를 끊어 아군 26군 측면을 위협하려 했다. 그러나 아군 26군의 저항으로 기도는 실현되지 못했다. 3월 말~4월 초에 이르러 아군의 최일선부대는 38선 이북으로 이동해 상대의 진공을 계속해서 막았다.

4월 10일 유엔군은 이른바 '캔자스선'에 도달했다. 서쪽의 임진강에서부터 동쪽의 양양을 잇는 선이었다. 그들은 4월 12일 공격의 중점을 이른바 철의 삼각지라는 철원, 평강, 김화 지구로 돌렸다.

기동방어 기간 동안 중대한 전투는 없었다. 우리는 잠시나마 '큰비'를 피했다. 보급이 제대로 이루어지지 않고 병력손실이 잇따르는 상황에서 후속부대가 도착하기만을 학수고대하는 형편이었던 것이다. 유엔군도 병력전개 후 추진력이 모자랐다. 크게 밀어붙이는 것이 아니라 그저 '자석전술'대로 아군을 따라다니는 꼴이었다.

아군은 줄곧 상대와 대치했다. 그들은 자기네 자석전술로 밀려오고 우리는 기동방어로 맞서 상대의 공격시간을 늦추면서 차츰 아군의 예정공격 출발선에 다가갔다. 그들이 조금 전격하면 우리도 조금 물러나고 그들이 오지 않으면 우리도 물러서지 않았다. 그들이 살상을 피하려 들면 우리도 피했다. 그들이 소모를 피하면 우리도 그렇게 했다. 이리하여 2개월 동안 전쟁을 치르면서 아군은 시간을 벌었고 제대로 물자보급 및 병력보충을 끝냈다.

이때 상대는 아군의 후속병단이 진격해 오는 것을 발견하고는 다시 공격을 취해 오지 않았다.

리지웨이는 4월 18일, 예하 부대에 방어로 전환하도록 명령을 내렸다. 다만 중부지방에서는 공격을 걸어왔는데 진공속도는 더욱 느렸다. 4월 21일, 상대는 마침내 아군에 의해 개성지포리, 양구, 간성 선에서 저지됐다.

제4차 전역은 제3차 전역이 끝난 지 며칠 안 돼 시작했다. 상대는 공격을 신속하게 전개했고 아군은 병력충원이나 양식, 탄약 등의 보급이 제대로 이루어지지 않아 고전했다. 이런 상황에서 아군은 결사적으로 방어임무에 나섰고 반격과 방어라는 2중작전을 펴, 상대에게 87일 동안 1~3㎞밖에 진격을 허용하지 않아 선전한 셈이다.

우리는 3개월간의 시간을 벌어 전략예비대가 집결해 다음 전역의 준비 조건을 만드는 데 성공한 것이다.

이번 전역에서 확인한 사실은 일반 야전공사에 의존해서는 현대화된 기술과 장비를 갖춘 상대와 맞붙어 방어작전을 편다는 것이 아주 어렵고 적절하지 못하다는 점이었다.

어느 지점에 병력을 집중해, 주공을 퍼붓는 동시에 특정지역에서 상대를 견제하기 위해 소수병력으로 기동성 있는 방어작전을 편다는 것은 주공의 승리를 보장하기 위해 필요하기는 하지만 커다란 대가를 치른다는 점을 확인할 수 있었다. 아군이 한강 남쪽에서 결사 방어작전을 편 사례가 바로 이 같은 사실을 설명해 주었다.

횡성반격에서 승리를 거둔 뒤 지평리의 상대를 제때 포위하지 못했을 때 철수를 결정한 것은 잘한 일이었다. 그러나 상대 기계화 부대 지원군이 신속하게 지평리에 도달하는 것을 허용한 것은 우리의 실수였다. 이 사건 이후 미군들은 전술상 하나의 지점을 고수하면서 인근 부대의 지원이 도착하기를 기다리는 자신감을 갖게 됐다.

동시에 아군이 지평리의 상대를 제대로 공격할 수 없었다는 사실은 현대화된 장비를 갖춘 상대의 공격에 대해서는 면밀한 정찰과 충분한 준비, 보병과 포병의 긴밀한 협동, 우세한 병력과 화력을 동원한 신속한 분할포위 등이 전제되어야 한다는 점이 새롭게 입증됐다.

조선전장의 협소함과 아군보급 수송체계의 미흡함 등은 아군의 기동방어체계에 큰 문제점을 제기했다. 먼저 아군의 특기인 기동성이 한계를 드러냈기 때문이다.

기동방어를 위해서는 반드시 고정된 방어선이 있어야 한다는 점을 알게 됐다. 또 기동방어를 실시하는 경우에는 진지를 두텁게, 여러 겹, 견고하게 지어야 한다. 그렇지 않으면 상대가 맹렬한 화력으로 공격할 때 소기의 목적을 달성할 수 없기 때문이다.

이제 그토록 기다리던 2개 병단 병력이 전쟁에 가담하면서 전전선에 걸쳐 펼친 제5차 전역 얘기를 시작하자.

◀ 참전 당시
지원군 부총사령관 겸
지원군 후근 사령관
이었던 저자

▲ 전쟁 도중 지원군사령부에도 일부 인사이동이 있었다. 51
년 지원군 부총사령관이 된 진갱 제3병단 사령관(오른쪽)과
같은 해 부정치위원 겸 정치부 주임을 맡게 된 감사기(가
운데)가 한선초 부총사령관(왼쪽)과 함께 사진을 찍었다.

▲ 모택동 주석은 38선 돌파, 서울 점령이 갖는 정치적 의미를 중시했다. 51년 1월 초 제3차 전역에서 지원군 병사들이 한강을 건너고 있다.

▲ 지원군 병사들이 압록강을 건너고 있다.

◀ 휴전회담 공산 측 대
표단 일부가 함께 기
념촬영을 했다. 중국인
민지원군 대표 등화(왼
쪽), 해방(오른쪽)과 지
원군 대표들을 도와
회담을 진행하던 이극
농(앞)

▲ 지원군 총사령관 팽덕회(왼쪽)가 김일성 수상(오른쪽)과 작전 문제를
협의하고 있다.

◀ 지원군은 유엔군의 51
년 여름 가을철 공세
에 맞서기 위해 땅굴
을 파기로 했다. 51년
가을부터 52년 봄까지
'지하만리장성'으로 부
를 만큼 많은 땅굴을
건설했다.

▶ 전쟁터에서 머리 부상
을 입은 병사가 간호
병으로부터 치료를 받
고 있다.

◀ 미공군 공습으로 보급
수송에 큰 어려움을
겪었던 지원군은 51년
5월 보급문제를 전담
하는 후방근무사령부
를 창설했다. 철도역
에서 보급물자를 트럭
에 옮겨 싣고 있는 병
참 병사들.

9

재 반 격

'상륙작전을 막아라'

지나간 얘기지만 1951년 2월 말, 유엔군이 우리를 밀어붙였을 때 모택동 주석의 생각은 이러했다. 상대 지상병력이 우리보다 많은 이상 아군은 잠시 대규모작전을 전개하지 않는다. 상대가 우리를 밀어붙이면 38선까지 오도록 내버려둔다. 지원군의 9개 군을 다시 집결시킨 뒤에 새로운 대규모작전을 발동한다는 것이었다.

모 주석은 상대가 38선을 점령한 뒤 취할 행동으로 3가지의 가능성을 꼽았다.

첫째는 우리가 피로했음을 틈타 계속 북진한다.

둘째는 잠시, 이를테면 10~20일 정도 38선에서 머뭇거리며 정세를 관망한다.

셋째는 비교적 오랫동안 이를테면 2, 3개월을 38선에서 머무르면서 영구진지를 만들어 방어선을 공고히 한 뒤 다시 진격해 온다.

모 주석은 상대가 이 3가지의 가능성 중에서 앞의 2가지 가능성 중 하나를 채택할 것으로 보았다.

이때 우리는 아주 귀중한 정보를 입수했다. 맥아더 원수와 리지웨이 장군이 동부전선을 직접 시찰했고 미해군이 원산, 청진 등 항구에 대해 포격을 가하면서 연해도서의 정찰활동을 강화한다는 소식이었다. 동시에 국군 2개 사단 3만여 명이 일본에서 훈련을 하고 있다는 소식도 전해졌다.

이러한 사실을 종합해 볼 때 유엔군이 상륙훈련을 하고 있다는 결론에 도달했다. 우리 판단으로는 상륙지점은 동해안의 통천, 원산일 가능성이 높다고 보았다.

모 주석의 판단과 상대의 상륙이 임박했다는 정보에 근거해 팽덕회 중국인민지원군 사령관은 상대에 대한 대규모의 반격, 즉 제5차 전역을 고려하기 시작했다.

정확히 기억이 나지 않지만 이즈음 어느 날 오후, 팽 사령관은 등화, 해패연, 두평 등을 불러 제5차 전역의 작전방안을 논의했다. 당시 한선초 부사령관은 최전선에서 돌아오지 않았다.

"동지들, 오늘 제5차 전역을 어떤 방식으로 전개했으면 좋은지 의견들을 말해 보시오."

내가 먼저 말문을 열었다.

"제 생각으로는 상대를 철원, 김화로 끌어들인 뒤 우회공격을 하는 것이 좋겠습니다. 현 위치인 철원, 김화 남쪽에서 그대로 공격을 하면 상대가 쉽사리 후퇴해 버려 모 주석이 말씀하신 상대의 주력에 타격을 입히라는 목적을 이루기가 어렵기 때문입니다."

"아니야, 그건 안돼. 우리는 더 이상 후퇴할 수 없어. 특히 철원은 평원이며 개활지가 많은데 상대가 탱크로 밀어붙이면 방어하기가 어렵지. 물개리에 있는 그 많은 물자와 양식은 어떻게 하느냐 말이야. 그러니 더 이상 물러날 게 아니라 현 위치인 철원, 김화 남쪽에서 반격을 시도해야 된다고 생각해."

등화가 말을 받았다.

"저는 홍형의 의견이 일리가 있다고 생각됩니다. 지금 제3병단, 제19병단이 들어오고 있고 제9병단도 전진 배치되고는 있지만 지형에 익숙하지 않습니다. 상대를 좀더 끌어들인다면 준비하는 시간도 넉넉하고 지원군들도 지형에 익숙해질 수 있다고 봅니다."

"등화, 그러면 물개리의 물자는 어떻게 하지."

물개리에는 물자창고가 많이 있었다. 아군을 위한 물자와 양식이었다. 내가 대답했다.

"제가 이틀 안으로 물자를 전부 북쪽으로 옮겨놓을 수 있습니다."

해패연과 두평도 상대를 끌어들이는 작전이 타당하다고 밝혔다. 팽 사령관은 우리들 참모 모두가 그의 의견을 따르지 않자 약간 불쾌하다는 듯이 말했다.

"이번 전투를 진짜 이기려고 그래?"

해패연이 분위기를 감지하고 서둘러 말을 꺼냈다.

"그리고 보니 사령관 동지의 견해가 타당할 듯싶은데요. 여러 정황을 주도면밀하게 살피신 결과 같습니다."

내가 말했다.

"사령관 동지, 저희들은 동지의 참모들입니다. 참모란 의견을 제시하거나 건의함으로써 동지께서 결심하시는 데 참고가 되도록 할 뿐입니다. 동지께서는 전장의 최고결정권자이시며 최종결심은 당연히 동지께서 내리셔야 합니다."

등화도 끼어들었다.

"동지께서 저희들의 견해를 물어보셨잖습니까. 저희들의 견해가 어떻든 결정은 사령관 동지께서 하십니다. 결정하시면 열심히 따르겠습니다."

팽 사령관은 자리에서 일어나 일선부대에 보내는 전보를 쓰려 했다. 내용은 사령관이 당초 제시했던 김화, 철원 남쪽의 현 위치에서 반격을 개시한다는 것이었다.

이때 점심 먹을 시간이 됐다. 등화가 식사를 먼저 끝내고 가버려 나 혼자 총사령관을 모시고 밥을 먹었다.

나는 이 기회를 이용해 말을 꺼냈다.

"사령관 동지, 참모는 3번 정도는 건의할 수 있다고 봅니다. 저는 이번에 두 차례 건의를 했지만 받아들이지 않으셨습니다. 이제 마지막으로 한 번 더 건의를 하겠으니 다시 한번 고려해 주십시오." 이어서 나는 내 생각을 자세하게 설명했다.

팽 사령관은 내 설명을 듣더니 한참 동안 깊은 생각에 잠겼다. 이윽고 한숨을 나지막이 쉬면서 말했다.

"자네의 견해도 일리는 있어. 그러나 조선의 전장은 협소하고 따라서 상대의 탱크를 평야지대에 들어오도록 내버려둔다는 것은 아무래도 설득력이 약해."

나도 가만히 있을 수 없었다.

"물론 상대 탱크가 활개 치며 전진하는 것은 우리에게 불리합니다. 그러나 우리가 현 위치에서 치고 들어가는 것은 더 불리합니다. 우리가 밀고 들어가면 상대는 차를 이용해 후퇴해 버립니다. 그러면 우리 병사들의 피로는 쌓이고 지형도 설지요. 또 그렇게 치고 들어가면 보급을 제대로 할 수 없습니다. 보급선을 제대로 연결시킬 수 없잖습니까."

팽 사령관은 내 말을 듣고 아무 대꾸도 하지 않았다. 나도 더 이상 말을 꺼낼 수 없었다.

후에 팽 사령관이 우리 의견을 채택하지 않은 것은 우리가 물러날 경우 시간이 많이 걸리고 상대가 우리 배후에서 상륙할 위험성이 있었음을 고려한 결과라는 얘기를 전해 들었다.

지나고 생각해 보니 팽 사령관의 우려도 일리가 있었다. 당시 아군의 부대배치는 정면공격만을 감안한 것인데 상대는 우리의 측후에서 상륙해 아군의 정면공격을 분쇄하려는 것이었다. 일단 상대가 상륙하는 상황이 발생하면 우리는 또다시 부대를 재편해야 한다. 그러나 수십만의 대군이 모두 전선 전면에 배치돼 있는데 이를 다시 바꾸는 것은 쉽지 않다. 그래서 팽 사령관은 상대가 상륙을 하기 전에 선수를 쳐 상대의 기도를 분쇄하겠다는 생각이었다.

4월 초, 총단장 요승지(廖承志), 부총단장 진기(陳沂), 전한(田漢)이 이끄는 중국인민위문단이 조선전선에 도착했다. 그들은 지원군, 조선인민군, 조선인민에 대한 중국인민의 뜨거운 사랑과 감격, 그리고 항미원조의 굳은 결심을 조선에 가지고 왔다. 그들은 지원군과 조선인민군의 전투의지를 크게 북돋웠다.

4월 6일, 팽 사령관은 김화의 금광 굴에서 지원군당위원회를 열어 제5차 전역의 작전계획을 최종 논의했다.

이 회의에는 팽 사령관, 등화, 박일우, 나, 한선초, 해패연, 두평, 제9병단 사령관 겸 정치위원 송시륜, 제19병단 사령관 양득지(楊得志)58), 정치위원 이지민(李志民)59), 제3병단 부사령관 왕근산(王近山), 부정치위원 두의덕(杜義德) 등이 참석했다.

팽 사령관은 주제발표를 통해 지난 4차례의 전역에서 아군이 겪은 경험을 되새겼다.

그는 제4차 전역의 교훈을 두 가지 측면에서 분석했다.

그는 군사상의 측면에서 중국인민지원군이 현대화 장비를 갖춘 상대와 맞서 고정방어를 한다는 것은 엄청나게 어려운 일이며 따라서 기동방어가 필수적이라는 사실을 지적했다.

그는 또 정치적 측면에서 항미원조전쟁은 장기적으로 치러야 한다

---

58) 楊得志(1910~1994) 28년 공산당 입당. 34년 長征 참가. 항일전쟁 초기 8로군 115사단장이었다가 林彪, 鄧小平 휘하로 들어감. 50년 華北야전군 19병단 사령관. 54년 鄧華 후임으로 지원군 사령관으로 승진. 80년 해방군 총참모장. 현재 정치국원.

59) 李志民(1905~1988) 1927년 중국공산당 입당. 54년 지원군 정치위원. 63년 군사학원장 겸 정치위원. 67년 賀龍의 부하라는 이유로 실각. 72년 복권. 85년 중공중앙조직부 청년간부국장.

는 점을 지적하고 38선을 돌파해서 서울을 점령한다고 해서 순풍에 돛 단 듯이 전쟁을 끝낼 수 있다는 것은 일종의 환상이라는 점을 일 깨웠다.

그럼에도 불구하고 팽 사령관은 "곧 60만 명의 병력을 보충받아 순 환참전이 가능하게 하고, 지원군장비의 개선이라든지 보급기구의 강화 또 공군과 기갑병부대 참전 등을 통해 최대한 빠른 시일 내에 전쟁을 끝내자."고 역설했다.

팽 사령관은 또 정세분석을 통해 다음과 같이 역설했다.

"지금 전쟁은 바야흐로 고전의 연속이다. 여러 정황을 종합적으로 살펴볼 때 상대는 제4차 전역에서 38선을 점령한 여세를 몰아 계속 북진해 올 것으로 보인다. 게다가 우리의 배후에서 상륙작전을 감행하 면서 동시에 전선 정면에서 공격을 시도할 가능성이 매우 높다. 저들 의 목적은 39도 선, 즉 안주와 원산을 잇는 선을 점령하려는 데 있다. 상대의 목적이 실현된다면 아군의 주요 보급선이 도중에 차단될 것이 며 이것은 엄청난 위협요소가 된다.

따라서 상대의 상륙기도에 대해 충분한 준비가 있어야 하며 이런 상황을 감안할 때 아군이 먼저 공격을 시도하는 것이 바람직하다."

이때 각 병단 사령관들은 이제 막 전쟁터에 들어온 터라 모두들 멋 진 솜씨를 보일 기회를 벼르고 있는 눈치였다. 큰 전투를 눈앞에 둔 들뜬 분위기에 너 나 할 것 없이 활발하게 자신들의 의견을 개진하는 바람에 왠지 좋은 일이 벌어질 것 같은 모습이었다.

각 병단 사령관들의 발표가 있은 뒤 팽 사령관이 다시 나와 현재의 국면을 바꾸려면 적어도 상대의 5, 6개 사단을 무력화시켜야 한다고 지적했다.

"제5차 전역에서 우리는 더욱 많은 상대 인명을 살상해 그들의 계획을 분쇄하고 주도권을 되찾아야 한다. 반격을 실시할 주요지역은 서부전선의 문산에서 춘천에 이르는 선이다. 이 지역에는 국군 1사단, 영국군 제29여단, 미제3사단, 미제25, 24사단, 터키여단과 국군 제6사단이 있다. 방어선이 얕고 지원병이 옆에서 오게 되는 특성에 따라 아군은 우선 일부병력을 김화, 가평선의 산악지대를 통해 돌파구를 만든다. 상대 동서 양 전선을 분할하는 것이다. 이와 함께 3병단은 정면돌파를 감행한다. 9병단과 19병단도 각각 동서 양측 익에서 돌격해 우회한다. 상대를 각개 격파한 뒤 방어선 깊숙이 치고 들어간다. 동부전선의 인민군 김웅집단군과 서부전선의 인민군 1군단은 각각 정면을 공격해 전체작전에 적극적으로 협동한다."

그는 각 군 사령관들에게 "전역 개시일자를 20일전후로 하면 어떠냐"고 물었고 모두 "그 정도면 병력을 집결시켜 공격출발선과 돌격위치에 배치하는 데 충분하다"며 동의했다.

5차 전역의 승리를 위해 펑 사령관은 다음 6가지를 당부했다.

첫째, 지체 없이 병사들에 대한 이념교육과 전술교육에 들어갈 것.

둘째, 제1차로 참전했던 부대간부들을 신참부대에 보내 그동안의 작전경험을 소개할 것.

셋째, 작전구역설정에 따라 전역정찰과 전술정찰에 각별한 신경을 쓸 것.

넷째, 물자보급을 강화할 것. 전역을 시작할 때 병사 1인당 5일분의 미숫가루를 휴대하고 보급을 맡은 각 후근부 각 지부는 여분의 미숫가루 5일치를 준비해 지난번 남진 시 3백 리를 미숫가루 없이 행군했던 쓰라린 교훈을 되새길 것.

다섯째, 4, 5만 명의 부상병을 수용할 수 있는 야전병원을 마련할 것.

여섯째, 공병부대는 즉각 희천과 양덕을 잇는 국도를 보수해 상대가 만약 상륙에 성공해 서부전선의 교통이 완전 차단될 것에 대비한 주요 보급선을 준비할 것 등이었다.

팽 사령관은 끝으로 강조했다.

"동부전선의 5개 군 병력을 위한 식량공급에 지대한 신경을 써주어야겠소. 하루 이틀 밥을 먹지 못한다면 제아무리 좋은 작전도 헛일이오. 이번 전역에서 승리한다면 전 병사들의 공로가 절반이며 나머지 절반은 보급이라 해도 과언이 아니오."

4월 10일, 팽 총사령관은 그의 구상과 병력배치 상황을 모 주석에게 전보로 보고했다.

4월 13일, 모 주석이 답전을 보내왔다.

"첫째, 귀관의 병력배치에 동의함. 상황을 살펴보고 집행할 것. 둘째, 상대가 원산에 상륙하는 것을 막기 위해 42군 주력을 원산 시내와 그 부근에 배치해 원산을 확보한 것처럼 보이게 할 것. 이 사안은 상황에 따라 결정할 것"

4월 11일과 18일, 지원군사령부는 소속부대에 전역지도방침에 관련한 지시를 하달했다. "아군이 우세한 병력을 집중시켜 상대를 각개 격파한다는 원칙을 실천할 것. 전역에서 상대를 동서로 분리시킨다. 충분한 병력을 동원해 밀집대형으로 몰려오는 상대를 잘게 나눈 뒤 우세한 병력과 화력을 집중해 신속하게 타격을 입혀야 한다. 이번 전역에서 상대에게 큰 타격을 입힐 수 있느냐는 것은 전군이 대낮에도 전투를 벌일 수 있는지에 달려 있다."

정치부 주임 두평과 나는 의논해서 제5차 전역의 정치동원령을 기초해 4월 19일 팽 사령관 등 사령부 지휘관들의 연명으로 전군에 하달됐다. 동원령은 "이번 전역은 아군이 주도권을 잡을 수 있을지의 관건이 걸려 있다. 조선전쟁의 기간을 줄이느냐 늘이느냐의 관건이기도 하다.

전군에게 동원을 호소하는바 모든 어려움을 무릅쓰고 용감하고 슬기롭게 상대를 소멸해 전투마다 필승을 거두기 바란다"로 되어 있다.

이 기간, 새로 조선에 들어온 아군 19병단, 3병단과 앞서 줄곧 휴식 및 정비기간을 가진 9병단은 각각 예정지구에 집결해 있었다. 새로 조선에 들어온 포병 제2사단과 포병 제8사단 1개 포병단, 탱크저격을 맡은 포병 제31사단과 고사포병 제61사단은 이미 각 군에 배속됐다. 철로 및 도로수송의 원활한 운용을 위해 군사위는 철도병 제3사단과 4개 공병단을 조선에 파견하기로 결정했다. 이와 함께 공안 제18사단에게 철로, 도로 수송선의 대공초소를 맡아 대공감시를 책임지도록 했다. 또 전방근무지휘부를 창설해 후근부 6개 지부 지휘하도록 하면서 19, 3, 9병단 등 3개 병단의 병참업무를 책임지도록 했다.

이때 지원군은 조선에 이미 14개 군, 6개 포병사단, 4개 고사포사단과 일정수의 철도병, 공병, 공안, 병참부대를 보유하고 있었다. 그중에는 후방에서 휴식, 정비를 취하고 있는 38, 42군과 새로 조선에 들어온 제47군과 해안선 방어와 비행장수리 임무를 맡고 있는 병력을 제외하고 일선전선을 맡고 있는 부대만도 3개 병단 11군과 3개 포병사단과 1개 포병사단이었다.

5차 전역에 앞서 팽 사령관은 물론 등화, 내가 겪었던 아찔했던 순간들을 회상해 보자.

51년 4월 6일, 중국인민지원군 제5차 당위원회 확대회의가 열리던 날, 유엔군은 우리 지원군사령부가 있던 김화 상감령 가까이 밀고 들어왔다. 미군전투기는 밤낮을 가리지 않고 쉴 새 없이 지원군사령부 상공을 맴돌거나 폭격을 가해 왔다. 쿵쿵거리는 대포소리가 멀지 않은 남쪽의 전선에서 심심치 않게 들려왔다.

우리는 팽덕회 사령관과 지원군사령부의 안전을 위해 회의를 끝내기가 바쁘게 상감령에서 북서쪽으로 1백여㎞ 떨어진 공사동(空寺洞)으로 사령부를 옮겼다. 한꺼번에 희생당하는 만일의 사태에 대비해, 우리 사령부의 수뇌부는 3단계로 나누어 철수했다. 팽 사령관, 나, 등화 부사령관의 순이었다.

팽 사령관이 먼저 떠난 다음 날, 날이 어두워진 뒤 나는 지프차를 타고 철수 길에 올랐다. 길을 떠나기 전에는 미군전투기들이 밤이라 찾아오지 않을 것으로 여겼는데 얼마 가지 못해 미군전투기 몇 대가 굉음을 울리며 우리 쪽으로 날아오는 것이었다.

미군전투기는 먼저 조명탄 몇 개를 터뜨리더니 급강하하면서 폭탄을 투하했다. 우리는 공습을 피하기 위해 좁고 구불구불하며 울퉁불퉁한 길을 마치 춤추듯 달려 나갔다. 그러다가 그만 운전병이 실수하는 바람에 차가 길가의 도랑에 처박혔다.

다행인 것은 차가 완전히 뒤집히지는 않아 사람은 거의 다치지 않았고 차도 별 탈은 없었다. 좀 있으려니 전투기들이 돌아갔다.

나는 경호원 2명과 함께 차에서 내려 처박힌 차를 위로 끌어올리려 했으나 도랑이 너무 깊고 가팔라 역부족이었다.

한참을 씨름하고 있는데 뒤에서 트럭 한 대가 다가왔다. 우리가 도랑에서 땀을 흘리고 있는 것을 보고는 모두들 차에서 내려 일을 거들었다. 그들은 우리 지프차 앞에 새끼줄을 걸고 천천히 위로 끌어올렸다. 한참 씨름 끝에 마침내 지프차를 도로가로 끌어올릴 수 있었다.

우리 지프차를 막 끄집어 올렸을 때 뒤에서 지프차가 다가왔다. 미군전투기의 공습이 무서워서 감히 전조등을 켤 엄두를 못 내고 더듬더듬 오더니만 그만 이 지프차가 내 경호원을 치고 말았다.

경호원의 부상이 생각보다 심한 듯해 나는 지프차에 탄 친구들에게 경호원을 빨리 야전병원으로 후송하라고 지시했다. 지프차가 떠난 뒤 우리는 계속 전진했다. 약 1시간 정도 달렸을까 어느 고갯마루에 도착했다.

설상가상 이때 또다시 미군전투기가 윙윙거리며 날아왔다. 일이 꼬이려고 그랬는지 우리 맞은편에서 트럭 한 대가 고개를 내려오고 있었다.

이 트럭은 웬일인지 전조등을 덜컥 켜버렸다. 이쯤 되자 전투기가 트럭의 위치를 눈치 채 기관총과 소이탄을 마구 퍼붓기 시작했다. 그러자 트럭운전병은 당황해 전조등을 끄고는 부리나케 달려왔다.

날이 어두운 데다 산길이 꾸불꾸불해 트럭이 우리 눈앞에 다가왔을 때 비로소 발견했다.

내가 가장 먼저 트럭을 발견해 다급하게 소리쳤다. "앞에 차가 있다." 내 고함소리를 듣고 우리 차의 운전병 정(鄭) 군이 서둘러 핸들을 꺾었지만 이미 때는 늦었다. 트럭이 워낙 빨리 달려왔기 때문에 피할 수가 없었던 것이다.

피할 겨를도 없이 곧 "와장창" 하면서 트럭이 우리 지프를 들이박고 멈췄다.

나는 충돌 순간 두 손으로 차 안의 손잡이를 움켜잡았지만 다리가 그만 차 옆구리에 깔려버렸다. 처음에는 별로 아픈 것 같지 않더니 곧 다리가 엄청나게 부어오르기 시작했다.

사고가 난 뒤 내가 차에서 내려오니 트럭은 말짱한 반면 우리 지프차는 완전히 못 쓸 정도였다. 범퍼가 휘어져 있는 등 운전병이 몇 번 시동을 걸어 보았으나 헛수고였다.

우리의 지프차는 막 전쟁터에서 노획한 미제최신형이었는데 형편없이 된 꼴을 보니 내 마음이 언짢았다. 사고를 낸 트럭의 선임장교는 알고 보니 40군 후근부의 재무과장이었다. 그는 내 목소리를 듣고는 놀라 얼른 트럭에서 내려와 내게 말했다.

"아이쿠, 이거, 부사령관 동지께서 부상을 입으셨으니 정말 면목이 없습니다."

"다리를 좀 다쳤는데 별일 없겠지."

"동지차를 부숴놨으니 이것 참. 사령관 동지께서 저희 트럭을 타시고 먼저 가십시오."

"괜찮아, 우리 차도 갈 수 있으니 자네도 얼른 떠나지. 앞으로는 조심해서 차를 몰아."

운전병이 허둥지둥 뚝딱거리며 수리를 하더니만 다행히 시동이 걸렸다.

"부사령관 동지, 타시죠. 이만하면 갈 수 있겠습니다."

"그래, 가자. 시간이 지체됐으니 빨리 가자."

우리는 새벽 서너 시가 되어 공사동에 이르렀다.

새로 지원군사령부가 짐을 옮겨온 공사동도 금광이었다. 조선에는 도처에 금광이 있었다. 우리 지원군사령부가 조선에 들어온 뒤 자리를 잡은 곳은 모두 금광이었다. 대유동, 군자리, 김화는 물론이고 최후에 자리 잡은 회창도 금광이었다. 그러면 왜 금광에 머물렀는가. 이유는 갱도가 미군전투기의 공습을 피하기에 안성맞춤이었기 때문이다.

공사동에도 많은 갱도가 있었다. 그러나 이곳은 김화나 군자리와 달리 갱도 안에 물이 떨어져 습기가 대단했다.

팽덕회 총사령관은 갱도 안에서 머물고 싶어 하지 않았다. 그는 갱도 안의 습기와 답답한 분위기를 싫어했다.

때마침 갱도 아랫마을에 집이 몇 채 있었다. 전에 폭격을 당한 적도 없었고 집도 쓸 만했다. 그래서 팽 사령관을 그곳에서 지내도록 했다.

관리처 동지들이 거처를 마련해 주면서 집 앞에다 조그만 방공호를 하나 마련했다.

나는 공사동에 도착하자마자 팽 사령관의 거처와 방공호를 점검했다. 나는 방공호가 안전하지 못하다는 사실을 발견했다.

방공호가 직선이며 매우 얕아서 전투기의 공습이 개시되면 방공호 안에까지 직접적인 피해를 줄 수 있었다. 그날 밤으로 나는 공병대를 불러 방공호를 보다 깊숙이 파도록 하고 방공호 앞에다 모래주머니로 삼각형의 엄폐호를 쌓았다.

나는 해패연, 두평과 함께 팽 사령관 거처 바로 밑의 산기슭에 있는 조그만 집에 머물렀다. 우리 처소 바로 뒤에도 만일의 사태에 대비해 방공호를 파두었다.

내가 공사동에 온 지 3일째 되던 날, 최전선에 감독차 나갔던 등화가 돌아왔다. 아마 새벽 1시쯤에 돌아온 것 같다. 팽 사령관의 거처는 3칸짜리 집이었는데 본래 등화의 숙소였다. 팽 사령관의 거처 중 서쪽 편의 방 하나를 등화를 위해 준비해 두었다.

등화는 자기 혼자 팽 사령관과 같은 집에서 거처하게 된 것을 알고는 관리처 사람들에게 물었다.

"홍 부사령관은 어디서 거처하지."

"그는 요 아래 조그만 집에 계십니다."

"그럼 나도 그 친구하고 지내야겠는데."

"그 집에는 이미 여러 명이 들어가 있기 때문에 여유가 없는데요."

"내가 가겠다는데, 무슨 잔말이야."

등화는 관리처 직원들의 만류에도 아랑곳없이 야전침대를 들고 우리들이 몰려 있는 집에 와서 잠을 청했다.

이튿날 오전 5시쯤, 날이 막 밝기 시작할 때쯤이었다. 나는 갑자기 미군전투기의 공습을 알리는 신호탄소리를 들었다. 좀 있으려니 윙윙거리며 전투기들이 몰려오는 소리가 들렸다. 선뜻 공습이 시작 됐다는 생각이 들면서 자리를 박차고 일어났다. 해패연과 두평도 일어났다. 그러나 등화는 그때까지도 잠에 곯아떨어져 세상모르게 곤히 자고 있었다. 너무 피곤했기 때문이었다. 그는 엊저녁 잠잘 때 옷과 군화도 벗지 않았을 정도였다.

"이봐, 전투기 공습이야. 빨리 나가자."

그래도 등화는 꿈쩍하지 않았다. 나는 애가 타서 그만 그의 야전침대를 뒤집어엎었다. 그때서야 등화는 잠에서 깨어 사태가 심상찮다는 것을 알고 우리와 함께 바쁘게 빠져나왔다.

우리는 방에서 나왔지만 미처 방공호로 들어가지는 못했다. 방공호에 가려면 집 뒤로 한참 뛰어야하는데 자칫 전투기의 눈에 띌 가능성이 컸다. 그래서 우리는 집 옆의 산골짜기로 몸을 피했다. 나는 다리가 퉁퉁 부어 거동이 불편해 등화와 경호원의 부축으로 겨우 몸을 숨길 수 있었다. 우리가 막 산골짜기에 도착했을 때 미군전투기들이 소이탄을 발사하기 시작했다. 팽 사령관 처소가 소이탄에 명중되는 광경을 지켜보아야 했다.

우리는 비행기가 사라지자마자 매우 초조해서 경호원을 보내 사정을 알아보게 했다. 좀 있으려니 경호원이 뛰어와 보고했다.

"안심하십시오. 사령관 동지는 일찌감치 방공호로 대피하셨습니다."

팽 사령관도 우리의 안부가 걱정되었던지 비서 양봉안을 우리에게 보내왔다.

이때 미군전투기편대가 날아간 듯하더니 또 다른 편대가 날아와 저공비행을 하면서 기관총세례를 퍼부은 뒤 돌아갔다.

현장을 확인해 보니 팽 사령관의 거처는 완전히 파괴됐다. 팽 사령관이 피신한 방공호 입구에 걸어놓은 가마니에만 70여 곳의 탄흔이 있었다. 미군전투기들은 방공호 입구에 흙더미를 담은 부대를 발견해, 새로 건설한 방공호인 것을 눈치 채고 팽 사령관이 피신한 방공호를 집중적으로 공격했다. 다행히 방공호 입구에 모래주머니를 가득 쌓아 올렸기에 망정이지 자칫하면 큰일 날 뻔했다.

우리 숙소는 폭탄피해는 입지 않았으나 기관총세례는 받았다. 특히 등화가 잠자고 있던 곳에는 탄흔이 있었고 그의 야전침대는 벌집이 되어 있었다.

등화가 내게 농담을 건넸다.

"이봐 오늘 자네 아니었으면 나는 저승으로 갈 뻔했어."

미군전투기의 공습이 끝난 뒤 살펴보니 팽 사령관과 우리 숙소는 더 이상 수리가 불가능할 정도로 파괴돼 있었다. 하는 수 없이 우리는 금광갱도 안으로 숙소를 옮겨야 했다.

우리는 팽 사령관을 위해 갱도입구에 따로 조그만 방공호를 팠다. 공습이 없을 때면 팽 사령관은 이 방공호에서 작전지도를 살펴보곤 했다. 낮에는 일부러 전등을 켜지 않아도 될 정도여서 그런 대로 지낼 만했다.

이 무렵 미군전투기는 날이면 날마다 날아들었다. 조그만 불빛 하나라도 비치기만 하면 어김없이 폭탄세례를 퍼부었다.

팽 사령관이 비로소 공습에 신경을 쓴 것도 이때쯤부터였다.

이왕 얘기가 나온 김에 미군전투기 공습에 대해 몇 마디 덧붙여 보기로 한다.

어느 날 밤, 나는 한선초 부사령관과 방공호 안에 있었다. 촛불을 켜고 장기를 두면서 혹시 있을지도 모를 상부의 전보를 기다렸다. 우리가 한참 장기에 열을 올리고 있을 때 미군전투기들이 몰려왔다.

우리가 있던 방공호에서 그다지 멀지 않은 산골짜기에 있는 취사장 때문이었다. 취사장의 큰 밥솥에 밥을 짓기 위해 사용했던 불쏘시개를 취사병들이 제대로 끄지 않았던 모양이었다. 불쏘시개의 자그마한 불똥이 날아다니는 것을 보고 미군전투기들이 잽싸게 날아든 것이다.

전투기들이 워낙 저공비행을 했기 때문에 바람소리가 윙윙 일어났고 귀가 멍멍했다. 전투기들은 이윽고 5, 6개의 폭탄을 떨어뜨렸다. 곧 귀가 찢어질 듯한 폭음이 뒤따랐다. 나는 취사장이 박살난 줄 알았는데 후에 살펴보니 말짱했다. 전투기가 투하한 폭탄은 우리 방공호를 스쳐지나 건너편 산골짜기에서 폭발했다.

미군전투기들은 1차 폭격이 실패로 돌아가자 이번에는 기수를 돌려 우리 방공호 쪽으로 달려드는 듯했다. 방공호 입구에서 폭격장면을 지켜보던 우리는 "아차" 싶어 3, 4m 깊이의 방공호 깊숙이 뛰어 들어갔다.

"한형, 취사병이 큰 죄를 저지르고 있구먼."

다행히 전투기들의 폭격이 빗나갔는지 우리는 별다른 상처를 입지 않았다.

그러나 하루가 채 못 돼 기어이 불상사가 생겨났다.

우리 사령부가 들어 있던 탄광갱도는 규모가 엄청나게 컸다. 동쪽에 큰 갱도가 있었는데 모래주머니를 쌓아 엄폐하도록 했다. 서쪽 편에는 조그만 갱도가 하나 있었는데 규모가 작아 달리 엄폐물을 쌓지 않았다.

그날 저녁, 정찰참모 한 명이 조그만 갱도 안 몇 미터 떨어지지 않은 곳에서 촛불을 켜놓고 자료정리 작업을 하고 있었다. 그는 갱도 안이라 안심하고 공습에 별다른 주의를 기울이지 않았다.

전투기들이 촛불의 희미한 불빛을 발견한 모양이었다. 불빛을 향해 기관총난사가 시작돼 끝내 그 참모는 숨졌다.

나중의 일이지만 성천 향풍산(成川 香楓山)의 지원군후근사령부에 위생부과장이 있었는데 그도 밤에 갱도 안에서 촛불을 켜고 일하다 미군전투기에 똑같은 방법으로 당했다. 전투기들은 멀리서도 조그만 불빛을 곧잘 발견해 기관총을 퍼부어댔는데 정확도는 혀를 내두를 만큼 빈틈이 없었다.

3월 하순, 아군은 제4차 전역후기에 '기동방어전을 펼치며 서서히 북쪽으로 철수한다'는 전략을 채택했다. 상대는 전선을 38선 부근으로 밀어붙였고 미국 수뇌부 내부에서 조선침략의 책략에 관해 다시 한번 논쟁이 벌어졌다.

트루먼 대통령, 애치슨 국무장관, 마샬 국방장관 등은 전쟁을 확대하지 않는다는 전제하에 자기네의 강력한 기술장비의 우세에 의존해 서서히 조선 북부로 밀고 들어와 유리한 지위를 확보하려 했다. 그다음 우리와 휴전회담을 하거나 군사행동을 계속해 조선과 아시아에서의 지위를 유지하려고 했다. 그러나 맥아더는 성명을 발표해 "유엔이 우리의 군사행동을 중국의 연안지대와 대륙기지까지 확대할 수 있다면 그들은 반드시 붕괴할 것이다."고 주장했다.

맥아더의 성명은 미국 내에서 큰 반향을 불러일으켰다. 트루먼은 머리끝까지 화가 나서 "이는 대통령에 대한 도전이며 유엔에 대한 모욕"이라며 4월 11일 맥아더의 모든 직책을 박탈하고 리지웨이를 그의 후임으로 미극동군 총사령관 및 유엔군 총사령관으로 임명했다. 또 밴플리트를 리지웨이 후임으로 미8군 사령관에 임명했다.

리지웨이는 새 직책을 맡은 뒤 트루먼이 이미 정한 정책을 실천하기 위해 또다시 38선을 넘는 한편 정면공격과 함께 측후면의 상륙을 감행해 조선의 허리부분(원산~평양 선)에 새로운 방어선을 구축할 계획을 세웠다. 그는 원산~평양 선이 좁고(170㎞에 불과) 지형도 공격과 방어에 안성맞춤이라고 판단했다. 또 이 선은 조선의 허리로서 점령하면 군사적으로 정치적으로 유리했다.

이때 미공군은 아군의 후방교통 및 물자집결지와 부대집결지에 사상최대의 폭격을 감행했다. 미해군도 원산, 신포, 청진 등 항구에 대한 포격, 봉쇄, 정찰 및 교란활동을 강화했다. 트루먼은 마샬 국방장관을 일본으로 보내 리지웨이가 일본주둔 미군의 예비부대를 동원하는 것을 승인하는 한편 미제40사단, 45사단을 미국 본토에서 일본으로 이동시켰다. 또 일본에 있는 국군 3개 사단의 훈련을 강화하고 부산, 김포 등 공군기지를 늘리는 등 상륙작전 준비에 박차를 가했다.

그러나 당시 유엔군은 계속된 2개월간의 공격으로 병사들이 피로에 지친 데다 손실도 엄청나 아군의 대부대가 새로이 조선에 들어와 그들에게 새로운 공격준비를 하고 있는 데 대해서 무척 두려워했다.

제5차 전역 부대가 출동할 즈음에 60군이 갑자기 지원군 총사령부에 전보를 보내왔다. 그들은 이미 전역공격 전 대기지역에 도착했으나 일부 부대에 전투식량이 떨어져 군용외투를 현지주민들과 양식으로 바꾸는 일마저 잦아 하루빨리 식량보충이 필요하다는 건의였다.

팽 총사령관은 전보를 보더니 매우 화를 내면서 내게 호통 쳤다.

"너 홍학지, 이게 어떻게 된 거야."

"무슨 말씀입니까?"

"60군에서 전투식량이 모자라 옷과 식량을 맞바꾸고 있대잖아. 어째서 식량이 없지. 부대가 곧 작전을 개시하려는데 어떻게 전투를 하겠어. 작전에 큰 차질을 빚게 됐어."

"팽 사령관, 그들의 전보는 정확하지 않습니다. 전투식량은 모두 전달됐습니다. 최소한 5일간은 보장할 수 있고 많으면 1주일간은 보장할 수 있습니다. 그들의 전투식량은 충분합니다. 별문제가 없다고 생각됩니다."

나는 이어 60군에 언제 어느 정도의 트럭이 얼마만큼의 전투식량을 어디로 가져다주었는지 죄다 팽 사령관에게 말씀드렸다.

팽 사령관은 그래도 못 믿겠다는 듯이 나를 노려보았다.

"사령관 동지, 사람을 보내 조사를 시키죠. 정말 문제가 있다면 제가 책임지겠습니다."

"당연하지, 사람을 보내 전말을 조사하도록 해."

팽 사령관의 말이 끝나자 나는 곧 참모 유홍주(劉洪洲)를 60군에 보내 조사하도록 했다.

팽 사령관은 내가 보낸 참모가 돌아와서 상황을 잘못 보고할까 봐 그의 비서인 양봉안을 60군에 보내 조사하도록 했다. 양봉안이 60군에 파견된 사실을 팽 사령관은 내게 알려주지 않아 까맣게 몰랐다.

이튿날, 양봉안은 60군에서 팽 사령관에게 전보를 보내왔다. "60군 단장 위걸(韋杰)[60]과 정치위원 원자흠(袁子欽)을 직접 만났는데 그들 얘기가 홍 부사령관 말이 사실이라고 했습니다. 전투식량은 일찌감치 전달됐다면서 사령관 동지께서 안심하시라는 말씀이었습니다. 문제는 부대에 식량이 모자라는 것이 아니라 일부에서 기율을 위반해 외투와 수건을 가지고 나가 현지주민들과 김치, 닭 등과 맞바꾸었다는 것입니다. 전보를 기초했던 참모는 저간의 사정을 모르고 유언비어만을 듣고 서둘러 전보를 보냈다고 합니다. 상황을 잘못 보고했다는 겁니다."

나는 이 전보를 읽고 당초 그들이 거짓상황을 보고한 책임을 따져보리라 생각했었다. 그러나 곰곰이 생각해 보니 그대로 넘기는 게 좋

---

60) 韋杰(1914~1987) 廣西壯族자치구 출신의 壯族. 장정 참가. 1955년 9월 중장. 58년 귀국 후 成都군구 부사령관. 82년 중앙고문위 위원.

겠다 싶었다. 전쟁기간 모든 것이 어수선한 만큼 그럴 수도 있겠다고 여겼던 때문이다.

팽 사령관은 양봉안의 전보를 읽고 내가 말한 것이 옳았고 부대에 전투식량이 모자라지 않다는 사실을 알고는 매우 기뻐했다. 이튿날 아침을 먹을 때 그는 나를 찾더니 내 손을 꽉 잡았다. "이봐, 그저께는 내가 잘못했어. 미안하이."

"사령관 동지, 어떻게 그런 말씀을 하십니까. 몸둘 바를 모르겠습니다."

이때 식탁에는 배가 하나 있었다. 사령관은 그 배를 집어 들더니 내게 건넸다. "배 하나를 선사하겠네. 얼른 먹으라고. 배 하나로 잘못을 빌겠네(여기서 배 梨는 사과한다는 뜻의 (賠)禮와 중국어 발음(리)이 같음)."

"사령관 동지께서는 총수로서 전체국면을 살피잖습니까. 동지께서 병사들이 배를 굶주려 전투에 영향을 미칠까 걱정하신 것은 당연합니다. 우리가 제대로 일하지 못하면 당연히 비판을 받아야 합니다. 이제 진실이 밝혀졌으니 안심입니다. 미안해하실 것까지 없습니다."

팽 사령관이 미소를 지었다. "됐어. 됐어. 그만하지. 장기나 두자고." 그는 나를 잘못 야단친 것이 쑥스러우니까 딴청을 부리는 것이다.

"좋습니다. 그런데 시작하시기 전에 이번에는 절대로 수를 무르지 않는다고 약속하셔야 합니다."

"내가 언제 물렸단 말이야."

팽 사령관은 늘 엄숙한 표정을 지었기 때문에 상당수의 동지들은 감히 그에게 접근하려 들지 않았다. 줄곧 혼자였다. 당시 그의 임무가 막중한 탓에 소일거리 할 만한 여유가 그에게 주어지지 않았다. 그의 유일한 취미가 장기를 두는 것이었다. 그는 군사지휘 능력은 탁월했지만 장기는 그렇지 못했다. 말이 잡히면 자꾸 수를 물리는 것이었다. 그래서 매번 장기를 두기 전에 나는 늘 농담을 건넸다. "사령관 동지, 장기를 두시는 것은 좋은데 물려달라면 안 됩니다." 그러면 그는 "이 친구 보게나, 내가 언제 물려달라고 했단 말이야, 절대로 그런 일은 없을 거야."라고 말하곤 했다. 이번에도 똑같은 응수를 하고는 장기를 시작했다.

그러나 나는 사령관 장기실력이 신통찮은데 내가 무작정 이기기만 하는 것도 별로 좋은 일은 아닐 거라고 생각했다. 어떤 때는 그에게 내리 두 판을 일부러 져주기도 했었다.

군자리에서 일이다. 구정(春節)날이었다. 일이 별로 없자 그가 말했다. "어때, 오늘 내리 세 판을 두어보지. 승부를 가리자고."

"좋습니다. 오늘은 자신이 있으신 모양입니다." 첫째 판은 내가 이길 수 있었지만 일부러 져주었다. 그는 그 사실을 모르고 득의만면이었다. 둘째 판은 내가 이겼다. 셋째 판은 그의 말마따나 최후의 결전이었다. 나는 속으로 이길까, 져줄까 생각했다. 아무래도 사령관 동지를 기쁘게 하는 것이 낫겠다 싶었다. 그는 셋째 판을 이기고는 어린애처럼 기뻐했다. "아, 오늘은 새해 첫날인데 내가 이겼네. 자네 장기실력이 형편없어졌어."

이날은 우리가 두 판을 두었다. 1대 1 무승부였다.

제5차 전역 개시

이제 5차 전역에 대해서 얘기해 보자.

51년 4월 19일, 미제24사단과 25사단이 철원부근까지 치고 올라왔다. 이 2개 사단은 전선에서 돌출부를 이루었고 이러한 형상은 아군의 공격목표로는 안성맞춤이었다. 그토록 벼르던 반격의 기회, 즉 제5차 전역의 기운이 무르익고 있었다.

이날, 팽덕회 중국인민지원군 총사령관은 제5차 전역을 4월 22일 황혼 무렵에 개시하겠다고 최종 결정했다.

상대는 우리의 의도를 알아채지 못하고 계속 공격해 왔다.

21일, 상대의 선두부대는 이미 개성, 고량포리, 양구, 간성 선까지 밀고 왔다.

미제1군단이 지휘하는 국군 제1사단, 미제3사단, 미제25사단은 문산에서 고남산과 그 동쪽 지역에 위치했다. 또 국군 제1사단 학도병연대와 전초부대는 개성, 석주리 일대에서 활동했다. 군단지휘소와 예비대인 미제3사단 15연대는 의정부에 위치했다.

미제9군단이 지휘하는 미제24사단, 국군 제6사단, 미해병 제1사단은 지포리~대리리 선에 위치했다. 영국군 제27여단은 예비대로서 가평 일대에 있었다. 군단지휘소는 청평천에 자리 잡았다.

미제10군단 예하 미제2사단과 네덜란드대대, 프랑스대대, 미제7사단, 국군 제5사단은 구만~원통리 선에 위치했다. 군단지휘소는 신악에 있었다.

국군 제3군단이 지휘하는 국군 제3사단은 원통리와 한계령을 잇는 선에 위치했으며 국군 제7사단은 현리 일대에서 예비대가 되었다. 군단지휘소는 하진부리에 있었다. 국군 제1군단이 지휘하는 국군 수도사단, 국군 제11사단은 한계령과 간성에 이르는 선에서 방어태세에 들어갔고 국군 제9사단은 강릉에서 예비대로 남았다. 군단지휘소는 제장가동에 있었다.

미기병 제1사단, 미공수 제187연대, 국군 제2사단은 제8군 예비대로 각각 춘천, 수원, 원주 등에 위치했다.

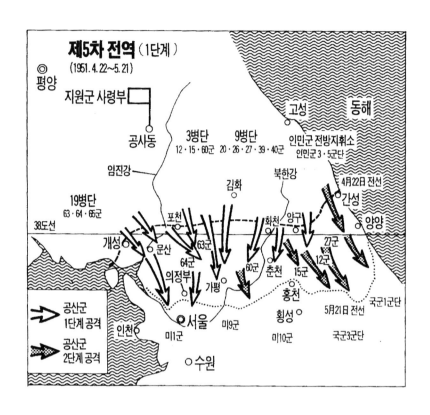

제5차 전역 (1단계)
(1951. 4. 22~5. 21)

◎ 평양

지원군 사령부

공사동

임진강

3병단
12·15·60군

9병단
20·26·27·39·40군

인민군 전방지휘소
인민군 3·5군단

고성

동해

김화

북한강

4월22日 전선

간성

19병단
63·64·65군

38도선

개성

문산

포천

63군

64군

의정부

가평

화천

양구

60군 춘천

양양

27군

12군

15군

5월21日 전선

국군1군단

공산군
1단계 공격

공산군
2단계 공격

인천

미군

서울

미9군

홍천

횡성

미10군

국군3군단

수원

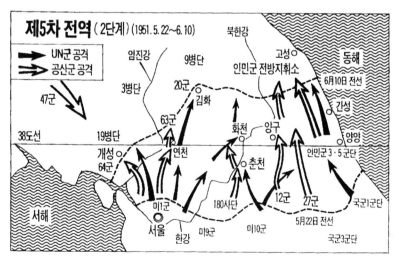

제5차 전역 (2단계) (1951. 5. 22~6. 10)

UN군 공격

공산군 공격

47군

38도선

임진강

9병단

3병단

19병단

개성

64군

20군

63군

김화

연천

북한강

화천

고성

인민군 전방지휘소

양구

춘천

동해

6월10日 전선

간성

양양

인민군 3·5군단

서해

미1군

서울

한강

180사단

미9군

12군

27군

미10군

5월22日 전선

국군1군단

국군3군단

아군은 팽 사령관의 사전계획에 따라 3개 병단 총 12개 군(인민군 1개 군단 포함)을 서부전선에 배치해 주요공격을 맡게 해 북한강 서쪽의 상대를 분할하는 임무를 수행하도록 했다. 또 제3병단을 중앙공격집단군으로 삼아 정면공격을 맡도록 하고 제9, 제19병단을 좌우 공격집단군으로 해 양 측면에서 우회공격을 하도록 했다. 1차로 국군 제1사단, 영국군 제29여단, 미제3사단, 터키여단과 국군 제6사단 등 모두 5개 사단(여단)을 각각 공략한 뒤 다시 병력을 집중해 2차로 미제24사단과 제25사단을 칠 계획이었다. 동부전선의 인민군 제3, 제5군단은 적극적으로 상대를 감제하는 한편 상대에게 타격을 입힐 기회를 엿보도록 했다.

아군의 중앙공격집단군인 제3병단이 지휘하는 12, 15, 60군에는 포병 제2사단 2개 포병단, 탱크저지포병 1개 단이 배속돼 삼관리에서 신광동에 이르는 15km의 정면을 돌파해야 했다. 1차로 미제3사단, 터키여단을 공략한 뒤 초성리, 종현산 일대를 향해 공격해 19, 9병단 주력과 함께 영평, 포천 일대 미제24, 25사단을 밀어붙일 계획이었다.

우익공격집단군 예하 63, 64, 65군과 인민군 제1군단에는 포병 제8사단 1개 포병단이 배속돼 우익돌파 임무를 맡았다. 덕현동에서 무등리에 이르는 31km의 정면에서 임진강을 돌파한다. 이어 동두천, 포천 쪽으로 나아가 3, 9병단과 함께 미제24, 25사단을 공략한다. 인민군 제1군단은 개성, 문산 일대를 거쳐 고양, 서울 쪽으로 공격해 서울을 점령하면 서울수비 임무를 맡도록 했다.

좌익공격집단군 9병단 예하 20, 26, 27군과 39, 40군에는 포병 제1사단 5개 포병대대, 포병 제2사단 1개 포병대대와 탱크저지포병 제31사단 1개 포병단이 배속돼 좌익공격을 맡았다. 20, 26, 27군 등 3개 군은 고남산에서 복주산에 이르는 27km의 정면을 공격해 만세교리와 기산리, 포천 쪽으로 주요공격을 하도록 했다. 1차로 미제24사단, 제6사단 각각 일부를 공략한 뒤 19, 3병단과 함께 미제24, 25사단을 치도록 했다. 40군은 상실내동에서 하방산동에 이르는 6km의 정면에서 돌파해 가평 쪽으로 공격해 춘천에서 가평에 이르는 도로를 끊어 동, 서전선에서 미군의 연계를 절단케 했다. 이와 함께 일부병력을 화천, 춘천 사이로 전진시켜 상대의 퇴로를 끊고 39군과 함께 도망치는 상대를 공략하는 한편 상대 증원군을 제지토록 했다. 39군은 일부병력을 화천 이북에 배치해 상대를 감제토록 하면서 주력은 논미리, 원주리 쪽으로 공격을 하도록 해 미해병 제1사단, 기병 1사단이 서쪽으로 지원을 가지 못하게 감제해 전역의 주요공격 방향에서 좌익의 안전을 보장했다.

인민군 제3, 제5군단은 일부병력을 양구 이북에 배치해, 미제2, 제7사단을 감제하도록 했다. 주력은 유목동에서 무와리에 이르는 구간을 돌파해 국군 제3, 제5사단의 접점인 서호리, 인제 일대를 향해 공격하도록 했다. 일이 순조로울 경우 평창, 강릉 쪽으로 전진하도록 했다.

4월 19일, 아군의 각 공격집단군은 명령을 받들어 철저한 은폐하에 공격출발 지점으로 나아갔다.

4월 22일 낮 서부전선의 유엔군은 계속 철원, 김화 방면으로 공세를 취했고 나머지는 방어태세에 있었다.

그날 해거름에 아군의 각 공격부대들은 예정된 계획에 따라 모든 전선에 걸쳐 반격을 개시했다.

이번 전역에 참전한 우리의 포병은 전원 처음부터 조선전장에 들어온 노련한 병사들이어서 전투경험이 풍부했다. 그들은 부서배치에 따라 시점을 잘 맞춰 포 공격을 준비해 놓았다.

그런데 포병의 지원이 완벽하게 준비됐음에도 우리의 지상병력은 여전히 공격개시선에서 헤매고 있거나 공격 및 돌격선의 위치가 적당하지 않고 야포사격 지점에서 너무 멀었다. 야포공격 후에도 보병의 돌격이 이루어지지 않는 곳이 많아 야포지원의 효과를 제대로 활용하지 못했다. 심지어 어떤 지상부대는 기동이 늦어 공격개시선에서 돌격위치로 허둥지둥 기동하기까지 했다.

앞서도 얘기한 바와 같이 우리 공격은 밤에 이루어진다. 하룻밤이 얼마나 짧은지, 돌격위치로 기동하는 데 적잖은 시간이 걸린다. 돌격위치에 도달한 뒤에는 전개를 해야 한다. 전개하랴, 돌파하랴 허둥대다 보면 날이 뿌옇게 밝아오는 것이다. 하룻밤 새 돌파하지 못하면 그야말로 날 새는 것이다.

공격명령이 떨어지는 경우 이렇게 한심한 건의를 해오는 일선부대도 있었다.

"아직 돌격위치에 도달하지 않았는데 공격명령이 웬 말인가. 잠시 말미를 두고 전력을 추스린 뒤에 공격하는 것이 좋을 것으로 판단됨."

조선전장에 처음 참전한 지상부대가 대부분이었으니 그럴 만도 했다. 그러나 사령부의 답변은 간결 명확했다.

"쓸데없는 말 말고 명령을 즉각 수행하라."

아군의 상당수 동지들은 미군과 싸운 경험이 전혀 없었다. 국내에서 국민당군대와 싸운 경험밖에 없었다. 특히 세 차례 전역 후에는 그나마 국민당군과 전투한 적이 전혀 없는 일련의 부대들이 조선에 참전했다. 한꺼번에 이렇게 많은 신참병력이 가세하게 되니 아무래도 미군과 전투하면서 어느 정도 문제가 발생하는 것은 피할 수 없었다.

이번 전역의 전술은 무난했다. 제3병단을 중앙 돌파하게 한 뒤 두 갈래로 공격의 물꼬를 튼다. 제9병단과 제19병단은 양 측면에서 돌파, 우회, 포위임무를 맡았는데 그날 저녁 3개 군은 상대의 방어선을 돌파했다.

그러나 일부 부대에서 배후차단 움직임이 늦어 지정위치에 이르지 못해 포위공격을 제대로 하지 못하는 곳도 있었다.

팽 사령관은 전역을 시작할 때 남다른 습관이 있다. 그는 비서를 시켜 지도에 붉은 깃발을 꽂게 한다. 어느 부대가 전선을 돌파했고 언제 돌파했는지, 각 부대가 어느 위치에 이르렀는지 일목요연하게 파악하기 위해서였다.

우익의 제19병단은 임진강 서쪽 기슭의 상대를 물리치고 임진강을 돌파했다. 예하 63군은 마주 있던 영국군 제29여단과 미제3사단에 공세를 펴 23일 새벽 감악산 거점과 부근 일대를 점령하고 상대 전초를 돌파했다. 64군은 23일 장파리, 마지리를 점령한 뒤 저지를 당하자 제2선의 65군 예하 2개 사단이 계속해서 전투에 투입됐다. 결과적으로 5개 사단 병력이 장파리, 고토동, 마지리 북쪽, 임진강 남쪽 약 20㎢의 좁은 지역에 몰렸다. 상대의 야포, 전투기 공습의 집중공격으로 사상자가 많이 생겼다. 인민군 제1군단은 22일 밤 개성을 점령했으며 24일 임진강을 건너 문산에 접근했다.

중앙공격을 맡은 3병단은 돌파 후 탄동, 속우 일대에서 미제3사단 1개 연대를 포위했다. 그러나 이 연대는 전투기, 탱크의 엄호를 받으며 남쪽으로 달아나 버렸다. 이후 3병단은 24일 새벽까지 38선 부근의 화봉초, 탄동, 판거리 일대에서 상대와 대치상태에 들어갔다.

좌익 9병단은 상대 방어선을 돌파한 뒤 40군은 신속히 방어선 깊숙이 파고 들어 24일 새벽 상대의 동서연결부를 분리하는 데 성공했다. 39군도 예정보다 앞서 지촌리 언주리까지 미해병 제1사단을 북한강 동쪽에 고립시켰다. 서쪽으로 지원을 갈 수 없게 만든 것이다. 26, 27, 20군은 23일 상대 방어선 18~20㎞까지 미제24사단과 국군 제6사단 각 일부병력에 타격을 입혔다.

아군의 이틀간에 걸친 맹렬한 공격을 받게 되자 국군 제1사단, 영국군 제29여단은 문산, 미치사, 신암리 일대에서 완강하게 저항했다. 미제1군단 주력과 미제9군단이 마차산, 초성리, 종현산, 강씨봉, 옥녀봉, 용화동 일대에서 방어를 펼 수 있도록 엄호했다. 이와 함께 영국군 제27여단과 캐나다 제25여단 2개 대대, 미기병 제1사단 제7연대를 가평 일대로 보내 아군이 만든 전역돌파구를 막았다. 아군 40군이 측익으로 치고 들어가는 것을 저지했다.

승리를 굳히기 위해 우익 19병단은 신속히 의정부 쪽으로 우회하라는 연합사령부의 지시에 따라 25일 18시 국군 제1사단, 영국군 제29여단의 중요 방어진지를 돌파했다. 진천리 칠봉산 등을 점령하면서 제29여단 일부 등에 타격을 입혔다. 19병단 64군 선발대는 앞질러 도봉산까지 진출하면서 상대 후방에 위협을 가했다. 63군제 189사단은 토교장에서 천여 명의 병력을 포위했으나 1개 대대 병력으로 퇴로를 막는 바람에 병력수에서 밀려 놓쳐버렸다. 중앙의 3병단은 25일 초성리 보장산 일대에 이르렀다. 15군 1개 대대는 초성동 남쪽의 대전리에서 미제3사단 2개 중대에 타격을 입혔다. 좌익 9병단은 25일 밤 청계산, 운악산과 중판리 영양리 일대를 점령했다.

아군은 연속 3일 밤낮 전투를 벌인 끝에 가평 쪽에 전역의 돌파구를 만들어 상대의 측익에 엄청난 위협을 가했다. 그러나 상대의 퇴로를 끊는 데는 실패했다. 상대의 주력은 25일 금병산, 현리, 춘천의 제2선진지로 물러나 계속 저항했다.

4월 26일, 아군은 계속해서 상대 방어선 깊숙이 공격했고 그날로 금병산, 현리, 가평 등 2선진지를 점령했다. 28일, 아군의 우익19병단은 국사봉, 오금리, 백운대 일대를 점령했다. 인민군 제1군단은 오금리에서 국군 제1사단 1개 대대에 타격을 입혔다. 29일에는 서울교외의 북한산까지 진격했다. 19병단 63군은 낙도산에서 미제3사단 1개 연대를 포위한 적이 있었으나 퇴로를 끊지 못해 그들은 남쪽으로 달아났다. 중앙의 3병단은 28일 자일리 부평리로 진격했고 29일 일부는 간림, 퇴계원 일대까지 나아가 서울에 육박하면서 한강 북쪽 기슭을 통제했다. 좌익의 9병단 40군은 20일 가평 북쪽에서 미기병 제1사단 제7연대, 영국군 제27여단의 반격을 물리친 뒤 가평을 점령했다. 39군 주력은 춘천 일대로 진격한 뒤 일부병력은 소양강을 건너 구봉산 평촌리까지 나아갔다. 그곳에서 미해병 제1사단을 물리쳐 전역의 보장임무를 성공적으로 완수했다. 9병단은 28일 주금산, 축영산, 청평천을 점령한 뒤 29일 일부병력은 금대리, 마석우리 일대까지 진격해 한강에 접근했다.

서부전선의 아군이 공격을 개시한 뒤에 동부전선의 인민군 제3, 제5군단은 인제 이북의 국군 제5, 제3사단 각 일부에 대해 공격을 시작하는 한편 서호리 일대에서 국군 제5사단 제36연대에 타격을 입혔다.

중앙돌파 임무를 맡은 제3병단은 탄동 등에서 미제3사단 1개 연대를 포위했으나 완강한 저항에 부딪쳐 주력에 타격을 입히지는 못했다.

좌익의 제9병단은 상대 방어선을 돌파한 뒤 예하 40군은 신속하게 상대의 방어선을 깊숙이 파고 들어 24일 아침에는 상대의 동서 두 진영을 분리시키는 데 성공했다.

4월 28일, 우리가 공격의 고삐를 늦추지 않자 상대의 주력은 서울 이남이나 북한강, 소양강 이남으로 철수해 저항했다. 미제1기병사단은 서울로 이동한 뒤 서울 주위에 치밀한 화력통제 지대를 만들어 우리를 서울로 유인하여 대량살상을 노리는 작전을 폈다.

팽 사령관은 서울 이북의 상대를 공략할 기회가 사라졌다고 보고 29일, 공격정지 명령을 내렸다.

제5차 전역의 제1단계 공세는 전역부서의 측면에서 본다면 당초 상대의 5, 6개 사단을 무력화시킬 계획을 잡은 데 비하면 결과는 신통찮 았다고 할 수 있다.

상대의 방어선을 돌파한 뒤 배후를 제대로 차단하지 못해 상대의 역량을 무력화시킬 수 없었던 것이다.

이번 전역에서도 우리는 병사들이 양식, 탄약을 등에 짊어지고 전투 를 할 수밖에 없어 공격의 주도권을 잡았으면서도 1주일간의 공격으 로 그친 아쉬움이 남았다.

5차 전역의 1단계가 그다지 신통찮은 결과를 가져왔지만 군사령관 과 군단장 등 일선 지휘관들은 조금도 동요됨이 없이 다시 한번 공격 의 기회를 바라고 있었다.

팽 사령관도 일선 지휘관들의 견해에 마음이 움직였고 새로 투입되 는 부대를 활용해 다시 한번 상대의 역량에 타격을 가할 수 있는 기 회를 노리게 됐다.

그래서 제5차 전역의 제2단계 공세가 재개됐던 것이다.

제2단계의 공격은 정면돌파와 함께 양 측면에서의 협공을 주로 하 되 돌파지점은 현 위치에서 동쪽으로 치우치게 했다.

그 이유는 서부전선은 주로 미군이며 동부전선은 장비가 취약한 국 군이었기 때문이다.

제3병단과 제9병단을 동원해 동부전선의 국군방어선을 돌파한 뒤 서쪽으로 향하게 해 미군의 측면과 배후를 노리는 작전이었던 것이다. 서부전선의 제19병단은 정면으로 임진강을 돌파해 치고 내려가도록 했다.

제2단계 공세에서 우리는 보다 많은 상대 병력을 무력화시키는 데 목표를 두었다. 제3병단과 제9병단을 은밀하게 동부전선으로 이동시키 면서 동시에 서부전선의 유엔군의 눈을 속이기 위해 인민군 제1군단은 한강 하류에서, 제19군은 서울 동쪽에서 도강을 시도하는 체했다.

4월 30일, 상대는 아군의 동향을 떠보기 위해 일부병력을 동원해 공격을 걸어왔다.

5월 8일까지 상대는 고양 등을 점령했다. 그들은 우리가 중부전선에서 공격해 올 것이라 판단한 듯 서둘러 방어태세로 돌입해 서울 동쪽의 추곡리 등 중부전선에 병력을 집중했다.

우리의 제3, 제9병단은 10일간의 식량 및 장비보급을 끝낸 뒤 5월 9일, 39군의 엄호를 받으며 은밀하게 부대를 이동시켜 15일, 춘천과 인제 사이의 북한강, 소양강 어귀에 도착했다. 또 김웅이 이끄는 인민군 집단군도 때를 맞춰 인제를 점령했다. 제5차 전역의 2차 공세의 본격적 전개와 공격준비가 모두 완료된 셈이다.

51년 5월 16일 18시, 우리의 돌격부대는 공격명령에 따라 신속하게 상대 방어선을 돌파하기 시작했다. 야심적인 제5차 전역의 제2단계 공세가 시작된 것이다.

이번에는 돌격부대들이 각각의 돌격위치에 미리 자리를 잡은 데다 돌파구의 선택, 포병의 화망조직 등이 썩 마음에 들었다.

제3병단과 제9병단은 16일 하룻밤 만에 방어선을 돌파해 깊숙이 파고들었다.

국군은 이미 여러 번 후퇴한 경험이 있어서인지 마치 우리의 공격을 기다렸다는 듯이 짜임새 있게 후퇴했다. 대량의 차량을 동원해 썰물같이 전선에서 사라져버린 것이다.

그러나 전역 방어선을 깊이 형성하는 데는 어려움이 많았다. 돌파를 시작할 때는 병력이 밀집되어야 하지만 일단 돌파 후 상대를 우회해 차단하려면 상호 교대 및 기동이 제대로 이루어져야 하는데 실상 그렇지 못했다.

조선 동부의 지형은 모두 세로로 쭉 뻗은 산맥들로 이루어져 도로 또한 횡단은 거의 없고 종단이 대부분이었다. 그러니 병력을 전개하고 우회해서, 차단하는 데 여간 불편하지 않았다. 많은 부대가 횡대로 늘어서서 기동할 수가 없어 위험을 무릅쓰고 종대로 전진해야 했다.

이때 미군은 동부전선에서 아군이 깊숙이 돌진해가자 자신들의 측익이 드러날 것을 우려해 미제10군단 예하 2개 사단을 신속하게 동쪽으로 이동시켜 아군의 동부전선의 전후연계를 차단했다. 이로써 전세는 또다시 기울어졌다. 또 아군은 계속된 작전으로 부대원들이 극도로 피로했고 보급 역시 계속 공급하기가 어려웠다. 게다가 당초 목표대로 상대의 사단병력을 무력화시키는 데 실패해 전반적으로 사기가 떨어졌다.

이런 정황에서 아군은 다시 전진해 봤자 상대를 제압하기도 어렵고 보급의 곤란만 계속되리라는 판단이 섰다. 그래서 펑더화이 지원군 총사령관은 5월 21일 제2단계 작전을 끝내기로 결정하고 병력을 북쪽으로 이동시키도록 했다.

더군다나 5월 23일 새벽, 상대는 대규모의 병력으로 짜임새 있게 반격을 가해 왔다. 그들은 4개 군단 13개 사단의 병력을 집중시키던 전술을 바꿔 각 사단에서 기계화 보병, 포병, 탱크로 이루어진 특공대를 조직해 비행기와 장거리포의 지원을 받으며 도로를 따라 아군의 방어선을 깊숙이 차단했다. 뒤따라 상대 주력이 정면에서 밀고 들어오니 아군의 철수에는 엄청난 곤란이 뒤따랐다.

이번 전역의 철수를 지휘하는 것은 제4차 전역 때와 달랐다. 제4차 전역은 지원군사령부가 직접 군을 지휘하면서 제대마다 순차적으로 철수 이동했다. 이번에는 병단급이 참전했으므로 지원군사령부가 군을 지휘하지 않았다. 지원군사령부는 철수명령을 내렸을 뿐 각 병단에서 구체적인 철수계획을 세웠다.

철수에 어려움을 겪은 곳은 주로 동부전선에서였다. 서부전선의 제19병단은 진격을 그다지 많이 하지 않았다. 그러나 동부전선의 부대는 남쪽으로 깊숙이 치고 들어갔을 뿐 아니라 병력도 엄청나게 많았다.

이때 지휘관들은 부대주력의 철수를 준비해야 하는 데다 일부 부대를 이동해 주력 철수를 엄호하도록 했다. 그러나 각 병단 각 군 내부의 지휘가 제대로 이루어지지 않았다. 어떤 부대는 진지를 점령해 상대 공격을 가로막는 임무를 부여받았는데 다른 부대가 후방으로 철수하는 것을 보고는 서둘러 철수해 버리기도 했다.

예하 27군이 너무 멀리 치고 들어간 데 대해 9병단은 초조해하기 시작했다. 당시 9병단과 27군은 연락을 유지하고 있었지만 상대가 이미 그들의 후방에 이르렀기 때문이었다. 3병단 12군도 너무 깊이 치고 들어가 37도 선 이남에까지 이르렀다. 91연대와 같은 부대는 아예 상급부대와 연락이 끊겼다. 3병단도 일부 일선부대들이 너무 멀리 치고 들어간 데다 연락마저 끊겨 걱정이 태산 같았다. 그러나 이 부대들은 전투경험이 풍부해 흐트러짐이 없이 무사 귀대했다.

아군이 후방으로 철수한 것은 원래 주도권을 잡으려는 행동이었는데 엄호를 맡은 부대들 중 일부부대가 제때 방어지대에 들어가지 못했고 어떤 부대는 방어지대에 들어갔기는 했지만 유효적절하게 거점과 도로를 장악하지 못해 제대로 엄호를 하지 못했다. 그러다 보니 전선 전반에 걸쳐 여러 군데 빈틈이 생기고 상대 '특공대'가 이 빈틈을 놓치지 않고 우리의 종심 깊숙이 파고 들어와 아군은 철수 초기 엄청난 혼란과 피해를 입어야 했다.

23일, 서부전선의 19병단 주력은 계획에 따라 북으로 이동했다. 인민군 제1군단은 상대의 계속된 공격으로 임진강 부근(문산~고랑포리)까지 후퇴해 19병단 예하 65군 우익이 드러나게 됐다. 게다가 좌익의 엄호를 맡은 제3병단 60군도 제때 방어진지에 들어오지 않았다. 65군은 양 측면이 너무 빨리 노출되는 바람에 의정부와 청평천 일대에서 15~20일간 상대를 막아내야 히는 임무를 완수할 수 없었다. 고작 4일 만에 초성리, 영평 일대로 물러나 19병단 주력은 서둘러 방어에 들어가게 됐다. 동부전선의 3병단이 철수할 때는 엄호병력이 모자라 상대의 공격을 막지 못했다. 상대가 아주 빠른 속도로 춘천 부평리 일대까지 이르자 9병단 주력과 3병단 예하 12군은 우론리 동쪽의 현리 일대에 고립돼 양구 동쪽을 돌아서 이동해야 했다. 따라서 9병단이 춘천 대동리 일대에서 상대의 저격임무를 수행할 수 없었다. 3병단에는 8천여 명의 부상병들이 후송을 못한 상황이었는데 병단 예하 60군 제180사단과 179사단 주력은 명령을 받들어 부상병의 후송을 엄호해야 했다. 따라서 지정지역에 들어가 상대를 가로막는 일은 수행할 수 없었다.

24일, 미제24사단, 국군 제6사단은 제령리, 성황당과 강촌리를 점령하는 한편 이 지역의 포구를 장악했다. 미제7사단은 춘천을 점령해 아군 제3병단 60군은 북한강 남쪽 기슭의 3면에서 상대를 맞았다.

25일 새벽, 180사단은 북한강을 건너 계속 상대 공격을 막으며 황혼이 지난 뒤에는 명을 받들어 방확둔지, 신악 이북 일대로 이동했다. 산이 가파른 데다 길은 좁아 기동하기에 어려움을 겪었다. 게다가 부상병 3백여 명을 데리고 철수하려니 그날 밤까지 지정된 지역에 도달하지 못했다. 이때 미제24사단은 간촌을 점령했다. 미제7사단은 오구남리를 점령했다. 국군 제6사단은 지암리 일대에 이르렀다. 아군180사단은 지암리 남쪽의 북배산, 가덕산, 오월리 일대에 갇히게 되었다.

26, 27일 이틀간 60군은 181사단, 179사단을 보내 화천 동쪽에서 2

차례나 180사단을 맞이하도록 했다. 그러나 병력이 지나치게 적은 데다 통신은 두절돼 성공하지 못했다. 3병단 사령부는 이동 중에 공습을 당해 한 차례 예하 각 군과 연락이 끊어져 지휘계통이 한때 중단되기도 했다.

27일 유엔군은 문산 영평 화천 부평리 인제를 잇는 선까지 점령한데 이어 철원 김화 양구를 향해 공격을 시도했다(국군 제1, 제3군단은 여전히 동해안을 따라 올라왔다). 펑 총사령관은 전세를 만회하기 위해 일부 군의 휴식을 중지시키고 즉각 방어에 투입키로 결정했다. 신속하게 63, 64, 15, 26, 20군과 인민군 제5, 제2, 제3군단 주력을 임진강 한탄천 북쪽의 지포리 화천 양구 간성 일대에서 방어에 들어가도록 했다. 이때 아군 12군 주력은 벌써 양구를 돌아 김화로 이동했다. 그들은 37도 선 부근까지 비교적 깊숙이 상대 후방에 떨어져있던 삼거리 일대의 91연대를 이끌고 포위망을 뚫은 뒤 하진부리 동쪽에서 설악산을 넘어 주력부대와 합류했다. 9병단 27군이 마지막으로 이동했을 때 상대는 부평리에 공수부대를 투입해 27군의 퇴로를 끊으려 했다. 그러나 27군은 상황을 제대로 파악해 계획을 바꿔 길을 돌리는 바람에 순조롭게 철수했다. 양구를 돌아 김화로 향했다.

28일, 아군 65군, 20군, 27군은 연천 남쪽, 화천 북쪽과 인제 동쪽의 상대를 향해 반격을 시작해 화천을 되찾았다.

아군 측에 '엄청난 사건'이 발생한 것도 바로 이때였다. 5월 29일 저녁 7시쯤 엄청난 폭우가 전날에 이어 계속 내리고 있었다. 마치 하늘에 구멍이라도 났는가 싶을 정도였다. 천둥소리가 하늘을 뒤덮었다.

나는 남정리(楠亭里)에 있는 동북군구 후근부전방지휘소 즉 새로 창설된 지원군후근사령부사무실의 눅눅하고 어두운 탄광굴 안에 있었다.

갑자기 전화벨소리가 울렸다. 수화기를 드니 팽덕회 사령관이었다. 착 가라앉은 침울한 목소리였다.

"홍 부사령관인가."

"접니다. 사령관 동지. 무슨 일이 있습니까?"

"일이 생겼어. 급히 지원군사령부로 오게. 중요한 일이야."

나는 팽 사령관의 말을 듣고 갑자기 어리둥절해졌다. 나는 공사동의 지원군사령부에서 어제 막 이곳 남정리로 왔으며 그것도 팽 사령관의 급히 가보라는 명령이 있었기 때문이다.

당시 상황은 전방부대원들의 병력손실이 너무 많아 며칠 전 한선초 부사령관은 팽 사령관의 명령으로 본국에 파병요청을 하러 갔다.

한 부사령관이 귀국한 지 얼마 안 돼 이번에는 등화 부사령관이 밤중에 지프를 타고 가다 차 유리창에 머리를 부딪쳐 심양으로 후송됐다. 나는 당위원회의 결정으로 지원군후근 사령관직을 겸임해 지원군후근사령부에서 새로운 일을 막 떠맡게 됐던 것이다.

그때 나는 등화와 한선초가 모두 없는데 나마저 가버린다면 지원군사령부에는 팽 사령관 한 사람만 남아 있게 돼 만일 무슨 일이 생긴다면 그를 도와줄 사람이 전혀 없다는 생각이 들었다. 그래서 등화나 한선초 둘 중 한 사람이라도 돌아오면 그때 갈 생각을 했다.

어제 오전, 팽 사령관이 나를 불러 말했다.

"이왕 후근사령부 일을 새로 맡았으니 얼른 그쪽으로 가보지. 아마 당신이 해야 할 일이 산더미처럼 쌓여 있을 거야."

그래서 엊저녁에 나는 소나기를 무릅쓰고 남정리로 달려온 것인데 이제 하루 만에 다시 불러들이니 무슨 일인지 궁금했다.

"엊저녁에 겨우 도착했는데 저더러 오라는 것은 무슨 중요한 일이라도 생긴 건지……"

"더 이상 쓸데없는 말 말고 당장 이쪽으로 돌아와."

펑 사령관은 말을 끝낸 뒤 급하게 전화를 끊었다.

나는 더 이상 말을 하지 못하고 운전병을 불러 경호원과 함께 억수같이 쏟아지는 비속을 뚫고 지원군사령부로 향했다.

남정리는 공사동에서 1백여 리 떨어져 있다. 억수같이 퍼붓는 폭우 속에 차가 냇물을 건널 때 시동이 꺼지는가 하면 험한 산길인 데다 전투기 공습을 우려해 지프의 전조등을 다 끈 상태로 서행하는 우여곡절 끝에 30일 새벽 2시 반에 도착했다.

나는 차에서 내리자마자 펑 사령관 거처인 방공호로 뛰어갔다. 방공호에 들어서려니 안에는 촛불이 켜져 있는데 저만큼 펑 사령관의 모습이 보였다. 속옷차림에 이마에 땀을 뻘뻘 흘리고 있어 여간 초조한 기색이 아니었다. 뜬눈으로 밤을 새우고 있는 모습이었다.

"아, 이제 왔나."

"예, 돌아왔습니다."

"이것 좀 보게."

그는 내게 전보 한 장을 건네주었다.

"이봐, 여태껏 한 번도 겪어보지 못한 일이 일어났어."

"무슨 말씀이신지."

"60군에 문제가 생겼어. 예하 180사단이 군사령부는 물론이고 제3병단, 지원군사령부 등과 연락이 두절됐어. 통신대에서 아무리 애를 써봤자 헛일이라는 거야. 위걸(60군단장)이 어제 보고를 해왔는데 이 사단이 지금 행군을 하면서 철수하고 있는 것은 분명한데 다른 부대를 보내 찾았지만 도대체 어디로 사라졌는지 오리무중이라는 거야."

그는 다급하게 말을 이었다.

"그래서 말인데, 어느 부대를 보내 수색하는 게 좋을까? 180사단과

278 중국이 본 한국전쟁

가까운 곳에 부대가 있긴 하지만 통신이 두절된 상태니 수색하기가 쉽지 않을 테고 말이야."

전보를 훑어보니 제3병단과 제60군에서 각각 180사단과 연결을 해보려고 송신한 것인데 아무리 불러 봐도 연결이 안 된다는 내용이었다.

상황이 다급해진 것 같아 나도 덩달아 초조해졌다.

"우리 부대가 지금 철수 중이고 상대는 우리를 바짝 뒤쫓아 오고 있는 상황이니 연락이 잠시 끊겼다 해도 별 문제가 아닌 듯싶은데요."

"이 사람이 무슨 말을 그렇게 해. 연락할 방도를 생각해 봐야지. 멀쩡한 1개 사단 병력을 두 눈 빤히 뜨고 잃을 수는 없잖아."

그는 숨을 잠깐 멈추더니 못마땅한 어조로 말을 계속했다.

"제3병단과 제60군 지휘관들은 너무 머뭇거리고 있어. 어떻게 할지 결정을 못 하고 마냥 기다리고 있는 거야. 연락이 두절될 때 즉각 병력을 동원해 수색을 하지도 않고 말이야."

그는 내게 전보 한 장을 건넸다.

"방금 그들에게 지급전보를 보냈어."

전보를 훑어보니 이런 내용이었다.

> 60군 및 15군단장. 예하 181사단과 45사단을 동원. 180사단이 포위된 것을 신속히 구출할 것. 지금까지 180사단이 소멸됐다는 소식은 없음. 27일 우리 2개 대대가 미군지휘소를 습격했음에도 미군 지원부대가 오지 않았고 납실리(納實里) 등에서 무기 일부를 획득했음.
>
> 이런 사정으로 미루어 우리의 지원부대가 서두르면 180사단을 구해 낼 수 있을 것이며 머뭇거린다면 엄중한 손실을 입을 것으로 판단됨.
>
> 1951년 5월 30일 1시 팽덕회

팽 사령관이 다시 말을 이었다.

"이번 일은 이렇게 하지. 지금 등화, 한선초가 이 자리에 없고 자네만 돌아왔으니 우리들이 연구 좀 해보자고."

나와 팽 사령관은 같이 벽에 걸린 대형지도 앞으로 걸어갔다.

"이것 봐, 상대는 벌써 여러 갈래로 나뉘어 북쪽으로 몰려오고 있어. 김화, 철원 쪽도 적잖은 병력이 밀려오고 있고……."

나는 이 말을 듣자 180사단의 행방불명보다도 지원군사령부의 상황이 더 급하다는 생각이 머리를 스쳤다. 공사동지원군사령부는 철원으로부터 60, 70km밖에 떨어지지 않고 전면에는 우리 부대가 전혀 없어 상대가 정말 마음먹고 쫓아온다면 지원군사령부가 위태롭다는 판단이 섰다. 더구나 팽 사령관은 이런 사정을 대수롭지 않게 여기는 듯해 내가 건의했다.

"180사단이 문제가 아니라 부대를 빨리 이동시켜 철원 정면에 배치해야겠습니다. 공사동 정면의 구멍을 틀어막아야지, 그렇지 않으면 지원군사령부가 위태롭습니다."

"부대별로 상대를 저격하면서 철수하는 판인데 어느 부대를 이쪽으로 이동시킨단 말이야. 이동시킬 필요 없어."

"아무리 그러셔도 안 됩니다. 빨리 부대를 이동시켜야 합니다."

내가 지도를 찬찬히 살펴보는데 갑자기 공사동 뒤로 1백여 리 떨어진 양덕에 붉은 동그라미가 그려진 것을 발견했다. 42군이 양덕으로 철수해, 휴식을 취하고 있었다. "이곳에 있는 42군의 휴식을 중단시키고 이쪽으로 이동시켜야겠습니다. 철원에서 공사동으로 통하는 산길을 막아 총지휘부의 안전을 도모해야겠습니다."

"생각 좀 해봐. 그들도 이제 막 양덕에 도착했는데 다시 이쪽으로 오게 할 필요가 있을까."

"방금 도착해도 어쩔 수 없습니다. 이번 일은 제가 알아서 할 테니 관여하지 마십시오. 제가 그들에게 밤을 새워서라도 이쪽으로 이동토록 명령하겠습니다."

"그러면 군 전 병력은 말고 1개 사단만 오게 하는 게 어떨까."

"1개 사단은 병력이 너무 적습니다. 2개 사단을 오게 하고 군지휘부도 같이 오게 해야 합니다."

"좋아, 그렇게 하지."

나는 펑 사령관의 결심을 얻어낸 뒤 42군에 전보를 보내 군지휘부가 2개 사단을 대동하고 밤을 새워 철원으로 이동하도록 명령했다.

42군은 전보를 받은 뒤 신속하게 이동했다. 철원에 도착한 뒤 공사동으로 통하는 산길을 장악해 진지를 구축하고 방어에 나섰다. 42군이 철원에 온 이튿날, 상대도 철원에 도착해 문제의 산길로 밀려왔다. 그러나 우리 부대가 지키고 있는 것을 보고는 더 이상 공격을 꾀하지 않았다. 이리하여 공사동은 안정을 되찾았다.

같은 날, 우리의 47, 42, 20, 27군은 신막, 이천 일대에 방어선을 깊숙이 구축했다. 전전선에 걸쳐 방어선을 완비해 전선의 전체적인 상황이 안정적으로 변했다.

이쯤 해서 피아 쌍방은 이미 세력균형을 이루어 쌍방이 모두 방어태세에 들어갔다. 이리하여 제5차 전역은 사실상 막을 내리게 됐다. 그러나 180사단의 문제가 남아 있었다.

제60군 180사단 전멸

제5차 전역 제2단계에서 60군은 동부전선의 서쪽 끝에서 가장 얕게 치고 들어갔다. 미군의 반격이 거세지자 우리는 60군에 상대 공격을 최대한 막아 동쪽의 3병단과 9병단의 철수를 엄호한 뒤 철수하도록 명령을 내렸다.

문제의 180사단은 60군의 서쪽 끝에서 군단의 측면엄호 임무를 맡았다. 180사단이 북한강을 건너 북배산과 가덕산의 샛길로 접어들어 철수 길에 올랐을 때였다. 공교롭게도 미군 대병력이 산속 비탈길을 따라 행군하는 모습을 발견했다.

사단장이 정기귀(鄭其貴)였다. 그는 대낮 산길에 미군탱크가 끝없이 지나가는 것을 보고 그만 포위된 것으로 착각을 일으켰다. 그는 서둘러 부대원들에게 산속 깊숙이 몸을 숨기라고 명령을 내렸다. 물론 미군들은 180사단이 그곳에 숨어 있는 줄 까맣게 몰랐다. 그들은 1개 사단 규모의 병력이 그런 곳에 숨어 있으리라고는 상상도 못 했던 것이다.

사실 그곳은 우리 통제구역과 길 하나 사이였다. 조금만 신경을 썼더라면 밤새 무사히 철수할 수도 있었을 텐데 사단장이 미리 겁을 집어먹었다.

그는 미군들이 자신들의 위치를 알아챌까 봐 무전기를 끄고 암호문을 태우도록 명령했다. 이리하여 군. 병단 사령부와 지원군사령부는 연락을 취할 수 없었던 것이다. 그들이 몸을 숨긴 산은 엄청나게 컸고 숲이 빽빽이 우거져 있어 그들이 신호를 보내지 않으면 어디 있는지 전혀 알 수가 없었다. 180사단장은 전 대원에게 "각개 약진으로 포위망을 뚫으라."고 명령했다. 결국 사단장과 소수의 인원은 귀환할 수 있었으나 대부분은 돌아오지 못했다. 이것은 아군이 조선에 들어온 뒤 당한 가장 큰 손실이었다.

180사단장의 판단은 아주 잘못된 것이었다. 그가 포위망을 각개 돌파로 뚫으라는 명령을 내리지 않았더라면 병력을 온전히 철수시킬 수 있었을 것이다. 상대는 그들을 발견하지 못했고 다만 우리 대병력과

180사단을 격리시켰을 따름이었다. 게다가 미군 기계화 부대는 밤에는 행동하려 들지 않는다. 그러니 180사단은 야음을 틈타 충분히 귀환할 수 있었던 것이다. 12군의 제91연대의 경우도 상대 후방에서 포위된 적이 있었다. 상대 후방을 치고 들어가다 군 주력과 1백여km 떨어지게 됐던 것이다. 그러면서도 줄곧 사단지휘부와 무선으로 연락을 취해 왔다. 이 연대는 180사단보다 더 멀리 위치했음에도 불구하고 상부의 지시를 받아 질서 있게 철수할 수 있었다.

180사단장은 도로에 미군트럭과 탱크가 쉴새 없이 몰려가는 것을 보고 그만 당황해 잘못된 결정을 내렸던 것이다. 이때 미군에 포로가 된 병사들은 우리 지원군 포로의 대부분을 차지했다.

이후 정전회담에서 전쟁포로 문제와 관련한 담판에서 우리 측에 엄청나게 불리했던 것이다.

팽덕회 지원군 사령관은 이 일에 매우 화를 냈다. 180사단장이 돌아온 뒤 3병단 사령부에서 보고가 들어왔다.

"사단장이 귀환했습니다."

팽 사령관은 화가 머리끝까지 치밀어 그를 당장 군법회의에 회부하라고 호통 쳤다.

나중에 그는 화가 누그러져 사단장을 용서해 주었다.

5차 전역이 끝난 뒤 51년 6월 중순 지원군사령부는 공사동에서 군단장, 정치위원들이 참석한 회의를 열었다.

우리는 숲 속에 커다란 위장용 천막을 설치했다. 넓고 길어서 군단장, 정치위원들이 모두 앉을 수 있었다. 텐트는 굵은 나무로 세우고 위에다 흙을 덮고 나뭇가지를 얹어서 공중에서 제대로 알아차릴 수 없게 했다. 적기의 공습을 막기 위해서였다.

회의석상에서 팽 사령관은 제5차 전역의 교훈에 대해 언급했다. 그는 180사단의 정황을 설명하는 데 이르러서 많은 참석자들의 얼굴을 찬찬히 둘러보다 갑자기 60군단장 위걸을 불러 세웠다.

"위걸, 당신 휘하의 180사단은 포위망을 뚫을 수 있었는데 어째서 포위당했다고 주저앉았느냐고. 미군들이 지나가는 것만을 보고 겁을 집어먹다니. 밤은 우리 세상이야. 뒤에도 미군이 없고 중간에도 없고 미군은 그저 지나갔을 뿐이야. 야음을 틈타 충분히 철수할 수 있었는데 어째서 포위됐으며 포위망을 뚫을 수 없다고 무전기를 꺼버리고 암호문을 불태워 버렸느냐 말이다."

팽 사령관은 연신 호통을 쳤다.

"위걸, 군단장이 도대체 뭐하는 자리야. 휘하 부대에 철수명령을 내릴 때 전보를 쳐 계획대로 물러나게 해야 될 거 아냐. 그저 사령부에나 몰라라 하고 앉아 있는 거야."

회의장은 쥐 죽은 듯이 조용했다. 팽 사령관의 쩌렁쩌렁한 호통소리만이 회의장을 메웠다. 분위기가 심상찮게 돌아가자 등화가 내 옆구리를 찔렀다.

"어이, 어떻게 하지."

이때, 진갱, 송시륜 동지가 지원군사령부 부사령관을 겸임하고 있었다. 진 동지는 제3병단의 전역결산 모임에 참가했다가 막 지원군사령부로 되돌아온 길이었다. 나는 진 동지가 입구 쪽에 앉아 있는 것을 보고 슬그머니 다가가 건의했다. "진 사령관, 분위기도 그렇고 한데 한 말씀 하시죠."

우리 생각에 진 동지의 경력으로 미루어 그가 말을 꺼내면 팽 사령관도 더 이상 화를 내지 못할 것 같았다. 진 사령관은 내 얘기를 듣더니 자리에서 일어났다.

"사령관, 밥 먹고 회의합시다. 배가 고파서 원······."

팽 사령관은 진 동지를 힐끗 보더니 잠시 머뭇거리다 "좋습니다. 밥을 먹으러 가시죠."

이리하여 60군 군단장을 나무라던 모임은 겨우 끝났다.

5차 전역에서 180사단이 입은 손실은 우리에게 적잖은 교훈을 남겼다.

우선 철수할 당시 우리는 만반의 준비를 하지 못했다. 그저 상대를 어떻게 공격할 것인가만 연구했을 뿐 상대의 반격에 의해 물러날 경우를 생각하지 않았다.

철수할 때 제3병단 사령부는 예하 부대에 "그 자리에서 멈춰 부상 병력을 옮기는 데 엄호하라"고 명령했다. 명령은 하달됐지만 엄호를 어떻게 하라든지, 언제까지 하라는 건지, 어느 정도로 하라는 것인지에 대해 구체적인 지시를 내리지 않았다. 게다가 그 자리에서 멈추라 함은 유리한 지형을 고르라는 뜻이었는데 이 점도 말하지 않았다. 병단 사령부는 군에 명령을 내렸고 군은 사단, 사단은 다시 예하 부대로 명령을 내렸지만 결과적으로 시간만 낭비했을 뿐 효과적으로 일이 이루어지지 못했다.

180사단은 병단 사령부와 군의 전보를 받았을 때는 북한강 이남으로 철수 중이었는데 전보의 뜻을 받들어 그 자리에서 병력이동을 정지했다. 그러나 그들은 북한강 이북으로 철수한 뒤 정지했어야 했다.

왜냐하면 북한강 이남에서 병력이동을 멈추면 강을 등진 배수작전이 되고 말며 당시는 여름철이라 북한강물이 불어나므로 강을 건너 철수하는 데 어려움이 많아지기 때문이다.

반면 60군 181사단은 철수할 때 상대의 맹렬한 포화에 걸려들었다. 마치 소나기가 쏟아지듯 엄청난 포탄이 날아왔다. 그들이 예정지점인 화천까지 철수했을 때 미숫가루마저 완전히 바닥이 난 상태였다. 이럴 즈음 그들은 제3병단 사령부와 군으로부터 남쪽으로 되돌아가 180사단을 구하라는 명령을 받았다.

이것은 사실상 실현 불가능한 명령이었다. 탄약도 이미 바닥난 상태였고 하늘에는 미군전투기들이 벌 떼처럼 몰려오곤 했다. 사단병력 1만 4천여 명 중 고작 몇천 명만이 남아 있는 실정이었다.

그러나 사정이 그렇더라도 병단 사령부와 군의 명령을 어길 수는 없었다. 181사단은 눈물을 머금고 화천도로를 따라 되돌아갔다.

그러나 그다지 멀리 가지도 못해 미군의 탱크부대와 맞닥뜨렸다. 이 순간 그들은 군의 명령, 즉 당초의 180사단의 포위망을 풀라는 명령을 해제한다는 명령을 받아 위기를 모면했다.

이때 180사단은 이미 비밀암호문을 불태워 연락을 취할 방도가 없었기 때문이다. 또 180사단은 상대의 포위망에 들어간 뒤 분초를 다투어 화력을 집중시켜 포위망을 뚫었어야 했다. 그 당시 1시간 아니 1분도 아꼈어야 했다. 그러나 그들은 우물쭈물하다 포위망을 뚫을 기회를 놓쳤던 것이다.

설사 이런 사정에 빠졌다 해도 목숨을 걸고 돌파구를 여는 것이 가능했을 것이고 그마저 불가능했다면 상대와 피로 피를 씻는 접전을 통해 장렬하게 희생되는 것도 영광스런 일이 아닌가.

그러나 그들은 암호문을 태우고 무전기를 꺼버리는가 하면 대오를 해산시키는 잘못된 판단을 내렸던 것이다.

제5차 전역은 4월 22일부터 6월 10일까지 50일 동안 진행됐다. 아군은 모두 15개 군(인민군 4개 군 포함)을 투입해 상대 8만 2천여 명을 섬멸하고 아군의 측후에 상륙해 전선 정면의 공격과 발맞춰 조선의 허리에 새로운 방어선을 구축하려는 상대의 기도를 분쇄했다. 또 아군은 4차 전역 중의 피동국면에서 벗어났으며 새로 참전한 장병들은 미군과의 작전을 처음 경험했다. 동시에 이번 전역의 힘겨루기를 통해 상대에게 중조연합군대에 대한 역량을 새롭게 평가하게 하면서 방어전략으로 전환하게 하는 한편 휴전회담을 받아들이게 했다.

제5차 전역은 비록 우리의 승리로 끝났지만 불만스러운 점도 많았다. 첫째, 준비가 지나치게 짧았다는 점이다. 이번 전역은 상대의 상륙계획을 파괴해야 된다고 서두르는 바람에 마음만 급했다. 아군의 전략예비대는 집결하자마자 서둘러 준비를 한 뒤 전투에 투입됐다. 특히 새로 참전한 부대들은 조선에 도착한 지 얼마 안 돼 상대의 특징이나 지형에 대해 제대로 알지도 못한 상황인 데다 미군과 직접 전투를 벌인 경험이 없는 상태여서 전술준비가 부족하고 식량 및 탄약준비도 넉넉하지 못해 작전수행에 커다란 제약요인이 되었다. 둘째로, 조선은 산이 많고 산맥의 대부분이 남북을 달리는 지형조건이어서 현대화 장비를 갖춘 미군과 작전을 펴면서 정면돌파의 방법을 채택해 상대를 나누어 포위하는 것이 어려웠으며 쉽사리 상대의 퇴로를 끊을 수 없었다. 따라서 대치상태를 이루다 보니 더욱 많은 상대의 인명을 살상하지 못했다. 셋째로, 전역이 끝날 무렵 주력부대가 철수할 때 아군의 엄호부대의 조직이나 협동이 신통찮았으며 180사단 지휘부의 지휘 잘못까지 겹쳐 엄청난 손실을 입었다.

내 기억으로 귀국 후 항미원조의 경험을 소개하는 최초의 회의석상에서였다. 참가자들은 고급장성급이었는데 펑 사령관이 회의를 주재했다. 둥화가 조선전장의 작전경험을 얘기했고 조선전장의 병참보급 상황에 대해서는 내가 얘기했다. 내가 설명하는 도중 섭검영 원수가 몇마디 말참견을 했다. 그중의 한마디가 지금도 생생한데 그는 "이것이야말로 정말 현장에서 직접 겪은 경험담"이라고 말했었다.

그때 항미원조의 전체결론을 팽 사령관이 맺었는데 제5차 전역 마지막에 당한 불리한 상황을 설명하면서 "홍학지가 내게 의견을 제시했는데 내가 받아들이지 않았습니다. 지금 와서 보니 홍학지의 의견이 옳았다고 생각합니다."고 말했다.

6월 중순, 공사동 일대는 안정을 되찾았다. 그러나 지휘부가 있기에는 알맞지 않았다. 전선과 너무 가까이 있었다. 게다가 공사동은 사면이 산으로 둘러싸여 출입구가 하나뿐이었다. 만일 상대가 이 출입구로 공격해 들어와 막아버리면 지원군사령부의 안전은 매우 위태로울 것이다.

따라서 나와 등화는 팽 사령관에게 지원군사령부를 옮기도록 권했다. 물론 그는 동의하지 않았다. 원래 전선 가까이서 지휘하고 싶어하는 게 그의 욕심이었다.

나는 하는 수 없이 공병단을 동원해서 산 뒤쪽으로 난 오솔길을 자동차가 지날 수 있을 정도로 넓혔다. 혹시 생길지 모를 상대의 봉쇄에 대비해 탈출로를 마련한 것이다. 그 후 우리는 팽 사령관에게 여러 차례 이전을 권했다.

"이렇게 전선에 가까이 계시다가 만일 상대가 갑작스레 밀어닥치면 그 일을 어떻게 하시렵니까. 이렇게 전선에 가까이 있어도 직접 일선에 나가서 진두 지휘하실 수는 없잖습니까."

팽 사령관은 그제야 동의했다. 우리는 사령부를 공사동에서 회창으로 옮겼다. 회창은 평양 부근이어서 김일성 동지와의 연락이 수월했다.

게다가 전선에서 비교적 멀어 지휘부의 위치로는 안성맞춤이었다. 그때부터 전쟁의 양상은 전략반격 단계에서 전략방어 단계로 바뀌었다.

전선은 기본적으로 북위 38선 부근에 고정되어 있었다. 지원군사령부는 오랜 기간 회창에 자리를 잡았다.

~ *10* ~

지원군후근사령부 창설

주은래 부주석에게 후근사령부 창설 건의

조선전쟁 중 군수품지원과 관련해, 지원군 후방근무사령부의 성립 등을 얘기해 보겠다.

1951년 1월 말, 제4차 전역이 시작된 뒤 전방의 군수품보급이 어려웠다. 그래서 지원군의 보급을 책임지고 있던 동북군구 후근부장 이취규(李聚奎)61)가 김화의 지원군사령부에 도착해 현지 사정을 살펴보았다.

당시 동북군구 후근부는 전선에서 너무 멀리 떨어져 있었는 데다 전선에 단 한 개의 지휘소를 갖추고 있었을 뿐이었다. 장명원(張明遠)62), 두자형 등 몇 사람과 무전기 한 대 정도가 고작이었다. 현대화된 대규모의 전쟁을 수행하기에는 전혀 걸맞지 않았다.

이취규 부장은 군수품보급에 관한 한 베테랑이었다. 그가 지원군사령부에 도착한 뒤 팽덕회 사령관은 내게 말했다.

"그를 전선에 두고 직접 군수품보급을 지휘하게 하면 어떨까. 전선의 보급문제가 한결 수월해질 것 같은데 말이야."

그러나 이취규 부장은 전선으로 나간 지 얼마 되지 않아 차를 타고 시찰하러 나섰다가 그만 차가 뒤집히는 사고를 당했다. 역시 미군전투기 공습 때문이었다. 그는 허리를 다치는 중상을 입어 하는 수 없이 동북군구가 있는 심양으로 후송됐다.

---

61) 李聚奎(1906~1995) 제4야전군 부참모장. 국무원 석유공업부장. 인민해방군 총후근부 정치위원. 全人代 상무위원. 중앙군사위원회 고문. 상장.

62) 張明遠(1911~1996) 제4야전군 후근부 기계부장. 동북인민정부 비서장. 동북행정위원회 부주석. 1955년 高崗반당연맹 사건으로 실각. 1970년 인민해방군 총후근부 부부장. 1972년 다시 임표사건에 관련되어 실각. 정치협상회의 상무위원.

당시 이 부장이 부상하지 않았더라면 우리는 그를 전선에 머물게 해 군수품지원 문제를 통괄지휘토록 할 참이었다. 이 무렵 팽 사령관은 여러 차례 내게 지원군후근사령부를 새로 만드는 게 어떠냐는 의견을 제시하곤 했다. 이 부장이 사고로 전선에 남을 수 없게 되자 팽 사령관은 지원군후근사령부 창설에 대해 마음을 굳히게 됐다.

4월 하순, 제5차 전역 제1단계 공세의 어느 날, 나는 남정리에 있는 지원군 후근부 제2지부에서 물자수송을 독려하고 있었다. 갑자기 팽 사령관의 전화가 걸려왔다. 빨리 지원군사령부로 복귀하라는 명령이었다.

나는 전화를 끊자마자 부리나케 지원군사령부가 있는 공사동으로 되돌아갔다.

날은 이미 저물었다. 팽 사령관이 있는 방공호로 뛰어 들어갔다.

"홍 부사령관, 귀국채비를 서둘러야겠어."

"귀국이라뇨."

팽 사령관은 양손으로 뒷짐을 지고 방공호 안을 이리저리 거닐었다. 촛불이 그의 그림자를 방공호 벽에 비추었다.

"당중앙, 정무원, 중앙군사위원회는 지원군보급 문제에 아주 관심이 많아."

그는 몸을 내 쪽으로 돌리더니만 나를 똑바로 쳐다보고 말했다.

"이번에 귀국하거든 주은래 부주석께 우리가 전선에서 겪고 있는 군수품보급 문제를 낱낱이 보고하지."

내 생각에도 당중앙과 중앙군사위원회가 실제 상황을 제대로 이해하는 것이 필요하다고 여겼다.

앞에서 얘기한 바 있지만 당시 미군은 공군의 우세를 십분 활용해 조선 북부의 도시와 공장, 역과 교량 등 주요목표물에 대해 무차별 공습을 감행해 왔다. 또 소수의 전투기를 여러 차례 출격시켜 초저공비행으로 기관총소사를 감행해, 사람 한 명 차 한 대 심지어 밥 짓는 연기조차 놓치지 않았다.

조선 북부는 산이 많아 철도는 해안선 쪽에만 있고 내륙지방에는 별로 없었다. 도로는 종단선이 대부분이고 횡단선은 별로 없었다. 대부분의 도로는 철도와 병행하고 있어 한 군데라도 폭격을 받으면 전체 운송망에 차질을 빚는다. 한마디로 말해 도로형편이 전시운송에는 전혀 맞지 않는 셈이었다.

또 지원군 군수지원의 주요수단은 트럭이었으나 이러한 연유로 군수품보급이 엄청나게 어려웠다. 제3지부 제4수송연대가 조선에 들어올 때였다. 경험부족으로 전투기 공습 때 한군데 모여 도피했다가 한 번 공습에 트럭 73대가 몽땅 불탄 적도 있었다.

게다가 전황이 급변하다 보니 부대증원이 빨라지게 된 것도 군수지원이 어려워진 또 다른 이유였다. 제1차 전역은 청천강 유역에서 벌어졌다가 제2차 전역은 북위 38도 선까지 늘어났고 제3차 전역은 37도 선 부근서 벌어지다 보니 병참보급선이 급속도로 늘어났다. 제4차 전역 뒤와 제5차 전역 도중 참전한 병력이 2배 이상 늘어나다 보니 군수지원 업무가 당연히 과중하게 되었다.

지원군당위원회는 당면한 문제에 대해 각종 응급조치로 대충 꾸려나갔다. 병참선의 안전을 도모하는 인원을 늘리는 등 항일전쟁 당시의 경험을 최대한 살리는 수밖에 뾰족한 방도가 없었다.

미군전투기의 공습이 워낙 심해 시간을 아끼고 손실을 최대한 줄이기 위해 지원군 각급 후근부는 대부분의 일을 밤에 할 수밖에 없었다. 그러나 상대의 파괴가 엄청나 부대가 전진하면 할수록 후방으로부터의 보급은 여전히 곤란했다.

지금 팽 사령관이 나더러 주 부주석에게 보고하라는 것도 중앙에서 전선의 실정을 제대로 이해해 달라는 뜻이 담겨 있었다. 군수품의 보급을 위해서 인력, 물품, 경제력 등의 측면에서 전국인민의 지지를 받아야 한다는 뜻으로 매우 시의 적절하다는 생각이 들었다.

팽 사령관이 말을 계속했다.

"귀국하거든 지원군후방근무사령부를 창설하려는 우리 생각도 주 총리께 보고드리게."

"알겠습니다."

나는 간단히 짐을 꾸린 뒤 경호원을 데리고 그날 밤 지프차를 타고 떠났다.

길에는 차도 많고 사람도 많아 여간 시간을 잡아먹는 게 아니었다.

날은 어둡고 길은 좁은데 전조등은 켤 수 없어 길가 도랑에 처박힐 뻔한 게 한두 번이 아니었다.

날이 밝았을 때는 미군전투기들이 몰려와 지프차를 향해 총알세례를 퍼붓곤 했다.

다행히 산꼭대기의 고사포부대가 때맞춰 포문을 열어 우리 차는 간신히 무사통과했다.

북경에 도착하자마자 나는 먼저 수부원(帥府園)의 중앙군사위원회를 찾았다. 섭영진 참모총장 대리가 내게 말했다.

"주 부주석이 기다리고 계시네. 빨리 가보게."

당시 나는 지원군의 단독군장 차림이었는데 밤낮을 가리지 않고 달려온 터라 온몸이 먼지투성이였다.

그러나 서둘러 중남해의 주 부주석 사무실로 달려갔다.

주은래 부주석은 연락을 받았던지 이미 문 앞에서 나를 기다리고 있었다. 내가 그에게 경례를 올리자 그는 내손을 꽉 잡았다.

"홍학지 동지, 오느라 수고했소."

"주 부주석께서 더 심려가 크시겠습니다."

주 부주석은 일에 시달린 탓인지 초췌한 모습이었다.

당시 미군전투기의 공습 때문에 부대는 낮에 불을 지펴 밥을 지어 먹을 수 없었다.

밤에는 행군, 작전을 해야 했기 때문에 급식조건이 아주 어려웠다.

하는 수 없이 미숫가루를 먹을 수밖에 없었다.

부대에 보다 많은 미숫가루를 보내 주기 위해 주 부주석은 분망한 공무에서 짬을 내 직접 기관 간부들과 함께 미숫가루를 빻았다. 전선의 병사들이 이 소식을 듣고 얼마나 감격했던가. 정말 미숫가루 한 줌을 먹고서도 용기백배했다.

주 부주석은 사무실로 나를 안내한 뒤 자리에 앉게 했다.

"전선의 현황은 어떻소."

나는 주 부주석에게 전선의 기본상황을 설명드린 뒤 말했다.

"여러 차례 전역에서 뼈저리게 느낀 점은 우리에게 제공권이 없다는 사실입니다. 상대의 공습은 아군에 엄청난 손실을 입히고 있습니다.

미군전투기는 한번 출격하면 소이탄, 화학탄, 시한폭탄 등 폭탄세례를 안깁니다. 밤에는 야간비행기가 출격합니다.

전사들이 '검은 과부'라고 부르는데 이것은 선회하지도 않고 그저 마구 폭탄을 떨어뜨립니다. 도처에 불이 나지요."

"미국은 우리에게 한방 먹었다고 생각해 화가 머리끝까지 난 모양이요. 미군은 처음으로 쓰라린 패배를 맛보고 있거든. 그들은 해군과 공군의 우세를 뽐내지만 우리는 38선까지 진출했소. 앞으로 공습대비책을 연구해야겠소."

"지원군사령부는 후방의 지원으로 고사포부대를 보강했습니다. 또 주요지점에 방공초소를 증설했습니다. 현재 아군은 정신력으로 버티고 있습니다. 예를 들면 수송차들이 미군전투기를 만나게 되면 정신없이 액셀러레이터를 밟습니다. 그러면 수백m에 걸쳐 먼지가 치솟게 되잖습니까. 전투기 조종사들이 당혹하기 십상이지요. 그들은 공산군트럭이 웬 연막탄을 터뜨렸나 하고 갸우뚱거리기 일쑤입니다."

주 부주석은 웃음을 머금었다.

"전사들의 정신력은 미국 무섬증이라는 고질병을 깨끗이 씻어냈소. 동지들은 엄청난 희생을 치렀지만 4억의 인민들을 교육시킨 셈이요."

그는 잠깐 생각에 잠기더니 말을 이었다.

"미군이 중국에 상륙할 것 같소? 지금 사정으로 봐서 하지 못할 것 같은데 전선에서 아군의 승리가 크면 클수록 상륙 가능성은 더욱 적어지리라 생각하고 있소. 그러니 전선에서 반드시 이겨야 되오. 중앙군사위는 하루빨리 전투기출동이 이루어져야 한다는 판단이오. 물론 우리 전투기 숫자는 한계가 있긴 하지만 미군전투기에 혼란도 줄 겸 전사들의 사기진작에도 한몫을 할 것으로 생각하고 있어요."

"전선의 장병들은 모두 아군전투기의 출동을 간절히 원하고 있습니다."

"중국엔 전투기가 있고 우리나라와 우호관계를 맺고 있는 많은 국가에도 전투기가 있소. 그러나 전투기의 참전은 아직 때가 아닌 것 같소. 이 문제는 부사령관으로 있는 당신도 잘 알 것으로 믿소."

내 생각에도 사정을 알 만했다. 전투기는 휘발유를 많이 먹는다. 현재 조선전장의 수송능력으로 휘발유를 공급하면 모든 군수품, 탄약 공급은 중단될 형편이다.

이어 주 부주석이 물었다.

"군수품보급에는 무슨 문제들이 있소."

"지원군에는 공습에 대비할 만한 게 거의 없습니다. 도로를 통한 보급선이 수백㎞에 이릅니다. 제3차 전역 때 전방병참과 후방병참 사이

거리가 3~4백㎞나 되어 연결이 제대로 되지 않았습니다. 게다가 보급이란 게 원래 분산해서 일을 처리하다 보니 독립적인 통신계통이 없어 자주 연락이 끊어지곤 합니다."

"그래서 외국군사전문가들은 군수지원이 현대전쟁의 요체라고 말하지 않소. 지원군의 군수지원도 더욱 강화해야 될 것이오. 지금 중앙군사위원회는 방공부대와 통신부대를 파견해 지원군 군수지원을 강화하려고 하고 있는데……."

"군사위원회의 대책은 문제의 핵심을 정확하게 보셨습니다. 군수지원에서 가장 큰 문제는 제때 보급을 하지 못하는 점입니다. 앞서 3차례의 전역에서 부대는 굶주림과 동상을 입는 어려움을 무릅쓰고 상대를 몰아냈습니다. 보급이 제대로만 됐다면 훨씬 큰 승리를 거두었을 겁니다. 지금 전사들은 3가지의 두려움에 떨고 있습니다. 굶주림과 탄약이 떨어지는 것과 부상을 당한 뒤 후송되지 못하는 두려움입니다."

주 부주석은 심각한 표정을 지으며 고개를 끄덕였다. 이따금 종이에다 메모를 하곤 했다. 나는 계속 상황을 설명했다.

"현재 미군전투기는 종전의 1천여 대에서 2천여 대로 곱절이나 늘었습니다. 또한 일반적인 폭격에서 우리 보급선을 파괴하는 것으로 작전을 바꾸었습니다. 특히 네이팜탄은 우리의 지상창고, 시설에 치명적인 타격을 입히고 있습니다. 상대는 많은 공작요원을 우리 후방에 침투시켜 폭격목표물을 가리켜 주는 실정입니다. 지난 4월 8일, 미군전투기는 삼등(三登)창고 지구에 대량의 소이탄을 퍼부어 단번에 84량의 화물열차에 실린 물자가 못 쓰게 됐습니다. 개중에는 전투식량 2백87만 근과 콩기름 33만 근(1근은 500g), 속옷 40만 8천 벌, 전투화 19만 켤레가 있었습니다. 후방에서 공급하는 물자는 60~70% 정도만 전선에 도달하고 나머지는 도중에 못 쓰게 되고 맙니다."

주 부주석의 안색이 한결 창백해졌다.

"병사들은 현재 몸으로 버티고 있는 실정입니다. 병사들은 60, 70근의 물품을 어깨에 짊어지고 전투에 참가해야 합니다. 부대의 기동이 워낙 빠르고 군수지원이 제대로 이루어지지 않는 상황에서는 병사들의 부담이 늘어날 수밖에 없습니다."

"병사들의 고생이 크구먼."

"병사들이 고생을 하는 것은 틀림없지만 지금 상황으로서는 어쩔 수 없습니다."

"참, 미군들이 후퇴하면서 내버린 물자를 노획하는 것도 쉽지 않다는 얘기를 들었소만."

"그렇습니다. 역시 미군전투기들의 공습 때문입니다."

"그런 문제를 해결하려면 무슨 대비책이 있어야 할 텐데 말이오."

"물론입니다. 펑 사령관의 지시도 있고 해서 저희는 운송방법을 바꾸었습니다. 병참선을 여러 갈래로 나누고 구역전담제를 실시하고 있습니다. 트럭은 일정한 구간만을 전담해 물품을 전선으로 수송하고 있습니다. 아무래도 지형에 낯이 익어 미군전투기의 공습활동에 대피하기에도 수월하기 때문이지요."

"항미원조전쟁은 아군의 후방보급에 관해 여러 가지 새로운 문제점을 제기했소. 동지들은 현대전에서 군수지원의 특성을 잘 연구하시오. 미국은 기세가 등등해 안하무인이오. 지난해 성탄절 안에 조선전쟁을 끝내겠다고 큰소리쳤잖소. 사실 끝나기는커녕 아군이 되레 37도 선까지 치고 내려가기는 했지만 말이오. 우리는 열세한 장비로 해공군이 우세하고 장비가 선진적인 미국을 패배시켰소. 이것은 우리 인민과 세계 인민들을 크게 고무시켰소. 과거 미국 남북전쟁 당시 북군은 장비에서 남군에 열세였지만 결국 승리를 거두었소. 내 생각으로는 미국은 감히 중국대륙에 상륙하려 들지 못할 것이오. 영국과 프랑스는 전쟁이 확대되는 것을 꺼리고 있고 중국을 공격하는 것은 전략상 실패라고 보고 있다는 거요. 우리가 조선 인민과 함께 걸어가면서 어려움을 무릅쓰고 희생을 두려워하지 않는다면 반드시 미제국주의를 타도할 수 있을 것이오."

주 부주석은 후방에서 간 운전병들이 사기는 어떤지, 전선의 실정에 제대로 적응하고 있는 지에 대해 관심을 나타냈다.

"운전병들은 정신력이 뛰어납니다. 그러나 경험이 부족하다 보니 손실이 엄청납니다. 그래서 그들을 먼저 운전병 조수로 맡겼다가 적기 봉쇄를 통해 경험을 천천히 쌓으면 정식 운전병을 맡게 합니다."

"혹시 내게 더 할 말이 없소?"

"팽 사령관이 저더러 부주석께 중요한 문제를 보고하라는 명령이 있었습니다."

"무슨 문젠데."

"지원군 후방근무사령부의 창설문제입니다."

"아, 그래요? 의견을 한번 들어봅시다."

"조선전쟁을 치르면서 팽 사령관과 우리는 점차 현대전에서의 군수지원의 중요성을 깨닫게 됐습니다. 현대전은 입체전입니다. 공중, 지상, 해상, 전방, 후방에서 동시에 또는 엇갈려 진행됩니다. 전장의 범위도 넓고 상황변화가 빠르며 인적, 물적 자원의 소모가 엄청납니다. 현재 구미국가는 모두 엄청난 군수지원 전략을 실행하고 있습니다. 전방 50리는 전방사령부의 일이며 50리 뒤는 후방사령부의 일이라는 것입니다. 전쟁은 전방뿐 아니라 후방에서도 벌어진다는 것이죠. 현재 미국이 우리 후방에다 전면공습을 감행하는 것은 바로 우리 후방에서도 전쟁이 치열하게 벌어지고 있음을 단적으로 보여주고 있는 것입니다. 이러한 후방에서 벌어지는 전쟁의 양상은 전방에서의 전쟁의 승패를 결정합니다. 우리는 이러한 후방의 전쟁에서 이겨야만 전방전쟁의 승리를 더욱더 보장할 수 있습니다. 군수지원은 이러한 특징을 감안해야 합니다. 중앙군사위원회가 우리에게 방공부대, 통신부대, 철도부대, 공병부대 등을 증파해 연합작전을 펴는 것이 필요합니다. 또 후방전쟁의 지휘기관인 후방근무사령부의 창설이 절실합니다. 제병과 합동훈련을 통괄 지휘할 수 있으니까요."

주 총리는 고개를 끄덕였다. "이런 제안은 아주 좋소. 중앙군사위원회에서 좀더 연구한 뒤 하루빨리 대책을 마련해야겠소."

보고가 끝나 내가 자리에서 일어났을 때였다. 주 총리는 "지금 5·1 노동절 기념식이 열리니 가 보시오. 천안문에 가야될 거요."라고 말했다.

나는 낡은 군복이 마음에 걸렸다.

"제가 이런 모습을 하고 어떻게 천안문에 갈 수 있겠습니까."

"왜 못 간다는 말이오. 지금 복장으로도 괜찮소. 지원군을 대표해서 가는 것이니까."

내가 "아무래도 안 되겠다"며 계속 고사하자 주 총리가 말했다.

"그럼 이렇게 하지. 내가 (인민해방군 총후근부장)양립삼에게 얘기해 새 군복을 마련해 주리다."

5·1 노동절을 맞아 북경 시민들은 성대한 가두행진을 벌였다. 국가 최고의 단결과 강대함을 나타냈다.

내가 천안문성루에 오르자 안내원이 달려왔다.

"모 주석께서 만나자고 하십니다."

"언제 만나 뵙게 되지?"

"좀 기다리시죠. 시간이 되면 모시러 오겠습니다."

얼마 되지 않아 나는 천안문성루에 있는 휴게실로 안내되었다. 모택동 주석과 당중앙의 지도자들이 나를 접견했다. 내가 모 주석에게 경례를 올리자 그는 주위에 앉아 있던 지도자들에게 소개했다.

"홍학지 동지는 지원군의 부사령관입니다. 조선전선에서 막 돌아왔지요. 지원군의 대표입니다. 홍 동지, 팽 사령관은 건강하신가."

"염려해 주시는 덕분에 잘 지내고 있습니다."

"여러분들의 무훈은 아무리 칭찬해도 지나치지 않소. 상대가 비행기, 탱크와 대포, 해군력 등 뛰어난 장비로 무장하고 있는데도 말이오. 정말 대단하오."

주덕(朱德) 중국 인민해방군 총사령관[63]이 말했다.

"지금 조선에서 치르고 있는 전쟁이야말로 진짜 현대전이지."

모 주석이 말을 이었다.

"전투를 할 때마다 지난 전투의 경험을 잘 살려 임하시오. 그런데 이번에 귀국해서 보고한 문제는 잘 해결됐소?"

"방금 주 총리께 보고를 드리고 오는 길입니다. 많은 관심을 갖고 계시더군요."

나는 조선으로 돌아가기 직전 주 총리를 다시 한번 찾아가 전선에서 해결해야 할 문제를 논의해 나름대로 결실을 맺었다.

이번에 전선으로 귀대할 때 중앙군사위원회는 나를 진갱(陳賡)[64]과 감사기(甘泗淇)[65]와 함께 가도록 했다. 진갱은 지원군 부사령관에 임명됐고 감사기는 부정치위원 겸 정치부 주임으로 임명됐던 것이다. 나

---

63) 朱德(1886~1976) 四川省 출신. 27년 주은래, 賀龍 葉挺과 함께 8·1봉기를 조직. 28년 모택동과 井崗山에서 만나 중국工農紅軍 제4군을 편성해 군단장. 49년 중앙인민정부 부주석 인민혁명군사위 부주석.

64) 陳賡(1903~1961) 24년 황포군관학교1기 졸업. 34년 장정. 51년 제3병단 사령관 겸 정치위원. 56년 군사공정학원장. 대장.

65) 甘泗淇(1903~1964) 59년 국방부 부부장. 부참모총장.

와 감사기는 북경에서 함께 떠났다. 진갱은 당시 대련에서 요양 중이었다. 나와 감사기는 대련에 가서 그를 만났지만 병세의 차도가 없었다. 나는 감사기와 함께 전선으로 되돌아가려 했다.

그날 아침 6시쯤, 날이 어렴풋이 밝아왔다. 우리는 평양 남쪽에 도착했다. 아침밥을 어디서 먹을까 망설이며 막 다리를 건너려 할 때였다.

갑자기 미군전투기 7, 8대가 우리 지프차 쪽으로 날아들었다. 내 생각에 큰일 났다 싶었다.

그러나 이때 조선인민군의 고사포가 불을 뿜었다. 맹렬한 포격에 졸지에 미군기 4대가 격추됐다. 나머지 전투기들은 당황한 듯 순식간에 날아가 버렸다. 이 바람에 다리는 다행히 폭파되지 않았고 우리는 서둘러 길을 재촉했다.

지원군사령부로 되돌아와 나는 북경에서 모 주석과 주 총리를 만난 일을 팽 사령관과 지원군당위원회에 자세히 보고했다.

창설준비

4, 5차 전역 기간은 우리 지원군의 병참보급이 최악의, 가장 어려웠던 시기였다. 지원군의 많은 장병들이 굶주림을 참아야 했고 인원손실도 가장 극심한 시기였다. 내가 북경에 가서 주 총리에게 보고를 드린 후 군사위원회는 이러한 상황을 매우 중시했다.

5차 전역 후기에 군사위원회는 인민해방군 총후근부장 양립삼, 부부장 장녕빈(張令彬), 공군 사령관 유아루, 포병 사령관 진석련 등을 공사동 지원군 사령부에 파견해 왔다. 군수지원의 곤란함을 구체적으로 파악하고 이를 해결하는 방법을 강구하기 위해서였다. 당시 5차 전역의 전황은 긴박하게 돌아가 상대가 북진을 감행할 때였다.

팽 사령관은 북경에서 온 동지들에게 말했다.

"현재 가장 곤란한 문제는 군수지원 문제입니다. 식량공급이 제대로 되지 않고 탄약보급이 되지 않고 있습니다. 이런 문제를 해결하기 위해서는 군수지원 사업을 강화해야 합니다. 그래서 지원군후방근무사령부를 하루빨리 창설해야 합니다. 이 문제를 해결하지 않고서는 다른 문제들을 풀어 나갈 수 없습니다. 이 문제는 내가 4월에 홍학지 동지를 통해 주 총리에게 건의한 바 있습니다. 이 자리에서 다시 강조하는 것입니다."

조선에 들어오면서 지원군 후근부를 바로 만들지 않고 반년이 지나서 창설을 서두르게 된 이유는 물론 있다.

당초 우리가 동북지방에 왔을 때 군수지원은 동북군구 후근부에서 관장했다. 지원군의 조선전쟁 참전결정은 1950년 10월 초가 되어서야 정식으로 하달됐고 10월 19일 조선에 들어왔다. 반달 남짓한 짧은 기간에 30만 대군의 군수지원을 책임질 지원군 후근부를 조직한다는 것은 거의 불가능한 일이었다.

더군다나 동북군구 후근부도 조선전쟁이 발발하자 동북변방군의 군수지원을 위해 1950년 8월 초 서둘러 창설한 것이었다. 창설 당시 인원은 엄청나게 모자랐고 조직도 엉성했다. 지원군 성립 때까지 동북군구 후근부와 예하 지부, 병참에는 모두 1,560여 명의 간부가 모자랐다. 전체 편제의 54%를 채우는 데 그쳤다. 동북군구 후근부가 이런 판에 중앙군사위원회는 지원군 후근부를 창설할 여력이 없었다.

지원군의 출국 전, 원래 정한 작전지역은 우리 국경과 가까웠다. 후에 유엔군이 평양 등을 점령해 중국국경으로 치고 올라옴에 따라 전선은 더욱 가까워졌다. 따라서 이때의 상황은 동북군구 후근부가 군수지원을 맡아도 아무런 문제가 되지 않았다.

이러한 이유로 모 주석은 1950년 10월 8일 지원군에 내린 명령에서 지원군의 군수지원은 동북군구가 책임진다고 명시했던 것이다.

이 명령에 따라 동북군구는 후근부 부부장 장명원과 동북인민정부 농림부장 두자형 등 소수인원만을 '동북군구 후근부(동후)' 전방지휘소에 파견토록 결정했다. 이들은 지원군총지휘부의 출동 때 동행해 작전지역의 군수지원 보급을 책임지게 됐다.

그러나 반년여 동안 전황이 변화하자 이러한 군수지원 체제는 전쟁의 요구에 걸맞지 않게 되었다. 지원군이 조선에 들어왔을 즈음, 미군은 조선전장에 전투기 1천1백여 대를 투입했다. 전투기들은 일부 지상부대의 지원용으로 쓰이기는 했지만 대부분 아군후방을 파괴하는 데 쓰였다. 지원군이 조선에 들어올 때 우리는 수송트럭 1천3백여 대를 보유하고 있었다. 그런데 1주일 만에 전체의 6분의 1인 2백 17대를 잃었다. 그중 80% 이상이 전투기에 의해 파괴된 것이다.

앞서 3차례의 전역기간, '동후'가 전방으로 실어 보내던 대부분의 물자가 미군전투기의 공습으로 파괴되었다. 물자가 압록강변이나 철도 위에서 박살나 일선부대에 전달되지 않았다.

제4차 전역이 시작되자 미군전투기는 1천 7백대로 늘어났다. 후방의 통상적인 폭격에서 아군의 보급선을 중점적으로 파괴하는 전략으로 바꾸었다. 압록강의 집안, 장전하구, 안동 등 세 군데 철교가 파괴됐고 조선의 대령강, 청천강, 대동강 등 주요교량들도 파괴와 복구의 순환을 되풀이하고 있었다. 그러니 차량과 물자의 피해는 엄청난 것이었다.

이리하여 원래 생각했던 교통수송이 편리하다는 유리한 조건마저 사라져 버렸다.

제3차 전역 후 중앙은 부대를 순환시켜 조선에 들여보내도록 확정했다. 시작은 보병이었지만 후에 조선전장의 특성을 고려해 아군 모두를 훈련시키려 했다. 순환참전을 하는 한편 훈련을 겸해 현대전의 경험을 쌓도록 했다. 이리하여 제4차 전역과정 중에 아군의 대규모부대가 계속해 조선에 들여왔는데 4월 중순에 이르러 아군은 벌써 16개 보병군, 47개 사단, 7개 포병사단, 4개 고사포사단, 4개 탱크연대, 9개 공병단, 3개 철도병사단과 2개 직속연대, 게다가 기타 기관부대까지 합해서 총병력이 95만여 명이었다. 첫 출국 때보다 3배가 더 늘어난 숫자였다. 특히 기술병과가 늘어나 탄약, 유류의 소모량이 크게 늘어났다. 이와 같이 백만 대군의 병참보급을 '동후'가 대신한다는 것은 역부족임에 분명했다.

제4차, 5차 전역 때 아군은 주로 38선 이남과 37도 선 사이 120~150km 지역에서 작전을 벌였다. 팽덕회 사령관은 4월 6일 지원군 제5차 공산당위원회 확대회의에서 지적했다. "38선 이남에서 전투식량이 없이 3백 리를 버틴 어려움을 어떻게 이겨내느냐가 큰 문제이다." 제5차 전역 후기, 부대는 주로 방어작전을 벌여 노획하는 물자가 적었을 뿐더러 어느 정도의 노획장비는 새로 참전한 부대가 벌써 소련식을 갖춘 때문에 이용할 수 없었다. 전적으로 후방의 통일된 군수품보급에 의존해야 했다. 5차 전역 중 아군의 일일소모 물자량은 550톤인 데 비해 공급능력은 2분의 1에 불과했다. 따라서 1, 2단계에서 각각 식량이 모자라고 탄약이 적어 공격을 중지할 수밖에 없었다. 전역 제2단계에서 현리에 있던 상대를 섬멸한 후 이틀간이나 공격을 멈춰 물자보충을 기다려야 하는 일도 있었다.

당시 우리는 상대가 전방에서 우리와 전쟁을 벌일 뿐 아니라 후방에서도 전쟁을 치르고 있다는 사실을 분명히 깨달았다. 이런 후방의

전쟁을 이기기 위해 지원군 후방근무사령부 창설은 더욱더 필요한 것
이다.

북경에서 온 인민해방군 총후근부장 양립삼, 공군 사령관 유아루 등
은 팽덕회 지원군 총사령관과 우리들의 의견이 이치에 맞는다고 판단
한 모양이다. 그들은 귀국 후 모택동 주석과 주은래 총리, 서향전(徐
向前) 동지[66], 섭영진 동지 등 중앙군사위원회 지도자들에게 보고를
올렸다. 중앙군사위원회는 우리의 의견에 동의하면서 우리에게 "안동
과 지원군사령부 사이에 지원군사령부의 후방사령부를 조직하라"고
지시해 왔다.

1951년 5월 초 지원군당위원회는 보급의 중요성과 우리의 실정을
강조하는 '보급문제에 관한 지시'를 전지원군에게 내렸다. 내가 기초를
책임졌다.

이 지시는 현대전에서 병참보급이 차지하는 위치와 작용을 충분히 인
정하고 있다. "전쟁은 인력, 물리력의 경쟁이다. 더구나 고도의 기술장비
를 갖춘 미군과 전투를 하는데 최소한의 물자보급이 없다면 상대를 이
긴다는 게 불가능하다. 이 점을 명심해야 한다. 상대가 제공권을 장악하
고 있고 아군의 차량은 부족하다. 더구나 백만 대군에다 대포, 탱크, 공
병 등등 모든 물자가 국내에서 운송되고 있다. 병참보급 문제가 곤란하
고 복잡한 것임은 두말할 나위 없다. 전군의 협조 없이 병참부문 동지들
의 노력만으로 이 어려운 임무를 완수한다는 것은 불가능하다. 병참보급
이야말로 지금 우리의 모든 업무 중에서 가장 중요한 일이다."

---

66) 徐向前(1901~1990) 山西省 출신. 太原사범 출신. 27년 중국공산당 입당.
39년 제8로군 제1종대 사령. 49년 10월 인민혁명군사위원 겸 총참모장.
78년 부총리, 국방부장.

후근 사령관을 겸직하다

5월 14일 밤, 날이 어두워졌다. 저녁 8시가 넘자 공사동 탄광의 산기슭에 자리 잡은 베니어로 만든 자그마한 집에 팽 사령관은 지원군 당위원회 상무위원 동지들을 불렀다. 지원군후방근무사령부의 창설에 관한 회의를 소집한 것이다. 지원군후근사령부의 기구설치, 간부배치 등의 문제를 연구하기 위해서였다.

팽 사령관이 말을 꺼냈다.

"우리가 먼저 결정해야 할 일이 있는데······, 중앙은 지원군 후방근무사령부 창설을 결정하면서 지원군후방근무사령부는 지원군 사령관의 의도와 지휘 아래 일을 진행하라고 했소. 그런데 중앙은 이제 막 내게 전보를 보내와 지원군후근 사령관은 지원군의 부사령관 중 한 명을 겸임시키라고 지시했소. 누가 후근 사령관을 겸임했으면 좋겠는지 이 문제부터 결정합시다."

나는 팽 사령관의 말을 듣자마자 직감적으로 내가 겸임할 것 같은 예감이 들었다. 조선에 들어오면서부터 군수지원은 내 소관업무였다. 우리 부사령관은 모두 3명이었는데 등화와 한선초는 군수지원 업무를 맡은 적이 없으니 당연히 내가 맡을 것은 뻔했다.

그러나 내심으로는 후근 사령관을 떠맡고 싶지 않았다. 그 이유는 2가지였다. 하나는 내가 오랫동안 정치교육과 군사작전 일을 맡아 왔고 특히 군사작전에 더 익숙했다는 점, 두 번째는 조선전쟁의 군수지원이 엄청나게 어려운데 일을 그르치고 나면 책임을 모면할 방법이 없는 셈이었다. 나는 겸직을 하고 싶지도 않았고, 또 다른 사람에게 떠넘기기도 싫어 아무 말도 않고 앉아 있었다.

정작 나는 아무 말도 않는데 다른 사람들이 되레 열을 올렸다. 등화, 한선초, 해방, 두평이 앞을 다투어 "홍형이 겸임하는 게 좋다."고 말했다. 나는 웬만하면 말을 하지 않으려고 꾹 참았으나 더 이상 참지 못하고 입을 열었다.

"저는 후근 사령관을 겸직할 수 없습니다."

팽 사령관이 이해할 수 없다는 듯이 물었다.

"뭐라고"

"여태껏 제가 군수지원 업무를 맡아 왔지만 결과가 신통찮았습니다. 이제 또 제가 후근 사령관을 겸임한다면 아무래도 마찬가지일 것입니다. 다른 일은 얼마든지 할 용의가 있습니다만 이 일만은 다른 사람에게 맡겼으면 합니다."

"당신이 할 수 없다면 누가 하지?"

"등화 동지가 겸임하면 어떻겠습니까. 그는 능력도 뛰어난데요."

등화가 잽싸게 말을 받았다.

"저는 팽 사령관의 작전지휘를 옆에서 거들고 있고 부정치위원도 겸직하고 있으니 정치교육 일도 있는데 후근 사령관까지 맡으라니 말도 안 됩니다."

"그러면 한선초 동지가 겸임하면 어떻겠습니까?"

내 말에 한선초가 펄쩍 뛰었다.

"나는 줄곧 최일선에 나가 전투를 감독하고 있는데 후근 사령관을 어떻게 맡겠습니까. 불가능합니다."

"정 그러면 본국에서 따로 사람을 파견하면 어떨까요."

팽 사령관은 내 말에 심기가 불편한 듯 이맛살을 잔뜩 찌푸리며 말했다.

"본국에서 누가 온단 말인가."

"이취규 동지(당시 동후정치위원)나 주순전(周純全) 동지[67](동후부

---

67) 周純全(1905~1985) 동북군구 후근부장. 제4야전군 후근부장. 상장. 全人

장)도 괜찮을 듯싶은데요."

"동북군구에서 그들이 맡고 있는 임무가 막중한데 우리 편하자고 오라고 할 수야 없지."

"그러면 양립삼(해방군총후근부장)에게 사람을 보내도록 하면 제가 조수노릇은 하겠습니다."

팽 사령관은 내가 한사코 고집을 부리자 그만 탁자를 치면서 언성을 높였다.

"정말 맡을 수 없단 말이지. 좋아, 당신이 할 필요 없어."

"그럼 누가 하지요?"

"내가 맡겠다. 당신이 부대를 지휘해."

"사령관 동지, 동지의 직위를 생각해서라도 말씀을 삼가시는 게……."

"그래, 내가 당신 군대를 지휘할까, 당신이 내 군대를 지휘할까, 응."

이때 등화가 끼어들었다.

"홍형, 그러지 말고 당신이 하는 게 좋겠는데. 지금 다른 누가 하더라도 당신보다 잘할 수는 없을 것 같아. 어때."

"내가 이제까지 맡았지만 잘한 편은 못 되잖아."

"당신이 잘못했다면 다른 사람은 물론 잘할 수 없을 테지."

이쯤 되고 보니 더 이상 사양할 도리가 없었다.

"그럼 제가 후근 사령관을 겸임하되 조건이 있습니다. 조건을 들어주신다면 할 용의가 있습니다."

팽 사령관은 한층 화가 누그러진 표정으로 물었다.

"무슨 조건인데."

"조건은 간단합니다. 하나는 일을 잘못하면 언제라도 저를 해임시키고 더 능력 있는 동지로 바꾸어야 한다는 것입니다. 두 번째는 저는

代상무위원.

군사간부입니다. 군사작전에 일하고 싶은 게 제 솔직한 심정입니다. 항미원조전쟁이 끝나 귀국한 뒤에 저에게 후근업무를 맡기지는 마십시오. 저는 군사 분야에서 일하고 싶으니까요."

"무슨 대단한 조건인가 했더니 그 정도야. 좋아, 당신의 견해에 전적으로 찬성한다."

이리하여 이 회의석상에서 지원군당위는 정식으로 나를 지원군 후방근무 사령관으로 결정하고 이 결정을 중앙군사위원회에 보고했다.

6월, 지원군후방근무사령부는 원래 있던 동북군구전방근무지휘소를 기초로 해서 마침내 창설됐다. 당시 작전처 부처장 양적에게 말했다.

"내게 두 사람만 추천해 주지."

"유홍주와 조남기(趙南起)68)는 우리 작전처에서 유능한 참모들입니다. 그들을 쓰시죠."

이리하여 이들 2명은 나와 함께 새로이 창설된 후방근무사령부에서 일하게 됐다.

지원군당위의 결정과 '보급문제에 관한 지시'가 중앙군사위원회에 보고되자 군사위원회는 재빨리 승인했다.

5월 19일, 중앙군사위원회는 '지원군후방근무작업을 강화하는 결정'을 내렸다.

이 결정은 창설되는 지원군후방근무사령부가 조선국경 내 모든 병참 조직과 시설(철로, 군사수송을 포함)의 관리를 책임지도록 명령했다.

---

68) 趙南起(1925~) 조선족. 1947년 조선공산당 입당. 한국전쟁 때 지원군후근사령부 참모로 저자의 경호와 한국어 통역을 맡음. 1959년 저자가 吉林省중공업청장으로 좌천되자 함께 延邊군분구 등에서 일함. 78년 吉林省延邊조선족자치주 당위제1서기. 82년 제12기 중앙위원. 85년 해방군 총후근부 부부장. 88년 저자의 뒤를 이어 해방군 총후근부장(상장)으로 승진 현재에 이름.

지원군후방근무사령부는 직접 지원군 사령관의 지휘를 받도록 했다.

과거 동북군구 후근부에 배속되었던 각 부대(공병, 포병, 공안, 통신, 수송, 철도 등)는 앞으로 지원군후방근무사령부가 통솔한다는 내용이었다.

중앙군사위원회는 나를 지원군후근 사령관으로 겸임 발령했고 주순전을 정치위원, 장명원을 부사령관, 두자형을 부정치위원, 정치부 주임에 칠원악(漆遠渥: 후에 이설삼(李雪三))을 각각 임명했다.

중앙군사위의 결정은 이론과 실천의 측면에서 현대전에서의 병참의 위치 및 작용을 천명했으며 후방근무의 작전과 범위를 확대해 후방근무가 단일병과에서 제병과를 합친 것으로 바뀐 중대한 변화를 나타내고 있다. 지원군후근 발전사상 획기적인 문건의 하나이다.

한편 이즈음 전황의 확대와 함께 특히 지원군의 제2차 부대가 대규모로 조선에 들어오자 아군은 대량의 무기장비가 급히 필요하게 되었다.

따라서 1951년 5월 25일 제5차 전역 후기에 모 주석은 참모총장 서향전이 이끄는 대표단을 소련에 파견해 소련정부와 60개 사단 규모의 소련무기를 구입하는 문제를 담판 짓게 했다. 담판은 6월 상순 시작돼 10월 중순까지 계속됐다. 마침내 쌍방은 합의에 도달했다. 그러나 소련의 수송능력이 부족해 1951년 중에 겨우 16개 사단 규모의 장비만을 들여왔고 나머지 44개 사단 규모는 이후 3년에 걸쳐 54년까지 아군에 인도되었다.[69]

---

69) 한국전쟁 기간 소련은 중국에 64개 육군사단, 22개 공군사단의 장비를 제공했다. 대부분의 장비는 유상(할인가격 포함)으로 제공한 것이다. 전쟁기간 스탈린의 특별허가로 소련은 여러 차례 무상으로 무기장비의 일부를 제공하기도 했다. 1950년 소련공군은 미그15전투기를 갖추었지만 중국 측이 전투기를 사들이려 하자 소련 측은 미그9전투기를 제공하겠다고 밝혔다. 중국 측에서 미그9의 성능이 미국의 F84전투기보다 떨어진다고 지적

어쨌든 보급에 있어 기동전을 구사하던 전쟁 초기에는 지원군의 군수지원은 국내 해방전쟁 후기의 경험을 그대로 계승했다. 각 지부는 작전방향에 따라 병참부서를 정했고 병참선의 연장을 통해 각 부대에 물자보급을 해왔다.

그러나 전장이 협소하고 지부와 군사령부후근, 군단후근과의 사이에 명확한 업무구분이 없어 후근기능의 중첩현상이 빚어지고 보급체계도 명확하지 못했다. 따라서 전역후방과 전술 후방이 상호 교차해 각자의 특징을 발휘하기에 불편했다.

이후 전술이 진지전으로 바뀌었을 즈음 지원군후근사령부가 보급을 책임진 부대는 계속 증가해 17개 군, 6개 포병사단, 4개 고사포사단, 1개 탱크사단으로 늘어났다. 이에 따라 군수지원 보급의 임무가 더욱 막중

하자 소련대표는 화를 벌컥 내며 "사회주의 소련이 생산한 무기의 우월성에 대해 감히 회의를 품느냐"고 언성을 높였다. 결국 이 문제는 스탈린에게까지 보고돼 스탈린이 자국 협상대표에게 화를 내며 무상으로 미그15전투기 372대를 제공토록 했다.

1951년 중국이 소련으로부터 37개 보병사단의 장비를 구매한 뒤 조선인민군의 장비가 부족한 점을 고려해 그중 2개 사단의 장비를 무상으로 조선인민군에게 제공했다.

스탈린이 이 소식을 듣고 중국에 20개 사단의 장비를 무상으로 제공했다. 1952년 겨울 중국이 유엔군의 상륙저지 준비에 바쁠 때 소련 측은 적극적인 태도로 바뀌어 무상으로 일부장비를 제공했다. 그러나 교섭 때마다 소련 측의 태도가 일치하지 않아 중국 측은 어려움을 겪었다.

중국은 참전한 뒤 주로 반값에 소련으로부터 대량의 무기를 사들였다. 스탈린이 무기장비 제공의사를 밝힌 뒤 소련 측은 중국과 실무교섭을 하면서 일정한 액수의 현금을 지불하도록 요구했다. 1950년 가을과 겨울, 소련군은 13개 공군사단을 중국에 배치해 대공임무를 맡다가 이듬해부터 유상으로 중국공군에 장비를 건네주었다. 당시 중국의 재정이 어려워 소련 측은 현금 아닌 차관형식을 취했는데 이자율이 연리 1%였다. 이런 조건은 평화 시에는 특혜를 준 것이라고 할 수 있지만 중국이 엄청난 희생을 치르면서 무상으로 인력, 재력을 털어 넣는 마당에 일일이 돈을 챙기려는 소련 측의 태도는 납득하기 어려웠다는 것이 중국 측의 주장이다.

해졌는데 여기저기서 일이 꼬이기만 했다. 팽 사령관은 이런 현상에 대해 퍽 초조하게 여겼고 나 역시 밥 먹을 때나 잠잘 때나 불안감을 떨쳐 버리지 못할 정도였다. 어떤 형식과 방식으로 보급을 실시할 것인가.

나는 여러 군. 사단. 연대의 군수지원단과 전방진지를 두루 뛰어다니며 병참수송선을 세우고 보급기지를 새로이 개설했다. 이에 힘입어 각 지부의 역량은 점차 늘어났으며 수송조건이 개선됐고 저장물자가 날이 갈수록 늘어나는 상황이 됐다. 그래서 기존의 보급구역을 세분하고 새로운 보급망을 구축하는 보급체제 방안을 제안했다. 내가 팽 사령관에게 보고를 드리자 팽 사령관은 흡족하게 여기면서 즉시 집행하라고 명령했다. 이에 따라 보급체제는 모든 전쟁구역 후방지역을 전역지역과 전술지역으로 나누어 실시했다. 압록강에서 일선 각군 후근부사이를 전역후방으로 삼아 지원군후방지역이라고 했다. 군 후근부에서 전초기지 사이를 전술후방으로 삼아 군대후방지역이라고 했다. 압록강변에서 일선의 각 군 후근부 사이를 전쟁구역 후방으로, 군 후근부에서 전선진지 사이를 전술 후방으로 구별했다.

전술 후방은 병단 후근부 대신 군 후근부가 전쟁 후방은 지원군후근사령부가 모든 작전방침. 작전방향. 부대배치와 지형. 도로 등의 조건과 후근 자체의 자체역량 등을 감안해 보급구역을 세분하고 병참선을 개설하고 해당구역의 부대에 대한 보급실시를 책임지도록 했다. 또 전술 후방은 군 후근부가 주체가 되어 군. 사단. 연대의 계통에 따라 새로운 보급망을 건설토록 했다.

이러한 이중의 보급방법을 실시하자 이는 조선의 지리. 교통조건. 작전요구에 알맞아 전쟁 중 대단한 효과를 거두었다.

조선은 반도로서 미군이 해. 공군의 절대적 우세에다 제2차 세계대전과 조선전쟁 중 상륙한 경험이 있어 상대는 수시로 양 측면에서 상륙을 실시하면서 양면 또는 삼면작전을 벌일 가능성이 높았다. 구역을 나누어 보급하고 각 보급소가 서로 연계를 맺게 되자 모든 전쟁 구역이 동서남북으로 연결이 돼 전후좌우의 보급선을 이루어 정면부대의 작전수요를 보완할 수 있고 양면 또는 삼면작전의 군수지원 보급도 가능하게 됐다.

지부는 곧장 군단에 보급품을 수송해 병단 사령부후근부가 굳이 나설 필요가 없게 됐고 조선과 같은 협소한 전장에서 과다하게 중첩된 군수지원 체계 수립을 피하게 됐다. 각 지부와 각 군은 모두 자기 고유의 수송로를 가지게 돼 도로가 복잡해지는 것도 줄일 수 있었다.

구역을 나누어 보급을 맡다 보니 각 보급구역은 상대적으로 안정을 되찾았고 작전부대는 작전 도중 위치가 변하더라도 항상 부대 가까이서 보급을 할 수 있었다. 이동할 때는 물론 새로운 구역에 도착해서도 신속하게 보급을 받을 수 있었다. 따라서 부대는 행군작전 도중에 과다한 물자를 휴대할 필요가 없어 작전부대의 기동에 편리했다.

보급담당 구역을 적절히 나누어 보급하는 것은 각 지부가 부담할 역량도 줄어들어 상대적으로 안정성을 충분히 확보할 수 있었다. 또 각 지부가 해당구역에서 상대의 전투기, 상대 공작원의 활동 등을 파악하기에 편리했으며 해당지역의 지명에도 익숙해져 창고, 병원, 도로, 방호시설 등 후방군수기지 건설도 수월해졌다.

동시에 군 이하 부대는 군 후근부가 1급 공급기관이 돼 작전지휘와 후근업무의 통일에 유리했으며 전술 후방의 기동성을 유지하는 데도 안성맞춤이었다.

이같이 전선도 안정상태에 접어들고 우리의 보급체계도 안정을 찾았을 무렵 미국은 우리에게 정식으로 화해의 제스처를 보내왔다. 바로 휴전회담을 하고 싶다는 것이었다.

11

휴전회담 시작

51년 7월, 휴전회담 개시의 전말

전쟁은 단순한 군사행동이 아니다. 외교투쟁과 긴밀하게 결합하는 것이다.

제5차 전역이 끝난 지 얼마 되지 않아 미국은 우리에게 정식으로 화해의 손짓을 보내왔다.

1951년 6월 30일 유엔군 총사령관 리지웨이 장군은 미국국가안보위원회의 결정에 따라 성명을 발표해 우리 측과 휴전회담을 하고 싶다는 뜻을 밝혔다. 원산항의 덴마크 병원선에서 회담을 갖자는 것이었다.

7월 1일 조선인민군 최고사령관 김일성과 중국인민지원군 사령관 팽덕회 동지는 성명의 형식을 빌려 리지웨이에게 답변을 보내 미측 대표와 면담하는 데 동의했다. 우리는 원산항의 덴마크 병원선 대신 북위38선 남쪽의 우리 통제구역인 개성에서 열자고 수정 제안했다.

리지웨이의 성명이 급작스럽게 발표된 것 같고 우리 측의 답변 또한 이례적으로 신속했는데 사실은 휴전회담 문제는 일찌감치 제기됐을 뿐 아니라 충분히 무르익었다고 볼 수 있었다.

1950년 10월 2일 미군이 38선을 넘었을 때 소련 등은 제5차 유엔총회에서 조선문제를 평화적으로 해결하자는 제안을 제출했다. 우리 정부도 이 제안을 지지했다. 그러나 미국은 여러 나라들을 부추겨 이 제안을 거부했다.

그러던 미국이 1951년 1월 11일 돌연 휴전회담을 하자고 우리 측에 제안했다. 다른 나라들을 부추겨 '유엔 한국전 휴전 3인위원회'가 제출한 조선과 극동문제를 해결할 수 있는 5개 항의 원칙을 통과시켰다. 내용을 보면 조선에서 즉시 휴전을 실시하면서 유엔이 조선에 통일정부를 세우는 한편 미국, 영국, 소련, 중국 등 4개국 대표가 극동문제의 해결을 위해 협의하자는 것이 주 내용이었다.

이때 우리 지원군은 이미 3차례의 전역을 진행하면서 미군을 37도 선까지 밀어붙인 상태였다. 따라서 전략중점을 유럽에 두고 있던 미국은 더 이상 많은 병력을 조선에 투입하기가 쉽지 않았던 것으로 보이며 또다시 공격을 감행하더라도 실패할 가능성이 많고 도리어 조선반도에서 쫓겨날 가능성을 우려했던 것 같다. 미국은 이러한 상황을 재보고 서둘러 휴전회담을 제의했던 것 같다.

미국의 이러한 입장은 1월 12일 미국 국가안보위원회가 내린 결정에서 더욱 명확하게 드러났다. 이 결정의 분석으로는 당시 미국의 가장 근본적인 이익과 최대의 관심은 유럽에 있었고 따라서 미국은 유럽에 대량의 군사력을 배치해야 하고 나토동맹국들에게도 보조를 같이하도록 다독거려야 했다. 즉 미국의 근본이익이 유럽에 있는 만큼 아시아에서 지구전에 들어가 유럽에 배치되어야 할 군사력에 영향을 미쳐서는 안 된다는 것이다. 만일 이러한 상황이 된다면 이는 바로 소련의 크렘린 궁이 바라는 바이다. 이런 분석을 기초로 트루먼행정부는 대(對)한국정책을 수립했다. 전쟁은 한국으로 제한하고 해·공군력을 제한하며, 더 이상의 증원부대를 파견하지 않고 38선 부근의 전선에서 머무른 뒤 휴전을 꾀해 6·25 이전의 상황으로 되돌아가자는 속셈이었다.

미국정부는 유엔군이 조선반도에서 군사력으로 쫓겨나지 않는 한 결코 철수하지 않겠다고 강조함과 동시에 만일의 경우 미제8군을 철수시켜 일본을 방어할 준비를 갖추었다.

팽덕회 사령관은 야전군의 총지휘관으로서 아군과 상대의 실정에 정통했다. 미군이 화해의 신호를 보내왔을 때 그는 지금 회담을 하는 것이 우리 측에 유리하다고 판단했다. 많은 지역을 우리 손에 넣고 있는 데다 동지들의 희생을 줄일 수 있었기 때문이다. 팽 사령관은 야전 지휘관으로서 이러한 실정과 자신의 판단을 중앙에 보고했다.

그러나 당시 모택동 주석의 생각은 달랐다. 휴전회담을 할 필요가 없다고 생각했다. 상대가 휴전회담에 성의가 없다는 생각이었다. 우리 지원군의 공격속도를 늦추려는 계책이라는 판단을 하고 있었다. 그래서 차제에 더욱 큰 군사적 승리를 거두어야 한다고 판단했다.

따라서 그 후 19병단, 3병단, 20병단, 47군, 제16군 등을 파견해 대대적인 반격을 꾀했다.

그러나 그 후 전선은 이미 기술한 바와 같이 38선 부근에서 밀고 당기는 접전을 벌였으며 끝내 전선은 38선 부근에서 고착되었다.

어쨌든 1951년 6월 지원군과 인민군의 합동작전은 이미 5차 전역을 치러 상대 병력 23만여 명(미군 11만 5천 명)을 살상했다.

3차 전역 후와 비교하면 제4차, 5차 전역에서 상대가 북쪽으로 좀더 치고 들어왔지만 전체적으로 본다면 우리는 상대를 압록강변에서 38선 부근으로 끌어내린 셈이었다.

또 미국은 지난 1년간 엄청난 타격을 받았다. 그들의 병력과 물자소모는 제2차 세계대전 당시 1년간 투입한 것에 비해 2배나 되었다고 한다. 물자소모량은 매월 평균 85만 톤으로 당시 미국이 북대서양조약기구에 1년 반 동안 원조한 물량에 해당한다는 것이다.

미국은 조선전쟁에서 전 육군의 3분의 1, 공군의 5분의 1, 해군의 2분의 1을 동원했다. 아군이 조선에 들어올 당시 42만 명의 미군이 나중에 69만 명으로까지 늘어났다.

이것은 유럽우위 전략에 비추어 볼 때 본말이 전도된 것이었다. 이러함에도 불구하고 미군은 병력이 부족하게 됐다. 미국의 전략예비대는 일본에 있는 미군 2개 사단과 국군 3개 사단, 미국 국내의 6개 사단밖에 남아 있지 않아 다시 조선에 더 이상의 증원군을 파견한다는 것은 아주 곤란했다. 영국과 프랑스 등도 더 이상 조선에 군대를 파견하기를 원치 않았다. 미국은 이러한 엄청난 대가를 치르고서도 승리의 가능성을 기대하기 어려웠다. 이것은 미국인들에게 강한 불만을 불러 일으켰을 뿐 아니라 반전사상이 점차 고조되었다. 미국정부 내 지도층에서도 점차 불화의 조짐이 보였다.

군사와 정치적인 국면에 관해 미육군 참모차장 브래드마이어 장군은 "한국전쟁은 밑 빠진 독에 물 붓기다. 유엔군이 이길 희망이 전혀 보이지 않는다."고 발언하기도 했다.

미국지도층에서는 군사적인 수단으로 아군을 무찔러 한국문제를 해결하기란 불가능하다고 여겼다. 5월 16일, 미국국가안보위원회는 "휴전회담을 통해 적대행위를 멈춘다."는 결론을 내렸다. 6월 초, 미국은 유엔사무총장 리를 통해 여러 차례 회담을 통해 적대행위를 그만두겠다는 뜻을 전해 왔다. 미국측이 처음에는 오만하다가 나중에 공손하게 된 것은 우리에게 타격을 입었기 때문이다. 회담 국면도 우리가 끌어낸 것이다. 미국은 회담을 원한다는 뜻을 나타냄과 동시에 군사적으로도 잠시 전면공격을 중단하고 38선 부근에 방어진지를 구축하고 전략방어 단계로 접어들었다.

우리는 5차 전역을 거치면서 상대를 38선까지밖에 밀어붙이지 못했지만 조선의 사정을 크게 변화시켰다. 보병이 우세를 차지한 것은 물론 포병, 탱크병, 군수지원 역량도 크게 보강되었다. 그러나 상대와 비교하면 기술장비는 엄청나게 뒤떨어져 있었다. 이때 우리의 병력은 조선에 들어왔을 당시의 30만에서 77만 명으로 늘어났다. 인민군도 11만에서 34만 명으로 늘어나 아군 총병력은 1백11만 명에 이르렀다. 병력은 1대 1.6으로 우리가 많았다.

반면 기술장비는 어떤가. 상대는 경박격포 이상 야포 3천5백60문, 탱크 1천1백30여 대, 비행기 1천6백70여 대, 군함 2백70여 척을 보유하고 있었다. 아군은 소량의 탱크와 비행기가 있을 뿐이었다. 야포의 수량과 질은 미군과 비교도 되지 않았다. 제공권, 제해권이 완전히 상대 손아귀에 있었다.

아군은 비록 보병이 많고 전투력은 뛰어났지만 대낮에 움직일 수 있는 자유가 없었고 부대의 기동력과 물자보급에 제한을 받았기 때문에 이러한 우세를 충분히 발휘할 수 없었다. 이러한 여건 아래서 우리가 상대의 대규모 병력에 타격을 가하기란 힘든 일이었다. 군사적으로 조선문제를 해결하려면 관건은 상대의 병력을 무력화시키는 것이다. 이것은 시간이 걸린다. 피아역량의 증감이라는 과정, 아군의 기술장비 개선, 아군의 현대화 작전능력을 제고하는 과정이 필요했다. 이리하여 전쟁의 장기화 조짐이 매우 분명해졌다.

속전속결이 불가능하다면 조선문제를 평화적으로 해결하려는 가능성이 나타났을 때 우리는 당연히 이 기회를 붙잡아 지구전을 준비하는 한편 상대와 휴전회담을 진행해 조선문제를 평화적으로 해결하는 방법을 얻어내야 하는 것이다.

때문에 미국이 5월 말 화해의 분위기를 던지자 김일성 수상은 6월 초 북경에 가 모택동, 주은래 동지와 휴전회담에 관한 방침과 방안 등을 논의했다. 6월 23일, 유엔주재 소련대사 말리크는 유엔프레스센터에서 열린 '평화의 대가'라는 방송프로그램에 나와 연설했다. 그는 이 연설에서 "평화를 유지하는 일은 가능하다. 조선의 무력충돌에서 빚어지는 가장 첨예한 문제도 해결할 수 있다. 그러기 위해서는 각 방면에서 조선문제를 평화적으로 해결하겠다는 마음가짐이 있어야 한다. 소련인민들의 생각으로는 제일 먼저 취할 수순이 교전雙방이 휴전하고 雙방이 군대를 38선 양쪽으로 철군하는 방법이다."고 밝혔다.

말리크의 이러한 연설은 중국, 조선 쪽의 입장을 대변한 것이었다. 6월 25일 우리의 인민일보는 사설에서 "중국인민은 말리크의 제안을 전폭적으로 지지하며 제안의 실현을 위해 노력하기를 바란다. 중국인민지원군이 조선전쟁에 참가한 목적은 조선문제의 평화적 해결에 있었다."고 밝혔다.

동시에 트루먼 대통령도 미국의 테네시주에서 있은 정책연설에서 "전쟁은 계속 수행해야 한다."고 목소리를 높이면서도 "조선문제의 평화적 해결에 참가하고 싶다."는 뜻을 나타냈다.

이어서 나온 것이 앞서 언급한 리지웨이 장군의 성명과 김일성 수상, 팽덕회 사령관의 화답성명이었다.

김, 팽의 성명발표 하루 전날, 김 수상은 모 주석에게 전보를 보내 조선 측의 회담내용, 장소 및 시간에 대한 의견을 제시하면서 팽 사령관을 지원군 대표로 휴전회담에 출석하도록 부탁했다.

지원군수뇌부는 연구를 거듭한 끝에 팽 사령관이 우리의 사령관이기 때문에 직접 얼굴을 내민다는 것은 바람직하지 않다고 판단했다. 팽 사령관도 이 의견에 따랐고 제1부사령관 등화가 그를 대표해서 회담에 나갈 것을 제안했다. 그래서 등화와 해방이 참석하기로 결정됐다. 우리는 이 결정을 중앙군사위원회에 보고했고 모 주석은 7월 2일 답신을 보내와 이를 승낙하면서 본국대표로 이극농(李克農),[70] 교관화(喬冠華) 동지 등을 지명해 곧 조선으로 갈 것이라고 통보했다.

7월 8일 雙방연락관의 협의에 따라 조선휴전회담은 7월 10일 오전 10시 개성 내봉장(來鳳莊)에서 열렸다.

---

70) 李克農(1899~1962) 중공중앙사회부장.

우리 쪽에서는 조선인민군 참모장 남일(南日) 장군,[71] 중국인민지원군 부사령관 등화 장군, 조선인민군 전선사령부참모장 이상조(李相朝) 장군[72], 중국인민지원군 참모장 해방 장군, 조선인민군 제1군단 참모장 장평산(張平山) 장군[73]이 대표로 나갔다.

상대 측 대표로는 미극동해군 사령관 조이 중장, 미극동공군 부사령관 크레이기 소장, 미제8군 부참모장 호데스 소장, 미순양함대 사령관 버크 소장과 한국의 백선엽(白善燁) 소장이었다.

밴플리트 장군 아들 유해 수색 작전

피아 간 역량이 상대적으로 균형을 이루어 군사적으로 조선문제를 신속하게 해결할 수 없는 사정에 이르자 당중앙은 정치적으로는 휴전 회담을, 군사적으로는 "지구전을 펴면서 적극적인 방어를 하는" 방침을 정했다.

이에 앞서 지난 5월 해방 동지가 북경에 돌아가 모 주석에게 조선 전황을 보고했을 때 모 주석은 조선의 전황이 장기화되면서 어렵게 될지 모르니 그것에 대비한 충분한 준비가 있어야 할 것이라고 밝힌

---

71) 南日(1914~1976) 39년 소련타시겐트사범대 졸업 42년 소련군대위로 2차대전 참전. 45년 입북해 북조선인민위원회 교육국 차장. 57년 9월 부수상. 72년 정무원 부총리 겸 경공업위원장.

72) 李相朝(1913~) 해방 전 연안에서 활동. 50년 인민군 최고사령부 참모장. 55년 8월 소련 대사. 56년 9월 반당사건에 연루돼 숙청. 이후 소련에서 거주.

73) 張平山(1915~1958) 1940년까지 중국江西 방면 8로군중대장, 대대장. 50년 11월 제2사단장(소장)으로 한국전 참전. 56년 6월 군총참모부차장(중장) 57년 9월 제4군단장 58년 4월 연안파로 몰려 숙청.

바 있다. 해방은 모 주석에게 병력을 교대로 투입해 상대를 각개 격파하는 방침을 취해야 한다고 보고했는데 모 주석은 매우 기뻐하면서 이 방침을 마치 '엿을 잘근잘근 씹어 먹는 것'과 같이 상쾌하다고 흡족해했다. '엿을 잘근잘근 씹어 먹는' 이 방침은 이후 전략방어 단계에서의 아군의 주요방침이 되었다.

6월 상순, 모 주석은 북경에 보고하러 간 등화를 접견할 때 피아 쌍방의 기본사정과 우리 전쟁목적에 관해 '지구전을 충분히 준비하는 한편 휴전회담이 전쟁을 끝낼 수 있게 하는' 총지도방침과 '지구전 작전, 적극방어'의 전략방침을 제시했다.

중앙의 총지도방침과 전략방침을 관철하기 위해 등화가 돌아온 뒤 팽 사령관의 주재로 지원군사령부는 6월 25~27일 지원군당위회의를 열었다. 즉 6월 고급간부회의였다.

이 회의에서는 앞으로 어떻게 '지구전작전, 적극방어' 전략방침을 운용해 나갈 것인가를 집중 토의했다. 부대는 전체 병사들에게 장기전에 대비한 사상교육을 실시해, 속전속결로 끝내자는 심리를 벗어나게 하는 작업이 필요하다고 의견을 모았다.

또 아군은 38~38.5도 선의 지역을 견지해야 하며 이 지역에 3갈래의 방어진지를 구축토록 했다. 앞으로의 작전방식은 기동방어와 반격을 결합한 형식이었다. '엿을 잘근잘근 씹는다'는 방식을 취한다는 것은 상대를 쪼개서 치겠다는 뜻이다. 전역마다 평균 1개 군으로 미군 1개 대대, 국군 1개 연대에 타격을 줄 수 있는 원칙을 세웠다. 조그마한 승리를 모아 큰 승리를 만드는 셈이라고나 할까.

부대배치는 해안방어와 보급상황에 비추어 18개 군을 두 쪽으로 나누어 번갈아가며 작전에 참여키로 했다. 제1선의 9개 군은 정면작전을, 제2선의 9개 군은 동서해안과 양덕, 곡산 등지에 분산 배치해 휴식과 훈련을 하면서 상대의 상륙작전에 대비하도록 했다. 우리는 동북지구에 있는 2개 군을 전역예비대로 삼았다.

1, 2선부대는 2, 3개월마다 한 번씩 교대하는데 사상자가 과다하면 형편을 보아 본국으로 귀국시키고 다른 부대를 참가시키는 방식으로 장기전에 대비했다. 또 연합사령부는 지원군과 조선인민군에서 약간 명을 뽑아 유격대를 만들어 상대 후방에 깊숙이 들어가 유격전을 전개하도록 했다.

아군은 이 밖에도 일련의 여러 가지 조치를 취했다. 전방에 일정한 방어선을 갖춘 견고한 진지를 구축했다. 제20병단(67, 68군)을 증파해 동부전선 방어를 강화했다. 부대는 교대로 휴식을 취하고 병사들을 보충하는 한편 훈련의 강화, 전술 및 기술수준의 제고, 부대 기술 장비의 개선, 방공 및 대(對)탱크화력 강화 등에 힘을 쏟기도 했다.

제23병단을 조선에 파견하고 제59군 제149사단이 함께 비행장 보수를 맡아 공군과 지상부대의 합동작전 준비를 제대로 해냈다. 도로, 창고수리와 교통수송 및 병참보급을 개선했다. 동시에 전국인민들은 항미원조전쟁을 전폭적으로 지원하는 운동을 전개해 비행기, 야포를 헌납하는 운동이 시작됐다. 8월 말까지 전국인민들의 성금으로 비행기 2,398대, 대포 254문, 탱크 5량을 구입할 수 있어 지원군이 지구전을 계속하는 데 크게 이바지했다.

이로부터 조선전쟁은 군사투쟁과 정치투쟁이 번갈아 진행되었다. 한편으로 싸우면서 한편으로 회담하는 대치국면이 시작된 셈이다.

휴전회담이 시작된 뒤 리지웨이가 원산 앞바다의 군함에서 회담하자고 제의한 데 대해 우리 측은 동의하지 않았다. 우리 판단에 군함에서 회담을 하면 왕래가 불편할 것 같았기 때문이다. 우리 측은 대신 우리 측이 통제하고 있는 개성에서 회담을 하자고 제의했는데 이곳이 그들의 통제구역과 가까워 왕래가 비교적 편리할 것이라는 판단에서 였다. 리지웨이는 우리 측의 제의에 동의했다. 명확한 표지로서 그들의 회담대표가 자칫 부상을 입는 위험을 막는다는 뜻에서 리지웨이는 그들의 연락관이 탄 지프차마다 대형백기를 걸겠다고 제안했고 이에 대해 우리는 승낙했다.

그런데 휴전회담이 몇 차례 진행된 뒤 미국 AP통신사 기자가 기사를 통해 "당당한 미국대표가 유엔 사령관을 대표해 회담하러 가면서 차에 백기를 달고 갔다."며 "이는 바로 투항을 뜻하는 것 아니냐."고 보도했다. 이 기사는 즉각 엄청난 반향을 불러일으켰다. 원래 백기를 단다는 것은 안전을 위해서 그들을 보호하는 표지인데 이 같은 기사가 나가 큰 반향을 일으키자 상대는 백기를 달지 않겠다고 수정제의를 해왔고 더욱이 개성에서 회담하는 것이 모양이 좋지 않다고 제의해 왔다. 개성은 중립적인 분위기가 아니라는 이유에서였다. 그들은 회담을 중단하고 회담장소를 쌍방 군사접촉선 위에 있는 판문점으로 옮기자고 제의해 왔다. 우리는 상대에게 쓸데없는 구실을 주지 않기 위해 이에 선뜻 동의했다. 그래서 휴전협상 초기의 몇 차례 회담은 개성에서 열렸지만 이후에는 판문점에서 열려 오늘에 이르고 있다.

또 휴전회담에서 전쟁포로 문제가 논의되기 시작했을 때 미제8군 사령관 밴플리트 장군이 우리 측에 개인적인 부탁을 해왔다. 공군 중위로 참전한 그의 아들이 전투기 조종사로 우리 측 물개리에 폭격하러 나갔다가 추락한 후 실종됐는데 생사여부를 알고 싶다는 것이었다. 그는 우리 대표에게 아들을 찾는 데 도와달라고 부탁한 것이다.

등화와 해방은 이 사실을 내게 알리고 최선을 다해 찾아 주도록 부탁해 왔다. 물개리는 당시 지원군후근사령부 제3지부의 관할이었다.

제3지부에 명령해 우리는 사고현장 일대를 이 잡듯이 샅샅이 뒤졌다. 그러나 아무런 성과가 없자 물개리 동지들이 최종 보고해 왔다.

"B26전투기 한 대를 격추시켰습니다. 그러나 조종사를 생포하지는 못했습니다. 비행기에서 폭사했을 것으로 판단됩니다. 전투기가 격추될 때 조종사에 대해서는 별다른 관심을 쏟지 않았습니다."

우리는 그래도 혹시나 싶어 사람을 보내 상당한 기간 찾도록 했으나 유해를 발견할 수 없었다. 후에 이런 사정을 등화, 해방에게 알렸다. 그들은 또 미국 측에 통보했다. 밴플리트 장군은 이 소식을 듣고 매우 실망했다고 한다.

서류에만 남아 있는 제6차 전역

한편 휴전협상과 관련해서, 전사에는 기록되지 않은 제6차 전역 얘기를 하고자 한다.

"1951년의 지원군사령부작전계획" 중에는 제6차 전역계획이 들어 있었다. 그러나 제6차 전역은 실제로는 시행되지 않았다. 그 원인과 제6차 전역의 목적이 어디 있었는지 설명하겠다.

제6차 전역은 지원군수뇌부에서 충분히 논의를 거친 것으로 목적은 38선 이북의 빼앗긴 땅을 완전히 도로 되찾는 데 있었다.

그 이유는 이렇다.

제5차 전역 후 우리 측과 미군의 군사통제선은 대체로 38선을 따라 이루어졌지만 완전히 그렇지는 않았다. 미군과 국군은 동부전선에서 38선을 넘어 동해안의 산악지대를 차지하고 있었다. 서해안에서는 우리가 38선 이남 개성과 판문점을 포함한 평야지대와 연안반도, 옹진반도를 점령하고 있었다.

동부전선의 미군이 점령한 38선 이북 산악지대는 지형적으로 말한다면 우리에게 군사적인 위협이 되었다. 그런데 휴전협상 이전부터 미국인들은 38선을 군사분계선으로 삼자고 말해 왔으며 이에 우리는 휴전회담이 시작되자 38선으로 군사분계선을 삼자는 주장을 역으로 제기했다. 즉 미국은 동쪽의 산악지대를 우리 측에 넘겨주는 대신 우리는 서쪽의 평야지대를 넘겨주고 원래의 38선을 완전히 회복하자는 뜻이었다. 그러나 미국회담대표는 이에 응하지 않았다.

그들은 "38선을 경계로 삼는다면 지형조건으로 볼 때 우리 측은 동부전선에서 후퇴한 뒤 다시 탈취하기가 어려운 반면 당신네는 서부전선에서 물러난 뒤 도로 빼앗기가 쉬우므로 이 방안은 불공평하다."고 주장해 왔다.

회담 도중 미국 측은 38선을 군사분계선으로 삼는 데 동의하지 않았을 뿐 아니라 도리어 그들의 해, 공군 전력 우세를 앞세워 군사분계선을 38선 이북의 우리 측 진지로 삼자는 무리한 요구까지 해왔다. 전쟁도 하지 않고 우리 측 1만 2천㎢의 땅을 거저먹으려는 속셈이었다. 그리하여 회담은 교착상태에 빠졌다.

때문에 이 기간 중 지원군수뇌부는 여러 차례 사전작업을 한 뒤 제6차 전역의 발동을 준비했다. 38선의 위치를 무너뜨리면 회담이 더욱 잘 풀릴 것이라는 판단에서였다.

후에 우리는 저울질을 거듭한 끝에 동부전선의 산악지대는 군사적인 지형으로는 유리하지만 모두 민둥산이고 헐벗었다는 이유로 평가절하한 반면 서부전선의 평야지대는 방어하기가 어렵지만 비교적 풍요롭고 서울과도 가까워 전략적으로 우리에게 유리하다는 쪽으로 결론을 내렸다.

이러던 중 이미 교전쌍방의 세력이 균형을 이루어 전선은 교착상태에 빠졌다. 게다가 당시 우리 측은 이미 실제접촉선을 군사분계선으로 삼자는 방안에 동의할 준비가 되어 있었다. 이러한 이유에 비추어 우리가 판단하건대 기왕 미국 측이 동부전선과 서부전선의 땅을 맞바꾸는 데 동의하지 않으니만큼 그만하면 됐다는 생각이었다.

따라서 제6차 전역은 발동되지 않았고 계획은 서류상에만 남아 있다.

12

51년 하·추계 공세 막다

대홍수

1951년 7월 20일, 이날부터 엄청난 장맛비가 며칠간 계속됐다. 강의 수위가 보통 3, 4m씩, 11m까지 불어나는 강도 있었다. 모두들 40년래의 최대홍수라고 아우성이었다.

곳곳에서 도로가 끊기고 집이 물에 잠기는 등 피해가 잇따랐다.

40년 만의 홍수는 중국인민지원군에게도 엄청난 피해를 입혔다.

후근사령부의 주요물자집결지인 삼등 역시 예외는 아니었다. 수많은 창고와 야전병원이 물에 잠겼고 고사포진지도 있는 대로 유실됐다.

이 밖에 안주, 어파역과 평양 부근의 후근사령부 물자창고 등도 모조리 물속에 잠겼다.

또 후방의 거의 모든 도로가 파손되거나 유실됐으며 북조선에 있는 2백 5개의 교량은 하나의 예외도 없이 무너져 내렸다.

열차가 다닐 수 있는 곳은 개천~신안주, 신안주~맹중리, 구장~순천, 순천~장림 구간에 불과했으며 주요철로교인 남대동강교, 동비류강교 등도 모두 부서졌다. 자연히 군수품의 철도수송에 큰 어려움이 닥쳤다.

이때의 홍수는 정말 대단한 것이었다. 삼등의 고사포대대 병사들은 홍수가 갑자기 밀어닥치자 제때 피신하지 못해 전봇대에 올라갔다. 그러나 물이 불어 전봇대로 피하는 것도 잠시여서 1백67명이나 익사했다.

그토록 고생하며 후방에서 실어온 물자, 가까스로 공습을 피해 보존해 온 트럭들이 사정없이 홍수에 떠내려갔다.

물론 여름을 맞으며 우리 나름대로 홍수에 대한 대비책은 있었다.

7월 초 심양에서 지원군사령부, 철도수송관계관 등의 연석회의가 열려 홍수에 대비해 철도수송을 효율적으로 수행할 수 있는 대비책을 나름대로 준비해 두었다.

그러나 워낙 엄청난 홍수가 밀어닥치다 보니 속수무책이었다. 치열한 전쟁이 벌어지는 판에 천재지변까지 맞고 보니 바로 설상가상이었다.

그러나 이대로 당하고만 있을 수 없는 일. 나와 지원군후근사령부 간부들은 머리를 맞대고 해결책 마련을 위해 고육지책을 짜냈다.

우선 채택한 방안이 물자의 릴레이수송이었다. 주요철로교의 경우 단기간에 복구가 어렵다고 보고 트럭이 다닐 수 있는 도로까지 물자를 수송해 온 뒤 밤중에 나룻배로 강을 건너 대기시켜 둔 트럭으로 다시 전방으로 물자를 수송해 가는 방식이었다.

서청천강, 동대동강과 동비류강다리는 훼손된 후 적기가 주야로 줄기차게 공습을 퍼붓는 데다 지세가 험해 단기간에 복구하기가 어려웠다. 지원군후근사령부는 4개의 대형물자중계역과 트럭 1천여 대를 동원해 물자를 중계하는 방법을 채택하기로 결정했다. 서청천강교를 통해서는 6백여 대 트럭분의 물자를, 동대동강교에서는 1천1백여 대 트럭분, 동비류강교에서는 2백70대 트럭분의 물자를 수송했다. 이것은 항미원조전쟁사상 유명한 '倒三江'(강 세 군데서 물자를 중계한 일)이다. 이런 방법은 홍수범람에 적기공습이 치열한 상황에서 만들어낸 일종의 특수한 수송방식이었다. 도로가 끊기고 다리가 끊겼으면서도 물자수송은 끊이지 않은 목적을 달성하기는 했다.

단선(單線)으로도 차량을 통행할 수 있게 한다는 대원칙 아래 도로건설 '대군'은 수많은 우회도로를 새로 만들어 도로를 그물처럼 잇게 했다. 그물 같은 도로가 전선으로 통했다. 동시에 좁은 길을 넓혔으며 위험한 구간은 아예 없애버렸다. 도로 곁에는 대량의 차량엄폐물을 만들어 우리의 교통체계를 근본적으로 뜯어고쳤다.

그러나 이러한 방법으로는 가뜩이나 어렵던 전방에 대한 물자공급에 더욱 어려움을 주었다. 전방에서는 양식과 탄약이 급히 필요했다.

따라서 유실된 철도, 도로의 복구가 급선무였으나 공병부대 몇 개 연대 병력으로 파괴된 철도, 도로를 복구해 보려니 역부족이었다.

나는 근본적인 대책이 필요하다고 판단했다. 당시 등화는 잠시 귀국한 상태였고 진갱이 지원군사령부에서 제2부사령관을 맡고 있었다. 나는 그를 찾아가 상의했다.

"진갱 사령관, 도로복구 작업량이 엄청납니다. 후근부 병력에만 의존했다간 어림없겠습니다. 복구작업이 자꾸 늦어지고 있어요."

"무슨 좋은 방법이 있습니까."

"전군을 움직여야겠어요. 일선부대를 제외하고 그 누구도 좋습니다. 그리고 조선 사람들도 와야 합니다. 인민군도 보충돼야 하고 모든 사람이 동원돼야 합니다."

"그럼 회의를 열어 연구해 봅시다."

그래서 그는 고위간부들을 불러 모은 가운데 회의를 열었다. 회의에서 모두 내가 제안한 방법밖에 다른 방법이 없다는 데 의견을 모았다.

진 부사령관은 나에게 구체적인 방안을 설명토록 했다.

"일관성 있게 준비하되 합리적으로 일을 나누어야 합니다. 군, 사단, 연대마다 명확히 작업량을 정해 기한 내 완성토록 해야 합니다. 한 달 내에 어디든 차가 다니도록 해야 합니다."

일부 참석자들은 작업량이 지나치게 많아 쉽게 끝낼 수 없다고 투덜대기도 했다. 진 부사령관이 엄숙하게 선언했다.

"이것은 전투와 같은 전투임무요. 낮에 다 하지 못하면 밤을 새워서라도 정해진 기간 내에 완수하시오."

그는 내게 말했다.

"당신은 계획을 구체적으로 세우고 팽 사령관께 함께 보고를 합시다."

그래서 나는 어느 구간은 어느 군이, 어느 구간은 조선백성들이 알아야 하는지 구체적으로 계획을 세워 진 부사령관에게 보였다.

"좋소."

우리는 그길로 팽 사령관을 찾아갔다. 팽 사령관은 방안을 훑어보더니 매우 기뻐했다.

"그렇지 않아도 병참수송 때문에 잠을 이루지 못하는데 아주 좋은 방법이군요. 이 방안에 따라 명령을 내리지."

9월 8일 지원군 당위원회 회의에서 팽 사령관은 이 일을 거론했다.

"이것은 일선의 전투에 맞먹는 중요한 임무요. 모든 부대는 총력을 기울여 일하시오. 훼손된 도로를 하루빨리 복구하시오. 도로를 넓히고 몇 개의 기간도로를 수리해야 전략적인 가치가 생겨나는 법이오."

이어 지원군 제2선부대, 즉 11군, 9개 공병여단, 후근사령부 3개 공병대대 등 모두 수십만 명의 병력은 미군전투기의 공습을 무릅쓰고 도로수리의 삽질을 시작했다. 책임할당제를 채택했기 때문에 공정진도가 무척 빨랐다. 그 결과 25일 만에 도로를 모두 개통시켰다. 이리하여 전군의 병참수송 공급은 가장 어려웠던 고비를 넘어서게 됐다.

홍수와 전투기가 파괴한 철도와 철도교량의 복구에 대해서도 철도부대는 '쉬운 것부터 먼저 수리한다'는 원칙을 내세우고 밤샘 복구작업에 나섰다.

복구가 어려운 교량에 대해서는 간이교를 세울 수밖에 없었다. 그러나 일부 간이교는 기관차의 무게를 이겨내지 못했다. 지원군철도병들이 궁리 끝에 산뜻한 아이디어를 내놓았다.

기관차는 따로 배로 실어오고 화물칸은 하나하나 줄을 매 간이교를 건넌 후 다시 기관차와 연결해 전방으로 물자를 수송했다.

미군·국군의 여름 및 가을철 공세

한편 휴전회담은 지지부진했다. 휴전회담 시작부터 미국은 전혀 성의를 보이지 않았다. 그들은 한편으로 적극적으로 전쟁준비에 나섰다. 미국 본토에서 수송해 온 10여 만 병력이 보충됐고 포병, 탱크부대를 증강했다. 미공군 제116사단, 제136사단 등 2개 전투폭격기연대가 일본에 진주했으며 미제40, 제45사단이 일본에서 한국으로 파견돼 오면서 육, 공군작전 역량을 증강시켰다. 영국군 제27, 제29여단과 캐나다 제25여단, 뉴질랜드포병 제16단을 영연방 제1사단으로 개편했다. 대구 비행장을 늘렸으며 원주, 수원 등 10여 개 해공군수송보급기지를 새로 만들었다. 동두천리, 영평, 인제 등 10여 곳의 전방비행장을 건설했다. 또 도로건설로 작전물자를 수송하고 대규모로 전투기를 출동시켜 지원군교통수송선과 후방기지를 폭격했다.

다른 한편으로 미국은 회담석상에서 엉뚱한 문제를 자꾸 끄집어내어 일정문제를 토론하는 데만 보름이 넘게 걸렸다.

미국 측은 군사분계선을 어디에 그을 것인가로 논란을 빚다 지원군 진지에서 38~68km 북쪽으로 들어간 개성~이천~통천 선으로 삼자고 제안했다.

그들의 논리인즉 해군과 공군력이 우리보다 우세하므로 육상에서 보상을 받아내야 한다는 것이었다. 싸우지도 않고 우리 측 1만 2천㎢의 땅을 차지하려는 속셈이 엿보였다.

물론 우리 측은 미국의 제안을 거부했다. 리지웨이 유엔군 사령관은 "연합국의 힘으로 연합국대표단이 요구하는 분계선 위치까지 진격할 수밖에 없다."고 선언했다.

8월 18일, 미군, 국군 33개 사단은 아군이 엄청난 홍수피해와 공습에 의한 질식전의 위기를 맞은 틈을 타 북한강 동쪽부터 동해안에 이르는 80㎞의 전선에서 공격을 시도했다. 바로 그들의 '여름공세'의 시작이었다.

8월 22일, 그들은 중조대표단 숙소에 포탄을 퍼부었다. 당연히 회담은 중단됐다.

동부전선의 조선인민군은 양식과 탄약이 달리는 어려운 사정에서도 참호를 구축해 방어전을 펴는 등 최선을 다했다.

3일간의 격전 끝에 상대는 인민군 일부 전초거점을 점령했다. 8월 21일 상대는 공격의 중점을 바꾸어 전투가 더욱 치열해졌다. 일부진지에서 인민군은 상대와 10여 차례씩 뺏고 빼앗기는 접전을 치렀다. 조선인민군 2, 5군단은 공격하는 상대를 물리치기 위해 적이 피로한 틈을 노려 부분적으로 진지를 빼앗았고 8월 25일, 26일 2일간 상대에 대해 국부적인 반격을 가하기로 결정했다. 제5군단은 제6사단, 제12사단 예하 각각 2개 연대를 동원해 반격에 나서 두밀리 북쪽 일대의 상대를 물리치고 점령했다. 제2군단은 제27사단과 제5군단 예하 제6사단 일부병력을 합쳐 대우산의 상대에게 반격을 가했다.

27일 밤에 이르러 제5군단은 잇따라 983.1고지, 773.1고지, 752.1고지, 삼대동 진현 구현 등 진지를 되찾았다. 제2군단은 대우산의 상대에 대한 반격에서 그날 밤으로 전투를 마무리 짓지 못했다. 이때 피아 쌍방은 각자의 병력을 보강하기 위해 신속하게 부대를 조정해, 또 다른 전투를 준비했다.

9월 1일, 상대는 또다시 공격을 재개했다. 그들은 대대, 연대 병력을 동원해, 조선인민군이 지키고 있는 항령, 두밀리 북쪽의 773.1고지(상대는 '피의능선'이라고도 함), 대우산 북쪽의 가칠봉, 1,211고지와 가전리 북쪽의 진지로 밀려들었다. 9월 8일에 이르러 상대는 엄청난 피해를 입고 우리의 부분 전초진지를 점령하는 데 그쳤다. 9월 9일 국군 제8사단은 매일 1개 연대 병력 이상을 동원해 전투기와 맹렬한 야포 지원을 하면서 황기와 송어월에 이르는 4㎞의 아군 방어지역을 계속 공격했다. 이 지역의 인민군 제3군단의 1개 연대가 완강하게 맞서 낮에는 내주고 밤에는 도로 찾는 격전 끝에 4일 동안 꿈쩍도 하지 않았다. 14일 상대는 또 공격중점을 도미현에서 노전평까지의 4㎞ 구간에 집중해 매일 4, 5개 대대 병력을 교대로 공격시켰다. 인민군 제3군단은 완강하게 지켜 4일간의 격전을 치르면서도 전혀 땅을 내주지 않았다. 9월 18일까지 상대는 두밀리 북쪽의 851고지에서 1,211고지까지 계속해서 공격해 10월 중순까지 밀어붙인 것을 제외하고는 다른 곳에서는 공격을 멈추었다. 상대는 851고지를 공격하면서 사상자는 엄청나면서도 장악하지 못하자 '단장의 능선'이라는 이름을 붙였다. 이쯤 이르러 상대가 동부전선에서 일으킨 여름철공세는 드디어 우리의 조선인민군이 분쇄한 것이다.

동부전선의 조선인민군이 상대의 여름철공세를 저지시키던 중 우리 지원군 제64, 42, 26군은 각각 일부병력으로 잇따라 덕사리, 399.1고지, 서방산, 만류봉 등 상대 진지를 향해 공격을 시작해 서방산 두류봉 등의 요충지를 점령함으로써 평강평원에서의 방어상태를 개선했다.

여름철 전역 중 중조 양국군대는 전선전반에 걸쳐 상대 7만 8천여 명(이 중 미군 2만 2백 명 포함)을 살상하는 전과를 거두었다. 상대는 동부전선에서 안간힘을 다했으나 아군진지 2~8㎞ 전진에 179㎢의 땅을 차지하는 데 그쳤다. 우리가 성공적으로 상대의 여름철공세를 물리치자 미국합동참모본부의장 브래들리는 "이번 공세는 시기, 지점, 상태 등을 모조리 잘못 선택한 패전이었다."고 말했다.

상대는 여름철공세가 아군에게 저지당하자 단념하지 않고 이번에는 서부전선에서 '가을철공세'를 개시했다. 그들은 이번에는 공격중점을 바꾸어 지원군방어진지를 집중 공격했다. 10월 3일 상대는 영연방사단과 2개 미군사단을 집중시켜 서부전선의 아군 제64, 제47군 정면 방어고지를 공격해 왔다. 이후 상대는 또 동부전선으로 방향을 바꿔 2개 사단을 집중시켜 아군 제68군 방어진지를 공격하면서 미군 2개 사단과 국군 2개 사단을 아군 제67군 방어 정면을 향해 공격해 왔다.

아군 제64군 방어 정면을 공격한 상대는 영연방 제1사단과 미기병 제1사단 5연대 일부로 공격중점은 고왕산, 마량산이었다. 상대는 매일 1, 2개 연대 병력으로 아군을 맹렬히 공격해 4일 오후 고왕산과 서쪽의 227.0고지를 지키던 부대주력이 철수했다. 10월 5일 상대는 공격중점을 마량산과 서남쪽 216.8고지에 두고 매일 1개 연대 이상의 병력에다 전투기, 야포의 맹렬한 지원을 벌여 여러 제대의 공격을 교대로 시도했다. 마량산진지를 지키던 아군은 다섯 번이나 잃고 빼앗기기를 되풀이했다. 216.8고지를 지키던 아군 1개 중대는 갱도모양으로 된 엄폐부, 즉 2개의 고양이귀모양의 땅굴끼리 서로 통한 말발굽모양의 방공호에 몸을 숨겨 하루내 20여 차례의 상대 공격을 물리쳤다. 아군은 적은 희생으로 상대를 대량으로 살상해 처음으로 땅굴의 우월성을 실감했다. 격전은 8일 끝났다. 상대의 인명피해가 심해 공격을 멈추었기 때문이다.

천덕산과 418고지를 지키던 47군 141사단 1개 대대는 매일 상대 2개 보병연대의 맹공에 맞서 10여 차례 공격을 물리쳤다. 진지가 포탄에 의해 초토로 변했으며 부연대장 1명만이 남아 10여 명의 부상병을 이끌고 끝까지 진지를 지켜냈다.

이번에 상대가 일으킨 '가을철전역'은 1개월 가까이 진행됐다. 아군은 각 방향마다 밀려드는 상대를 물리쳤는데 동서 양 전선 모두 상대 7만 9천여 명을 살상했다. 피아 간의 인명피해는 3대 1 비율이었다.

상대는 서부전선에서 3, 4km를 전진했고 동부전선에서도 6~9km를 치고 들어와 우리 측 4백67k㎡를 차지했을 뿐이다.

상대는 이번에 동서 양 전선에서 동시에 공격을 해왔으며 기세가 맹렬했다. 아군은 4개 군을 동시에 전투에 투입했다. 병참임무가 중요해졌다. 탄약소모량이 급증했다. 전투가 격렬해지자 서부전선부대는 매일 평균 박격포탄을 4자리 수나 소모했으며 야전포탄도 두 자리 수였다. 격전을 치른 10일 동안 동부전선부대는 매일 평균 탄약 1백 26톤을 소모했다. 지원군후근부대는 홍수재해를 이기랴 상대의 '질식전' 투쟁에 맞서랴 일선부대의 반격전 수요에 발맞추랴 눈코 뜰 새 없이 바빴다.

상대는 여름, 가을철공세를 계속해서 시도했지만 소기의 목적을 이루지 못했을 뿐 아니라 도리어 커다란 인명피해를 입었다. 미국 측은 회담석상에서 얻지 못한 것을 전쟁터에서도 얻기가 힘들다는 사실을 깊이 깨닫고 도로 회담테이블로 돌아와야 했다.

10월 25일, 쌍방은 합의를 본 새 회담장소 판문점에서 회담을 재개했다. 이때 상대는 1만 2천k㎡의 땅을 거저 차지하려는 요구를 철회했지만 개성 일대를 미국점령구역에 편입시키겠다고 제안했다. 우리 측에 1천5백k㎡의 땅을 내놓으라는 요구였다.

상대의 기세를 누르고 우리 측의 힘을 과시하기 위해 펑 사령관과 지원군의 지휘관들은 상대에게 반격을 가하기로 결정했다. 64, 47, 42, 26, 67군의 각 일부병력을 동원해 잇따라 상대 대대 이하 병력이 지키고 있는 26개의 목표진지를 향해 반격을 시작했다. 뺏고 뺏기는 접전 끝에 상대의 9개 진지를 점령했다.

이때 엄청난 홍수에 의한 후방의 피해는 거의 복구된 데다 상대의 질식전도 우리에게 별 영향을 미치지 못해 후방 병참보급 상황이 눈에 띄게 호전되었다. 따라서 부대반격작전을 위한 병참보급은 비교적 넉넉했다. 제64군의 마량산 전투는 이번 반격작전 규모 중 비교적 큰 전투의 하나였다. 전투 전에 지원군후근사령부는 탄약을 10자리 숫자 이상으로 공급했고 전투식량도 20일분을 비축해 주어 여유가 있었다. 전투 중에 군 후근부는 일선병참과 부상병수용소를 개설했다. 이번 반격 작전은 군사적으로 중대한 승리를 거두었을뿐더러 병참보급도 견고한 진지에 의탁해 이루어져 새로운 병참보급 경험을 얻었다.

전선 정면의 각 군이 상대에게 조그마한 국부반격을 시작한 것과 동시에 서부연안 섬 지방에서 상대의 게릴라무장활동이 아군측후의 위협이 되고 있는 것을 막기 위해 우리는 판문점에서 '섬지방부대철수문제'에 대해 회담을 벌이는 것과 함께 제50군 148사단, 150사단 각 일부병력을 청천강 어귀와 압록강 어귀 사이의 조선서해안 부근에서 4차례의 도해작전을 감행했다. 포병 제47단 제2대대는 장거리화력을 지원했다. 전투기도 처음으로 보병과 연합작전을 벌였다. 공군 제8사단, 제10사단이 전투기를 출격시켜 상대의 섬 지방 수비대를 폭격했다. 차례로 단도, 탄도, 대소화도, 우리도 등 10여 개 섬을 점령했다.

참전한 사단, 연대 후근부대는 사람들을 동원해 수숫대, 표주박, 나무 등으로 구명기재를 만드는가 하면 나무판, 막대기, 방수포 등으로 바다를 건널 수 있는 '운반도구'와 '진흙으로 만든 배'를 제작했다. 이러한 재래식방법들도 도해작전에서 일정한 효과를 거두었다.

이번 도서지방 공략작전은 규모는 크지 않았지만 공군, 해군(상륙정이 참전했던 것이다)이 출동한 소규모의 육해공군 합동작전이었다. 아군역사상 처음 있는 일이었다.

8월 상대는 여름철 공세를 시작하면서 아군의 동부전선을 향해 맹렬한 공격을 퍼부었다. 엄청난 홍수에다 상대의 '질식전'으로 도로 교량이 모조리 유실되거나 폭격당해 전투식량 등 물자 대부분이 전방으로 수송되지 못했다.

동부전선에 있던 양성무(楊成武)가 이끄는 제20병단은 전투식량이 동나는 어려운 지경에 빠졌다. 앞서 말했던 홍수의 피해에다 미군전투기의 공습으로 식량수송이 전면 중단된 탓이었다. 팽 사령관이 전화를 걸어왔다.

"홍학지, 20병단의 전투식량이 다 떨어졌어. 사정이 아무리 어려워도 5일분의 식량은 공급해 줘야해."

말씀은 부드러웠지만 팽 사령관은 내게 명령을 내린 것이었다. 우리는 여러 가지 방법을 궁리했다. 헤엄에 능한 병사들을 골라 머리에 양식을 이고 청천강을 건너게 하기도 했고 밤에 가교를 임시로 가설해 물자를 옮긴 뒤 낮에는 임시가교를 없애 미군전투기의 눈을 속이기도 했다. 또 강을 건너는 데 쓰이는 나룻배 등을 있는 대로 긁어모으기도 했다. 한편으로는 음식을 말려 부피가 최대한 줄어들도록 했다.

당시 지원군후근사령부는 말린 양식 30만 명분을 보유하고 있었지만 조선인민들에게 음식 말리는 일을 부탁하기도 했다. 동시에 2선부대, 기관에서 식량을 아껴 일선부대에 지원하도록 했다.

당시 식량사정이 극도로 어려워 후방부대도 양식이 거의 떨어질 지경이었다. 이런 형편을 사령부 내 몇몇 간부들밖에는 아는 사람이 없었다.

날마다 2번씩 팽 사령관에게 식량사정에 대해 보고했다. 후방에서 어느 정도 식량을 전방으로 수송 중이며 무사히 도착한 양식물량은 얼마인지를 보고했다.

이미 이때 어떤 부대는 나름대로 조선현지 관청과의 협의를 거쳐 조선의 시골에서 식량을 빌리기도 했으며 또 다른 부대들도 식량을 마련할 수 있는 갖가지 방안을 강구하고 있었다.

한마디로 말해 동부전선의 양식을 반드시 보장해 주어야 하며 5일 간의 식량비축은 적지 않은 양이라는 점이다. 이 기간이 약 한 달쯤이 었는데 가장 어려운 시기였다.

9월에 이르러 홍수는 물러갔지만 미군전투기의 대량공습인 '공중봉 쇄' 작전이 시작됐다. 미군전투기들은 신안주, 서포, 개천 사이의 철도 로 이루어진 3각지대를 집중적으로 폭격했다. 엄청난 물량의 양식과 물자가 개천, 신안주 북쪽에 쌓여 있었다. 전방으로의 수송이 거의 불 가능했기 때문이다.

사정이 이쯤 돼서 한번은 팽 사령관을 찾아갔다. 조선정부에 정식으 로 이 문제를 제기해 일정량의 식량을 빌리는 방법을 시도하자고 건 의했더니만 선뜻 동의했다.

9월 18일, 나는 지원군후근사령부가 있는 성천 향풍산을 출발, 평양 으로 떠났다. 김일성 수상을 만나 담판을 짓기 위해서였다.

김 수상을 만나자 나는 중국인민지원군의 전투식량이 모자라는 실 정을 설명했다.

"조선정부가 지원군에게 어느 정도 전투식량을 빌려주었으면 합니 다. 일선부대원의 작전에 급히 쓰일 데가 있어서 그럽니다."

"홍수와 공습으로 우리들도 어려움을 겪고 있습니다만 힘자라는 데 까지 도와드리겠습니다."

이리하여 11월부터 조선정부는 황해도의 재령 신주 전주 신원리 온 정리에서 식량 4만 톤을 공급했고 평안남도의 강서군에서 식량 4천 톤을, 함경남도의 함흥, 영흥에서 식량 1만 톤을 떼어냈다. 함흥에서는 절인 고기 1천 톤, 평강 북쪽 농장에서 야채 무 3천 톤, 2개월분의 마초, 장작 등을 지원군에게 공급했다.

김 수상은 지원군이 조선에 상점을 개설하는 게 어떠냐고 제안했다.

"상점을 개설해 중국 물건을 팔아 어느 정도 조선화폐를 흡수할 수 있을 것 같은데 그렇게 하면 지원군이 조선에서 식량과 부식을 살수 있고 조선화폐의 유통을 도와주는 것이기도 하고 말입니다."

나는 선뜻 동의했다. 협상을 거쳐 지원군은 평양 사리원 양덕 성천 구장 안주 정주 희천 덕천 이천에 판매점을 세우기로 했다. 조선 인민들에게 우리 국내에서 가져간 생활필수품을 팔아 필요한 경비 일부(조선화폐)를 충당할 수 있었다.

51년 가을, 부슬비가 계속 내리더니 날씨가 한결 서늘해졌다. 조선 북부의 대지는 점차 녹색 옷을 벗기 시작했다. 동복으로 갈아입을 계절이 다가온 것이다.

계절의 변화에 대해 피아 쌍방은 예의 주시했다. 상대는 우리가 겨우살이 장비를 전방으로 옮기는 이때를 노려 '가을철공세'와 함께 아군후방에 대한 공습을 강화했다. 이 바람에 아군의 겨우살이 장비가 처음에는 수송 도중 상당량이 불타버렸다.

팽 사령관과 후근사령부 간부들이 고심한 점은 어떻게 상대의 공습을 피해 때맞춰 겨우살이 장비를 전선으로 옮기느냐에 있었다. 이것은 당시 아군이 최후의 승리를 거둘 수 있느냐는 핵심적인 문제였다.

이리하여 전장의 후방에서 겨우살이 장비의 운반과 이를 저지하려는 상대와의 한바탕 머리싸움이 시작됐다.

지원군후근사령부는 방공, 경계, 통신, 공병대의 역량을 강화했다. 연도의 방공부대에게는 미군전투기 활동 상황에 보다 많은 주의를 기울이도록 했다. 경계활동을 강화해 장비수송기지 부근과 창고주위에 대한 경비를 빈틈없이 했다. 공병대는 교량건설과 함께 중요교량과 도로의 유지, 보수에 심혈을 기울였다.

이번에는 앞서 홍수로 삼등에서 일어난 여름철 장비의 훼손을 교훈삼아 열차, 트럭으로 운반된 겨우살이 장비가 도착하면 즉시 각급 단위로 운반되도록 했다. 만약 사정이 여의치 않을 경우 운반수단을 최대한 동원해, 그날 안으로 부근의 견고한 창고로 옮겨 은폐보관이 되도록 했다.

밤중에 물자반출이 잘못되기가 쉬웠다. 조명이 없는 상태에서 물자반출이 잘못될 가능성이 높았다. 보관담당자들은 여러 차례 훈련을 거친 노련한 병사들로서 사전에 여러 가지 포장에 서로 다른 기호를 사용해 혼동을 최대한 방지했다.

이런 결정에 앞서 9월 10일, 팽 사령관은 "후방부대와 전투임무가 없는 모든 부대는 솜옷 등 겨울장비를 전방으로 옮기는 데 역량을 집중할 것. 이 임무는 9월 말부터 10월 초까지 끝낼 것"이라는 명령을 하달했다. 당시 삼각지구(신안주, 개천, 서포)에 대한 미군전투기의 공습은 엄청난 것이었다. 그러나 지원후근사령부는 팽 사령관의 지시에 따라 겨우살이 운반작업을 용의주도하게 진행했다.

겨울장비는 안동에서 트럭으로 운반돼 왔다. 9백55개 화물차 분량의 솜옷이 열차로 조선에 들어왔다. 그 다음 각급 단위의 최종 철도종점까지 작전을 벌이듯 운반이 됐다. 그 다음에는 병사들의 등짐과 말 등에 실어 진지까지 전달해 주었다. 준비가 주도면밀해 운송이 빨랐을 뿐 아니라 손실도 적었다.

전체 동복 1백43만 벌 중 0.52%만 손상됐다. 9월 말 지원군 장병 전원이 솜옷을 입을 수 있었다.

새로운 솜옷복장을 한 지원군 병사들이 휴전회담 지역인 판문점에 나타나자 상대측 회담대표들은 놀라 '기적'이라고 탄성을 질렀다. 철저한 공습 속에도 불구하고 유엔군보다 더 빨리 동복을 입었기 때문이었다.

상대측 대표가 "폭격이 그렇게 심한데 우리보다 먼저 동복을 입을 줄 몰랐는데."라고 말했다. 상대의 육군대표가 공군대표에게 "당신네 저격전술은 실패했어."라고 했다던가.

죽을 고비 3번

10월 20일. 김일성 수상은 남정리의 지원군후근사령부에 전보를 보내와 자신의 지휘소를 한번 찾아왔으면 하는 뜻을 밝혀 왔다. 나와 상의할 게 있다는 것이었다.

김 수상의 지휘소는 평양 부근에 있었다. 전보를 받은 이튿날 아침, 나는 출발했다. 후근사령부군수부장 장내천(張乃川)이 수행했다. 우리는 노획한 미군지프차를 타고 갔다.

정오쯤 우리는 삼등에 도착했다. 삼등은 크지 않은 마을이었다. 마을을 관통하는 간선도로가 있었고 거리의 서북쪽에는 긴 다리가 있었다. 우리는 삼등에 머물지 않고 곧바로 마을을 통해 이 다리를 건너기로 했다. 장내천은 뒤차에 탔다. 내가 탄 차가 다리 위로 올라섰다. 이 다리도 조선의 대부분 강이 바닥이 평지보다 높은 천정천이듯 지상에서 솟아 있었고 또한 길었다. 그러나 이때까지 이 다리는 미군전투기의 공습을 받은 적이 없는 다리였다. 내가 탄 차가 막 다리의 중간을 지날 때였다. 갑자기 미군전투기 4대가 남쪽에서 날아들었다.

4대의 미군전투기는 곧장 내가 타고 있던 지프차를 향해 급강하했다.

머릿속에 번뜻 이런 생각이 스쳤다.

"하필이면 다리 중간이라니, 피하려야 피할 데가 없구나. 여기서 끝장이구나."

이때 갑자기 "쿵, 쿵, 쿵" 하는 고사포 소리와 "따, 따, 따" 하는 고사기관총 소리가 들려왔다.

고개를 돌려보니 양쪽의 산 위에서 고사포와 기관총이 맹렬하게 불을 뿜었고 사격 후 뿜어 나온 흰 연기가 하늘에 자욱했다. 미군전투기들은 갑작스레 대공화기들이 불을 뿜자 폭탄을 투하할 엄두도 내지 못하고 서둘러 기수를 돌려 남쪽으로 달아나 버렸다.

나는 안도의 한숨을 내쉬면서도 의아하게 생각했다.

"여기 고사포가 있다는 얘기는 못 들었는데. 홍수가 났을 때 이곳의 고사포부대는 다른 곳으로 이동한 것으로 알고 있는데 고사포부대가 있다니 이상하군."

이때 부근의 병참기지 및 창고를 담당하는 지휘관들이 내가 온 것을 알고 허겁지겁 뛰어왔다. 나는 병참기지장으로부터 상황설명을 듣고서야 이해가 됐다.

알고 보니 삼등병참기지의 철도역에 엊저녁 전투식량을 가득 실은 열차 2대가 도착했다. 일손이 달리다 보니 식량을 한꺼번에 열차에서 부릴 수 없었다. 당연히 분산시켜야 하는데 어떻게 할 수 없었다. 후근사령부 제1지부는 공습 등 만일의 사태에 대비해 밤을 새워 다른 곳에 있던 1개 고사포중대와 1개 기관총중대를 불러왔던 것이다. 진지를 채 마련하기도 전에 미군전투기가 오는 것을 보고 그들은 고사포 세례를 퍼부었던 것이다.

상대는 우리 후방에 많은 공작원을 들여 보냈다. 아까 왔던 전투기들도 삼등에서 전투식량을 부린다는 첩보를 듣고 폭격하러 날아왔던 것 같다. 그렇지 않았다면 너무나 공교로운 일이 아닌가. 그러나 전투기들은 이곳에 고사포가 있다는 사실을 몰랐던 것이다.

나는 삼등병참기지장에게 말했다.

"고사포부대를 데려왔기에 망정이지 그렇지 않았다면 전투식량을 가득 실은 열차가 불에 탔을 테고 나도 이곳에서 세상 하직할 뻔했어."

삼등에서 죽음의 고비를 넘긴 후 우리는 감히 속력을 낼 수 없었다. 조금 가다가는 멈추고 비행기소리가 들리는지 귀 기울이고 아무 소리가 없으면 조금 전진하는 식이었다. 그러다보니 사방이 캄캄해서야 평양근교에 도착했다.

당시 적기는 자주 평양을 폭격했다. 조선정부, 김 수상 지휘부, 조선 주재 중국대사관은 모두 교외의 산기슭에 자리 잡았다. 나는 먼저 대사관으로 갔다. 그곳은 김 수상 지휘부와 그다지 멀지 않았다. 예지량(倪志亮)[74] 대사는 김 수상과 연락을 취한 뒤 "내일 저녁에 만나기로 했다."고 전했다.

나는 예지량 대사와 친한 편이었다. 이번에 얼굴을 대하니 그는 매우 반가워하며 꿩고기요리를 내게 대접했다.

밤이 깊자 잠자리에 들었다. 대사관에 방공호가 있었지만 방공호의 습기가 싫어서 방공호 바깥에 있는 건물에 들었다. 내가 든 방은 온돌을 새로 놓았는데 도배를 한 지 얼마 안 돼 완전히 마르지 않아 연탄불로 말리는 중이었다. 문도 달아놓지 않았다. 빛이 새어 나갈까 봐 창문은 검은 천으로 단단히 가렸다. 나는 혼자 방 하나에 들어 잠을 청했고 경호원 4명과 운전사는 다른 방에서 잤다.

얼마쯤 잤을까. 나는 갑자기 잠에서 깨어났다. 머리가 어지럽고 눈

---

74) 倪志亮(1900~1965) 8로군 129사단 참모장. 요북군구 사령관. 조선 대사. 중장. 해방군 후근학원교육장.

앞이 캄캄해지면서 가슴이 답답해졌다. 나는 심상찮다고 여겨 있는 힘을 다해 일어섰다. 밖으로 나가려 했으나 한 걸음을 내딛다 그만 쓰러져 버렸다. 그 통에 머리가 문지방에 부딪혔다. 그 다음에는 어찌된 일인지 모르겠다.

아마 아침 5시나 6시쯤 됐을까. 깨어나 둘러보니 나는 땅바닥에 누워있고 베개는 문지방에 나동그라져 있었다. 문득 '내가 어째서 여기 누워있지.' 하는 생각이 들었다. 곰곰이 생각해 보고서야 내가 까무러쳤다는 사실을 깨달았다. 내가 넘어졌을 때 문 대신 걸려 있던 커튼이 찢겨져 있었다.

"어째서 내가 졸도했을까. 혹시 누군가 독가스를 집어넣은 게 아닌가." 하고 미심쩍게 여겼다. 좀더 생각해 보니 십중팔구 연탄가스에 중독된 것으로 판단됐다. 이를 악물고 땅에서 일어나자 머리가 점점 맑아졌다.

날이 밝은 뒤 예지랑이 나를 찾아와 아침식사를 같이하자고 했다.

"머리가 어지러워 밥 먹을 생각이 없소."

"아니 무슨 일이 있었어요?"

나는 어젯밤 일어난 일을 상세히 설명했다. 예 대사는 무릎을 쳤다.

"아이쿠, 연탄가스에 중독된 거로구먼. 새로 들여놓은 온돌이라 연탄가스에 중독된 게 틀림없어. 어서 가서 약이라도 드시죠."

이때 나는 벌써 고비를 넘겼기 때문에 약을 먹을 필요가 없었다. 그러나 위험했던 것은 사실이었다. 방 안에는 나 혼자밖에 없었기 때문에 온돌에서 줄곧 잤더라면 끝이 났을 것이며 일어난 뒤에도 문 커튼을 찢고 뛰쳐나가지 않았더라면 역시 끝장났을 것이다.

그날 저녁, 나는 김 수상 지휘부로 가 김 수상을 만났다.

만나자마자 김 수상이 입을 열었다.

"홍 부사령관, 또 폐를 끼치게 되었습니다."

"폐라뇨, 저희들도 신세를 졌잖습니까. 지원군이 조선정부로부터 양식을 꾸었으니 말입니다."

김 수상은 쾌활하게 웃었다.

"김 수상, 무슨 사정이 있는지 개의치 말고 말씀하십시오."

"현재 전선에서는 피아 간에 이미 진지전에 들어갔습니다. 그러나 아측에 대한 적의 전투기, 대포공격이 치열합니다. 따라서 전쟁지역의 백성들은 생명은 물론이려니와 엄청난 재산 손실을 입고 있습니다. 먹을 양식도 전혀 없는 실정입니다. 그래서 생각한 건데 그들을 후방으로 소개를 시켰으면 합니다. 그러나 전선의 백성들이 워낙 많은 숫자라 조선정부의 힘만으로는 어려움이 많습니다. 그래서 말씀을 드리는 건데 전방으로 양식과 탄약을 운반해 가는 트럭이 되돌아갈 때 전선의 백성들을 태워 이동시켜 주었으면 합니다. 오늘 오시라고 한 것은 바로 이 문제를 상의하려는 것입니다. 가능하겠습니까?"

"걱정 마십시오. 저희들이 맡겠습니다."

김 수상은 잠깐 생각에 잠기는 듯하더니 "귀찮겠지만 백성들을 데려올 때 가져올 수 있는 물건은 모두 가져올 수 있게 해주십시오. 그들이 후방에 와서도 생활할 수 있게 말입니다."고 말했다.

"수상께서는 마음 놓으십시오. 문제없습니다."

"고맙습니다. 전쟁구역의 백성들을 대표해 충심으로 감사의 뜻을 표합니다."

"마땅히 해야 할 일인데요."

이어서 우리는 구체적인 방법을 협의했다.

나는 김 수상 지휘부에서 몇 시간 동안 융숭한 대접을 받았다. 대사관저에서 또 하룻밤을 묵은 뒤 이튿날 오후, 우리 일행은 되돌아갈 채비를 했다. 예 대사는 한사코 말렸다.

"이틀 정도 더 묵으며 푹 쉬었다가 가시죠."

나는 후근사령부에 해야 할 일도 많고, 게다가 묵었던 방에 꺼림칙한 구석도 있고 해서 "됐어요, 다시는 여기서 안 잘 거요."라고 농담조로 말했다.

예 대사와 나는 함께 웃음을 터뜨렸다.

돌아올 때 우리는 오솔길을 택했다. 10리쯤 갔을까. 길가에서 10여 세 정도의 조선 사내아이를 만나게 됐다. 그 아이는 손에 칼을 쥐고 있었는데 우리 일행을 보더니 손에 쥐고 있던 칼로 하늘을 가리켰다. 이어 그 칼로 우리를 가리키는 게 아닌가. 내 생각에 언뜻 여기에 무슨 곡절이 있겠다싶어 운전병에게 얼른 숲 속으로 들어가자고 했다. 차를 세운 뒤 숲 속에 있는 도랑으로 가 숨었다. 몇 분 지나지 않아 20여 대의 무스탕전투기가 산 후면에서 날아왔다. 전투기들은 우리 머리 위에서 몇 바퀴를 선회하더니 목표물을 발견하지 못하자 날아가 버렸다.

전투기들이 가버린 뒤 운전병과 경호원들이 입을 모았다.

"사령관 동지의 명이 길구먼요."

"그래, 명이 긴 모양이지. 연달아 3번씩이나 고비를 넘겼으니 말이야."

10월 29일, 가을바람이 솔솔 불고 단풍잎이 눈에 띄었다. 눈 깜짝할 사이에 우리가 조선에 온 지도 1년이 넘었다.

이날 아침, 나는 지원군후근사령부가 있던 성천의 향풍산에서 지원군사령부가 있는 회창에 도착했다. 지원군 당위회의에 참석하기 위해서였다.

이번 회의의 주요 내용은 지원군의 기구를 줄이고 물자를 아끼라는 중앙의 방침을 전달하고 지원군의 개편작업을 연구하는 한편 '여름, 가을공세'에 대한 방어작전 경험의 결산, 국부적인 반격작전과 섬 지방 공략작전에 대한 부대배치 등이었다.

회의가 시작되자 팽덕회 사령관은 당중앙의 방침과 모 주석, 주 총리의 말씀을 전달했다. 이때 사령관의 가슴에는 커다란 훈장이 달려 있었는데 크고 화려해서 참석자들의 눈길을 끌었다. 그것은 일주일 전에 조선최고인민회의 상임위원회가 중국인민지원군의 위대한 공훈을 표창하기 위해서, 특히 지원군참전1주년 전날에 팽 사령관에게 수여한 것이다.

훈장을 받기 위해 며칠 전 팽 사령관은 직접 평양에 다녀왔다. 그의 훈장은 조선에서 제일 격이 높은 1급 국기훈장이었다. 팽 사령관이 중앙지도자들의 말씀을 전한 뒤 우리는 연구토론에 들어가려 했다. 나는 팽 사령관 바로 옆에 앉았는데 "훈장이 멋지군요."라고 말을 건넸다.

팽 사령관은 감개무량한 표정을 지으며 말을 받았다.

"벌써 1년이 지났군. 지난 1년 동안 우리는 엄청난 희생을 치렀어. 그러나 엄청난 승리를 거두기도 했어. 상대를 38선까지 몰아냈고 그들을 회담테이블로 끌어냈으니 말이야. 조선인민들이 우리에게 고맙다면서 훈장을 준거야. 나 팽덕회가 이 훈장을 받으러 간 것은 지원군을 대표해 받으러 간 거야."

이쯤 해서 팽 사령관은 의미심장하게 나를 쳐다본 뒤 당위위원들을 둘러보았다. 그리고 다시 입을 열었다.

"그러나 엄밀한 논공행상으로 따진다면 말이야, 훈장을 받아야 할 사람은 전방에는 홍학지 동지요 후방에는 고강 동지야."

"사령관 동지, 무슨 말씀을 그렇게 하십니까."

내가 당황해하자 참석자 모두 웃음을 터뜨렸다.

"내가 어째서 이런 말을 하는지 아오. 바로 당신네 두 사람이 우리 지원군의 군수지원 업무를 맡았기 때문이야. 정말 힘든 임무였소. 군수지원 업무가 제대로 이루어지지 않았다면 이렇게 커다란 승리를 거둘 수는 없었을 거야."

잠시 여담이지만 이 발언은 1959년 소위 팽덕회(당시 국방부장), 황극성(당시 인민해방군 총참모장 및 중앙군사위 비서장) 반당사건이 일어났을 때 내가 연루되는 죄목이 되었다.

나를 비판하던 사람들은 "팽덕회가 어째서 공로를 홍학지에게만 돌렸단 말인가"고 지적했던 것이다. 그러나 사실 조선에 있을 때 팽 사령관에게 욕을 얻어먹은 것으로는 내가 제일 많다. 예를 들면 구장의 제39군에게 양식을 보내던 일, 제9병단에게 양식을 보내던 일, 지원군 사령부의 트럭이 불타버린 일, 제60군이 잘못 보고했던 일, 삼등의 물자가 불타버린 일, 이런 일들에 대해 팽 사령관은 나를 불러 세차게 야단쳤던 것이다.

어떤 경우는 억울하게 당하기도 했다.

그러나 나는 이해했다. 그가 엄청난 일 욕심에다 책임감에서 그런 것이니만큼 전혀 원망을 하지 않았다. 반면 다른 측면에서 팽 사령관은 내게 칭찬을 많이 한 것도 사실이다.

또 팽 사령관은 조금도 사심이 없었다. 업무의 성과를 보고 모든 것을 판단했다. 제39군에 양식을 보내던 일, 제9병단에게 양식을 보내던 일, 그 외 다른 일들도 가장 힘든 상황이었지만 내 나름대로 최선을 다해 해결해 냈고 따라서 나는 그의 칭찬을 듣곤 했던 것이다.

팽 사령관이 말했다.

"홍학지 이 친구는 고생과 원망을 달게 받아들였지."

"사령관 동지, 제가 달게 받아들이지 않으면 어떡합니까. 동지께서 잘못 꾸짖어도 말다툼을 벌일 수 있습니까. 보따리를 싸가지고 떠날 수가 있습니까."

팽 사령관이 빙그레 웃고 우리는 한바탕 웃었다.

1951년 겨울, 나는 조선전선에서 북경으로 가 인민해방군총후근부에 전선 상황을 보고했다.

어느 날 저녁, 모택동 주석이 나를 접견하려 했다. 나는 저녁 7시가 좀 지나 주석집무실로 향했다.

모 주석은 처음부터 일선부대가 대치상태로 들어간 후의 작전상황, 생활형편 및 군수보급 상황 등을 상세히 물었다.

내가 조선전선의 보급에서 생겨난 문제점들을 열거하면서 어떤 부대는 영양실조로 적잖은 병사들이 '야맹증'에 걸렸다고 보고하자 모 주석의 안색이 창백해졌다.

"병사들의 영양을 보충시켜야겠구먼. 병사들에게 매일 달걀 한 개씩을 공급했으면 하는데 가능한 일이오?"

"달걀은 저희도 가지고 있습니다. 그러나 일선으로 옮기는 게 어렵습니다. 여러 번 열차, 트럭을 바꾸어 실어야 하고 미군전투기의 공습 또한 워낙 맹렬하다 보니 일선에 도착도 채 하기 전에 다부서지고 말거든요."

"좋은 방법을 연구해 보시오."

"알겠습니다."

이후 우리는 여러 차례의 연구를 거듭한 끝에 국내에서 전선으로 '달걀가루'를 싣고 가 일선부대에 공급했다.

조선의 전황에 대해 언급하면서 모 주석은 "이제 조선전쟁은 지구전으로 이끌어갈 생각이오."라고 분명히 밝혔다.

"돌아가거든 팽 사령관에게 전하시오. 김일성 동지에게 자주 전황을 보고하라고 말이오. 팽 사령관이 바빠서 갈 수 없으면 당신이나 등화가 대신 가서 보고하시오."

보고 도중 모 주석 비서가 두 번이나 들어와 재촉했다.

"시간이 늦었습니다. 휴식을 취하시죠."

그러나 주석은 아랑곳하지 않고 나와 밤 11시가 넘도록 환담했다.

이튿날, 나는 진운 동지 자택을 방문했다. 전황 얘기가 다 끝나자 진 동지는 나를 식당으로 인도했다.

"아이쿠, 이거 저 혼자 다 먹어도 모자라겠는데요."

"배불리 먹을 수 없을까 봐 그래요. 양껏 들어요. 음식은 얼마든지 내올 테니 걱정 말아요."

진운 동지는 당시 경제를 관장하고 있었다. 그는 인민지원군의 군수품보급과 후방의 교통수송에 많은 관심을 나타냈다.

"전방에서 해결할 수 있는 문제는 무엇인지, 해결할 수 없는 문제는 어떤 것이 있는지 설명해 주시오. 그리고 후방에 있는 우리가 해결해 줄 수 있는 게 있으면 제출하시오."

그는 또 전방에서 피아 쌍방의 상황에 대해서도 상세히 물었다. 그는 우리 지원군총지휘부의 작전지휘에 대해 만족감을 나타냈다.

"어려운 일이었어. 그렇게 짧은 기간 내에 조선의 전황을 단숨에 바꾸어 놓다니, 정말 어려운 일을 해냈소."

13

미군 공습에 맞서다

미군전투기의 융단폭격

시기적으로 거슬러 올라가는 감은 있지만 지금부터 미군의 '공중봉쇄'에 맞선 우리 인민지원군 공군의 활약을 소개하고자 한다.

조선전쟁이 대치단계로 접어든 뒤 미군은 엄청난 병력부족 현상을 빚었다. 또 충분한 예비역량이 모자랐다. 이런 상황에서 병력에서 월등 앞서고 2백여km에 이르는 방어선을 견고하게 구축한 중, 조부대에 맞서다 보니 전방의 지상부대는 이미 전쟁 초기의 기세 있던 모습은 온데간데없이 무력감에 휩싸였다. 아군의 방어선 하나 뚫는 데도 애로 사항이 많았다. 커다란 대가를 치러야 했던 것이다.

그러나 이때 미국은 그들의 해군력과 공군력의 우세를 미신처럼 믿고 있었다.

1951년 7월, 그들은 조선 북부에서 엄청난 홍수가 발생한 기회를 틈타 우리에게 여름, 가을공세를 발동하는 동시 우리 후방에 대규모의 '공중봉쇄전역' 즉 '질식전'을 시작했다.

'공중봉쇄'는 1944년 3월 연합국 공군이 이탈리아 국경 내에서 독일군이 사용하던 철로를 주요목표로 일으킨 한차례의 공중전역을 미국이 본뜬 것이다. 그 전역은 최초의 공군합동공세로 일컬어지고 있다가 후에 '질식전'이라는 별명을 붙였다.

조선반도의 지형, 교통선의 구성 및 미군공중봉쇄계획이 모두 이탈리아에서 진행했던 '질식전'과 아주 비슷했다. 그래서 미군들은 그들의 이번 행동 역시 기세 좋게 '질식전'이라 부르면서 조선반도를 지난날 아펜니노반도로 바꿀 심산이었다.

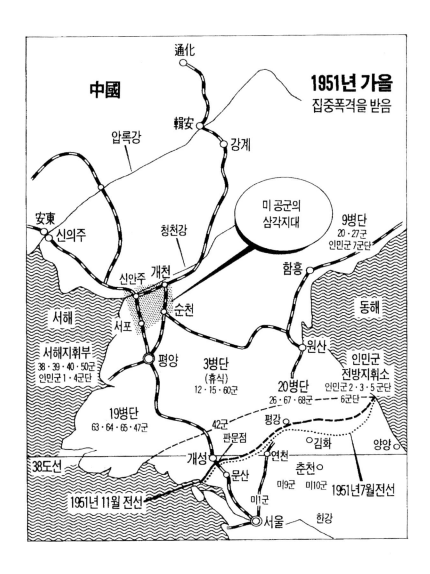

지도 내 텍스트:

通化

中國

1951년 가을
집중폭격을 받음

賴安

압록강

강계

미 공군의
삼각지대

安東

9병단
20·27군
인민군 7군단

신의주

청천강

함흥

신안주 개천

동해

서해

순천

서포

서해지휘부
38·39·40·50군
인민군 1·4군단

평양

3병단
(휴식)
12·15·60군

20병단
26·67·68군

원산

인민군
전방지휘소
인민군 2·3·5군단
6군단

19병단
63·64·65·47군

42군

평강

판문점

김화

양양

개성

연천

춘천

1951년 7월전선

38도선

문산

미9군 미10군

1951년 11월 전선

미1군

서울

한강

'질식전'의 구체적인 작전은 조선반도를 가로지르는 허리부분에서
차단할 수 있는 곳을 정해 공군과 해군항공대의 대부분을 동원, 오랜
기간 무차별 융단폭격을 감행한다는 것이다. 지원군후방교통선을 절단
하고 아군 전후방의 연계를 가로막아 아군작전 역량을 질식시키는 것

이었다. 그래서 '질식전'을 '저격전' '교살전'이라고도 불렀다.

아군이 조선에 처음 들어왔을 때 상대는 조선전장에 이미 전략공군
과 전술공군 10개 연대, 4개 대대와 4개 중대, 해군항공대 4개 대대를
투입했었다. 각종 비행기를 포함해 1천1백여 대에 달했다. 그때 미국
공군은 주로 우리의 인명과 도로수송물자 집결지의 파괴에 목적을 두
었다.

1950년 12월에 이르러 아군이 38선 부근까지 밀어붙여 전선이 남쪽
으로 내려가면서 처음으로 철로수송을 다시 하게 됐을 때 상대는 아
군의 철로, 도로수송선에 대한 폭격을 강화하기 시작했다.

미공군 조종사들은 대부분 제2차 세계대전에 참전했던, 비행시간이
1천 시간을 넘는 베테랑들이었다. 그들은 비행술이 뛰어나 초저공비행
을 능사로 삼으며 낮에는 산골짜기의 목표물을 찾아내고 밤에는 실낱
같은 등불조차 발견해서는, 폭격을 일삼으니 기가 막힐 노릇이다.

한번은 내가 김화에 있을 때 직접 눈으로 보았는데 미국무스탕전투
기 한 대가 시위를 하는 듯이 고압선 아래를 파고들었다. 이 전투기는
그러나 고압선을 통과하려다 너무 빨리 기수를 돌리는 바람에 꼬리가
고압선에 걸려 끊어지고 그 전투기는 20, 30리를 날아가 산비탈에 추
락해 불덩이로 변했다.

또 한번은 미군전투기들이 개천을 폭격했을 때였는데 전투기가 너
무 낮게 나는 바람에 나무에 걸려 나뭇가지가 부러지면서 비행기는
두 동강이 나버렸다. 어떤 때는 전투기가 워낙 저공비행을 하는 바람
에 강한 기류가 생겨나 머리에 쓰고 있던 모자가 날아갈 정도였다.

당시 우리의 대공무기는 변변찮아 한낮이면 미군전투기들의 위세가
극에 달했다. 차 한 대, 의심스러운 물건 하나도 놓치는 법이 없었다.
그래서 후방으로부터의 운송은 밤에만 이루어졌다.

우리의 트럭운전병 대부분은 해방전쟁에 참전한 노련한 병사들이었지만 이러한 전투는 처음 당하는 것이었다. 그들은 일반적으로 야간에 헤드라이트를 끄고 운전하는 경험이 모자랐다.

게다가 도로는 좁고 울퉁불퉁했다. 길에 포탄웅덩이가 있어 길 가는데 불편했고 겨울에는 눈이 쌓여 길이 미끄럽다는 등 여러 가지 이유로 정면충돌, 전복, 피폭 등의 상황이 끊임없이 일어났다.

수송효율이 엄청나게 낮았을뿐더러 차량손실도 엄청났다. 아군이 조선에 들어온 지 첫 7개월 반 동안 트럭 3천여 대(하루 평균 4백여 대)를 잃었다.

51년 5월 전쟁이 대치단계로 접어들자 미국 공군은 15개 연대, 5개 대대와 4개 중대로 해군항공부대는 4개 대대로, 국군 공군 1개 연대로 각각 증강되었다.

전투기는 약 1천6백80대에 이르렀다. 이어 7월과 9월 각각 일본에서 4개 연대와 1개 중대가 추가 투입되었다. 이로써 미극동사령부의 전투기와 폭격기가 거의 조선전장에 몰려 들었다.

그들이 막강한 전력을 보유하고 있었기 때문에 미 극동 제5공군 사령관은 '질식전'이 시작되자 큰소리를 쳤다.

"철도에 대해 전면적인 공격을 가해 상대의 역량을 무력화시켜 미 제8군이 지상공격을 시작하기만 하면 궤멸시키거나 상대의 주력을 만주국경 부근으로 내몰아 보급선을 짧게 해주겠다."

성천 향풍산의 지원군후방근무사령부에서 밤낮을 가리지 않고 후방부대를 지휘하면서 40년 만에 처음 만난 홍수에 의한 파괴복구 작업을 독려하는 가운데 상대가 '질식전' 전역을 발동한 탓에 우리로서는 설상가상이었다.

우리 후방은 그야말로 가장 어렵고 가장 위험한 지경에 이르렀다.

상대가 '질식전' 전역을 일으키리라는 정보를 입수한 뒤 팽 사령관은 나에게 회창으로 오도록 했다. 나는 팽 사령관이 후근 사령관을 교체하는 줄 알았다.

내가 서둘러 회창에 도착하자 팽 사령관이 말했다.

"홍 동지, 상대는 전술의 목표를 우리 후방으로 돌리려고 하고 있어. 이번 싸움은 교살과 질식되지 않으려는 참혹한 투쟁이 될 거야. 전방은 내가 맡겠지만, 후방은 당신이 맡아야 해. 무슨 수를 쓰더라도 이번 전역은 꼭 이겨야 해. 상황은 수시로 보고하도록 하시오."

내가 후방근무사령부의 작전대비안을 보고하자 팽 사령관은 흡족한 듯이 말했다.

"좋아. 이제 후방은 당신에게 달렸어."

나는 서둘러 성천의 향풍산으로 돌아왔다. 나는 나름대로의 각오와 계획이 있었다.

"이번 작전은 우리 지원군후방의 철도부대, 수송부대, 공안부대, 고사포부대, 항공부대와 병참창고, 야전병원 등이 혼연일체가 된 합동작전이다. 그리고 이번 싸움은 후방에서 벌어지는 '공중봉쇄'에 대항하는 대규모의 전역이다."

거듭 말하지만 '질식전'이 시작됐을 때 홍수가 최고조에 달했다. 상대는 우리가 곤란한 기회를 틈타 한국에 있던 공군의 70% 이상의 전투기를 출격시켰다.

매일 평균 32대에서 64대에 이르는 편대를 여러 차례 출동시켜 밤낮을 가리지 않고 우리 후방의 철도, 도로, 교량과 인원, 물자, 차량을 폭격했다.

처음에는 청천강, 숙천강, 독로강, 덕지천과 비류강 등 홍수의 피해를 입지 않은 곳의 철로나 홍수피해로 이제 막 수리를 끝낸 철로교들을 반복적으로 폭격했다. 이후에는 당시에 차가 통행할 수 있던 신안주, 서포, 개천의 소위 '삼각지대'의 철로와 교량을 폭격했다.

8월 말에 이르러 우리 철로교 중에서 차의 통행이 가능한 곳은 신안주~맹중리, 구장~순천, 순천~장림 구간과 개천선(신안주~개천) 등 1백50㎞에 불과했다. 평덕선(평양~덕천)은 대동강교와 비류강교가 파괴돼 전 구간이 제대로 가동되지 못해 모든 철로교통은 전방과 후방이 통행불능이면서 중간만 겨우 통행하는 상황에 처했다.

상대는 우리 철로선을 폭격, 봉쇄하는 것과 동시에 우리의 도로망과 차량운송에 대해 철저하게 폭격했다.

미전투기들은 낮에는 대피해 있는 차량과 쌓아둔 물자에 폭격을 감행하고 주요교량, 노선에 시한폭탄과 건드리면 터지는 일명 '나비폭탄'을 떨어뜨려 차량통행을 막았다.

야간에는 도로 위로 조명탄을 투하, 날렵한 전투기로 구역을 나눠 목표물을 찾는 데 혈안이 되어 있고 목표를 찾으면 추격의 실마리를 놓치지 않았다. 그들은 우리의 '모든 도로교통'과 도로 위에 다니는 '모든 화물트럭'을 파괴하겠다고 공언했다.

이 같은 상대의 공세에 대해 후근사령부는 각 부대에 명령을 내렸다.

각종 물자는 긴급히 대피해, 은폐 위장을 철저히 할 것.

목표물을 거짓으로 설치해, 상대의 눈을 속일 것.

각종 물자를 대피시켜, 은폐, 위장하는 것이 중요하다는 것은 우리들이 그동안 전쟁에서 얻은 교훈이기도 하다.

1951년 4월 삼등의 창고에서 80여 량 화물열차의 물자가 폭격을 당해 엄청난 군복의 손실을 입었다. 그 결과 우리의 1개 군 병력이 제5차 전역에서 군복을 입지 못하고 전투를 벌이는 쓰라린 경험을 가지고 있다.

한번은 1개 수송연대의 트럭이 대피한다는 게 한군데만 몰려 미군 전투기들의 한 번 공습에 트럭 70여 대가 불탄 적이 있었다. 바로 대피, 은폐, 위장을 제대로 하지 못했던 탓이다.

당시 각 부대는 여러 가지 은폐 방법을 생각해 냈다. 어떤 부대는 지형을 이용해 좁은 산골짜기, 벼랑, 산비탈 등에 창고를 세워 물자를 쌓아두거나 차량을 대피시키기도 했다.

어떤 곳은 지형지물을 이용해 숲이 무성한 데 인원과 차량을 은폐시켰으며 탄광굴, 자연동굴, 터널과 각종 엄폐물을 활용하는 곳도 있었다. 이런 곳은 일반적으로 쉽게 발견되지도 않았고 설사 발견된다 해도 전투기의 습격 또한 비교적 어려웠다. 우리는 또 도로 양쪽에 수많은 자동차 은폐처를 지었거나 아예 길 양쪽 산골짜기의 천연동굴을 이용했다. 전투기가 오는 것을 보면 자동차는 은폐처로 뛰어들면 된다. 차량 은폐처가 있으니 우리는 밤에 수송할 뿐 아니라 대낮에도 차를 운행시킬 수 있었다.

미군전투기의 공습이 심해지면서 우리는 궁리 끝에 철도터널이 가장 좋은 은신처라 생각되어 부상병, 민간인 운반부대원들을 대피시켰다. 그러나 이것은 우리의 오산이었다.

우리의 상상 밖으로 미군전투기 조종사들은 훨씬 노련하고 비행조종술이 뛰어났다.

그들은 터널 정면으로 날아들면서 로켓포를 정확하게 터널 안으로 발사하고는 잽싸게 기수를 위로 올려 날아가곤 했다.

어쩔 수 없이 우리는 두꺼운 방벽을 터널 입구에 세우는 등의 방법으로 상대의 로켓포 공격에 맞섰다.

나중에는 허허실실 작전을 도입해 가짜목표물을 내세워 상대의 전투기들이 헛된 공격을 하도록 유도하기도 했다. 이를테면 빈 창고에 가마니와 나뭇잎을 덮거나 뿌려놓으면 전투기 조종사는 물자저장창고라고 여기고는 정신없이 폭탄과 기관총세례를 퍼붓곤 했던 것이다.

수송 제4연대 5중대에서 있었던 일이다. 이 부대원들은 전투기의 눈을 속이기 위해 일부러 부서진 트럭 여러 대를 비교적 눈에 잘 띄는 곳에 내놓았다. 아니나 다를까 미군전투기들이 몰려들어 폭탄세례를 퍼부었다.

다른 부대에서도 가짜 목표물을 일부러 내세워 많은 효과를 거두었다. 전투기들은 목표물이 눈에 띄었다 하면 2백 파운드, 5백 파운드짜리 폭탄을 한껏 퍼부은 뒤 돌아가곤 했던 것이다.

그러나 이 허허실실 작전은 시간이 감에 따라 효과가 줄어들었다. 전투기의 폭격과 '성과'에도 불구하고 아군의 군수품 수송이 끊이지 않자 상대 진영에서는 의심을 하기 시작했다. 그 결과 상대의 많은 공작원들이 우리 후방에 침투해 공습의 효과를 파악하기 시작했다. 공작원들은 "효과가 생각보다 형편없음. 대부분 공산군이 일부러 설치한 거짓목표물을 파괴한 것임."이라고 탐지결과를 보고했다.

이후 미군전투기들은 아군진영에 날아들어도 당초 무조건 폭격하던 자세에서 벗어나 목표물의 진위를 가리기에 안간힘이었다. 그렇게 되자 우리는 상대의 이런 심리를 다시 최대한 활용해 멀쩡한 트럭을 일부러 길 한복판에 내어놓는 '역습'을 가했다. 이번에도 미군전투기는 선뜻 폭격을 하지 못하고 이리저리 눈치를 살피곤 했다. 끝없는 두뇌싸움이 피아 간에 계속된 셈이다.

참전 초기에는 공습경보를 어떻게 효과적으로 하느냐가 심각한 문제였다. 1951년 3월, 일선에서 멋진 아이디어를 제시했다. 이 방법을 일단 삼등에서 신계, 평양에 이르는 주요수송로에 실시해 보았다.

이것은 연도의 통제고지위에 초소를 만들어 미군전투기의 움직임을 철저히 감시해 초병들은 일단 전투기가 날아오는 소리를 감지하는 대로 즉시 소총을 발포함으로써 공습경보를 대신했다. 그러면 운전병들은 헤드라이트를 끄고 서행하거나 안전한 곳으로 대피한다. 미군전투기들은 정작 현장에 날아와도 한 점 불빛을 발견하지 못하고 그냥 돌아가 버렸다.

대공초소에서는 미군전투기가 물러가는 대로 종을 두드려 해제경보를 발령하고 운전병들은 그때서야 헤드라이트를 다시 켜고 전진을 계속했다.

초소를 세워 경보를 알리는 방법을 팽덕회 사령관에게 보고하자 "이제야말로 그들을 따돌릴 수 있게 됐구먼." 하면서 흡족한 표정을 지었다. 그리고 지원군사령부에 지시해 전군에 이 방법을 널리 시행하도록 했다.

제5차 전역 때 대공초소는 이미 조금도 손색없는 공습대응 수단으로 발전했다. 대공초소의 효용이 갈수록 높아지자 숫자를 더 늘렸다. 질식전에 대응하면서 원래 있던 공안 18사단과 경비단 외에 50군단 제149사단을 지원군후근사령부에 배속시켜 대공초소 임무를 맡도록 했다.

이리하여 대공초소를 맡게 되는 병력은 7개 연대, 2개 대대 약 8천 2백여 명으로 2천1백km에 이르는 수송선에서 밤낮을 가리지 않고 상대 전투기의 움직임을 감지했다.

그때 전투기의 활동이 잦은 주요수송선에는 초소당 평균 6명이 근무했다. 초소 간 거리는 1~1.5km였다. 제2급의 수송선에는 초소당 3~4명이 지켰고 초소거리는 통상 2.5km 남짓했다. 대공초소에는 1인당 소총 1자루, 수류탄 4발과 호루라기, 철도레일, 탄피 등 음향경보 도구를 갖추고 있었다.

처음에는 대공초소가 공중경계 임무만을 맡았지만 나중에 차량지휘, 도로복구, 길 안내, 낙오병수용, 거동수상자 검문과 공작원 색출 및 길에서 위험에 처한 차량, 부상병, 물자 등을 챙기는 임무까지 떠맡게 되었다. 어떤 대공초소에서는 연도에 급수소를 만들어 지나는 차량이나 병사들에게 더운 물을 제공하기도 했다.

대공초소를 늘리는 것과 동시에 아군은 3개 고사포연대, 6개 고사포대대를 보내 대령강, 청천강, 비류강을 엄호토록 했다. 또 4개 고사포대대를 보내 강동, 남정리, 물개리, 운합병참기지를 지키도록 했다.

앞서도 얘기했듯이 물개리는 아군의 주요 물자집결지였다.

미공군의 '공중봉쇄'가 시작됐을 때 미군전투기가 날마다 이곳으로 날아와 폭격을 가했다. 전투기의 활동리듬을 제대로 파악한 후 우리는 은밀히 1개 고사포대대를 새로 배치시켰다. 12문의 고사포와 4정의 고사기관총이 미군전투기가 오기를 기다렸다.

어느 날 4대의 전투기가 드디어 나타났다. 전투기들이 폭격을 하기 위해 기수를 낮추며 저공비행을 시작했다.

이때 고사포가 갑자기 불을 뿜었고 그 자리에서 전투기 4대가 모두 격추되었다. 좀 있으려니 전투기 4대가 또 나타났다. 좀 전에 어떤 상황이 벌어졌는지도 모르는 눈치였다. 이번에도 선두에 섰던 전투기가 우리 고사포에 맞아 추락했다. 그러자 뒤에 있던 전투기들은 낌새를 눈치 채고는 서둘러 기수를 돌려 서둘러 달아났다.

그 후 미군전투기들은 물개리 상공에서는 제멋대로 휘젓고 다니지는 못했다. 이곳에서 하루 만에 5대의 미군전투기를 격추시킨 고사포대대에게 후근사령부에서는 축전을 보내 무공을 치하했다.

8월, 지원군사령부는 고사포 제602연대와 제2선 각 군 및 탱크 제1사단 소속의 15개 고사포대대를 지원군후근사령부에 배속시켜 각각 장림, 순안, 양덕, 중화, 고원, 석왕사 부근에 배치, 후방수송 엄호를 책임지도록 했다. 이리하여 후방 고사포부대는 4개 연대, 25개 대대로 늘어나 미군전투기와 맞설 역량을 갖추게 되었다.

상대는 도로, 교량을 폭격, 아군의 교통수송을 봉쇄 파괴한다는 목적이 뜻대로 되지 않자 9월 들어 작전을 바꿔 중점적으로 신안주, 서포, 개천철도의 '3각지구'를 폭격하기 시작했다.

'3각지구'는 전선 북쪽의 모든 철로와 도로의 중심지이며 요충이었다. 남북으로 이어지는 경의선, 만포선과 동서로 달리는 평원선, 개신선이 모두 이곳에서 연결, 교차되는 곳이었다. 이 지구가 파괴된다면 동서남북의 철도수송이 동시에 중단될 뿐 아니라 도로수송도 엄청난 타격을 입을 지경이었다. 경의선 양쪽은 논이 많아 흙을 구하기가 어려웠다. 만포선의 경우 노반이 높아 파괴 후 복구가 쉽지 않았다.

상대는 이러한 특성을 이용해 매일 평균 전투기를 5차례 1백3대씩 출격시켜 이 일대에 엄청난 폭격을 감행했다. 그리고 점차 공격범위를 세분해 압축해 왔다. 경의선에 대해 먼저 산안주와 어파 사이를 집중 공격하더니 대교와 숙천 사이 16.6㎞ 구역으로 압축했다. 다시 만성과 숙천 사이 10.3㎞ 구간으로 압축시키더니 끝내는 1㎞ 구간까지 폭격목표를 좁혔다.

폭격시간도 규칙적이던 것이 불규칙하게 바뀌었다. 폭격횟수도 매일 2, 3차례에서 5, 6회로 늘어났다. 전투기들도 날마다 20, 30대씩 출격하다가 50, 60대로 많아졌다.

상대의 속셈은 소구간 또는 1개 지점을 정해 연속적인 폭격을 반복,

우리들에게 복구할 틈을 주지 않고 철저하게 수송로를 끊는다는 것이었다.

'3각지구'의 몇 갈래 철도는 77.5km에 불과했다. 이는 조선 북부 철도 총연장의 5.4%에 지나지 않았다. 통계에 따르면 이 기간 중 철도에 대한 2천6백여 차례의 파괴가 있었지만 '3각지구' 내의 철로 파괴가 45%를 차지했다. 4개월 동안 미군전투기는 이 지구에 3만 8천여 개의 폭탄을 투하했으며 평균 2m에 폭탄 4발이 떨어진 꼴이었다.

8월 말, 군수송품을 옮기고 빈차로 돌아오던 열차 4대가 '3각지대' 부근 숙천에서 잇따라 탈선해 기관차 4대와 1백49개 화물차체가 2km의 선로상에 일렬로 세워져 있었다. 목표물이 분명하게 드러난 것이었다. 때를 놓칠세라 미군전투기들이 잇따라 폭격하러 날아들었는데 하루 29회나 폭격을 감행했다.

11월, 상대는 개천과 순천 사이에 5백kg 이상의 시한폭탄 82개를 투하해, 땅속 4~5m씩 깊숙이 묻히게 했다.

시한폭탄의 위험이 엄청났기 때문에 복구속도에 큰 지장을 초래했다. 상대가 대낮에 폭격하면 우리는 밤중에 복구했다. 철로수송은 '폭격-복구-개통'에서 '폭격-복구-폭격-복구'로 바뀌어 열차가 다니는 시간이 줄어들었다. 9~12월 사이에 '3각지구'는 한 달에 평균 1주일만 열차가 다닐 정도였다.

어떻게 하면 상대의 '3각지구' 봉쇄를 막을 것인가가 후방근무사령부의 중심과제가 되었다. 당시 우리는 '병력을 집중해 주요지점을 보호한다'는 원칙을 세우고 일련의 조치를 취했다.

9월 2일, 중앙군사위원회는 동북군구 방공사령부 소속 고사포 제503, 제505, 제508, 제513연대와 고사포 제39, 제40, 제41, 제42, 제43, 제44대대를 지원군후근사령부에 배속시켜 직접 지휘하도록 함으로써 대공역량을 증강시켰다.

12월 초, '3각지구'와 목표물 부근의 고사포부대는 이미 3개 고사포
사단, 4개 고사포연대, 23개 고사포대대, 1개 고사기관총연대와 1개 탐
조등연대에 이르러 '3각지구'의 신안주와 어파 구간, 개천과 순천 구간
에만 고사포 7개 연대와 8개 대대를 집중했다. 고사포 제62사단은 12
월 하루 동안 전투에서 미군전투기 4대를 격추했고 4대에 치명상을
입혔다. 고사포 제63사단은 하루 동안 전투기 5대를 격추할 때도 있었
다. 이렇게 대공화력이 증강되자 상대의 기세를 어느 정도 꺾을 수 있
었다.

아군의 대공역량이 증강된 후 철도병들은 밤낮을 가리지 않고 병력
을 집중해 3각지대 철로복구에 총력을 기울였다. 그때 책임 구간이 분
명해 부대마다 담당 철로 구간이 폭격을 당하면 반드시 개통을 시켜
야 했다. 철로병 제1사단 1개 연대와 조선인민군 철도복구 지휘국 제
15연대는 개천과 순천 구간을 복구했다. 원조(援朝) 철도공정총대 제1
대대는 신안주와 만성 구간을 수리했다. 철도병 제3사단 2개 연대는
만성과 숙천 사이 10㎞ 구간을 복구했다. 1㎞당 평균 244명이 달라붙
었다. 복구작업을 하면서 침목에 생긴 탄흔을 진흙으로 메우기도 했
다. 병력은 주, 야간 2개 반으로 나누어 투입해 24시간 쉬지 않고 작
업을 진행했다. 공군과 고사포부대의 지원을 받아 돌격정신으로 복구
작업에 나서 3각지대의 봉쇄를 뛰어넘어 열차의 통행을 재개시켰다.
나중에 상대는 폭격을 더욱 세차게 퍼부어 10월 24일 이후 '3각지
대'는 다시 한번 교통이 마비됐다. 복구부대는 '병력을 집중시켜 요충
지 교통을 재개한다'는 방침을 결정하고 지구전에 들어가 1개월여의
피나는 노력으로 또다시 '3각지대'의 봉쇄를 해결했다. 12월 9일 이후

에는 비교적 수송로 확보에 안심할 수 있는 정도에까지 이르렀다. 상대는 "철도에 대해 질식작전을 벌인 효과는 실망스럽다." "철도를 폭격해도 24시간 내에 복구되지 않는 곳이 드물다."고 인정하지 않을 수 없었다.

당시 제한된 열차 개통시간을 충분히 활용하고 최대의 수송효율을 거두어 보다 많은 열차를 통과시키기 위해 철도수송 담당자들은 열차를 밀집시켜 단선으로 지나가는 방법을 고안해 냈다. "양을 몰고 길을 가는"(趕羊過路) 방법이라고도 했다. 열차가 다니는 밤중에 시작한다. 사전에 물자를 다 실은 군용열차를 복구현장 부근의 하나 또는 여러 개의 안전지대에 집결시킨다. 복구작업이 끝나기를 기다려 일단 개통되면 열차는 즉시 한 량씩 같은 방향으로 떠난다. 각 열차 사이는 몇 분 간격으로 처음과 끝이 바라볼 수 있을 정도이다. 한 량씩 통과하면서 한밤중이라 거북이걸음을 하게 된다. 열차마다 맨 뒤에는 병사들이 타고 있다가 탄피나 철도레일을 들고 두드릴 준비를 하고 있다. 뒤에 오는 열차에 경보를 알려 추돌을 미리 막기 위해서이다.

동시에 지원군후근사령부는 열차가 한때나마 지날 수 없는 구간에서는 트럭, 마차, 인력거로 릴레이식의 군수품 수송을 위한 응급조치를 마련했다. 6개 수송연대와 적잖은 하역부대를 선발해 3각지대 북쪽의 북송리 용흥리 구장 개천에서 대량의 물자를 열차에서 부린 뒤 곧장 분초를 다투며 트럭으로 물자를 순천 덕천 어파 등지로 수송했다. 다시 그곳의 열차에 실어 전선으로 보냈다. 긴급 상황에서는 트럭을 이용한 장거리직송의 방법을 취하기도 했다.

지원군 공군의 참전

중국인민지원군 공군은 유엔군의 '질식전' 제1단계에서 평양 이북의 수송을 엄호하라는 명령을 받았다.[75]

9월 25일 항미원조전장에서 우리 공군 제4사단이 처음으로 미군전투기 1백여 대의 대편대와 공중전을 전개했다.[76]

---

[75] 중국인민해방군은 27년 탄생부터 20여 년간의 국내전쟁과 항일전쟁 동안 줄곧 보병단일 병과로 전투를 해왔다. 한국전 이후 각 군 병과의 전면창설에 따라 비로소 단일 병과작전에서 제병과 연합작전으로의 전환을 이룬 것이다. 이러한 변화는 중국군이 현대화 전쟁단계에 들어가는 중요한 계기가 되었다고 평가받고 있다.

1937년 항일전쟁이 일어나면서 중국공산당은 일찍이 특과병부대를 세울 계획과 함께 신강 일대에서 소련원조의 장비를 이용해 자체 조종사, 기갑병과 통신인재를 양성하려 했다. 40년대는 신강 당국의 반공정책과 소련원조의 단절로 이 계획은 실현되지 못했다. 1945년 일본항복 후 중공중앙은 해방군에게 신속히 동북으로 진군하도록 했다. 그중 하나의 중요한 목표가 일본이 남긴 무기장비를 이용해 강력한 특과병부대를 창설하는 것이었다. 國民黨과의 해방전쟁시기 인민해방군은 포병, 공병과 항공병, 기갑병 등 기술병과를 창설하기 시작했다. 그러나 해방구의 경제적 여건이 낙후한데다가 외국원조가 모자라 이러한 기술병과의 규모에는 한계가 있었다. 한국전쟁 시작 후 전쟁의 급한 수요와 소련이 대량으로 기술장비를 제공한 2가지 이유로 중공중앙은 '일면 공격, 일면 건설'이라는 방침에 따라 전장을 연습장으로 삼아 각 기술병과의 실전연습을 감행했다.

[76] 항일전쟁시기 중국공산당은 신강에서 자체 조종사를 양성한 적이 있다. 일본 투항 후 중공중앙은 신속히 사람을 동북에 보내 일본군의 항공설비를 접수했다. 1946년 1월 동북지방 통화에 항공 總隊(후에 항공학교로 바뀜)를 세웠다. 이후로 공군창설 작업이 시작됐다. 해방전쟁시기 인민해방군 항공병은 훈련단계로 실전에 참전하지 못했다.

1949년 여름 중공중앙은 앞으로 있을 도해작전과 국토방공의 수요를 고려해 공군을 정식으로 창설하기로 결정하고 소련에서 비행기를 사들이기 시작했다. 8월 중앙군사위는 제4야전군 제14병단 사령부를 기초로 공군사령부를 창설하도록 명령했다. 같은 달 북평에 제1작전 비행중대가

비행대대장 이영태(李永泰)77)는 몸에 탄환을 맞는 어려운 조건에서

미국제P51형 전투기 10대를 갖추고 창설했다. 49년 11월 인민해방군 공군사령부가 정식으로 창설됐다.

당시 전군에는 전쟁 중 수백 대의 전투기를 노획했지만 정비여건 등으로 겨우 60여 대를 가동시키는 데 그쳤다. 동시에 전군에는 10여 명의 조종사밖에 없었다. 공군창설을 가속화하기 위해 중앙군사위는 항공학교를 창설하는 한편 소련에서 전문가를 초빙하고 비행기를 구매했다. 1950년 6월 공군은 남경에서 제1항공병부대 제4혼성여단을 정식으로 창설했다. 주로 소련제 미그9, 미그11전투기, 두2폭격기였다.

1950년 10월 지원군이 조선에 들어온 뒤 중국공군은 3개 여단(11월에 여단이 사단으로 바뀜)을 보유했으며 연말까지 서둘러 5개 사단을 만들었다. 그러나 이 8개 항공병사단에는 각 2개 비행단밖에 없었고 사단마다 비행기 십여 대가 고작이었다. 제4사단을 제외하고는 모두 훈련을 시작한 단계였다.

당시 지원군은 공군이 참전해 수송선 엄호가 급히 필요했다. 소련 측은 전쟁 초기 망설이다가 1951년 1월부터 그해 공군사단(사단마다 전투기보유가 1백 기가 채 되지 않았음)을 보내와 제한적으로나마 청천강 북쪽의 1백여km 수송선 엄호에 나섰다. 소련은 미국과 전쟁에 들어가는 것을 우려해서 드러내놓고 참전하는 것을 꺼렸다. 그래서 중국동북에 주둔했던 소련공군 조종사들은 모두 지원군군복을 입어야 했고 일체의 소련말 사용이 금지됐다. 중국 측은 대외적으로 이들을 '중국인민지원군의 러시아계'라고 밝혔다. 동시에 언제까지나 공중방어를 다른 나라에 의존할 수 없다고 생각한 중앙군사위원회와 모택동은 1950년 말 공군을 참전시켜야겠다는 결심을 굳혔다.

1950년 말부터 51년 4월까지 공군은 9개 항공병사단을 만들고 미그15 전투기를 보유했다. 이와 동시에 소련공군기술자와 중국 측 비행교관들이 조종사들에게 비상훈련을 시켰다. 세계 제트기 조종사 훈련관례에 따라 보통 300시간 이상의 훈련이 있어야 전투비행을 할 수 있었다. 미군 조종사의 경우 5백 시간의 훈련을 쌓았다. 이에 비해 중국공군은 시간이 달려 교관이 비행기에 같이 타 50~60시간 훈련하는 데 그쳤다. 조종사들은 간단한 조종기술을 익혀서는 곧장 참전했다.

1951년 3월 중국인민지원군 공군사령부와 중조공군연합사령부가 창설돼 인민해방군 공군부 사령관 劉震(유진)이 사령관으로 임명됐다. 지원군공군이 지휘하는 공군부대는 조종사들이 간혹 조선 북부 상공에 진입하거나 극소수의 조선에 있는 연락원 외에는 모두 중국동북에 있었다.

도 공중전을 끝내고 무사 귀환해서 '불사신의 공중탱크'라는 칭호를 얻었다. 조종사 유신용(劉新勇)은 단기로 미군전투기 6대와 격전을 벌여 사상 처음으로 최신예전투기 F86세이버 1대를 격추시켰다.

잇따라 공군 제3, 제24, 제6, 제8, 제10사단이 참전했다.

1951년 11월 18일, 미군은 전투기 1백84대를 출격시켜 아군의 철로 수송선을 폭격했다. 이때 우리 측 공군 제3사단 제9연대가 출동해 미군전투기 6대를 격추시키고 아군비행기는 전혀 손실을 보지 않는 전과를 올렸다. 대대장 왕해(王海)[78]가 이끄는 편대는 이 중 미군전투기 5대를 떨어뜨려 '왕해대대'라는 집단영웅칭호를 수여받았다.

11월 23일, 제3사단 제7연대는 공중전에서 미군전투기 8대를 떨어뜨리거나 기체에 손상을 입히는 눈부신 전과를 기록했다. 이 공중전에서 대대장 유옥제(劉玉堤)는 혼자서 상대측 전투기 4대를 격추시켰다. 공군 제3사단은 86일간에 걸친 작전에서 총 64대의 미군전투기를 격추시키거나 기체를 손상시킨 기록을 올렸다. 참전 초기부터 미군전투기에 당한 피해를 생각하면 감개무량한 일이 아닐 수 없었다. 모택동 주

따라서 '압록강 건너편의 항미원조 지원군'이라는 별명을 얻었다.

1951년 1월 21일 공군 제4사단이 압록강 부근 상공에서 처음으로 미공군과 교전했다. 대대장 李漢(이한)이 F84전투기 1대에 치명상을 입혔다.

1월 29일 이한은 공중전에서 F84전투기 2대를 각각 격추시키거나 치명상을 입혔다. 공군사상 최초로 미군전투기를 격추시킨 기록을 올렸다.

1951년 9월에서 52년 6월까지 중국공군은 대규모 부대를 동원해 정식 참전단계로 들어갔다.

77) 李永泰(1928~) 조선족. 76년 武漢군구 공군 사령관. 85년 7월 공군 부사령관.

78) 王海(1925~) 항전 말기 산동군구에서 정찰대장. 1946년 제115사단 주력이 동북으로 갔을 때 동북 민주연군항공학교에서 비행훈련을 받음. 49년 졸업 후 공군 제2사단 소속으로 上海 주둔. 50년 한국전쟁에 참가, 동북 공군 제3사단 제1대대장으로 소련제 미그기 조종. 54년 화동으로 옮겨 공군 제3사단 제7연대장. 85년 7월 공군 사령관.

석은 이 같은 전과에 대해 친필휘호를 하사해 격려했다. "공군 제3사단의 무훈을 치하한다"

지난날, 우리 전투기가 출동하기 전, 미군전투기는 비록 1대일망정 서슴없이 아군후방에 날아들어 이리저리 헤집고 다니곤 했다. 그러나 1951년 9월 아군공군기의 출현 이후 미군전투기들은 1대씩 날아드는 경우는 사라졌고 모두 4대씩 편대를 이루어 날아들곤 했다. 게다가 그들은 여느 때와 같이 대담하게 아군후방 깊숙이까지 날아들지 못했다. 자칫 아군공군기의 요격을 받을까 두려워하는 듯했다. 이리하여 미군전투기의 활동범위가 크게 줄어들게 되었다.

10월 어느 날 아침 6시가 막 넘었을 때였다. 나는 지프차를 타고 후방부대 시찰을 가던 참이었다. 막 도로를 달리는데 갑자기 미군 B26 전투기가 내가 탄 지프를 향해 날아드는 것이었다. 공교롭게도 우리 차는 도로의 한복판에 있었고 길 양편에 엄폐물도 없었다. 참으로 난감했다. 그러던 참에 미군전투기들이 갑자기 기수를 돌려 날아가 버렸다.

'이게 웬일이지' 하며 의아하게 생각하던 나는 혹시나 싶어 고개를 돌려 보니 우리 공군전투기들이 날아오고 있었다. 덕분에 곤경을 벗어날 수 있었다.

또 52년 봄 미공군은 평양 이북에서의 공군력 우세를 유지하기 위해 국내에서 일단의 노련한 전투기 조종사들을 데려와 참전시켰다. 이들 중에는 제2차 세계대전에 참전한 '공군전의 영웅'이나 '미공군 최우수 조종사'들도 포함되어 있었다. 그러나 우리 공군 조종사들은 이 같은 막강한 상대와 맞닥뜨리고서도 전혀 두려워하지 않았다.

공군 제4사단 대대장 장적혜(張積慧)는 24세의 어린 나이에도 동료 단자옥(單子玉)의 호의를 받으며 미공군의 '공중전의 왕자' 데이스와 그의 동료 전투기를 격추시켜 미국 내와 군부에 엄청난 충격을 주었다. 데이스는 공중전에서 상대 전투기 21대를 격추한 기록보유자였다. 아군공군의 적극적인 참전으로 미공군전투기의 활동공역이 청천강 이남으로 밀려났고 B29전략폭격기가 야간공습에 나서야 하는 등 미공군의 우세가 크게 약화됐다.

아군이 앞서 말한 수송, 복구, 대공의 3위일체작전을 효과적으로 수행하게 되자 미공군의 공중봉쇄작전은 드디어 효과를 발휘하지 못하게 됐다. 51년 10월 하순부터 아군의 철로수송량은 날로 늘어났고 트럭손실률도 크게 줄었다. 상대의 '3각지구' 봉쇄전략도 별무효과였던 것이다.

1951년 말, 리지웨이 유엔군 사령관은 자신들의 공중봉쇄가 "적의 보급품수송을 제대로 막지 못한 데다 중국군대의 북조선진입을 억제하지 못했다."고 선언해 사실상의 실패를 인정했다. 그러나 그는 "그럼에도 불구하고 현 상황에서 공중봉쇄를 그만두거나 규모를 줄인다면 적은 비교적 단기간 안에 풍족한 보급품을 확보할 것."이라며 "그럴 경우 적은 또 한 차례의 대공세를 발동할 것."이라고 주장했다. 리지웨이 사령관은 12월 하순, 아군에 대한 '질식작전'은 계속 유효하다고 선언했다.

그리고는 공군력을 증강했다.

1951년 말, 상대는 일본에서 F84전투폭격기(전투기 25대)를 들여왔으며 F80전투기대대를 F86전투기로 대체했다. 이에 따라 조선에 들어온 미F86전투기는 기존의 70대에서 1백50대로 배 이상 늘었다.

1952년 1월, 유엔군은 공군의 전략전술을 바꾸어 종래 고정된 특정지점을 집중적으로 공습하는 데서 작전에 긴요한 아군의 주요시설을

닥치는 대로 폭격하는 것으로 변경되었다. 구체적으로 말해서 철도의 '3각지구'를 집중 폭격하는 것으로부터 아군의 작전물자가 집결된 역이나 물자창고들을 폭격하는 것으로 바뀐 것이다.

미군전투기는 이 밖에 동, 서 청천강 이북에 있는 주요교량에 대해서도 무차별융단폭격을 실시했다. 완전한 통계는 아니지만 1952년 상반기, 북조선의 철로는 모두 9천여 회의 공습을 당했다. 양덕부근의 창고집결지는 2월 15일부터 2월 말까지 15일 동안 2백40여 회의 공습을 겪었다.

우리의 고사포부대 역시 미공군의 작전변화에 따라 종전 '병력을 한곳에 집중해서 중요지점을 보호한다.'는 것에서 '중요지점을 보호하면서 기동전을 벌인다.'로 작전방침을 변경했다. 이를테면 고사포부대가 유격전을 벌이게 된 것이다. 항일전쟁시기의 유격대와 같이 고사포부대가 한곳에 머물러 전투기를 기다리는 게 아니라 끊임없이 자리를 옮겨 상대 전투기가 위치를 제대로 알지 못하게 하는 게 작전변화의 골자였다.

우리는 후방수송을 엄호하는 3개 고사포사단, 4개 고사포연대, 16개 고사포대대로 구성된 3개 고사포집단군을 만들어 상대의 중요지점 기동공습에 맞섰다. 이들 고사포부대는 정주, 개천, 희천, 양덕 등 철도연변에 배치돼 역, 교량, 병참과 물자창고를 지켰다.

1952년 4월 28일, 고사포 제612연대는 천동에서 매복하고 있다가 미군전투기 2백60여 대와 8시간 동안의 사투를 벌인 끝에 그중 5대를 격추시켰다. 또 고사포 제605연대는 5월 중 진행된 단거리이동 작전에서 미군전투기 10대를 격추시키거나 치명상을 입히기도 하는 전과를 올리기도 했다.

가장 빛나는 성과는 5월 8일 고사포 제24대대가 남정리에서 거둔

쾌거였다. 조선반도 허리부분에 위치한 남정리는 우리 후근사령부 제1지부의 창고집결지였다. 이곳에는 일제시대 금광의 갱도가 있어 안전했기 때문이다. 더구나 위치상 전선수송에 유리해 후근사령부 대부분의 물자가 이곳을 거쳐 나간다 해도 지나친 말이 아니었다. 따라서 상대는 앞서도 여러 차례 이곳에 공습을 감행했었다.

1952년 봄부터 남정리에 대한 미공군정찰기의 정찰활동이 빈번해졌다. 우리는 포로로 붙잡은 상대공작원으로부터 머잖아 이곳에 대규모 공습이 감행될 것이라는 정보를 이미 입수한 터였다. 우리로서는 최대한 대공경계에 신경을 기울여야 했다. 고사포 제24대대는 이런 상황에서 은밀하게 이곳으로 이동해와 매복했다. 그들은 대낮에는 철저한 위장으로 몸을 숨겼고 날이 어두워진 뒤에야 서둘러 고사포진지공사를 벌였다.

5월 7일, 고사포 제24대대는 대공진지를 새로 구축하게 됐다. 3개 중대는 새 진지에, 다른 1개 중대는 진지 맞은편 산마루턱에 자리 잡았다.

5월 8일 새벽 6시쯤, 남정리 일대에 대한 미군전투기의 대규모 공습이 시작됐다. 수십 대의 전투기, 폭격기가 하늘을 뒤덮은 채 굉음을 울리며 남정리 상공으로 몰려들었다. 전투기 조종사들은 대뜸 고사포대대가 새로 건설한 대공진지에 대해 폭탄세례와 기관총세례를 퍼부었다.

순식간에 남정리 일대에 포연과 불기둥이 치솟았다. 연이은 폭발음과 불바다가 공습의 위력을 새삼 실감케 했다. 미군전투기들이 득의만면의 표정을 지으며 방심할 때였다.

돌연 숲 속에 몸을 숨기고 있던 고사포중대 소속의 1개 소대의 고사포가 불을 뿜었다. 순식간에 전투기 주위에 화망이 형성되었다. 좀 있으려니 F51전투기 1대가 피격돼 짙은 연기를 내뿜으며 저 멀리 산비탈에 추락하여 폭발했다.

이어서 F86전투기 1대도 피격돼 검은 연기를 내뿜다 바다 속으로 떨어졌다.

한바탕 격전이 끝난 뒤 한 떼의 미군전투기가 또 남정리 상공으로 날아왔다. 이번에 온 전투기들은 복수를 하러온 셈이었다. 전투기들은 고사포 포화망을 피하기 위해 3천m 고공에서 一자형, 人자형 또는 3각형의 작전대형을 이루어 수직으로 내리꽂히는가 하면 기수를 비키면서 급강하했고 어떤 전투기는 2, 3천m의 고공에서 폭탄을 투하했다. 특히 F86전투기는 강렬한 햇빛에 몸을 숨긴 채 먼 거리에서 급강하하면서 대량의 소형폭탄과 네이팜탄을 투하했다.

고사포진지는 포연으로 가득했고 불길이 이글거리며 타올랐다. 그러나 이때 산마루에 숨어 상대에게 발견되지 않았던 고사포중대의 대공포가 돌연 불을 뿜기 시작했다. 미군전투기가 드디어 한 대씩 격추되고 있었다.

당시 나는 마침 남정리에 있었다. 지원군후근사령부 동지들과 함께 산비탈의 은폐움집에서 이 광경을 지켜보았다. 모두 후련한 표정이었다. 우리 창고 옆에는 조선병원이 있었다. 여기에 있던 조선백성들이 기뻐 날뛰었다. 그러면서 생명을 돌보지 않고 시냇물이 흐르듯 끊임없이 산 위의 고사포대대에 포탄을 날라다 주었다.

격전은 새벽 6시쯤부터 하오 5시까지 계속됐다. 상대는 모두 각종 전투기를 28회, 근 4백 대를 출격시켰으니 큰 싸움을 걸어온 것이라고 말할 수 있다.

고사포대대는 이 전투에서 전투기 7대를 격추시켰고 18대의 전투기에 치명타를 가했다. 우리는 30여 명이 희생됐고 포탄을 나르던 조선

백성도 30여 명의 인명피해를 당했다. 이 전투는 조선전장에서 지원군 후근사령부 고사포부대가 이룩한 최고의, 가장 용감했던 싸움이었다. 후근사령부는 고사포부대에 훈장을 수여해 격려했다.

철로복구부대의 활약상 또한 눈부셨다. 우회노선을 새로 건설하는가 하면 임시다리를 가설하면서 수송선 확보에 신명이 났다.

1952년 5월 19일 미군전투기가 중요물자 집결지인 순천역을 폭격했을 때 철로복구부대는 막 준공된 봉하역을 통하는 우회선을 활용, 긴급 작전물자를 수송해야 할 3량의 기관차를 전방으로 보낼 수 있었다.

임시다리는 원래 있던 다리 외에 비밀리에 새로 만든 간이교를 말한다. 이것은 철로대교가 자주 미군전투기의 공습을 받는 상황에서 차량이 통행할 수 있는 유효수단이 될 수 있다.

1952년 초 이래의 철로복구부대는 주요 교량부근에는 거의 임시다리를 가설했다. 적으면 1개, 많으면 4, 5개에 달했다.

전투기 공습으로 원래 다리가 훼손되었을 경우 임시다리를 통해 차량통행을 할 수 있었다. 원래다리와 임시다리 사이는 평균 1km 남짓했다. 두 다리가 동시에 파괴되는 것을 막기 위해서였다.

임시다리를 가설하는 데 병사들이 묘안을 생각해 냈다. 바로 잠수교를 가설하는 것이다. 수면에 드러나지 않도록 해 상대의 눈을 피하게 만든 잠수교는 일종의 부교로 눈에 띄지 않을 정도로 물에 잠기도록 한 것이었다.

병사들은 또 미군조종사들의 눈을 속이기 위해 잠수교에서 좀 떨어진 곳에 일부러 큰 다리의 모조품을 얼기설기 설치했다. 미군전투기에게 미끼를 던져 잠수교의 안전을 확보하기 위해서였다.

묘안백출

1951년 7월부터 1952년 6월까지 진행된 '질식전'은 아군과 상대의 치열한 두뇌싸움으로 일관되었다.

앞서도 말했듯이 유엔군은 다양한 계책을 짜내 최대한 아군의 물자수송을 차단하려 한 반면 우리는 갖가지 아이디어로 곤란함을 이겨냈다.

상대는 아군 주요수송로를 폭격하면서 폭탄 1개에 5백 파운드에서 심지어 1톤에 이르는 '중형폭탄'을 요소요소에 떨어뜨렸다. 투하될 때의 충격으로 도로에 지름 1m가 넘는 큰 구덩이가 생기는 것을 이용, 아군 물자수송에 막대한 지장을 주기 위해서였다.

아니나 다를까. 군데군데 생겨난 포탄구멍에 야간운행 중이던 수송대트럭이 숱하게 떨어졌다. 자칫 운전병이 한눈을 파는 경우가 십중팔구였다. 그러나 깊이 8m가 넘는 큰 구덩이를 흙이나 돌로 메우기란 사실상 불가능한 일로 설령 메운다 해도 시간이 엄청나게 걸릴 수밖에 없다.

여기서 주저앉을 상대는 우리가 아니었다. 공병대에서 포탄구덩이에 가교를 세우는 방법을 생각해 냈다. 포탄구덩이에다 통나무를 박아 두 줄로 세워놓은 뒤 통나무말뚝 위에다 아치형다리를 가설하고 나서 다리 판을 깔아놓으면 몇 시간이 안돼 간이교가 탄환웅덩이에 세워지는 것이다. 미리 통나무와 다리 판을 확보해 놓았다가 폭격기의 공습이 끝나 구덩이가 생기면 그 즉시 작업을 벌여 순식간에 복구를 하곤 했다. 구덩이를 흙으로 메울 때보다 작업시간, 노동량을 크게 줄일 수 있었다.

훗날 병사들은 단선궤도다리를 가설하는 방법도 고안해 냈다. 이것은 탄환웅덩이의 가장자리를 약간 손질해 반쪽의 노면을 만들고 탄환웅덩이 안에는 자동차의 한쪽바퀴 정도가 지날 수 있는 간이교를 만드는 방법이다. 이 다리는 노동력, 시간, 재료를 아낄 수 있다. 차량이 통행할 때 한쪽 바퀴는 웅덩이에 가장자리에, 다른 쪽 바퀴는 단선궤도 다리 위에 걸쳐 놓을 수 있다는 것은 상대가 설치한 '덫'을 신속하게 건널 수 있음을 나타내는 것이다.

철로수송에서는 '22시작전'이란 새 작전을 개발했다. '질식전' 당시 미군전투기의 공습은 22시(하오 10시)부터 24시(자정)까지 2시간 동안 집중적으로 진행됐다. 여기서 '22시작전'이란 개념이 생겨났다. 될 수 있는 한 모든 열차는 22시 이전에 최대한 공습지역을 벗어나는 것이다. 그러자면 적정에 근거해 폭격당할 위험이 높은 교량, 역 등 중요시설들을 미리 판단해 22시 이전에 이 지역을 통과해 최대한 공습으로부터 벗어나는 것이었다.

우리는 또 달이 기우는 때를 이용해 집중적으로 군수품 수송에 나섰다. 달이 찼을 때 달빛을 이용해 미군전투기 공습활동이 극심했기 때문이다. 통계에 따르면 1952년 상반기 달이 찼을 때 전체공습의 65%가 이루어졌고 그 결과 화물기관차 1백10대가 파괴됐다.

이리하여 우리는 교훈을 얻게 됐다. 달이 기우는 때를 충분히 이용해 계획을 잘 세워 집중적으로 물자수송을 마치는 것이다.

이에 따라 1952년 6월 하순 우리는 달이 기울었을 때의 4일간 야음을 틈타 화물기관차 36대 5백6량이 청천강을 무사히 건너게 하는 등 소기의 목적을 이루었다.

우리는 또 흐리거나 안개, 비, 눈 등 악천후를 최대한 활용했다. 이같은 악천후에는 전투기의 활동이 제한받게 마련이므로 이럴 때는 대낮에도 열차를 움직이게 하는 대담성을 발휘했다.

1952년 6월 17일, 서해안에 비가 내릴 때 신안주~신의주 구간에서 열차운행을 개시해 오후 3시 30분부터 다음 날 낮 12시 30분까지 21시간 동안 화물기관차 57대, 1천2백28량을 운행시켜 당시 전선에서의 악조건을 개선시키는 데 큰 도움을 주었다.

물론 이 같은 전략에는 주도면밀한 계획과 함께 기상조건이 운 좋게 따라주어야 한다. 악천후가 넓은 범위에서 진행되어야 보다 큰 효과를 거둘 수 있으나 대부분 국부지역에서 소폭으로 진행돼 아쉬움을 달래야 했다.

이밖에 '유격전'이란 역도 출현했다. 워낙 역에 대한 공습이 심하다 보니 역 밖에 일정수의 '유격역'이라는 간이역을 수시로 만들어 상황에 따라 물자를 부리는 방식을 취했다. 이 방식은 '유격역'을 상황에 따라 계속 바꾸기 때문에 미군전투기 조종사의 눈을 피하기 쉽다는 이점이 있었다. 또 '유격역'에다 물자를 분산해 부리다 보면 작업시간이 몇 분, 길어야 몇십 분에 지나지 않아 공습피해를 상대적으로 줄일 수 있었다.

열차 외에 트럭 얘기도 빼놓을 수 없다. 트럭은 전선에서 물자수송의 주요 수단이었던 것이다. 수송부대서는 트럭 등 차량손실을 줄이기 위해 완벽한 위장을 실시했다.

자연경관과 최대한 색깔을 같게 해 상대의 눈을 피했던 것이다. 심지어 이런 일도 있었다.

1952년 초, 눈이 내리는 어느 날이었다. 우리의 1개 수송대는 야음을 틈타 눈길을 무릅쓰고 군수품 수송에 나서고 있었다. 날이 훤하게 밝아오자 트럭운전병들은 전진을 그만두고 트럭 등 차량을 산골짜기에 깊숙이 숨겼다. 그다음에 준비해 온 흰 천을 차량 위에 덮으니 위장으로서는 완벽했다. 사방에 덮인 눈 색깔과 똑같으니 말이다.

그런데 미군전투기 편대가 득달같이 현장에 날아와 한바탕 폭탄세
례를 퍼붓는 것이었다. 순식간에 적잖은 트럭이 손상되고 인명피해가
잇따르는 아수라장이 된 것이다.

공습이 끝난 뒤 부대원들이 원인을 찾아낸 결과 그것은 부주의에
있었다. 운전병들은 차량의 위장에 신경을 쏟으면서도 트럭의 바퀴자
국을 생각하지 못했던 것이다. 흰눈이 새하얗게 뒤덮인 도로에 새겨진
뚜렷한 바퀴자국이 바로 미군전투기에게 공격목표를 추적하게 해준
것이었다.

그 후 눈이 내리는 날이면 트럭 운전병들은 행렬 맨 뒤의 트럭 꽁
무니에 큰 나뭇가지를 매달아 트럭이 남긴 바퀴자국을 쓸어 없앴다.
자연히 미군전투기의 '방문'을 받는 일은 사라지게 됐다.

또 미군전투기의 공습에 대응한 얘기이다.

미군전투기들은 고성능 조명탄을 터뜨려 사방을 대낮같이 밝히면서
공습을 해오는 것이 상례였으며 우리로서는 상당히 골치 아픈 일이
아닐 수 없었다. 그래서 조명탄 공습에 대한 대응요령이랄까, 몇 가지
지침을 마련, 피해를 극소화하는 데 노력했다.

이를테면 조명탄이 트럭이 진행하는 전방에서 터지는 경우 운전병
은 즉각 은폐물을 찾아 몸을 숨긴다. 조명탄이 트럭 바로 위 상공이나
트럭 뒤쪽에서 터지면 운전병은 비록 상공에 미군전투기가 선회하더
라도 액셀러레이터를 힘껏 밟아 쏜살같이 현장을 지나간다. 그러나 조
명탄이 비교적 많이 투하되거나 전투기가 잇따라 선회 정찰에 나서는
경우는 즉각 은폐물에 최대한 몸을 숨겨야 한다.

이 밖에 진행하던 트럭이 공습을 받아 불이 날 경우에는 잽싸게 불
을 끄거나 여의치 않으면 트럭을 도로가로 옮겨 통행이 막히는 것을
피했다. 자칫 다른 차량 통행에 영향을 미쳐 더 큰 손실을 입을 수도

있기 때문이다.

또 상대의 휴식시간이나 교대시간이 우리의 수송에는 더할 수 없는 호기였다.

우리는 토요일 저녁이면 미군전투기 조종사들이 일본으로 건너가 휴식을 취하곤 한다는 사실을 알았고 전투기가 임무를 교대할 때는 상공에 전투기들이 벌 떼같이 흩어져 있지만 이때만큼은 공습이 거의 없다는 사실도 알았다. 이 밖에 새벽과 황혼, 하늘이 훤해지는 때와 땅거미가 질 무렵은 전투기도 적고 공습을 거의 하지 않는다는 것을 알고 이러한 때는 비교적 활발히 수송 작전을 벌였다.

이 기간 미군전투기가 투하한 시한폭탄의 위협을 빼놓을 수 없다. 이때의 시한폭탄은 숫자도 엄청나려니와 종류 또한 가지가지였다. 어떤 것은 땅에 떨어진 뒤 몇 분 안에 터지는 게 있는가 하면 몇 시간, 몇십 시간이 지난 뒤에 터지는 명실상부한 시한폭탄도 있었다. 무게도 1톤, 수백 파운드에 이르는 중형폭탄부터 기껏해야 달걀 크기만 한 소형에 이르기까지 다양했다. 미군전투기들은 한 떼의 편대가 날아들어 시한폭탄을 무더기로 투하한 뒤 이들 폭탄이 채 터지기도 전에 또 다른 편대가 몰려와 다른 형태의 시한폭탄을 지상에 퍼붓곤 했다.

시한폭탄 중 가장 위협적인 것으로 '나비폭탄'을 꼽을 수 있다. 이 폭탄은 폭탄 안에 수백 개의 또 다른 소형폭탄이 장착되어 있다. 전투기에서 투하되는 순간 공중에서 탄피가 터지면서 수많은 소형폭탄이 바람을 타고 '나비'처럼 떠다니다가 지면에 닿으면 폭발대기 상태로 접어든다. 이때 차량이나 행인이 건드려 외부압력을 가하면 즉시 터져 엄청난 피해를 주는 것이다.

당초 '나비'가 찾아들면 병사들은 우선 '걸음아, 나 살려라'는 식으로 먼 곳으로 몸을 피한 뒤 소총을 발사해 '나비사냥'을 하는 것이 고작이었다. 그러던 중 병사들이 재치를 발휘해 미군들로부터 노획한 전화선과 철사 등으로 폭이 60~100m인 대형 그물을 만들어 '나비사냥'에 나섰다.

병사들은 나비가 나타나면 준비해 둔 그물로 받아 이를 몰아 한꺼번에 처리하곤 했다.

도로에 가로놓인 대형시한폭탄은 소총으로 무력화시키는 것 이외에 물을 집어넣어 시한폭탄의 시계 톱니바퀴의 움직임을 정지시키는 방법도 썼으며 아예 뇌관을 뜯어내기도 했다.

뇌관을 제거시킨 시한폭탄은 우리에게 요긴하게 쓰였다. 폭약 때문이었다. 당시 전방에서는 이미 갱도진지 구축을 개시해 도처에서 엄청난 양의 폭약을 필요로 했다. 물론 후방에서 폭약을 수송하기는 했지만 너무 멀고 공습 때문에 넉넉지 못했다. 그러던 차에 대형시한폭탄은 폭약 보충에 안성맞춤이었다.

대형폭탄 1개를 분해하면 폭약 6백~7백kg을 얻을 수 있었다. 그러던 중 상대는 아군후방에 들여보낸 공작원들을 통해 이런 상황을 감지한 모양이었다. 그 후 대형시한폭탄의 투하는 사라졌다.

상대는 우리가 '질식전'에 맞서는 동안 공중 또는 해상을 통해 수많은 공작원을 들여보냈다.

목적의 하나는 그들의 폭격효과를 직접 확인하려는 것이다. 그토록 엄청난 공습을 감행한 데 대한 효과가 어느 정도인지 파악할 필요가 있었던 것이다. 또 다른 목적은 무전기를 휴대한 공작원들이 아군의 교통수송 정보를 엿들어 전투기에 공격목표를 가르쳐주는 것이다.

용성의 창고지역에서는 바로 공작원이 신호탄을 터뜨려 공격목표를 지시함으로써 쌀 등 주식 35만 6천 톤과 인명피해 127명, 트럭 9대가 불타는 피해를 입기도 했다.

이쯤 되자 팔짱을 끼고 있을 수만은 없었다. 공작원 체포조를 별도로 만들어 거동수상자를 발견하면 즉시 체포했다. 동시에 비행기를 통해 침투하는 공작원의 움직임에 주의를 기울였다.

어느 날 밤, 눈이 엄청나게 내렸다. 미군 정찰기가 우리의 모 부대 상공을 맴돌았다. 모두들 이상한 낌새를 눈치 챘다. 지휘관은 비행기를 통해 공작원이 침투하리라고 예상하고 소분대를 보내 수색하도록 했다. 수색결과 바위틈에 끼어 꼼짝달싹 못하는 헬리콥터를 발견했다. 우리 병사들이 접근하자 조종사와 공작원은 때마침 구조하러 온 다른 헬리콥터를 타고 탈출해 버렸다. 헬리콥터만을 노획했다.

상대는 그들의 작전과 병행해 끊임없이 아군후방 첩첩산중에 무장 공작원을 침투시켰다. 이러한 공작원들에 대해 우리의 전문부대와 조선정부는 합동으로 공작원소탕작전을 벌여 제1지부 11공작원체포연대는 한 번에 공작원 47명을 체포한 적도 있었다.

1951년 7월부터 1952년 6월까지 미군은 공군의 70%를 집중해, 거의 1년간 '질식전'을 벌여 각종 수단을 동원시켜, 아군의 후방수송을 파괴했다. 그러나 아군의 수송은 중단되지 않았을 뿐 아니라 1952년 5월 중순, 철도수송은 도리어 1개월 반을 앞당겨 상반기 수송임무를 달성했다.

이에 반해 상대 전투기는 엄청난 손실을 입었다. 1952년 상반기, 미군전투기는 1천7백43대가 피해를 입었는데 이 중 5백75대는 격추된 것이다.

1952년 4월에 이르러 미군전투폭격기의 실력이 이미 최저점에 이르렀다. 2개 대대가 편제수의 절반으로 줄어들었다. 6월 하순, 상대는 마침내 '질식전'을 포기했다. 폭격중점을 발전소, 공장, 광산과 아군방어 정면 80km 중심으로 전환했다.

1952년 5월 31일, 미제8군 사령관 밴플리트 장군은 서울의 기자회견에서 이렇게 밝혔다.

"유엔군의 공군과 해군이 총력을 기울여 공산당의 보급을 차단하려 했지만 공산당은 믿을 수 없는 만큼 완강하게 물자를 전선으로 운반해 경악시켰다."

미극동공군은 그들의 '질식전'에 대한 최종보고서에서 "공산군보급 계통의 활발함 때문에 질식작전은 성공하지 못했다."고 분석했다.

14

고지 쟁탈전

"지하 만리장성, '땅굴'을 파라"

1951년 여름, 가을방어작전에서 아군은 큰 승리를 거두었지만 적잖은 대가를 치렀다. 상대의 야포, 탱크, 전투기 공습의 화력이 막강했기 때문이다.

따라서 일반적인 야전공사, 이를테면 참호, 교통호구축으로는 상대와 지구전을 벌이는 데 힘들다는 공감대가 형성됐다. 이런 상황에서 등장한 것이 '땅굴'이다.

여름방어작전 후기, 특히 가을방어작전에서 일선 병사들은 폭격을 피하기 위해 산기슭에다 단순한 소규모의 땅굴을 파기 시작했다.

그러던 것이 기존 땅굴을 보다 깊이 파낸 뒤 이웃한 2개의 땅굴을 서로 이어 말발굽모양의 땅굴로 발전했다. 상대의 폭격이 시작되면 병사들은 잽싸게 땅굴로 들어가 몸을 숨길 수 있고 상대 보병이 다가올 때면 뛰쳐나가 백병전을 벌일 수 있어 일석이조의 효과를 거둘 수 있었다.

이 같은 땅굴이 일부전선에서 예상 외로 좋은 효과를 거두자 펑덕회 인민지원군 사령관은 좋은 평가를 내렸다. 1951년 10월, 지원군사령부는 전군에 땅굴공사를 적극적으로 벌이라고 지시했다.

이에 따라 인민지원군 전선에 걸쳐 땅굴 파기 열풍이 불어 닥쳤다. 이러한 열풍은 지원군의 방어전초에까지 급속도로 퍼져나갔다.

바야흐로 상대는 지상에서 야포를 쏘았고 아군은 지하에서 폭약을 터뜨려 땅굴 만들기에 여념이 없었다. 지상과 지하에서 밤낮을 가리지 않고 쿵쿵거리는 폭발음이 계속된 것이다.

지원군 병사들은 한 손에는 총, 다른 한 손에는 곡괭이를 잡고 전투와 동시에 땅굴 파기에 온 힘을 쏟았다. 처음 시작할 때에는 전선마다 조그만 대장간을 만들어 못 쓰게 된 폭탄조각, 고철을 있는 대로 긁어 모아 곡괭이, 호미, 끌 등 땅굴 뚫는 도구를 만들었다. 제12군의 경우 8개월 동안 40여 곳의 대장간을 만들어 1만 6천여 점의 땅굴 뚫는 도구를 만들었다.

그러나 땅굴 파기가 계속 확대되면서 도저히 수요를 채울 수 없었다. 그래서 공병지휘소는 심양에 기재처를 만들어 집중적으로 땅굴 파기 기재의 구입, 생산, 분배를 책임졌다.

또 평양, 삼등, 양덕에는 땅굴기재 공급기지를 세워 일선부대 등에 기재를 공급했다.

1952년 2월, 상대는 우리가 땅굴공사에 열을 올리는 것을 알고 계획적으로 중형포, 중형폭탄 등을 집중적으로 투하해, 일부 부실땅굴이 무너져 적잖은 인명피해를 내기도 했다. 이 밖에 위치를 잘못 잡는 바람에 해동하면서 자연 붕괴되는 땅굴도 적잖았다.

이에 따라 지원군사령부는 땅굴을 지을 때는 반드시 다음과 같은 7방의 요건을 고려하도록 전군에 지시했다. 즉 공습에 안전하고(防空), 포격에 무너지지 않고(防砲), 독가스에 당하지 않으며(防毒), 비(防雨), 습기(防潮), 불(防火), 추위(防寒)를 피할 수 있어야 된다는 7대 필수조건이었다.

지원군사령부의 지시가 있자 각 부대는 기존 땅굴의 결점들을 보완하는 등 대폭 개선했다. 그동안 땅굴천정이 얇다든가 출입구가 좁고 실내면적이 적으며 움직이기 불편하다는 등 많은 결점을 가지고 있었던 때문이다. 이로써 땅굴은 비로소 지구전에 알맞은 작전수단이 될 수 있었다.

1952년 4월 26일~5월 1일, 지원군사령부는 군참모장회의를 소집했다. 이 회의에서는 땅굴공사가 갖는 작전상의 역할에 대해 인식을 통일했다. 땅굴 파기 공사는 상대의 화력으로부터 아군의 병력을 보존하는 데 효과적일뿐 아니라 보다 중요한 것은 단순한 방어보다는 상대에게 기습공격을 가해 타격을 입힐 수 있다는 데 의견의 일치를 보았다. 회의에서는 방어, 공격, 기동, 생활에 완벽을 기하기 위해 땅굴공사의 구체적인 규격기준을 마련해 전군에 시달키로 했다.

5월 말까지 아군 제1선방어진지에 땅굴공사가 기본적으로 완성됐다. 지원군사령부는 6월 중화, 사리원, 이천, 회양을 잇는 선에 땅굴을 파 방어선을 두터이 했다. 이 공사에 4개 군 병력이 동원됐다.

8월 말, 아군은 이어 동, 서해안에 집중적으로 땅굴을 파기 시작했다. 아군 제1선 제1제대 6개 군은 땅굴 약 2백km, 참호, 교통호 약 6백50km, 각종화기엄폐물 1만여 개를 건설했다. 조선반도를 가로지르는 2백50km 길이의 모든 전선에 20~30km의 두터운 방어선을 갖추고 땅굴을 핵심으로 한 거점식 진지방어체계를 이룩했다. 난공불락의 '지하만리장성'을 형성한 것이다.

땅굴을 핵심으로 한 거점식 방어체계는 참호방어체계와 거점방어체계가 발전한 것이며 아군이 처음 만들어 낸 것이다. 이러한 방어체계 형성은 아군 방어작전이 새로운 단계로 접어들었음을 나타내고 있다. 그것은 방어 중에 상대의 강력한 화력습격에 맞설 뿐 아니라 우리의 병력을 유효하게 보존할 수 있으며 공격 도중에 이곳에 의탁해 병력손실을 감소시키고 공격의 기습성과를 제고할 수 있다는 것이다.

5월 이후 아군진지가 공고해짐에 따라 아군은 전선전반에 걸쳐 조직적이며 체계적인 소분대전술을 십분 활용했다. 저격병들을 동원해 전선에서 상대의 돌출된 중대 소대진지를 집중적으로 공략해 큰 성과를 거두었다. 진지마다 배치된 특등사수, 명사수들은 땅굴진지에 몸을 숨긴 채 상대의 노출된 목표물을 명중시켰다. 1952년 5~8월 사이, 저격활동만으로 상대 병력 1만 3천여 명을 살상했다. 이에 비해 아군의 피해는 기동전시기에 비해 3분의 2수준으로 줄어들었다. 땅굴공사의 효과가 입증된 셈이다.

땅굴은 인명보존 등의 효과 외에도 물자보존에 유리했다. 1952년 상반기, 아군병참부대는 상대의 '질식전'에 맞서 땅굴로 된 지하창고를 대량으로 건설했다. 1952년 5~6월, 후근사령부는 1천2백여 차량의 물자를 수용할 수 있는 창고를 세웠다.

아군은 이 같은 상황을 중앙에 알렸다. 1952년 8월 4일, 모택동 주석은 중국인민정치협상회의 제1차 전국위원회상무위에서 "먹는 문제, 병사들의 식량공급문제가 오랫동안 해결되지 못했습니다. 그러나 이제는 사단마다 3개월분의 식량을 땅굴창고에 저장해 놓고 있습니다."라고 발표했던 것이다.

땅굴은 앞서 말한 여러 가지 장점을 지니고 있었으나 문제점이 없는 것은 아니었다.

가장 심각한 것은 병사들이 하루 종일 햇빛을 볼 수 없고 등잔불에 의존해야 한다는 점이다. 등잔불은 포탄의 탄피나 주전자뚜껑, 찻잔 등 닥치는 대로 구할 수 있는 그릇에다 솜으로 심을 만들어 꽂고 콩기름을 사용하는 것이다.

그러나 문제점이 잇따라 나왔다. 통계적으로 볼 때 1개 소대가 60여m의 땅굴에 있으면서 8개의 등불을 켜게 된다. 중대 전체로는 30여 개의 등불을 켠다는 계산이다. 속담에 "물 한 방울이 바다를 이룬다는 말"도 있듯이 등 하나에 콩기름을 쓰는 것은 별문제가 아니지만 1개 대대, 1개 연대가 모조리 등잔불을 켠다고 한다면 기름 사용량은 엄청나게 되는 것이다. 등잔불 하나를 잠깐 켠다면 문제가 아니지만 오랜 기간 켜야 한다면 결코 간단한 문제가 아니었다. 당시 모 부대 9중대는 16개의 땅굴을 지키고 있었는데 총길이가 6백여m가 되었다. 한 달에 4백 근의 콩기름을 소모했다.

그러다 보니 1개 군에서 달마다 10만 근의 콩기름을 사용했다. 어떤 곳에서는 아예 식용기름을 등잔불 켜는 데 전용할 정도로 심각한 실정에 이르렀다.

이런 상황은 지원군후근사령부의 입장으로는 당시 최대의 고민거리였다. 불빛이 작고, 연기가 많으며 기름을 헤프게 쓰는 문제를 해결하기 위해 식용유를 등잔불에 쓰지 않고 등유를 식용으로 사용하지 않게 했다. 지원군후근사령부는 국내에서 바람막이 유리가 달린 제등과 기타 기름을 넣는 등을 긴급 구매했다. 또 국민들에게는 조명기구를 개량하도록 촉구했다. 병사들은 사기그릇, 찻잔 대신 밀봉이 비교적 잘되는 깡통을 사용했으며 양철 판을 말아 올려 비교적 기다란 등 주둥이를 만들어 송이나 심지를 채워 심지가 탈 때 기름이 들어 있는 용기를 직접 가열하지 않게 했다. 이후로 기름의 증발을 줄였다. 병사들은 등불 밑에다 계란가루를 담던 빈 통을 받쳐 잘못해 등불이 넘어졌을 때 기름을 다시 사용할 수 있게 했다. 기름이 새는 것을 줄였던 것이다. 기름등을 켤 경우 땅굴 안에 산소가 부족하기 쉽다. 오랫동안 호흡하다 보니 많은 사람들이 만성기관지염에 걸렸다. 그래서 다들 기름연기를 줄이는 방법을 생각했다. 등 주둥이에 깡통 한 개를 덮어 놓는다. 깡통 안에는 숯을 넣는다. 등불 주둥이에서 올라가는 연기는 직접 숯에 흡수돼 공기오염을 줄여준다. 병사들은 이런 등불을 '절유무연등(節油無煙燈)'이라 불렀다.

땅굴이 주로 산기슭에 있다 보니 식수문제도 심각했다. 아무래도 수원이 땅굴에서 멀리 떨어져 있고 그나마 상대의 포격이 치열한 판에 제대로 물을 길어 올 수는 없었다.

땅굴 안의 병사들은 식수가 부족해 혀가 갈라지고 코피가 터지는가 하면 음식을 제대로 씹어 넘기기 어려울 정도로 심각한 국면으로 접어들었다.

지원군후근사령부는 생각다 못해 땅굴마다 시멘트로 저수통을 만든 뒤 여유가 있을 때 탄피를 두드려 만든 물통 등으로 물을 길어 저장하는 방법으로 식수문제를 어느 정도 해결하기도 했다.

당시 전쟁터에서는 이런 말이 유행됐다. "해는 미국 것이요, 달은 지원군의 것"

지원군은 공군의 지원이 거의 없었기 때문에 행군이나 모든 작업을 야간에 치러야 했다. 밤은 지원군의 천연보호색이며 상대를 공격할 수 있는 절호의 기회였다.

아군은 장기간 미숫가루를 먹어 영양이 부족한 데다 땅굴공사를 진행하면서 극도의 피로가 쌓여 많은 병사들이 야맹증에 걸렸다. 비타민 A 등 필수영양분이 부족했기 때문이다.

야맹증환자의 속출은 아군의 야간작전 수행에 큰 영향을 미쳤기 때문에 지원군사령부 겸 후근 사령관으로서 나는 이 문제해결에 골머리를 앓았다.

우리는 중국에서 땅콩, 신선한 채소, 동물 간 등의 식품을 수송해 왔지만 절대량이 부족해 별다른 효과를 거둘 수 없었다.

이럴 즈음, 조선인들이 야맹증을 치료하는 전통민간요법을 추천해 왔으며 이로써 큰 효험을 보았다. 하나는 솔잎을 삶아 탕으로 마시는 것이다. 이 방법은 사실 중국고대민간요법이기도 했다.

솔잎을 큰 솥에다 넣고 1시간 남짓 삶아 그 물을 마시면 된다. 맛은 약간 쓰지만 6, 7일 거푸 마시면 눈이 다시 밝아지는 것이다. 조선 천지에 소나무가 있으니 솔잎탕 만드는 것은 전혀 문제가 아니었다. 나는 지원군후근사령부를 시켜 전군에 이 방법을 널리 알리고 각 부대서는 군중들을 동원해 대량으로 솔잎을 수집해 탕을 만들어 마시도록 했다.

두 번째는 올챙이를 먹는 것이다. 이것도 민간요법이다. 올챙이는 개구리로 변하는 것이니 얼마나 영영가가 높겠는가. 방법은 살아 있는 올챙이를 잡아 주전자 안에 넣고 물을 조금 붓는다. 팔팔 끓인 뒤 마시면 된다. 하루에 2, 3번 이틀만 마시면 효과를 볼 수 있다. 조선은 도처에 강이어서 올챙이가 특히 많아 구하기가 수월했다. 우리는 각 부대에 올챙이를 잡아 끓여 마시도록 했다. 이 두 가지 민간요법에다 식품공급이 꾸준히 개선돼 영양을 보충하자 야맹증은 곧 사라졌다.

1952년 여름 팽 총사령관은 귀국한 뒤 북경 중남해 회인당(懷仁堂)에서 열린 1차 회의에서 "후방에서는 전쟁을 무슨 어린애 장난으로 생각하고 있단 말이야. 그들이 제대로 일을 하지 않아 작전을 그르치고 있다."며 화를 냈다.

팽 사령관이 지적한 일은 무엇인가.

조선전쟁이 대치단계의 진지전으로 접어든 후 아군과 유엔군은 서로 땅굴을 팠으며 아군은 소분대 전투활동을 벌였다. 한번은 아군의 1개 전투분대가 야간에 상대의 땅굴공사장에 몰래 접근했다. 상대와 백병전을 벌였을 때 우리 측 병사들이 수류탄을 던졌으나 터지지 않았다. 병사들이 후퇴해서 귀환한 뒤에 팽 사령관에게 이 사정을 보고했다.

팽 사령관은 이 얘기를 전해 듣고 매우 화를 내면서 즉시 나를 불렀다. 즉각 수류탄이 터지지 않은 원인을 밝혀내라는 것이었다. 나는 팽 사령관의 지시에 따라 진상조사에 나섰다. 어떤 이는 "동굴창고가 지나치게 습기가 많아 수류탄이 작동하지 않은 게 아닌가."라고 풀이했다. 그러나 시험을 해보니 같은 창고에 보관돼 있던 수류탄 중 어떤 것은 불발탄이기도 했지만 터지는 것도 있었다. 여러 창고를 시험해 봐도 마찬가지 결과였다. 일부에서는 상대의 파괴공작 때문이라고도 했다. 그러나 선뜻 납득이 되지 않았다. 상당히 많은 부대에 이런 상황이 나타난 것이다. 한꺼번에 여러 종류의 탄약을 장착하는데 상대의 소행이라면 굳이 수류탄만 불발이 될 이유는 없다. 또 그렇게 많은 부대에 동시에 파괴공작을 벌인다는 것도 현실적으로 불가능했다.

나중에 정밀 조사 끝에 문제는 후방에 있었음이 드러났다. 즉 산서성(山西省)의 수류탄제조공장이 문제였다. 원래 수류탄을 만드는 데는 일정한 공정이 있다. 수류탄을 만드는 나무 손잡이에는 왁스를 입히고 삶아야 한다. 습기가 차서는 안 되기 때문이다. 그러나 수류탄을 삶는 데는 일이 번거로울 뿐 아니라 시간도 많이 걸린다. 전방의 수류탄 수요량이 엄청나고 시간에 쪼들리다 보니 수류탄을 만들 때 공장관계자들이 나무덩어리가 마른 것을 보고는 습기가 없으리라고 지레 짐작하고는 삶는 작업을 생략했던 것이다.

팽 사령관은 이 사실을 보고받고 "이 일은 엄중히 문책해야 한다."고 말했다. 공장장을 해임토록 하고 나에게 후방에 다음과 같은 지시를 전달하도록 했다.

"앞으로 다시 수류탄을 만들 때 나무덩어리가 말랐는가의 여부에 관계없이 반드시 삶도록 할 것. 다시 이런 일이 일어나면 군법에 따라 처벌하겠다."

당시 아군이 조선전선의 창고에 보관하던 수류탄은 30여만 개였다. 어느 것을 삶았는지를 일일이 검사해 볼 도리가 없어 30여만 개의 수류탄을 전량 폐기처분해야 했다.

1952년 봄과 여름은 무척 바빴다. 탄약과 식량의 정상공급, 해안땅굴공사를 위한 물자기재의 공급 등 눈코 뜰 새 없이 바빴다.

4월 6일, 성천 향풍산에 있는 지원군후근사령부에서 나는 유엔군의 세균전공세에 대한 대응방안을 관계자들과 한창 연구 중이었다. 그때 갑자기 진갱이 회창에서 전화를 걸어왔다. 그의 말로는 팽 사령관이 내일 신병치료차 귀국하는데 귀국하기 전에 나를 한번 만나보고 싶어 한다는 내용이었다.

당시 제1부사령관 등화와 참모장 해패연은 개성에서 열리고 있던 휴전회담에 참가하고 있어 지원군사령부 일은 진갱이 사실상 도맡아 하고 있었다. 나는 전화를 끊자마자 곧바로 지원군사령부로 향했다.

나는 얼마 전 팽 총사령관의 머리에 혹이 자라기 시작해 혹시 암인가 싶어 조만간 귀국할거라는 사실은 알고 있었다. 다만 구체적인 귀국 날짜를 몰랐을 뿐이었다.

내가 회창에 있는 팽 총사령관 숙소에 도착하자 그는 진갱과 얘기를 나누고 있었다. 나를 보더니 일어나서 내손을 잡았다. "학지 동지, 고생이 많구먼."

"팽 사령관의 지시를 받으며 일을 하는데 무슨 고생이랄 게 있습니까."

"자네가 그곳에서 무척 일도 많고 마음고생이 심할 것 같아 여기에 오라고 할 생각은 없었는데 말이야. 그러나 내가 이번에 귀국하는 것은 표면상 병 치료이기는 하지만 사실은 군사위원회의 명령이야. 이번에 가면 아마 다시 돌아오기는 힘들 거라구. 그래서 마지막으로 자네 얼굴이나 보려고 이렇게 불렀다네."

진갱이 곁에서 "총사령관께서 이번에 귀국하면 군사위원회 상무부주석을 맡으면서 군사위원회를 주관할 것이오. 주은래 총리가 너무 바빠 군사위원회 상무부주석을 겸임한다는 게 무리라는 판단에 따른 것이오."라고 말했다.

"돌아가서 구체적으로 무얼 할는지는 나도 몰라. 아직 내게는 별말이 없었거든."

그는 잠시 말을 멈추더니 계속 말했다. "내가 돌아가면 내가 맡았던 지원군의 모든 일은 진갱 동지가 대신할 거야. 그는 1922년에 입당한 원로요. 나보다 당원경력도 훨씬 오래고 말이야. 그가 하는 일을 곁에서 잘 도와드리라고."

진갱이 농담을 건넸다. "그러나 나는 지원군 안에서의 자격은 학지 동지만 못해요. 내가 훨씬 후에 조선에 왔거든요."

"사령관 동지, 마음 놓으십시오. 진 동지의 영도에 끝까지 복종하겠습니다."

"좋아, 좋아."

진갱 동지가 큰소리로 말했다. "복종은 무슨 복종. 당신은 골치 아픈 후방 일이나 제대로 하면 되지 뭐."

팽 사령관은 내게 명령을 내린 뒤에 당위원회를 소집했다. 당위원회가 끝날 즈음, 팽 사령관이 내게 물었다. "학지 동지, 무슨 할 말이라도 있소."

귀국하는 팽 총사령관을 바라보니 만감이 교차했다. 내가 팽 총사령관을 따라 조선에 들어온 지 벌써 1년 반이 흘렀다. 1년 반 동안 우리 지원군은 막강한 유엔군을 상대로 두려움 없이 온갖 희생을 치른 끝에 결정적인 승리를 거두어 조선의 형세를 안정시켰다.

하긴 상황이 안정되지 않았다면 사령관께서 갈 수도 없었겠지. 이제 귀국하시려는데 무슨 말씀을 드리지. 잠시 생각 끝에 아무래도 마음속에 있는 말을 하는 게 낫겠다 싶었다.

"사령관 동지, 동지께서 제게 물어보지 않으셨다면 저도 말씀을 드리지 않으려 했습니다만 물어보시니 한 말씀 드리겠습니다. 저번에 제게 하신 허락, 나중에라도 잊으시면 안 됩니다."

"허락이라니."

"작년 당위원회에서 직접 말씀하셨잖습니까. 이번 항미원조전쟁에서만 제게 후근 일을 맡기고 전쟁이 끝나고 귀국해서는 후근 일을 맡기지 않겠다는 말씀 말입니다."

"무슨 소리야, 그런 말 한 적 없어. 그리고 당이 시키는 일이면 무조건 따라야지."

"그때는 제 견해에 선뜻 동의하시지 않았습니까?"

"동의한 일도 상황에 따라서는 바뀔 수 있는 거야." 팽 사령관은 이쯤 말해 놓고 잠시 생각에 잠긴 듯 했다. "그래, 귀국 후 내가 참모총장을 한다면 자네에게는 결코 후근 일을 맡기지 않겠네."

다들 폭소를 터뜨렸다. 팽 사령관도 미소를 지었다. 그러나 당사자인 나는 웃을 수가 없었다.

공교롭게도 이때를 전후해 북대서양조약기구(NATO) 총사령관이던 아이젠하워 장군이 미국공화당 대통령후보로 지명되자 사령관직에서 사퇴했다.

팽 총사령관이 귀국한 지 20일 뒤인 4월 28일 미국 트루먼 대통령은 리지웨이 대장을 아이젠하워 미국공화당 대통령후보 후임으로 북대서양조약기구(NATO)군 사령관으로 전보 발령했고 그 후임으로 클라크 중장을 임명했다.

미국의 전략 중심이 유럽에 있으므로 리지웨이를 나토군 총사령관으로 전보한 것이다.

새로 임명된 클라크 장군에 대해서 우리는 별로 아는 바가 없었다. 리지웨이 대장과 웨스트포인트 동기이며 둘 사이가 친밀한 사이라는 정도였을 뿐이다.

52년 7월 11일, 중앙군사위원회는 양득지를 지원군 제2부사령관으로 임명했다.

52년 8월 15일, 나는 지원군을 대표해 평양에서 열리는 8·15해방 경축대회에 참가했다.

나는 문화선전공작단을 데리고 갔었는데 단장은 하얼빈 공과대학 당위원회서기를 지낸 탁명(卓明) 동지로 이때는 지원군정치부 선전부장을 맡고 있었다.

평양은 개전 이래 여러 차례 적기의 공습을 받아 폐허가 되어 있었다. 그래도 사람들이 적지 않게 모여 자못 흥겨운 분위기였다.

적기의 공습을 피하기 위해 경축대회는 평양 모란봉 지하극장에서 열렸다. 이 극장은 과거 일본이 조선을 점령하고 있을 때 미 B29폭격기의 공습을 피하기 위해 만든 것으로 1천8백 명이 들어갈 수 있는 규모였다.

김일성 수상을 비롯한 당(黨), 정(政), 군(軍)의 고위 인사와 군중들이 극장을 가득 채웠다.

지원군에서 참석한 사람은 나와 탁명 외에 19병단 사령관 겸 서해안지휘부 총책을 맡고 있는 한선초 동지였다.

김일성 수상이 축사를 마친 다음 내가 지원군을 대표해 축사를 했다.

집회가 끝나자 우리는 김일성 수상이 주최하는 성대한 연회에 참석했다.

연회 내내 미군전투기가 평양 상공에서 선회하면서 이따금씩 저공비행을 하기도 했다. 천정 위에 붙어 있다는 느낌이 들 정도였다. 한번에 수십 대, 1백여 대씩 몰려들어 하늘을 빽빽이 채우며 평양을 마구 폭격했다. 적기는 조선인민군고사포부대의 맹렬한 포격을 받아 여러 대가 추락하기도 했다.

'8·15' 경축연회가 끝난 뒤 나는 곧바로 후근사령부로 돌아갈 참이었다. 그런데 연회에 같이 참석했던 한선초가 한사코 자신이 근무하는 서해안지휘부에 가자고 우겼다. 서해안지휘부가 평양 서북쪽에 있으며 평양에서 그다지 멀지 않다면서 말이다.

"됐어, 우리 사령부에도 일이 많이 밀려 있고 지금 막 김 수상이 여러 잔 권하는 바람에 정신이 하나도 없어. 난 못 가."

"안 돼, 오늘은 경축일이잖아. 한바탕 진탕하게 놀아야지. 못 가네."

사실 한선초와 나는 오랜 전우 사이였다. 해방전쟁시기 함께 동북지방에서 해남도에 이르기까지 대륙을 샅샅이 누볐고 이제 항미원조전쟁으로 조선에도 같이 들어왔던 것이다. 막상 옛 전우의 호의를 매정하게 뿌리칠 수 없었다. 그래서 하는 수 없이 동행하기로 했다. 지원군사령부정치부에서 연회에 참석했던 탁명 동지는 평양에 그대로 남았다. 문예공작단을 데리고 한 차례 더 공연을 갖기 위해서였다.

한선초가 이끄는 서해안지휘부는 서포의 개울가에 세워져 있었다. 오후에 도착하자 한선초는 개고기를 대접했다. 그리고 위문 온 조선인 민군협주단의 공연을 함께 관람했다.

그다음 무도회가 시작됐다. 무도장은 개울가에 있는 교회당이었다. 춤 상대는 협주단의 여성단원이었다.

무도회가 시작되자마자 한 떼의 미공군 B29폭격기가 기다렸다는 듯이 날아왔다. 날이 어두웠으므로 정확히 몇 대인지는 알 수 없었다. 그러나 소리가 유별나게 크게 들리고 교회당 건물이 세차게 흔들리는 것으로 미루어 교회당 건물 바로 위에서 얼쩡거리고 있음을 알 수 있었다.

전투기가 날아오자 얼른 건물 안의 전등 스위치를 내렸다. 좀 있으려니 폭격기들은 서해안지휘부 상공을 선회하면서 폭탄을 투하하기 시작했다. 일단의 폭격기가 사라진 뒤 전등을 막 켰을 때 또 다른 전투기 편대가 쌕쌕거리며 날아들었다. 전투기가 날아들면 전등을 꺼야 했고 사라지면 다시 켜기를 몇 번이나 했는지 모른다.

"이봐, 이런 밤에 춤은 무슨 춤이야."

내가 빈정대자 한선초도 화가 나는지 "미국친구들은 오늘이 국경일 인줄도 모르고 사람 흥을 깨는구먼." 하면서 소리를 버럭 질렀다.

이튿날 날이 밝자마자 나는 서둘러 떠났다. 평양의 길거리 도처가 미군전투기 공습으로 폐허가 되어 있었다.

1952년 가을, 항미원조전쟁은 이미 2년이 다 됐다.

이때는 상대가 1951년 하반기부터 1년 가까이 진행했던 '질식전'이 끝난 뒤였다. 전방으로의 수송이 정상화돼 물자와 병력이 전선 및 일선 땅굴로 충분히 공급됐다.

상대의 지상군도 51년 추계공세 이후 어떠한 대공세도 취해 오지 않았다. 그들은 1년여의 공사 끝에 기본진지에다 토치카, 엄폐호와 참호, 교통호를 서로 연결시키는 방어진지를 완성하는 데 그쳤다. 전초에서 '잃으면 반드시 되찾는다.'는 각오로 아군과 맞서고 있었지만 병력이 상대적으로 모자라고 사기는 떨어져 있었다.

조선전장에서의 이 같은 교착상태는 미국과 동맹국들의 불만요인이 됐다. 그들은 이 끝없는 전쟁에서 하루빨리 물러나겠다는 뜻을 계속 비치어 왔던 것이다. 당시 미국은 대통령선거 분위기로 들떠 있었다. 선거의 초점은 국내문제가 아니라 바로 이 조선전쟁을 어떻게 하면 빨리 해결하느냐에 집중돼있었다. 그러나 미국통치자들은 조선전쟁에서 새로운 공세를 펴 대통령선거의 승부수로 삼으려 했다.

7월 중순, 미육군 참모총장 콜린스, 해군작전부장 페이크트리, 극동 해군 사령관 브리스코, 태평양함대 참모장 헤일, 제7함대 사령관 클라크 등이 잇따라 조선전선에 날아와 시찰했다. 이어 8월 중순에는 유엔군 사령관 클라크, 남한 대통령 이승만, 미제8군 사령관 밴플리트 등 이 철원, 김화 일대의 전선을 둘러보았다.

당시 우리 지원군수뇌부에서는 상대가 미국 내 정치상황과 별 진전 이 없는 휴전회담 분위기 등을 고려해 추계공세를 벌일 가능성이 높 은 것으로 내다보았다.

이번 상대의 공세는 2개 사단 규모의 병력을 연안반도에 상륙시키 는 것과 동시에 평강지역의 전선에서 공세를 펴 오리라는 추측이었다.

이러한 상행에서 우리는 먼저 전술적인 선제공격을 펼쳐 기선을 제 압하는 것이 낫겠다는 판단이 섰다.

52년 9월 10일, 지원군사령부는 중앙군사위에 전보로 보고했다.

"아군의 전술적인 반격이 필요하다고 보임. 방어임무 교대를 눈앞에 둔 제39군, 12군, 68군을 주력으로 삼아 각각 3~5개씩의 목표물에 대 해 반격을 가할 것임. 반격전투는 금월 20일~10월 20일 중 실시하는 것이 좋겠으며 따라서 10월 말 부대를 교체하는 것이 바람직함."

지원군사령부는 9월 14일 23시 20분, 전군에 전술반격 명령을 하달 했다.

지원군후근사령부도 필요한 탄약을 전방 병참기지로 수송했고 2개 월 반의 양식을 비축했다.

당시 피아 쌍방의 부대배치는 다음과 같았다.

상대는 5개 군단 18개 사단이며 그중 일선에는 15개 사단, 2선에는 3개 사단을 전개했다.

반면 아군은 10개 군, 인민군 3개 군단이며 그 중 일선에 지원군 7 개 군, 인민군 2개 군단이, 2선에 지원군 3개 군, 인민군 1개 군단이 각각 자리 잡았다.

이번 반격은 공격목표가 상대의 소대, 중대 전초진지였지만 공격목표가 많아 동서전선 전반에 고루 있었다. 아군의 동원병력은 많지 않았지만 참전군은 적잖았다. 지원군에서는 6개 군(39, 65, 40, 38, 12, 68군), 인민군에서는 2개 군단(제3, 제5군단)이 참전했다. 이번 반격의 특징은 지원군사령부의 통일된 준비하에서 각 군단이 각자 준비상황에 따라 독자적으로 공격을 하도록 한 데 있다.

1년 만에 또다시 '불타는 전선'

9월 18일 밤, 사방이 칠흑같이 어두워졌을 때 이번 반격작전의 주공을 맡은 제39군의 야포가 불을 뿜었다.

제39군 소속 4개 중대는 대포 1백여 문의 화력지원을 받으며 상대 2개 중대 진지를 기습, 미군 2개 중대와 1개 소대를 전멸시켰다. 12, 68, 65, 40, 38군과 인민군 제3, 5군단도 잇따라 반격을 개시했다.

1백80여km에 이르는 전선 전반에서 적게는 1개 소대, 많게는 1개 연대 규모에 이르는 상대 병력에 대해 1백60여 차례의 반격을 가해 8천3백여 명을 살상하는 전과를 올렸다.

그러나 상대의 움직임도 심상찮았다. 예비대 미제45사단이 전방의 국군 제8사단과 임무를 교대했고 예비대인 국군 제1사단도 미제3사단과 자리를 바꾸었다. 지원군사령부는 즉각 제2단계의 전술반격을 펴도록 결정했다. 상대가 전력보강을 하기 전에 보다 큰 타격을 입히기 위해서였다.

서해안에서 동해안까지 一자 모양으로 전개한 제1선에는 65, 40, 39, 38, 15, 12, 68군 등 7개 군이 참전했다.

10월 6일 황혼 무렵, 아군 7개 군은 중대 또는 소대를 단위로 상대

진지 23곳을 향해 일제히 공격을 개시했다. 1백80여km에 이르는 전전선에서 7백60포의 대포지원을 받은 아군은 당일 밤 아니면 이튿날 아침까지 목표물 23곳 중 21곳을 점령했다.

아군이 당초 전술적인 반격을 시도했을 때 유엔군은 판단착오를 범해 안일하게 맞서다 곤욕을 치렀다. 아군이 1차 반격을 개시한 지 6일째인 9월 24일, 유엔군 총사령관 클라크는 직접 전선을 둘러본 뒤 "공산군이 탐색전을 펴기 위해 짐짓 공격을 하는 모양새를 하고 있다."고 단언했다.

그러나 아군이 전선 전반의 유엔군 전술진지 23곳을 일제히 공격, 엄청난 타격을 입히자 유엔군수뇌부는 뒤늦게 서둘러댔으나 이미 전선의 주도권은 아군 수중으로 넘어온 뒤였다. 유엔군수뇌부는 아군의 반격작전이 아측의 포로송환 방안을 받아들이도록 압력을 가하고 있다는 것도 뒤늦게 깨달았다.

이런 와중에서 유엔군 사령관 클라크는 아군을 밀어붙여 휴전회담에서 유리한 고지를 차지하기 위해 10월 8일, 돌연 휴전회담을 무기한 연기시켰다. 그는 당일, 미제8군 사령관 밴플리트의 이른바 '김화공세' 계획을 승인했다. 김화는 밴플리트가 직접 고른 곳으로 상감령 일대의 2개 고지, 597.9고지와 537.7고지의 북쪽 산들이 1차 목표였다.

상감령은 조선 중부 김화 북쪽의 오성산 남쪽 기슭에 있었다. 오성산은 아군 제15군단의 중요 방어진지로서 해발 1000여m로 서쪽으로는 김화, 평강, 철원 일대가 있고 동쪽으로는 금성에서 통천을 거쳐 동해안 도로와 이어지는 중부전선의 아군 전략 요충지였다. 또 평강평야의 천연병풍이기도 했다.

597.9고지와 537.7고지의 북쪽 산은 오성산의 전초요지였다. 산세가 험하고 지형이 복잡해 상대의 김화 방어선을 직접적으로 위협했다.

만일 상대가 오성산을 탈취한다면 중부전선의 아군방어선이 뚫리는 것으로 아군전선 중앙에 커다란 구멍이 생겨 평강평야를 내주어야 한다. 이렇게 되면 상대의 탱크가 더욱 위력을 발휘하게 되고 아군의 평강, 금성 이북의 땅은 상대의 수중으로 떨어질 수밖에 없다. 상대는 오성산의 길목인 이 두 고지의 중요성을 정확히 꿰뚫어 보았고 자신들의 역량에 비추어 볼 때 무리는 아니라고 판단했다.

그들은 이번 전역을 아주 중시해 미제8군 사령관 밴플리트가 직접 진주지휘에 나설 정도였다.

10월 14일 오전 3시, 상대는 상감령의 두 고지에 대해 엄청난 야포와 전투기 공습을 감행해 왔다. 2시간 동안의 맹렬한 화력지원이 끝나자 새벽 5시, 미7사단과 국군 2사단의 7개 대대 병력이 고지점령에 나섰다. 이들을 지원하기 위해 또다시 대포 3백여 문, 탱크 30여 대, 전투기 40여 대가 동원됐다. 상대 보병은 3.7㎢에 불과한 아군의 두 고지를 향해 맹렬한 공격을 시도, 양동작전을 벌였다.

저 유명한 상감령전투의 서막은 이렇게 시작됐다.

상감령전투

상감령전투를 앞두고 상대는 이 두 고지의 중요성을 충분히 알고 있었다. 반드시 고지를 빼앗고 말겠다는 필사적인 기세였다. 물론 아군도 이 고지를 빼앗기면 중부전선이 무너지리라는 사실을 잘 알고 있었다. 인민지원군사령부 수뇌부도 결사방어의 태도를 굳건히 했다.

지원군사령부는 상감령 일대의 방어를 책임지고 있는 15군단장 진기위(秦基偉)79) 정치위원 곡경생(谷景生)의 전보를 받은 뒤 즉각 3병단과 15군에게 임무를 하달했다. "이 요충지를 결코 **빼앗겨서는** 안 된다."는 내용이었다.

지원군사령부는 15군의 상감령 방어 외에 10월 22일 끝내려 했던 반격작전 계획을 바꾸어 10월 말까지 늦추기로 했다. 동시에 15군이 주자동 남쪽 산에 대해 반격하려던 원래 계획을 잠시 중단키로 했다.

지원군사령부 수뇌부는 3병단에게 "전투가 시작단계이지만 상대의 병력배치와 공격개시 전의 기세를 분석해 보면 이번 전투가 몇 년래 초유의 싸움이 될 가능성이 높다."며 주의를 환기시켰다. 지원군수뇌부는 3병단지휘부를 통해 15군의 동지들에게 재삼 결사방어를 당부했다. "상대의 공격에 대해 완벽한 준비를 할 것. 엄청난 대가를 치를지도 모른다는 마음의 준비를 단단히 할 것. 오성산은 우리의 병풍이니만큼 반드시 막아야 함. 지원군사령부는 최선을 다해 아낌없는 지원을 해주겠음."

10월 초, 15군은 '한 사람이 목숨을 버리기로 작정하면 열 명이 맞서기 어렵다'는, 이 한 목숨 다바치면 무엇이 두려우랴는 활동을 전개했다. 그들은 진지 안에 있으면서 절대로 한 뼘의 진지도 잃지 않겠다는 각오를 다짐했다. 진지를 지키면서 한 뼘의 땅도 상대에게 내주지 않겠다는 결의였다. 반격작전에 전력을 다해 10월 6일~12일까지 4개 요충지의 상대를 공격해 섬멸했다.

원래 45사단은 제133, 134연대를 동원해 10월 8일 주자동 남쪽 산의 국군 2사단 31연대 1개 대대 진지를 공격할 참이었다. 사단 예하 포병 전부와 2개 연대는 벌써 진지에 들어가 사격준비를 끝낸 상태였다. 바

---

79) 秦基偉(1914~1997) 1930년 중국공산당 입당. 55년 중장. 66년 劉小奇일파로 몰려 실각. 73년 복권. 88년 국방부장. 정치국원. 중앙군사위원으로 현직에 오름.

로 이때 상대가 상감령을 향해 맹공을 시작한 것이다. 아군의 방어진지는 온종일 전화가 끊겨 상황을 알 수 없었다.

15군단장은 이때 피아행동의 성격과 역량대비, 그리고 전장의 분위기를 고려할 때 상황이 바뀌었다고 보고 주도권을 잡기 위해 지원군 사령부에 상황을 보고하는 것과 동시에 결심을 바꾸었다.

15군단장은 45사단에게 즉각 현행 반격계획을 중지하라고 명령을 내렸다. 또 예하 133연대, 134연대를 참전시키고 사단의 포병전부를 신속히 상감령전투 지원에 나서도록 했다.

제133연대 1대대와 제134연대 1대대를 제135연대 예비대로 삼아 방어를 안정시키도록 했다. 군 예비대인 제86연대는 참전을 준비시켰다. 45사단, 연대지휘소는 전진해 덕산현과 상소리 북쪽 산, 오성산으로 이동했다.

사단 지휘중심이 신속하게 이동해 부대배치가 제때 이루어지면서 전역 제1단계서 아군이 충분한 역량을 보유해 두 고지 위에서 쟁탈전을 반복할 수 있었다. 아군은 주도권을 빼앗고 시간을 벌기 위해 전진배치된 예비대가 기초를 닦았다.

10월 14일, 상대가 이 두 고지에 대해 맹공을 시작했을 때 이곳을 지키던 아군 제135연대 9중대와 1중대는 15문의 야포, 12문의 박격포를 가지고 있을 뿐이었다. 하는 수 없이 소총 등 보병화기에 의존, 땅굴이나 참호에 몸을 숨긴 채 완강하게 버텨 상대의 30여 차례 공격을 막아냈다. 오후 1시에 이르러 지상진지는 거의 모두 허물어져 인명피해가 늘어나고 탄약이 다 떨어져 부대 전원이 땅굴로 들어가는 수밖에 없었다. 그날 밤, 아군 제45사단은 야음을 틈타 4개 중대가 반격을 시작해 지상진지를 되찾았다.

10월 15일, 15군은 134연대 2개 대대, 133연대 1개 대대를 각각 두

고지의 방어에 투입시키고 예비대 86연대를 135연대를 이어 방어에 들어가도록 준비시켰다. 15~18일 상대는 2개 연대에다 4개 대대 병력을 투입해 전투기와 대포 엄호를 받으면서 아군의 두 고지를 향해 연속적으로 맹공을 퍼부었다. 아군의 수비부대는 끊임없는 쟁탈전을 벌였다. 지상진지를 낮에는 잃고 밤에는 도로 찾는 치열한 전투가 계속됐다.

19일 밤, 아군은 야포지원을 받으며 4개 중대와 3개 병력을 각각 투입하면서 상대에게 반격을 가해 지상진지 전부를 되찾았다.

그러나 이튿날 상대는 또다시 3개 대대 병력으로 밀고 들어와 아군의 방어부대와 종일 격전을 치렀다. 인명피해가 많아지고 탄약도 떨어져 597.9고지 서쪽 산기슭을 제외한 지상진지 전부를 상대가 다시 점령하게 되었다.

이 단계에서 상대는 7개 연대 17개 보병대대를 투입했다. 아군 45사단은 3개 연대 21개 보병대대를 투입해 맞섰다. 쌍방은 맹렬한 포화를 사용해 상대의 사상자는 7천여 명을, 아군 45사단은 3천여 명의 인명피해를 냈다.

이때 45사단은 소모가 너무 많았다. 3병단은 지원군사령부에 "45사단은 597.9고지와 537.7고지의 북쪽 산을 되찾을 힘이 없다."고 보고했다.

지원군 사령관은 즉각 45사단에 2천2백 명의 신병을 보충하기로 하고 15군 29사단에게 참전토록 명령했다. 또 반격작전을 마치고 오성산 길을 따라오던 12군에 철수를 중단하라고 명령을 내리고 전역 예비대로 삼아 단계적으로 전투에 투입키로 했다. 포병7사단 1개 대대, 포병2사단 1개 중대와 고사포 1개 단이 15군에 증강 배치됐다.

이와 동시에 상대도 병력을 조정 배치하면서 증강했다. 심한 타격을 입은 미제7사단은 서쪽으로 물러나고 597.9고지의 공격임무는 국군 제

2사단으로 넘어갔다. 국군 제2사단은 우익 1개 연대의 방어 임무를 국군 6사단에게 맡겼고 국군 9사단은 김화 이남에서 예비대로 남겨 두었다.

상대는 지상진지를 모두 점령한 뒤 이를 계속 지키기 위해 진지를 파는 데 열을 올리면서 아군종심에 대해 맹렬한 폭격 및 독가스살포, 단수 등 모든 수단을 동원해 땅굴에 숨어 있는 아군부대에 대해 타격을 입히려고 안간힘을 썼다.

21일, 등화 지원군 사령관 대리는 15군에 전화로 지시했다. "지금 상대가 대대, 연대규모로 아군의 철통같은 진지에 몰려드는 것은 용병상의 커다란 착오임. 이것은 상대를 야외에서 섬멸시킬 수 있는 절대적인 호기로서 이 기회를 놓치지 말고 대량 살상할 것." 15군단은 사령관의 지시사항을 받들어 예하 45사단에 "땅굴을 끝까지 사수해 시간을 벌면서 상대의 진공을 분쇄해 진지 전부를 회복할 수 있는 결정적인 반격준비에 나설 것"을 명령했다.

상대의 보병이 밀려들고 공중 또는 야포공격이 치열한 상황에서 아군은 땅굴에 숨어 식량, 탄약, 물이 엄청나게 모자라고 공기가 탁하며 산소가 부족한 엄청난 고통을 정신력으로 이겨내야 했다.

상대의 포위공격을 막아내고 땅굴의 안전을 확보하는 것이 땅굴전투의 관건이다. 아군은 땅굴을 사수, 상대의 접근을 막는 것 외에 전술상의 변화를 꾀해 저격병을 동원해 야습하는 전술을 새로 채택했다. 138연대 8중대는 597.9고지 1호 땅굴을 사수하면서 3일 동안 저격병들이 상대 1백15명을 명중시켰다. 21~29일까지 9일 동안 아군은 20여 개의 저격병분대를 1백50여 차례 밤중에 상대 진지에 접근시켜 상대 병력을 저격해, 2천여 명을 살상하는 전과를 올렸다.

이 작전은 병력이 그다지 많이 필요 없고 활동범위는 좁으면서도 상대의 병력소모를 가져오면서 종일 불안감에 빠뜨리는 일석이조의 효과를 거두었다. 땅굴의 안전을 확보하고 상대 병사들의 공격력을 저하시킨다는 목적을 손쉽게 이룬 것이다.

땅굴전투가 오래 계속될수록 아군병사들이 겪는 어려움은 더욱 늘어났다. 땅굴이 있는 분대병력에 전투능력을 보존시키기 위해 15군은 땅굴 밖에 있는 병력을 동원, 최대한 지원을 아끼지 않았다. 정확하고도 맹렬한 야포지원으로 갱도입구의 안전을 효과적으로 확보하는 한편 예비병력으로 이 두 고지에 대해 끊임없이 반격을 시도하면서 그틈을 타 갖가지 꾀를 내 땅굴 안에다 병력과 물자보급을 시도했다.

10월 25일, 15군은 작전회의를 열어 결정적인 반격인 597.9고지와 537.7고지 북쪽 산을 빼앗는 데 대해 병력배치를 연구했다. 회의에서는 597.9고지가 지세가 험해 피아쟁탈의 초점이라고 판단했다. 이 고지의 탈환여부가 전체전장의 형세에 중요한 영향을 미치게 된다. 15군단장은 병력을 집중해 29사단 85, 86연대 모두 11개 중대를 597.9고지에 대해 반격을 시도해 고지를 빼앗도록 했다. 제87연대 5개 중대를 537.7고지 북쪽 산에 대해 반격을 가해 탈환하도록 했다. 15군에 배속된 12군 제91연대를 예비대로 삼았다.

10월 27일, 3병단 사령관은 결정적인 반격을 시도함에 있어 작전지도상 명확한 지시를 하달했다. "반드시 장기적인 전투를 하겠다는 생각을 가질 것. 상대와 여러 차례 반복적인 쟁탈전을 벌여 점차 적들을 살상할 준비를 할 것. 병력은 대소를 골고루 사용하고 작은 병력으로 할 수 있는 전술은 야포와의 협동을 최대한 발휘할 것. 동시에 상대를 견제하고 적 포병화력을 분산하기 위해 소분대를 조직해 기습을 적극적으로 시도할 것." 10월 30일 밤, 45사단, 29사단 10개 중대 병력은 1백4문의 야포 선제포격이 끝난 뒤 597.9고지를 점령하고 있는 상대에 대해 반격을 시작했다. 전투는 꼬박 하루가 걸렸다. 아군은 31일 밤, 마침내 고지의 주진지를 되찾았다.

상대는 597.9지상진지를 내놓은 뒤 즉각 이튿날 4개 연대 이상의 병력으로 미친 듯이 몰려왔다. 이런 와중에 12군 91연대는 11월 1일 밤 전투에 투입됐다. 포병의 야포지원에 힘입어 상대의 10여 차례 공격을 막아냈다. 5일, 12군 93연대가 또 전투에 투입됐다. 상대는 어쩔 수 없이 597.9고지에 대한 탈환을 포기하게 됐다.

그 후 31사단 91연대도 11호 진지를 되찾고 수비하던 적을 섬멸했다. 이러한 격전 끝에 597.9고지는 전쟁 전 상태를 회복했다.

11월 5일, 3병단은 45사단이 이미 임무를 완성했다고 보고 전투력을 많이 상실한 45사단을 뒤로 철수시키고 12군 31사단을 대신 투입했다. 12군 34사단은 예비대로 삼았다.

지휘계통을 통일하기 위해 12군은 오성산전투지휘소를 운영, 31사단, 34사단의 반격작전 및 29사단의 창동작전의 지휘책임을 맡도록 했다. 포병 제7사단은 포병지휘소를 운영, 포병을 통괄 지휘하도록 했다.

전술지도상 '주 봉우리는 반드시 지키되 아예 포기하거나 전적으로 수비에 얽매일 필요는 없다. 유리하면 지키되 불리하면 물러선다'는 전술지도방침을 확정했다.

지원군지휘부는 피아형세 분석을 통해 3병단의 결심과 부서배치가 좋다고 판단했다.

11월 6일, 지원군사령부는 3병단의 병력배치를 중앙군사위원회에 보고했다. 군사위원회는 7일 전적으로 동의한다는 내용의 전보를 보내왔다.

오성산전투지휘소는 군사위원회가 승인한 병력배치를 추진하면서 597.9고지를 확고히 지키며 537.7고지 북쪽 산을 되찾기 위해 적들과 용감한 쟁탈전을 벌이기로 했다.

11월 11일 아군은 반격의 주목표를 537.7고지 북쪽 산으로 옮겼다.

그날 오후, 아군의 제92연대는 2개 대대 병력으로 537.7고지 북쪽 산의 지상진지를 향해 맹공을 시작했다. 격전 끝에 그날 밤으로 잃은 땅을 모조리 도로 찾았다. 이튿날, 상대는 1개 연대 병력으로 몰려와 아군은 안간힘을 썼으나 결국 진지를 포기하고 말았다. 3일째, 아군은 다시 반격을 시도, 진지를 되찾았다. 4일째, 아군 93연대가 전투에 투입돼 상대의 1백30여 차례 반격을 물리쳤다. 11월 18일, 34사단 106연대는 92연대의 뒤를 이어 전투에 투입됐다.

92연대는 극도로 어려운 상황에서 50여 차례의 상대 반격을 막아내면서 1주일을 버텨 끝내 상대의 미친 듯한 반격을 무위로 돌리고 537.7고지 북쪽 산 진지를 지켜냈다.

상대는 엄청난 인명피해를 내고 공격임무를 맡았던 국군 2사단과 미군 7사단이 2선으로 물러났다. 이 2개 사단이 맡은 임무는 국군 9사단과 미군 25사단이 인계받았다.

상대의 김화공세는 이로써 막을 내렸고 상감령전역은 아군의 승리로 끝나게 되었다.

상감령전역은 무려 43일간이나 계속됐다. 시작할 때는 지원군사령부조차 상감령에서 이렇게 참혹한 격전이 벌어질 줄 생각을 못 했다. 상감령전역은 전투가 점차 진행되면서 전역규모도 확대된 것이다.

교전雙방은 3.7㎢의 좁은 땅을 놓고 엄청난 병력과 병기를 투입했다. 상대는 병력 6만여 명, 대포 3백여 문, 고사포 47문을 투입했다. 전역 중 상대는 1백90여만 발의 포탄과 5천여 개의 폭탄을 투하했다.

제일 많았을 때는 하루에 포탄 30여만 발, 5백여 개의 폭탄을 투하하기도 했다. 문제의 두 고지의 흙은 폭탄 때문에 1~2m씩 내려앉았고 시뻘건 황토가 전부 회색으로 변색되었다.

지상진지가 전부 폭격이나 포격에 무너져 내려 땅굴진지의 길이가 3~4m씩 짧아졌다.

아군은 40여만 발의 포탄을 발사했는데 이 역시 전례가 없던 것이다.

이 전투는 쌍방이 몇 개 사단 병력을 투입해 2개 중대 진지를 뺏으려 했던 것으로 전투시간의 장기화, 화력의 치열함, 밀집도, 전투의 긴장감이나 잔혹함으로 세계전쟁사상 보기 드문 것이었다.

전후 미국의 AP통신기자는 이렇게 보도했다.

"삼각산(두 고지의 다른 이름)에서 유엔군의 포탄이 산꼭대기를 깎아내릴 만큼 많이 퍼부어졌으나 중국군은 철통의 방어선을 구축했다."

UPI통신은 유엔군 지휘관의 말을 인용해, "원자폭탄을 사용했더라도 오성산의 공산군을 없앨 수 없었을 것이다."고 보도했다.

앞서 언급했던 상감령전역의 의미를 덧붙이겠다.

이번 전역은 땅굴을 중심으로 한 아군의 방어체계의 우수성을 실제로 확인했다는 데 무엇보다 큰 의미를 찾을 수 있었다.

땅굴은 단순히 병사들의 몸을 숨길 수 있다는 데서 한 걸음 나아가 상대의 대규모 공격(지상이나 공중)을 막아내는 데 그렇게 효과적일 수 없었던 것이다.

늘 지적했듯이 상대는 야포와 전투기의 엄청난 화력지원을 받은 터였다.

이에 대해 아군은 그저 야음을 틈타 병력을 보충하는 외에 별다른 대책이 없었다.

그러나 상감령전투의 경우 땅굴을 이용해 무려 5개 사단 병력을 동원했던 것이다.

물론 아군포병의 지원도 무시할 수는 없었다.

야포는 지상부대의 땅굴작전을 최대한 지원했으며 몇 개 연대 규모의 고사포부대는 야포를 엄호, 상대 전투기의 공습을 한껏 막아내는 데 공헌했던 것이다.

제공권이 상대에게 장악된 불리한 여건에서 아군 포병부대는 그래도 지상군이 지원을 요청하기만 하면 제때 상대보병을 향해 포 지원을 할 수 있었던 것이다.

각도를 달리해서 보면 이번 전역은 대규모 진지방어전이라는 특성 외에 현대전이었다는 점을 꼽을 수 있다.

우선 탄약소모량이 엄청났다. 43일간의 전역기간을 통틀어 각종 보급물자는 1만 6천 톤, 그중 1만 1천 톤을 소모했는데 탄약만 5천여 톤을 사용했다.

하루 평균 1백20톤이라는 당시로서는 파격적인 탄약소모량이었다.

전투가 한창일 때 1개 연대의 작전일 경우 작전물자 수송에는 2개 연대 규모가 필요한 것이 원칙이다.

당시 상대의 포화밀집도는 전선의 정면 1km마다 평균 2백99문의 화기가 배치된 실정이었다.

여기에 전투기, 탱크, 야포가 가세했으니 전초진지서부터 전술방어선 깊이 20km 지역까지 겹겹이 화망을 구성해 아군의 병력이동을 철저히 봉쇄했다.

전선에서 물자수송을 맡은 수송요원들이 작전물자를 땅굴진지까지 기어 올라가 전해 주고 진지 안의 부상병을 후근부대 야전병원까지 후송하려면 보통 수십 개의 화망봉쇄선을 넘어야 하는 위험이 뒤따랐다.

더욱이 땅굴진지에 접근할 때면 대치하고 있는 상대측 병사들과 고작 20~30m밖에 떨어져 있지 않는 경우가 많았다.

상대측 토치카에서 뿜어 나오는 기관총이나 인적을 발견하려는 탐조등도 물자수송 요원들에게는 위협적인 요소였다.

수송요원들이 그토록 죽을 고비를 넘기며 아군 땅굴진지로 올라가면 이번에는 어느 쪽이 아군이고 어느 쪽이 적인지 분간 못 할 피 말리는 선택을 해야 하는 경우가 생기기 십상이었다.

본래 아군진지에는 위장을 하기 위해 땅굴진지 입구에 두께 1m 정도의 돌가루를 흩뿌려 놓았는데 전투 도중 포격이나 폭격으로 돌가루가 날아가 버렸거나 아니면 아예 땅굴 입구 자체가 포격으로 없어진 경우마저 생겨났다. 그러다 보니 수송요원들이 방향을 잃어 헤매는 경우도 많았다.

수송부대의 1개 소대 병력 40, 50명이 물자를 수송하러 가면 고작 2, 3명만이 돌아올 정도였다.

김화공세 이후 적들은 다시는 아군에게 어떤 형태의 공세도 걸어오지 않았다.

이 전역이 일어나기 직전인 52년 9월 18일, 유경범(劉景范)을 총단장으로, 진기(陳沂), 이명호(李明灝), 호궐문(胡厥文), 주흠악(周欽岳)을 부총단장으로 한 제2차 위문단이 조선을 찾았다. 위문단의 규모는 1천97명, 대표단의 구성도 다양했다. 그들은 40여 일간 조선에서 위문 활동을 벌였다. 중·조 국경에서 38선의 개성까지, 조선의 서해안에서 동해안까지 도처에 위문단의 발자취가 닿지 않은 곳이 없을 정도였다.

이번 위문단이 조선에서 위문하는 동안 때마침 인민지원군은 전전선에 걸쳐 전술반격작전과 상감령전역을 치를 때였다. 지원군 병사들은 피나는 접전 끝에 승리를 거두어 위문단을 맞이한 셈이다.

53년 1월과 4월, 중앙군사위원회는 이지민을 지원군정치부 주임에, 이달(李達)을 지원군 참모장에 각각 임명했다.

15

마침내 휴전

53년 여름철 전역

53년 들어 아군의 전후방 방어체계는 날이 갈수록 체계가 잡혔다. 상대의 상륙작전에 대비한 충분한 준비를 끝낸 데다 땅굴진지를 통해 방어를 하다가 기습공격을 감행할 수 있는 전략적 주도권을 잡았다. 상대적으로 유엔군 측은 수세에 몰렸다. 미국은 전쟁을 확대시키려는 모험을 할 생각이 없었다. 그저 정치적인 선전이나 터무니없는 트집으로 우리 측을 밀어붙이려 했으나 뜻대로 될 리 만무했다.

미국인들은 이 같은 곤경에서 벗어나려 했다. 그들은 먼저 국군을 대대적으로 확충, 갖가지 지원을 아끼지 않았다. 아시아 사람끼리 싸우게 하는 정책을 추진해 자기네는 몸을 빼내기 위해서였다. 미국인들은 또 무기한 휴회상태로 접어들었던 휴전회담을 재개해 서둘러 한국전쟁을 끝내려 했다.

이리하여 53년 4월, 휴전회담이 다시 열렸다. 전쟁포로 송환문제로 양측 간 의견이 엇갈려 결렬된 지 6개월 만이었다. 그러나 정작 회담장에 나온 미국대표들은 지엽말단적인 문제를 잇달아 제기하면서 시간을 질질 끌었다. 마치 협상을 서둘러 타결할 마음이 없는 것처럼 보였다.

5월, 전임 미제8군사령관 밴플리트는 미국의 '라이프'지에 기고한 글을 통해 휴전회담을 통한 타협을 반대하고 철저한 군사적인 승리, 즉 군사방식으로 한국문제를 해결해야 한다고 흥분했다. 5월 7일, 한국 대통령 이승만은 서울에서 기자회견을 갖고 "압록강을 향해 한 차례 전면적인 군사적 공격을 취해야 한다."고 목소리를 높이면서 "필요하다면 남한 단독으로라도 군사작전을 감행하겠다."고 주장했다.

당시 상대의 총병력은 1백20만 명, 지상부대는 모두 24개 보병사단이었다. 그중 국군은 이미 16개 보병사단 규모로 늘어나 있었다. 아군의 총병력은 이미 1백80만 명(조선인민군 45만 명 포함)이었다. 지상부대는 25개군(조선인민군 6개 군단)이었다. 병력, 화력도 전쟁 초기에 비해 엄청나게 늘어났고 작전물자 보급도 충분할 정도였다. 자연스레 지원군의 사기가 한껏 올라 있었다.

당시 아군의 동·서해안에는 견고한 해안방어 공사가 완료된 상태였다. 일부 부대를 뽑아 전선 정면을 보강했다. 모 주석은 일찍이 "전선에서 승리를 거두면 거둘수록 담판 테이블에서 주도권을 잡게 마련"이라고 말한 적이 있다. 지원군사령부는 이즈음 하계반격 전역을 시작할 것을 결정했다. 휴전회담이 하루빨리 성사되기를 바라는 심정에서였다. 팽덕회 사령관과 중앙군사위원회의 지시가 물론 있었다. 지원군사령부는 4월 20일, 각 군 사령부에 전역지시를 하달했다.

4월 30일, 지원군사령부는 군사령부 이상 간부가 참석하는 군사회의를 소집했다.

회의는 지원군 사령관 대리 겸 정치위원 등화(鄧華)가 주재했다. 부사령관 양득지(楊得志), 나, 정치부 주임 이지민(李志民), 참모장 해방(解放), 서해지휘부 부사령관 양흥초(梁興初), 부정치위원 두평(杜平), 참모장 왕정주(王政柱), 3병단 신임사령관 허세우(許世友), 부사령관 왕근산(王近山), 부정치위원 두의덕(杜義德), 9병단 사령관 겸 정치위원 왕건안(王建安), 참모장 호병운(胡炳雲), 19병단 신임사령관 황영승(黃永勝), 부사령관 겸 참모장 증사옥(曾思玉), 부정치위원 진선서(陳先瑞), 20군 사령관 대리 정유산(鄭維山), 정치위원 왕평(王平), 참모장 초문구(肖文玖), 포병지휘소 사령관 고존신(高存信), 공병지휘소 사령관 담선화(譚善和), 전선수송사령부 부사령관 유거영(劉居英) 등 기라성 같은 사령관들이 참석했다.

회의에서 등화 동지는 '하계반격 전역에 관련한 몇 가지 의견'을 밝히고 전역의 지도방침, 부대배치 등을 연구 토의한 끝에 최종 확정을 지었다.

5월 5일, 지원군사령부는 '하계반격을 거행하는 데 필요한 준비작업의 보충지시'를 하달했다. 이번 전역에서는 서부전선에서 미군을, 동부전선에서 국군을 주로 공략하는 데 주안점을 두기로 했다.

작전의 지도방침으로 '하나씩 꼼꼼히 챙긴다' '소규모전투에서 대규모전투로 확대한다'는 2가지로 결정했다. '꼼꼼히 챙긴다'는 것은 지구전을 펴면서 상대의 어떤 공격도 물리친다는 뜻이 담겨 있었다. 전투는 규모의 대소를 막론하고 무릇 주도면밀한 계획, 정확한 목표선택, 충분한 사전준비, 정확한 형세판단이 있은 뒤 공격을 시작해야 하는 법이다. 이번 전역에서는 상감령전역의 교훈을 거울삼아 철저한 사상무장을 통해 병사들의 정신교육에 만전을 기했다.

따라서 '싸우지 않고서도 이길 수 있으며 어쩔 수 없이 싸우게 되는 경우 반드시 이긴다. 한번 공격해도 쉽사리 상대를 무찌르고 일단 차지한 땅은 결코 내주지 않는다'는 정신교육을 철저히 했다. 또 전역의 규모와 순서는 작은 곳에서부터 출발해서, 큰 것으로 나아가되 각자 신축성 있게 운영한다는 방침을 굳혔던 것이다.

지원군사령부는 예하 각 부대에 공격목표는 1개 대대를 넘어서는 것은 안 되며(가장 좋기로는 2개 중대 규모) 목표의 선택은 아군이 공격하기에 유리한 지형을 확보했을 경우로 제한했다.

당시 미국은 정전협정에 조인하려 들지 않았다. 게다가 당장 군사분계선을 그을 경우 아군 측에 위협이 될 만한 몇 개의 중요진지가 상대 수중에 넘어가게 될 지경이었다. 아군 방어전선에 커다란 위협요소가 되는 셈이었다. 따라서 아군의 공격목표는 이 같은 중요진지였다.

아군의 전초진지는 조금이라도 더 전진시켜야만 했다. 조그마한 틈이라도 엿보이면 얼른 차지해야 하는 것이다. 휴전 후 우리 수중에 위치가 좋은 진지를 많이 확보하는 것이 얼마나 유리한지는 물어 보나 마나이다.

휴전을 눈앞에 둔 53년 5월, 바야흐로 아군의 마지막 공세가 무르익고 있었다.

전쟁 마지막 전역인 금성 대공세

이번 하계전역의 전술을 간단히 소개하겠다. 상대 진지의 형태에 따라 3가지의 공격전술을 폈다. 상대 진지가 굳건히 세워져 있고 통로가 있어 일단 차지한 뒤에 방어하기가 좋은 경우 무슨 수를 쓰더라도 진지확보에 온 힘을 기울인다. 그러나 진지가 신통찮거나 확보하더라도 지형이 우리에게 그다지 유리하지 않은 경우에는 설사 공격은 성공했더라도 적당히 상황을 봐서 물러나 상대에게 일부러 진지를 내준 뒤 연쇄적으로 밀어붙인다. 마지막으로 상대 진지가 형편없고 지형도 별볼일 없고 거들떠볼 필요도 없는 진지에 대해서는 '치고 빠지기' 작전으로 상대 병력에 타격을 가하는 데만 주력한다.

작전을 펼 때 동일 시간 내에서는 군마다 최상의 목표물 1개에만 온 신경을 쏟아야 한다. 정 필요하다고 여기면 제2급의 목표물 1개 정도를 추가할 정도여야 한다. 결코 지나치게 잡아 낭패를 보는 일이 있어서는 안 되기 때문이었다.

지원군후근사령부는 이번 전역의 군수품보급을 위해 4개 수송연대, 6개 공병중대, 2개 탄약창고와 의료대, 수술대, 호송대를 이번 전역을 책임지고 있는 제2지부에 파견해 보강했다. 여기에다 2개 경비연대, 2개 공병연대는 전역기간 동안 후방도로를 엄호했다.

1953년 5월, 우리가 하계전역을 준비하기는 했지만 완벽한 태세를 갖추기 전 판문점회담에서는 또 다른 걸림돌이 생겨났다. 미국 측이 전쟁포로 송환문제에 대해 현실적으로 무리한 제안을 해 회담의 순조로운 진행을 막았기 때문이다.

5월 7일, 우리 측은 "직접 송환되지 않는 억류포로들을 쌍방이 동의하는 중립국송환위원회로 이관해, 송환문제를 처리하자."고 제안했다. 그러나 미국 측은 적극적으로 반대의사를 나타냈다. 그들은 "북한의 전쟁포로를 남한 현지에서 석방하겠다."는 무리한 대안을 제시한 것이다.

이때 아군의 일선부대는 중점 공격목표를 공략할 충분한 준비를 갖추지는 못했다. 그러나 회담과의 보조를 맞추고 그들에게 매운맛을 보여주기 위해 지원군사령부는 당초 6월 초 개시하려던 하계반격을 5월 중순으로 앞당기기로 했다.

5월 11일, 지원군사령부는 일선부대에 공격개시 명령을 내렸다.

"상대의 중대병력 이하의 목표에 대해 공격준비가 갖추어지는 대로 작전을 펼 것."

5월 13일, 아군 20병단 소속 60, 67군과 9병단 예하 24, 23군이 전면의 미군과 국군 8사단 전초진지를 향해 공격을 개시했다. 전투는 26일에야 끝났다.

아군의 첫 승리였다. 13일간의 전투로 2㎢의 땅을 차지하게 된 것이다. 상대의 저항도 만만찮았지만 워낙 갑작스런 기습공격이어서 좋은 성과를 냈다. 이번 전투에서 뜻 깊었던 것은 포병의 활발한 지원이었다.

아군의 카추샤 로켓포부대 포병 제21사단이 전투에 참가했다. 포병 제21사단은 미리 진지에 투입돼 적군이 미리 발견하지 못했다. 13일 밤 정각 9시, 포병 제21사단이 정시에 카추샤 로켓포를 발사했다.

포화는 몇 갈래 불길을 이루었다. 태풍처럼 적의 진지를 날라가 불바다를 만들었다. 몇 평방킬로미터의 적진지를 모두 뒤덮어버렸다. 전적지는 신속하게 불타오르기 시작했다. 21사단은 다른 곳으로 옮겨갔고 보병이 진격을 개시했다. 보병은 카추샤 포병사단을 열렬히 환영했고 그들을 포병의 왕이라고 불렀다. 당시 그들의 차번호는 84였는데 부대 병사들은 이 번호판만 보면 앞장서서 자리를 양보했다. 밤 9시쯤, 포병 21사단이 로켓포를 발사하는 장면은 장관을 이루었다. 씽씽거리는 세찬 바람 소리와 함께 상대 진지에 날아든 로켓포는 아예 불바다를 만들었다. 21사단 병사들의 공격에 뒤이어 보병들이 상대 진지로 밀려들어 갔다. 당연히 보병들은 카투사 포병사단을 반기게 됐다.

아군 하계 반격이 '반드시 칠 곳은 치되, 세게 친다'는 방식으로 이뤄지자 예상 외로 크게 먹혀들자 미국 측은 당혹감을 감추지 않았다. 그들은 아군의 반격으로 막판에 많은 기반을 잃어버릴지 모른다는 생각에 전전긍긍했다. 반격이 제대로 먹혀들자 미국 측은 전쟁포로 송환 문제에 대해 신축성 있는 자세를 보였다. 마침내 우리 측이 지난 5월 7일 제시했던 방안에 동의한 것이다.

그래서 쌍방은 6월 8일 합의를 보았다. 휴전회담의 뚜렷한 진전이 가시화된 것이다. 그러나 한국 대통령 이승만은 미국의 일부 강경파의 지지를 받아 "어떠한 타협도 반대한다."고 나섰다.

휴전협정 조인을 반대하고 한국 단독으로라도 전쟁을 계속하겠다는 뜻이었다. 한국 측의 휴전회담 대표가 회담장을 뛰쳐나갔고 서울과 부산에서 휴전을 반대하는 대규모 군중집회가 열렸다.

제20병단 소속 60, 67군은 아군의 제1단계 반격작전을 끝내고 하루 동안 약간의 휴식을 취한 뒤 5월 27일, 예정된 계획에 따라 제2단계 반격작전에 들어갔다. 이번에는 공격목표를 중대규모에서 상대의 대대급 진지로 확대했다. 5월 28일, 서부전선의 제19병단도 이번 작전에 참전했다.

지원군사령부는 상대 진영의 내분을 꾀하고 한국정부의 콧대를 꺾으며 휴전회담의 조속한 실현을 위해 이번 작전에 총력을 기울이기로 했다.

그래서 당초 서부전선의 미군을 주공격대상으로 삼으려던 계획을 변경해 동부전선의 국군을 주요목표로 삼고 미군은 중대 이하의 소규모 병력을 공격해 상대적으로 공격의 강도를 낮추는 한편 그 외 다른 국가의 군대에 대해서는 공격을 아예 하지 않기로 했다.

이번 작전의 주공은 동부전선의 제20병단이 맡았다. 작전의 변경으로 지원군사령부는 병력배치를 재조정, 각 군에 하달했다.

"제54군은 서해안에서 제1선으로 진격, 제20병단의 지휘를 받으며 제67군과 교대할 것. 제16군은 서해안에서 제1선으로 나와 제9병단의 지휘 아래 현재 제23, 24군이 맡고 있는 평강지역의 방어를 떠맡을 것. 제24군 예하 204사단은 제68군 편제로 전환할 것. 제21군은 전원 조선에 들어와 주력은 곡산에 두고 지원군 총예비대로 활동할 것."

6월 4일, 제20병단은 작전회의를 갖고 북한강 양쪽에 주둔하고 있던 국군 제8, 제5사단 등 2개 사단을 공격하기로 확정했다. 또 공격 도중 방어선 뒤쪽에서 지원하기 위해 밀려들지 모르는 상대의 2개 사단 이상의 반격에 대해서도 충분히 연구해 대응방침을 정했다.

6월 10일 밤 10시 정각, 보름달이 휘영청 떠올라있었다. 별이 총총 빛나고 있던 하늘에 아군의 포화가 터지기 시작했다. 각종 포탄이 쏟아지면서 설날의 폭죽놀이와 같은 요란한 소리가 쉴 새 없이 지축을 흔들었다.

20여 분간 야포의 위력공격이 있은 뒤 카추샤 로켓포로 무장한 포병 제21사단이 일제 사격을 시작했다. 우리 측의 포격으로 전선 전면의 상대 진지는 불바다를 이루었다.

지상에서 치솟는 연기가 온 하늘을 뒤덮었고 하늘에 떠 있던 구름마저 붉게 물들었다.

이에 앞서 9일 밤, 제60군의 특공대는 이미 상대 진지 부근에 은밀히 마련해 둔 은신처로 잠입해, 공격개시를 기다리고 있던 터였다.

10일 밤, 부군단장 왕성한(王誠漢)의 지휘 아래(군단장 장조량(張祖諒)은 당시 현직에 없었음) 제60군은 3개 연대 병력을 투입, 상대 진지로 몰려들었다.

공격역량을 분산시켜 동쪽과 북쪽 2개 방향으로 공격했다. 1시간이 채 못 돼 상대의 1개 연대 병력을 무력화시켰다.

제60군의 이 같은 전공은 전쟁이 진지전으로 전환된 이래 한 번의 전투에서 상대 병력에 타격을 입힌 것으로는 최대 규모였다.

6월 15일까지 제60군은 42㎢의 땅을 차지했다. 제60군은 5차 전역 당시 180사단이 궤멸된 적이 있었다. 이번은 설욕전이라 할 수 있었다.

6월 11일, 제67군의 공격차례였다. 제67군은 8개 중대 병력을 상대 진지 앞에 우리가 몰래 파놓은 엄폐호로 침투시켰다.

하루가 지난 뒤 12일 밤, 제67군은 3개 병력을 국군 8사단 21연대의 주진지로 보내 공격을 감행했다. 이곳은 국군이 자랑스럽게 여기던 '경기보루'라는 이름을 가진 '시범진지'였다.

얼마 되지 않아 제67군은 '시범진지'를 점령했다. 3일 만에 제67군은 12㎢의 땅을 되찾았다. 같은 기간 제19병단 예하 제1, 46군단과 제9병단 예하 제23, 24군도 공격을 개시했다. 그 결과 각각 1.5㎢와 1㎢씩 상대를 남쪽으로 밀어붙였다.

지원군이 각 전선에서 예상 외로 압승을 거두자 유엔군 사령관 클라크 장군과 워싱턴의 정책결정자들은 당황하게 됐다. 6월 15일 저녁, 팽덕회 사령관이 북경에서 전보를 보내왔다.

> 우리 측 정전담판 대표단이 전화로 보고해 온 바에 따르면 군사분계선은 기본적으로 이미 합의했다고 함. 오늘밤(6월 15일) 자정을 기준으로 그 이전까지 점령한 땅에 한해 유효한 것으로 간주되며 이후 점령한 것은 무효라는 것임. 우리 지원군과 조선인민군은 휴전의 조속한 실현을 위해 내일(16일)부터는 주도적인 공격을 하지 말기를 바람. 단, 현 진지의 사수를 위해서 상대측의 어떠한 공격도 단호히 대처하기 바람. 끝까지 최선을 다하도록.

팽 사령관의 전보를 보고 나서 우리들은 모두 기쁨을 감추지 않았다. 3년 동안 끌어오던 전쟁이 마침내 끝나게 된 때문이었다.

15일 저녁 7시, 우리는 연합군사령부의 명의로 지원군 각 군 사령부와 조선인민군 각 군단에 '16일부터 주도적인 공격은 하지 말라'는 명령을 하달했다.

이번 반격작전으로 아군은 1백40㎢라는 적잖은 땅을 도로 찾아 군사분계선 확정에 엄청난 이익을 보게 되었다.

그러나 승리의 기쁨도 잠시, 갑자기 불길한 소식이 전해졌다. 6월 18일, 즉 군사분계선이 확정된 지 3일째 되던 날, 한국정부는 돌연 '현지석방'이라는 이름으로 조선인민군 포로 2만 7천여 명을 포로수용소에서 국군의 훈련소로 옮겼다.

전쟁포로 송환에 대해 쌍방이 합의한 결과를 완전히 무시한 행동이었다. 당연히 한국정부의 행동은 국제적으로 엄청난 반향을 불러일으켰다.

아군수뇌부에서는 "이대로는 안 된다."는 불만의 소리가 터져 나왔다. 실력으로 뭔가를 보여주어야 한다는 목소리가 높아지기 시작했다.

휴전협정조인

1953년 6월 18일, 한국 정부가 일방적으로 조선인민군 포로 2만 7천여 명을 '현지석방'하자 김일성 수상과 팽덕회 지원군 사령관은 이튿날인 19일, 유엔군 사령관 클라크 장군에게 질의서를 보냈다.

"유엔군사령부는 한국정부와 군대를 통제할 능력이 있는가."를 물었던 것이다.

6월 20일, 팽 사령관은 정전협정 조인 준비차 북경에서 개성으로 나왔다. 그는 도중에 평양에서 모 주석에게 전보를 보냈다.

모 주석, 20일 새벽 안동에 도착했음. 조선 남북에 골고루 비가 내리고 있음. 그래서 대낮에 승용차로 대사관에 왔음. 이극농, 등화와 전화통화를 했음. 현재 상황에 비추어볼 때 정전협정 조인을 월말로 미루는 게 좋을 듯함. 상대의 내부모순을 심화하기 위해 또다시 타격을 가해 국군 1만 5천 명을 살상할 계획임.(등화 말로는 6월 보름 동안 국군 1만 5천 명이 인명피해를 입었다고 함) 이 뜻은 이미 등화에게 알려 주도면밀하게 처리하라고 알렸음. 내일 21일 김 수상을 만나고 22일 지원군사령부에 가서 휴전 후 각종 조치사항을 준비할 생각임. 가부간 지시를 바람.

모 주석은 팽 사령관의 전보를 받고 곧 답전을 보내 동의를 나타냈다.

6월 20일 22시 전보 받았음. 휴전협정조인은 반드시 늦추어야 함. 언제까지 미룰지는 상황전개를 보아 결정할 수 있음. 국군 만여 명을 살상하는 것이 급선무임.

당시 상대는 금성 남쪽, 북한강 서쪽에서 4개 사단의 진지가 돌출된 상태였다. 게다가 아군은 상대의 제1선방어진지의 시설상황을 완전히 파악한 뒤였다. 이런 사정에서 아군은 4개 군 병력과 4백여 문의 대구경야포를 집중시키고 있어 보다 큰 규모의 공격을 시도할 역량을 보유하고 있었다. 따라서 모 주석의 회신을 받은 후 지원군당위는 펑 사령관이 직접 주재한 가운데 회의를 열어 전선 전반에 걸쳐 제3차 공격을 즉각 시작하기로 결정했다. 이어 각 병단과 각 군에 다음과 같은 지시를 내렸다. "미군과 기타 외국군대를 주공의 대상으로 삼지 말것. 단 아군에 공격해 오는 상대는 누구를 막론하고 철저히 응징할 것."

24일, 제20병단이 지원군사령부에 보고해 왔다. 그들이 현재 지휘하고 있는 제67, 68, 60, 54군과 지원군사령부가 임시로 보강해 준 제21군 등 5개 군의 강력한 병력으로 금성 이남, 북한강에서 상소리 사이에 25km 구간에서 공격을 실시하는 한편 돌출된 금성 이남 전선을 밀고 내려가 국군 수도사단, 국군 제6, 8, 3사단 타격을 전역의 목적으로 삼았으면 한다는 건의였다. 7월 상순 전역준비를 끝내고 7월 10일 전후 공격을 하겠다는 것이다.

금성 이남 지역은 유엔군방어선의 돌출부였다. 일대 동북쪽 산은 높고 가팔라서 천연의 요새였다. 북쪽, 서북쪽의 산세는 비교적 야트막했다. 금성 서남쪽의 지형은 개활지여서 은폐가 쉽지 않았다. 동쪽에 있는 북한강은 수심이 2.5m에 이르러 건널 수 없었다. 서쪽의 남대천은 쌍방진지의 중간에 있었다. 금성천은 금성 서쪽에서 동남쪽으로 휘돌아 북한강과 합류했다. 평상시 수심은 1m가 채 되지 않았고 비가 많이 와 물이 불 때는 건너기가 어려워 방어선을 깊숙이 치고 들어가는 종심전투에 있어서 비교적 큰 장애물이었다.

이 돌출부 방어를 맡고 있는 것은 국군 수도사단과 제6, 8, 3사단이었다. 그들의 진지는 일반적으로 땅굴, 반땅굴 공사와 대량의 화력점, 토치카군을 지어 참호, 교통호등과 연결시켜 놓았다. 또 진지 앞에는 3~15겹의 철조망을 쳐놓고 각종 지뢰를 매설해 놓는다. 방어선은 150~300m에 이르러 비교적 완벽하고도 거점식의 견고한 원형방어체계이다. 그러나 방어선을 두터이 하는 진지공사는 비교적 허술했다.

6월 25일 지원군 사령관은 제20병단의 작전계획을 승인했다. "제20병단은 대담하게 작전을 벌일 것. 반격이 성공하고 상황이 유리할 경우 상대의 방어선을 깊숙이 치고 들어가 한계를 정한 상태에서 확장공격을 계속할 것"이라고 지시했다. 동시에 다른 전선 정면의 각 군에는 "공격준비는 하되 기본적으로 방어태세를 취하라."고 지시했다. 상대가 공격해 오면 섬멸하라고 말이다. 제9병단 24군에게는 병단의 우익안전을 책임지라고 명령했다.

지원군 사령관의 지시를 받자 제20병단 신임사령관 양용(楊勇), 정치위원 왕평 주재하에 군당위원회와 사단 이상 간부회의를 소집해 소속 5개 군을 3개 작전집단군으로 편성하기로 결정했다. 제67군과 제54군 제135사단, 제68군 제202사단(제605연대제외)은 중앙집단군, 제68군(제202사단 제외)과 제54군 제130사단은 서집단군으로 정했다. 또 제60군, 제21군(제33사단 포함)과 제68군 제605연대는 동집단군으로 배치했다. 중앙집단군은 관악리 교암산 일대에서 공격을 실시한다. 서집단군은 외야동, 회고개 일대에서 공격한다. 동집단군은 북한강 서쪽 기슭의 제60군이 송실리 용호동 일대에서 밀고 들어가고 북한강 동쪽의 제21군은 현재진지를 고수하는 한편 적극적인 행동으로 맞서 있는 국군이 서쪽으로 이동을 하지 못하도록 견제했다. 3개 집단군은 전선을 돌파한 뒤 먼저 역량을 한데 모아 금성 서남쪽의 이실동, 북정령, 이선에서 금성천 북쪽에 이르는 적을 공격해 금성 이남 전선에서 균형을 이룬다. 이와 함께 진지를 고수해 국군 3, 4개 사단 규모의 반격에 맞선 뒤 상황을 살펴보고 계속 남쪽으로 진격한다.

3개 집단군은 또 군별로 특공대를 조직했다. 돌파부 적의 종심을 치고 들어가 퇴로를 차단하고 적의 포병을 섬멸하는 것과 함께 유리한 지형을 점령해 제2단계 작전에 유리하게 하기 위해서였다.

지원군 사령관은 제20병단의 부대배치를 승인했다. 제20병단 우익의 안전을 위해 지원군사령부는 제20병단이 공격을 시작한 뒤 제9병단 제24군도 우익에서 공격해 작전에 발을 맞추고 지원군의 다른 군과 인민군 각 군단도 각자 목표를 정해서 공격해 합동작전을 벌이기로 했다.

지원군 후방근무사령부는 오선은(吳先恩) 부사령관을 파견해 사령부전방지휘소를 운영하도록 했다. 제20병단과 함께 전선에서 병참업무를 통괄 지휘하는 한편 10개 수송연대의 2천여 대의 트럭을 모아 밤낮으로 물자 1만 5천 톤을 수송했다. 그중 포탄은 7000톤, 탄알은 70여 만 발이며, 폭약도 124톤이었다.

7월 13일 밤, 짙은 구름이 낮게 드리웠다. 아군의 1천여 문의 화포가 맹렬한 기세로 상대 진지에 포격을 시작했다. 아군 카츄샤포 2개 사단의 공격에 뒤이어 이번 공격의 주력부대인 아군 제20병단 예하 3개 집단군(동, 서 중앙)은 상대 4개 사단, 25km의 상대 방어선 정면으로 밀고 들어갔다. 1시간 만에 전전선에서 상대 진지를 돌파하는 데 성공했다.

이번 작전의 수훈갑은 '서집단군'이었다. 서집단군은 전선돌파 후 파죽지세로 상대방을 유린했으며 미리 침투와 우회를 마친 특공대가 상대 후방방어선을 강력하게 치고 들어갔다. 서집단군 소속 607여단 정찰소대의 13명의 정찰분대는 부소대장 양육재(楊育才)의 지휘로 적진 침투에 성공했다. 그들은 붙잡은 포로들로부터 암구호를 알아낸 뒤 미군고문을 호송하는 국군병사들인 것처럼 위장해 상대의 삼엄한 경계망을 3차례 뚫고 들어가 수도사단 제1연대, 즉 백호부대본부에 침투할 수 있었다. 부대본부에서는 바야흐로 작전회의가 열리는 참이었다. 정찰분대의 기습으로 연대지휘부는 와해됐고 연대장 이하 54명이 사살되고 19명이 생포됐다. 연대지휘부의 통신망을 완전 차단함으로써 국군정예부대인 백호연대를 쉽사리 궤멸상태에 빠뜨릴 수 있었다.

이 정찰분대는 사단 주력전투를 매우 효과적으로 지원해 백호부대 전멸에 크게 기여했다. 이어 야음을 틈타 철수하려던 적을 가로막아 백호부대 후방에 있던 포병대대본부와 차를 타고 지원 나왔던 국군 수도사단 기갑연대 2대대 본부를 섬멸시키는 한편 기갑연대장 육근수(陸根洙) 대령을 사살했다.

14일 벼락이 내리치고 소나기가 엄청나게 쏟아졌다. 아군은 미군전투기의 활동이 제약을 받음에 따라 신속하게 공격을 확대했다. '서집단군'은 이날 하오 이실동~간주현을 잇는 선까지 밀어붙였고 이 과정에서 제68군 제204사단은 국군 수도사단 부사단장 임익순(林益淳) 대령을 생포했다.

제54군 제130사단 일부는 424.2고지를 점령했으나 동굴 안에 있던 적들을 빨리 정리할 수 없어 봉화산에 대한 공격이 늦어졌다.

상대의 주요진지인 교암산은 토치카가 빽빽이 들어서 있고 참호가 종횡으로 파여 있어 공격하기가 아주 까다로웠다. 2개 연대 병력이 방어하고 있었다. 전투 전에 적들은 아군이 교암산을 차지하기란 근본적으로 불가능하다고 여겼다. 그들의 고성능 마이크는 끊임없이 우리들에게 선전했다. "교암산은 철옹성이니 공산군장병들은 빨리 투항하라. 헛되이 죽지 말라."고 부르짖었던 것이다.

중앙집단군은 돌파에 좌익 제199사단이 교암산에 대한 공격을 하다 상대의 완강한 저항에 부닥쳐 전투가 격렬해졌다. 아군의 인명피해가 많았다. 우익 제200사단은 그날 밤 전선돌파 후에 신속하게 상대의 종심을 깊숙이 치고 들어가 용연리, 동산리를 점령했다. 국군 6사단 방어진지를 갈라 교암산과 봉화산의 적측후에 심각한 위협을 가했다.

반면 '동집단군'은 준비가 촉박한 데다 공격정면이 좁았고(겨우 5km) 주요 공격부대가 진로를 잘못 잡는 바람에 진격속도가 느려 당일 저녁 무렵 세현리를 점령했을 뿐이었다.

제24군은 전선돌파 후 주자동 남쪽 산, 행정의 서쪽 산에 있던 적을 섬멸하고 황혼부령 432.8고지와 양극 북쪽 일대를 점령했다. 제20병단 우익의 안전을 확보한 셈이다.

아무튼 14일 밤까지 금성천에 있던 상대를 모조리 몰아낼 수 있었다. 지원군사령부는 14일 15시 제20병단에 전보를 보내 명령을 하달했다.

주력은 현점령선을 장악할 것.
신속히 땅굴공사, 도로건설을 하고 물자탄약 운반을 할 것.
포병진지를 전진 배치해 상대의 반격을 분쇄하도록 준비할 것.
동시에 약간의 특공대를 조직해 상대의 혼란을 틈타 각각 남쪽으로 파고들 것.

우리의 막판공격이 예상 외로 위력을 발휘하면서 특히 '서집단군'의 남진이 상대의 김화 요충지에 위협이 될 정도에 이르자 상대는 미제3사단을 동원해 아군의 공격을 저지했다.

지원군사령부는 서집단군과 제24군에 14일 밤 명령을 내렸다. 상대의 반격에 적극 맞서는 한편 공격을 최선의 방어로 여겨 일정 정도까지는 계속해서 상대 방어선을 깊숙이 치고 들어가 전과를 올리라는 주문이었다. 이와 동시에 동집단군은 제2선의 제180사단 2개 연대를 금성천 도하 후 신속하게 남진하도록 했다. 중앙집단군도 제135사단 1개 연대와 1개 대대 병력을 계속 남진하도록 했다. 15일 아군의 3개 집단군은 모두 전진을 시작했다.

이때 상대의 전역예비대인 국군 제11사단과 제7사단이 전장에 접근했다. 연일 비가 축축이 내려 강물이 갑자기 불어난 데다 금성천 교량이 전부 적기공습으로 무너졌고 아군이 새로 건설한 도로가 신통찮아 진흙탕으로 변해 포병의 병참보급도 곤란을 겪게 되었다. 때문에 지원군사령부는 아군 주력부대에 16일 명령을 내려 방어로 전환해 병력을 정돈하면서 땅굴공사와 도로건설, 탄약물자 수송에 만전을 기해 적들의 반격을 물리치도록 했다. 아울러 몇 개의 특공대를 적이 혼란한 기회를 틈타 계속 전진해 유리한 진지를 점령하도록 했다.

국군이 아군에게 일격을 당하자 이승만 대통령은 미군이 전혀 거들떠보지 않았다고 섭섭해 한 데 비해 미군은 이승만의 무능을 비난했다. 16일 유엔군 총사령관 클라크 장군과 미제8군 사령관 테일러 장군이 서둘러 금성전선으로 달려와 병력을 정돈하고 반격준비를 시작했다.

그날, 적들은 국군 제3, 6, 8사단 잔여병력과 국군 제5, 7, 9, 11사단과 미제3사단 등이 아군에게 반격을 시작했다. 공격의 중점은 아군 동집단군이 지키는 흑운토령, 백암산을 잇는 돌출진지로 잃은 땅을 되찾으려 했다. 17일, 적은 6개 연대 병력과 전투기 1백여 대, 대량의 포병 지원을 받아 아군의 동집단군 진지에 맹공을 가했다. 아군 동집단군은 포병지원이 전혀 없는 상황에서 상대와 하루 종일 격전을 벌였다. 이때 지원군사령부와 제20병단 지휘부는 흑운토령과 백암산 등 동집단군이 점령한 진지들이 지나치게 돌출된 데다 배수작전을 벌여야 한다는 부담감이 있다고 판단했다. 또 이 진지로 통하는 아군의 도로와 교량이 모조리 파괴돼 물자보급과 포병지원이 해결될 수 없다고 생각했다. 그래서 동집단군에 1개 대대 병력으로 461.9고지의 유리한 진지를 계속 지키도록 하면서 나머지 병력은 그날 밤 전원 금성천 북쪽으로 철수시켰다. 중앙집단군과 서집단군도 적당한 선으로 물러났다.

17일 밤 18시 지원군사령부는 전군에 지시를 시달했다.

> 최근 판문점에서 회담하는 상대의 태도가 강경하게 바뀌었다.
> 또 클라크, 테일러가 어제 전선으로 날아와 고급간부회의를 열어 최대의 반격을 펴 금성 남쪽에 빼앗긴 진지를 되찾겠다고 큰소리치고 있다. 상대의 반격규모와 치열함의 정도는 지난해 가을 상감령전역을 능가할 것으로 예상된다. 아군 공격부대는 긴급행동을 하기 바란다. 새로 점령한 진지공사는 서둘러야 하며 포병화력을 강화하고 수송능력을 제고해 상대의 반격을 되받아쳐 보다 큰 살상과 섬멸에 나서기 바란다. 동시에 기타 정면의 각 군은 적극적으로 맞은편의 상대를 견제할 것을 명령한다.

18일부터 상대의 반격중심이 점차 아군 중앙집단군의 602.2고지와 거리실 북쪽 산 등 진지로 옮겨왔다. 이때 아군 중앙집단군 포병진지는 이미 건설이 끝났다. 또 도로도 개통됐고 전초진지의 장병들은 적의 반격을 기다렸다. 아군은 유리한 지형과 보, 포병의 긴밀한 협동을 받아 적과 치열한 쟁탈전을 벌였다. 더욱이 19, 20일 2일간 상대는 전투기 480여 대, 탱크 30여 대와 맹렬한 야포지원을 받으며 계속해서 맹공을 퍼부어 전투는 가열되기 시작했다. 아군은 희생을 두려워 않고 끝까지 버텨냈다. 동집단군 정면에서 적들은 계속 반격을 해와 461.9고지를 빼앗으려 했으나 뜻을 이루지 못했다. 전투는 27일까지 계속돼 아군은 모두 5만여 명을 섬멸했으며 금성전역을 성공리에 끝마쳤다.

금성반격작전에서 아군은 전선에서 상대의 39개 목표물을 공격, 1백 78㎢의 땅을 되찾아 전선을 금성 이남 쪽으로 밀어붙였다.

모택동 주석은 이번 전역에 대해 높은 평가를 내렸다. 그는 「항미원조의 위대한 승리와 앞으로의 임무」라는 글에서 "금년 여름 우리는 1시간 만에 상대의 정면진지 21㎞를 돌파할 수 있었고 수십만 발의 포탄을 집중 사격할 수 있었다. 이런 식으로 2번, 3번, 아니 4번만 공격을 더 시도할 수 있었다면 전전선을 무너뜨릴 수도 있었을 것"이라고 지적했던 것이다.

우리 측의 공격이 매서워지자 상대는 어쩔 수 없이 휴전협정을 보장한다고 나설 수밖에 없었다. 1953년 6월 29일, 유엔군 총사령관 클라크가 김일성 수상과 팽덕회 사령관에게 답신을 보내와 "앞으로 휴전협정의 준수를 보장한다."고 밝혔다. 7월 13일부터 19일까지 미국 측 정전회담 수석대표 해리슨은 "유엔군은 대한민국의 군대를 포함해서 정전협정을 실시할 준비가 되어 있다."며 "대한민국이 정전협정을 파괴하는 행위를 하는 경우 유엔사령부의 지지를 얻지 못할 것."이라고 못 박았다.

우리 측은 미국 측이 우리에게 충분한 보장을 했다고 판단해 하루 빨리 전쟁을 끝내기를 바라는 입장에서 휴전협정에 조인하자는 미국 측의 요구를 들어주기로 했다.

7월 24일, 우리 측과 유엔군 측 쌍방 정전회담 대표는 군사분계선을 최종 확정했다.

이번의 군사분계선은 3번째 마련된 것이었다. 첫 번째는 51년 11월 27일이었다. 그 후 전황의 변화에 따라 쌍방은 두 번째로 53년 6월 17일 군사분계선을 수정했다. 2차의 분계선은 1차 때보다 1백40㎢ 더 남쪽으로 내려갔다.

이번 3차 군사분계선에서 우리는 1백92.6㎢ 남진했다.

1953년 7월 27일 오전 10시 쌍방 대표는 판문점에서 한국정전협정 및 임시보충협의에 조인했다.

조선인민군 최고사령관 김일성, 중국인민지원군총사령관 팽덕회와 유엔군 총사령관 클라크가 각기 정전협정에 사인했다. 협정은 27일 한국 시간으로 하오 10시부터 발효되는 것으로 규정되어 있었다.

조선정전협정의 사인이 끝난 후 김일성 사령관과 팽덕회 사령관은 정전명령을 발표해 1953년 7월 27일 22시부터 즉 정전협정 조인 12시간 뒤부터 조선의 모든 지역에서 전쟁을 완전히 멈춘다고 밝혔다.

정전협정 발효 72시간 내에 쌍방은 이미 선포된 군사분계선에서 각각 2㎞씩 물러나 다시는 비무장지대에 발을 들일 수 없게 됐다.

한편 유엔군 총사령관 클라크는 예하 부대에 하달한 글을 통해 "협정에 조인하는 것이 당장 혹은 빠른 시일 내에 한국에서 철수하는 것을 의미하는 것은 아니다."라고 강조했다. 충돌은 아직 끝나지 않았으니만큼 자기네의 역량을 계속 한국에 유지하겠다는 뜻이었다. 반면 한국 대통령 이승만도 성명을 발표해서, "나는 정전협정 조인에 반대한다."고 분통을 터뜨렸다.

클라크 대장은 훗날 쓴 자신의 회고록에서 협정조인 당시의 심경을 이렇게 나타냈다.

"나는 역사상 승리하지 못한 정전협정에 조인한 최초의 미육군 사령관이었다."

"나는 실망이 너무 커 가슴이 미어지는 것 같았다."

김일성 별장의 정전축하 만찬

7월 31일 팽덕회, 등화, 양득지, 나, 이달, 이지민 등 중국지원군사령부 지휘관들은 김일성의 초청을 받고 평양에 도착, 조선최고인민회의 상임위원회가 주최한 훈장수여식에 참석했다.

수여식에서 중국인민지원군의 위대한 공적을 기려 중국인민지원군 총사령관 팽덕회에게 '조선민주주의인민공화국 영웅' 칭호와 1급 국기훈장 금성장이 수여되었다.

훈장수여식이 끝난 뒤 조선노동당정치국은 지원군지휘관들을 위해 초청연회를 베풀었다. 연회장은 김 수상 관저에서 그다지 멀지 않았다. 동굴 앞 조그만 별장이었다.

그곳에는 많은 술이 마련되어 있었다. 술을 마시게 되자 김 수상이 곧장 내게로 오더니 술을 권했다.

그는 우리 일행 중 나 혼자 술을 마시지 못한다는 사실을 알고 있었기 때문에 나를 집중적으로 공략한 것이다.

그렇지 않아도 이런 일이 벌어질지 모른다는 생각에 나도 손수건을 준비해 갔다.

김 수상이 축배를 들었을 때 참석자 모두 마셨는데 나는 조금만 삼키고는 나머지는 손수건에다 뱉어버렸다.

술자리가 무르익자 우리들은 차례로 김 수상에게 술잔을 올렸다. 술자리의 규칙상 올리는 사람이 먼저 한 잔을 비워 자신의 성의를 나타내야 했다. 내 차례가 왔을 때 반쯤 마시고 나머지는 손수건에 버려야겠다고 생각했다. 정작 술잔을 반쯤 들이켜니 얼굴이 화끈거렸다. 내가 김 수상에게 술잔을 올리자 그는 얼른 잔을 비우더니 내게 술잔을 도로 넘겨주는 것이 아닌가. 술잔을 비우지 않으면 절대로 갈 수 없다면서 말이다.

김 수상은 말술도 마다않는 대주가였다. 내가 한 잔을 겨우 마실라 치면 그는 어느새 세 잔씩이나 비우는 것이었다.

그는 내가 어찌어찌 해서 한 잔을 비우게 되면 기다렸다는 듯이 잔을 권했다. 더 이상은 도저히 곤란할 지경에까지 이르렀다.

등화가 짓궂게 거들었다. "홍형, 젖 먹던 힘까지 다 내보지." 팽 사령관도 끼어들었다. "김 동지가 권하는데 술 한 잔 정도 마시는 걸 가지고 뭘 그래." 분위기가 그러니 마냥 뺄 수가 없었다. 아무튼 그날 김 수상이 어느 정도 마셨는지 모른다. 나는 너무나 취해 혀가 제대로 돌아가지 않았다.

나중에 김 수상, 팽 사령관, 등화, 양득지, 이달, 이지민 등 애주가들은 본격적으로 술을 마시기 시작했던 모양이다. 모두들 술자리가 끝났을 때 걸음을 제대로 걷는 사람이 없을 정도였다는 얘기를 들었다.

8월 1일, 온 하루를 푹 쉬었다. 이튿날 오전, 김 수상이 우리를 찾아왔다.

"그저께는 승리를 축하하다 보니 너무나 기분이 좋아 그만 과음을 하고 말았습니다."

김 수상은 이어 "지원군에게 감사드립니다. 이번 전쟁에서의 승리는 결코 쉬운 일이 아니었습니다. 앞으로 조선을 재건하는 데도 지원군의 많은 도움을 바랍니다."고 덧붙였다. 김 수상과의 접견이 끝난 뒤 우리는 지원군사령부가 있는 회창으로 되돌아왔다.

8월 3일, 회창에서도 성대한 전승축하연이 베풀어졌다. 저녁에 회창의 지하동굴 대강당에서 무도회가 열렸다. 춤의 상대는 지원군문화예술공작단의 여성단원들이었다. 무도회가 시작되자 지원군사령부 지휘관들이 모두 무대로 나갔다. 그러나 전혀 춤출 줄 모르는 팽 총사령관만이 자리를 지키고 있었다.

그는 연신 박수를 보내면서 분위기를 돋굴 뿐 무대로 나설 생각은 하지 않는 듯했다. 나이 어린 여성대원들이 적잖게 팽 사령관에게 달려가 함께 춤을 추자고 권유했음은 물론이다. 그러나 그는 일일이 정중하게 거절했다. 나중에 공안 1사단 소속의 소녀티가 밴 나이 어린 대원이 팽 사령관 앞으로 다가갔다. 그녀는 웃으면서 "사령관 할아버지, 함께 춤추실까요." 하고 말했다.

팽 사령관은 그녀가 진지하고도 깜찍하게 요청하자 더 이상 물리칠 수 없다고 생각한 모양이다.

"내가 춤을 못 춘다만 네 요청을 기꺼이 받겠다. 너와 한 바퀴 돌면 되겠지."

말을 마치자 팽 사령관은 소녀대원의 손을 잡고 무대에 나가 한 바퀴 원을 돌았다. 무도장의 동지들이 이 모습을 보고 감동해서 스텝을 멈추고 박수세례를 보냈다. 실로 감격적인 장면이었다.

나는 지원군 사령관으로서 조선에 들어와 전쟁에 참가한 지 4년 가까이 되었지만 팽 사령관이 춤추는 모습을 본 것은 이때가 처음이었다. 팽 사령관이 저토록 기뻐하는 모습을 지켜보면서 나도 모르게 눈시울이 뜨거워졌다. 전쟁에서의 갖가지 어려움이 주마등처럼 스치면서 우리가 이 항미원조전쟁에서 마침내 승리를 거두었다는 생각에 가슴이 벅차도록 감격스러웠다.

조선전쟁을 끝내게 한 것은 우리 지원군이 조국의 인민들로부터 부여받은 '미국의 침략에 맞서 조선을 도와주어야 하며 가정과 국가를 지켜야 한다'(抗美援朝, 保家衛國)는 신성한 사명을 완수했음을 상징하는 것이었다.

이번 전쟁의 승리는 중국과 조선의 위대한 승리이며 역사적인 의미를 지니는 승리이기도 했다. 팽 사령관이 전쟁이 끝난 뒤인 1953년 9

월 행한 '중국인민지원군의 항미원조 공작에 관한 보고'가 이를 잘 나타내고 있다.

"지난 몇백 년 동안 서방침략자들이 동방의 해안가에 대포 몇 문을 설치해 놓고 남의 나라를 손쉽게 빼앗던 시대는 가버렸다는 것을 이번 항미원조전쟁에서 승리했다는 사실이 웅변적으로 증명하고 있다."

• 저자 •

홍학지
(洪學智)

1913년 2월 河南省 商城縣(지금의 安徽省 金寨縣) 출생
1929년 적성현 유격대 참가. 중국 공산당 가입
1935년 장정 참가
1950년 10월 중국인민지원군 부사령관으로 한국전쟁 참전
1951년 중국인민지원군 후방근무사령관을 겸임하면서 전방 부대 보급 진두지휘
1953년 8월 북한에서 귀국
1954년 인민해방군 총후근부장(당시 국방부장은 팽덕회 전 중국인민지원군 사
령관). 전군 병참체계구축에 주력
1955년 군 계급을 처음 만들 당시 상장 계급 받음
1959년 여산 회의에서 팽덕회 당시 국방부장이 모택동 주석을 비판하다 실각
하면서 팽덕회 일파로 연루되어 모든 군직에서 해임
1960년 길림성 농기계청장으로 좌천
1970년 농장에서 노동개조 생활
1977년 사인방 실각 이후 복권. 국무원 국방공업판공실 주임
1980년 인민해방군 총후근부장으로 복귀
1982년 중앙군사위원회 부비서장겸 총후근부장
1985년 총후근부장 겸 총후근부 정치위원
1988년 군 계급제도 부활 이후 다시 상장 계급 받음(상장을 2차례 받은 유일
한 장군)
1990년 중국 인민정치협상회의 부주석
1998년 모든 공직에서 은퇴
2006년 11월 20일 북경에서 93세로 별세

• 역자 •

홍인표
(洪仁杓)

고려대 영문과 졸업
동대학원 중문학 박사
경북대, 영남대 강사 역임
현재 경향신문 베이징 특파원

중국학 총서 **5**

중국이 본 한국전쟁

• 초판 인쇄	2008년 6월 30일
• 초판 발행	2008년 6월 30일
• 지 은 이	홍학지
• 옮 긴 이	홍인표
• 펴 낸 이	채종준
• 펴 낸 곳	한국학술정보㈜
	경기도 파주시 교하읍 문발리 513-5
	파주출판문화정보산업단지
	전화 031) 908-3181(대표) · 팩스 031) 908-3189
	홈페이지 http://www.kstudy.com
	e-mail(출판사업부) publish@kstudy.com
• 등 록	제일산-115호(2000. 6. 19)
• 가 격	29,000원

ISBN   978-89-534-9631-6 93300 (Paper Book)
        978-89-534-9632-3 98300 (e-Book)